D0255602

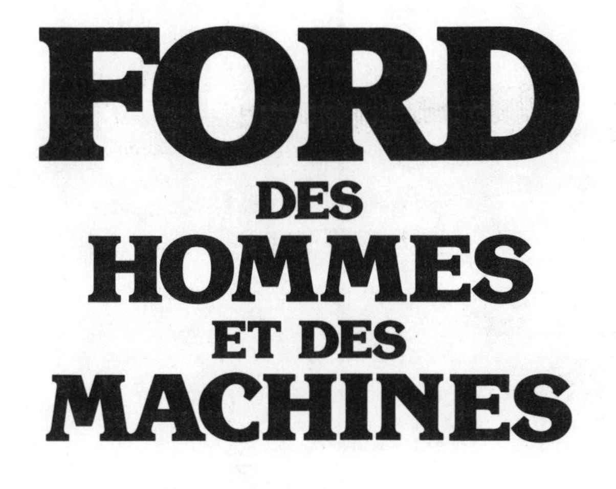
FORD
DES
HOMMES
ET DES
MACHINES

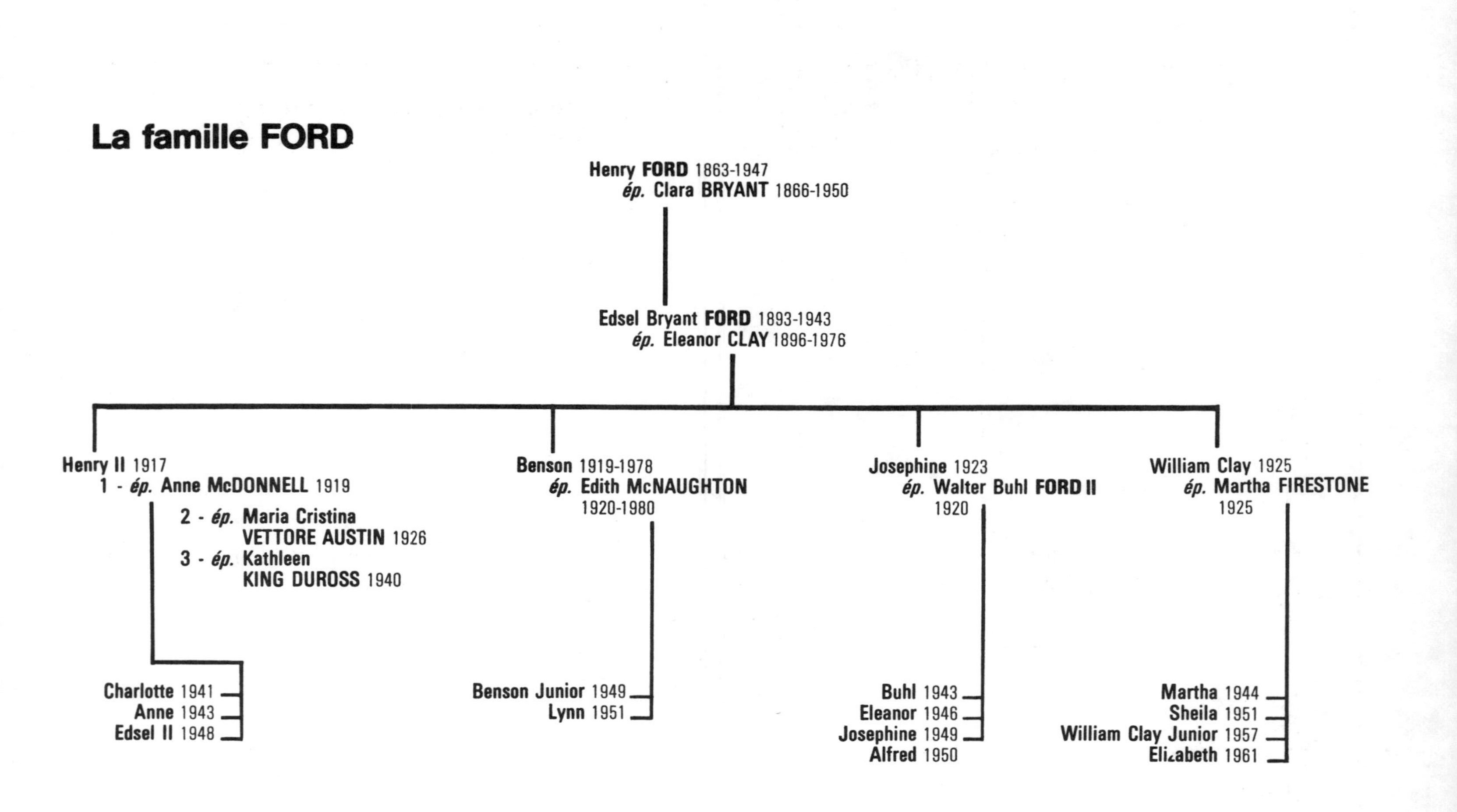
La famille FORD
Henry FORD 1863-1947
ép. Clara BRYANT 1866-1950
Edsel Bryant FORD 1893-1943
ép. Eleanor CLAY 1896-1976
Henry II 1917
1 - ép. Anne McDONNELL 1919
2 - ép. Maria Cristina VETTORE AUSTIN 1926
3 - ép. Kathleen KING DUROSS 1940
Benson 1919-1978
ép. Edith McNAUGHTON 1920-1980
Josephine 1923
ép. Walter Buhl FORD II 1920
William Clay 1925
ép. Martha FIRESTONE 1925
Charlotte 1941
Anne 1943
Edsel II 1948
Benson Junior 1949
Lynn 1951
Buhl 1943
Eleanor 1946
Josephine 1949
Alfred 1950
Martha 1944
Sheila 1951
William Clay Junior 1957
Elizabeth 1961

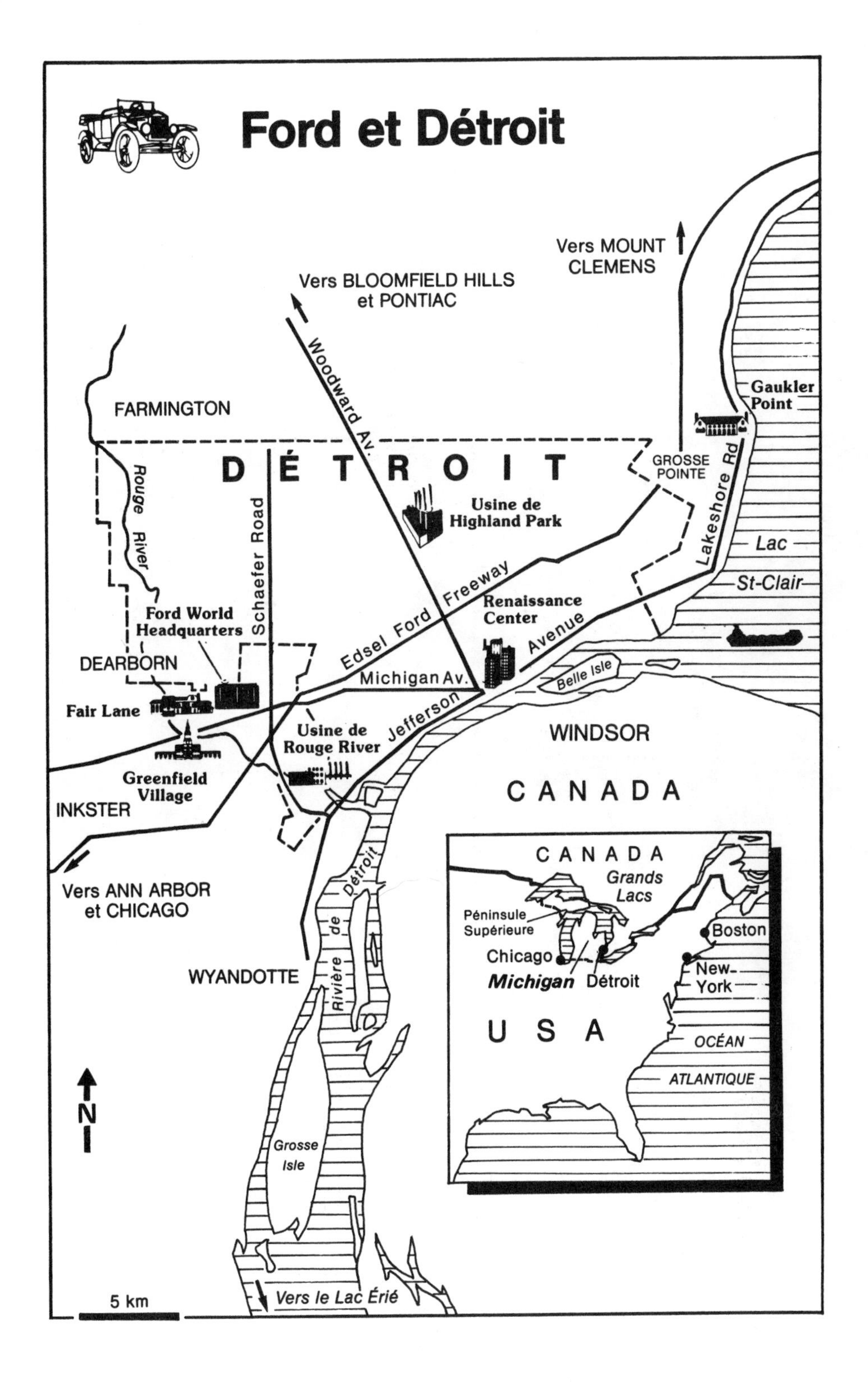
Ford et Détroit
Vers MOUNT CLEMENS
Vers BLOOMFIELD HILLS et PONTIAC
Woodward Av.
FARMINGTON
Gaukler Point
DÉTROIT
GROSSE POINTE
Rouge River
Schaefer Road
Usine de Highland Park
Lakeshore Rd
Lac St-Clair
Edsel Ford Freeway
Renaissance Center
Ford World Headquarters
Avenue
DEARBORN
Michigan Av.
Belle Isle
Fair Lane
Jefferson
Usine de Rouge River
WINDSOR
Greenfield Village
CANADA
INKSTER
Vers ANN ARBOR et CHICAGO
Rivière de Détroit
CANADA
Grands Lacs
Péninsule Supérieure
Boston
Chicago
New-York
Michigan
Détroit
WYANDOTTE
USA
OCÉAN ATLANTIQUE
N
Grosse Isle
5 km
Vers le Lac Érié

ROBERT LACEY

FORD
DES HOMMES ET DES MACHINES

PRESSES DE LA CITÉ

Titre original :

FORD
The Men And The Machine

Traduit de l'américain par Josie Fanon

Maquette de la couverture : France Lafond

244, rue Saint-Jacques, bureau 200, Montréal, H2Y 1L9

Dépôt légal :
4e trimestre 1987

ISBN 2-89111-335-7

Les hommes et la machine

Par une journée de novembre 1975, Henry Ford II, qui était sorti de chez lui pour faire une courte promenade, ressentit brusquement une vive douleur au côté gauche. C'était un homme de stature imposante, corpulent et légèrement bedonnant. Il s'affaissa sur le bord du trottoir. Des voisins accoururent et le trouvèrent là, assis et pratiquement incapable de respirer et de parler.

On pensa à une attaque, mais le diagnostic des médecins fut plus rassurant. Ce n'était que le symptôme d'une angine de poitrine. Néanmoins cela signifiait à peu près la même chose : un rétrécissement des artères, le sang qui circulait plus lentement. Des soins urgents s'imposaient. Mais surtout, pour la première fois, la mort venait de frôler Henry Ford II de son aile. Il n'avait que 58 ans.

Son grand-père, Henry Ford I, avait vécu jusqu'à 83 ans, mais, dans la famille, on avait toujours eu des problèmes cardiaques. Benson, le frère d'Henry, avait été sérieusement alerté par un infarctus vers l'âge de 30 ans. Sa mère elle-même souffrait d'angine de poitrine.

Les médecins d'Ann Arbor se prononcèrent immédiatement pour un pontage et l'on prépara tout pour l'opération. Cependant, à l'hôpital Henry-Ford, les spécialistes furent moins catégoriques. Après avoir consulté six cardiologues renommés, Henry Ford II renonça à se faire opérer. Il prendrait des médicaments, se soignerait sérieusement et surveillerait son hygiène de vie : plus d'exercice et moins de stress.

Quelques semaines plus tard, il se séparait de sa deuxième femme, Cristina. Il avait mené pendant longtemps une double vie, prétextant des « voyages d'affaires », le travail qui le retenait le soir à son bureau, et encourageant son épouse à sortir sans lui. Finalement le roi de l'automobile fut arrêté par la police à Santa Barbara. Il conduisait en état d'ivresse, sa maîtresse à son côté. L'affaire fit scandale mais lui apporta en même temps un certain soulagement. Il dut choisir entre les deux femmes. C'est ainsi qu'il fit ses valises et quitta sa maison des bords du lac.

Il y avait exactement trente ans qu'Henry Ford II avait pris les rênes du pouvoir mais désormais, avec cet accident cardiaque, l'heure était venue de penser à sa succession. Il ne pouvait plus éviter d'affronter le problème qu'il avait toujours éludé : Lee Iacocca.

Quand on arrive à Detroit en venant de l'aéroport, on aperçoit sur la droite un panneau d'affichage monumental. On peut y voir un compteur kilométrique de voiture dont l'aiguille se déplace. Il ne s'agit pas d'une affiche mais d'un véritable compteur électronique géant qui indique le nombre de voitures fabriquées dans les usines de la cité de l'automobile. Dans les bonnes années, le dispositif clignote environ toutes les secondes, ce qui représente 34 000 voitures par jour et 8 millions par an.

D'autres pays développés comme le Japon, l'Allemagne ou la Grande-Bretagne possèdent une puissante industrie automobile, mais nulle part au monde on ne retrouve une telle concentration. Et, de tous les noms de constructeurs, celui de Ford est le plus prestigieux.

A Detroit, ces quatre lettres vous poursuivent partout : l'hôpital Ford, l'auditorium Ford, la rue Ford. La voie express qu'on emprunte pour venir de l'aéroport s'appelle l'autoroute Edsel-Ford. Elle traverse les plaines verdoyantes du Michigan où a grandi Henry Ford I. Et c'est là aussi, dans le village de Dearborn – qui est aujourd'hui une ville de la proche banlieue de Detroit – qu'est né le père fondateur. Sur la droite de la voie express, à l'ouest de la cité, s'élève l'usine qui a fabriqué et fabrique encore la majorité des automobiles Ford : celle de Rouge River.

L'usine de la rivière Rouge offre un spectacle fantastique de cheminées, de tours, de toits crénelés qui s'étend sur des kilomètres. Tout a commencé en 1918, à l'époque où le gouvernement américain avait besoin de fabriquer en grande quantité des bateaux de guerre. Il fit alors appel à Henry Ford, le génie de la production en série pour les automobiles. Depuis lors, l'usine n'a jamais cessé de tourner et les voitures en sont sorties par millions : le Modèle T, le Modèle A, la Thunderbird, la Mustang.

A l'époque de sa construction, c'était déjà le plus grand complexe automobile du monde, une merveille des temps modernes. La fascination qu'il exerça subsiste encore de nos jours avec ses hauts fourneaux, ses fours à coke, ses tankers qui amènent le charbon et le fer pour remplir le ventre du monstre.

Henry Ford était un visionnaire. Il voulait contrôler le processus de fabrication du début à la fin, depuis les matières premières jusqu'au produit fini. Il acheta des mines de charbon et de fer dans le nord du

Michigan, des plantations d'hévéas au Brésil, et créa Fordlandia, sur les rives de l'Amazone. Pour construire ses camions, il fit l'acquisition de forêts de pins, et pour transporter ses matériaux jusqu'à Dearborn, il créa sa propre compagnie de navigation.

Ses bateaux, le *Henry II,* le *Benson,* le *William-Clay* sont toujours en activité. Ils portent le nom des membres de la famille Ford, de même que les hauts fourneaux.

Il ne viendrait à l'idée de personne de garer, sur le parking situé au-delà de Miller Road, une Nissan ou une Chevrolet. Une passerelle relie le parking à l'usine. Nuit et jour, les ouvriers l'empruntent. C'est là que, par un après-midi de 1937, au moment du changement d'équipes, Walter Reuther et trois autres dirigeants syndicaux furent frappés par les hommes de main du patron. Et c'est sur Miller Road, à la même époque, que furent abattus quatre manifestants.

L'usine de Rouge River est l'un des sanctuaires du capitalisme, la cathédrale gigantesque et diabolique de l'entreprise privée. Tout au long des nuits, elle rugit et flamboie, projetant dans le ciel ses lueurs rouges.

Ces anciennes méthodes de fabrication des automobiles sont appelées à disparaître. On trouve déjà sur les chaînes de montage des robots et des ouvriers en blouse blanche. Mais, pour l'instant, c'est encore là que frémissent les entrailles industrielles de l'Amérique. L'Europe a ses palais et ses châteaux. Les États-Unis élèvent à la gloire de leur génie une autre sorte de monuments.

Cet ouvrage est consacré à l'histoire de la plus grande famille d'industriels de notre temps. Dans le dernier classement établi par le magazine *Fortune,* on trouve Ford Motor en quatrième position après General Motors et deux compagnies pétrolières. Il existe cependant une différence notable entre cette société et les autres géants de l'industrie : 40 % de son capital est contrôlé par des membres de la famille, ce qui les rend majoritaires par rapport aux autres actionnaires.

Les deux Henry, l'ancêtre fondateur et le petit-fils – qui sauva l'entreprise des conséquences des lubies de son grand-père –, sont les deux personnages principaux de la saga des Ford. Entre eux, Edsel, écrasé par un père tyrannique, fut l'homme de la génération perdue. Son souvenir lui-même s'est effacé devant le succès de son propre fils.

La vérité a souvent été difficile à cerner. En 1964, des représentants de la compagnie Ford firent disparaître des archives de Dearborn de nombreux documents concernant Edsel que l'on n'a jamais retrouvés. Henry Ford II lui-même a détruit les dossiers médicaux de son père et de son grand-père, ainsi que la plupart de ses papiers personnels. Étrangement, il refuse d'expliquer les raisons de ce geste.

D'une façon générale, il n'a pas de goût pour les biographies, qu'il s'agisse de lui ou de sa famille. « Il y a de grandes chances, me dit-il au cours de notre premier entretien, pour que je meure avant que votre livre paraisse. »

Sans me refuser sa coopération, il s'est montré d'une extrême méfiance. Je ne l'ai rencontré que deux fois, au début et à la fin de mon travail, alors que l'ouvrage était prêt à être mis sous presse. Quant à Lee Iacocca, il a carrément refusé de parler. J'ai pu néanmoins m'entretenir avec de nombreuses personnes proches des deux hommes et recueillir ainsi plus de cent quatre-vingts témoignages, y compris ceux de membres de la famille Ford.

Pour me consacrer à ma tâche, j'ai décidé de quitter Londres et d'aller m'installer pendant deux ans avec ma famille dans le Michigan. J'ai beaucoup circulé dans la région. J'ai rencontré des ouvriers et j'ai même travaillé un certain temps sur la chaîne de montage. Je voulais m'imprégner de l'atmosphère de la capitale de l'automobile.

Detroit est une curieuse ville, dynamique et morne à la fois, sophistiquée et banale. Elle est à l'image de l'histoire des Ford qui lui ont imprimé leur marque. La violence du conflit entre Henry Ford II et Lee Iacocca s'est trouvée accrue par ce sentiment de claustrophobie si particulier qui existe dans le sud-est du Michigan. Finalement, ce récit peut commencer avec le voyage dans la région, il y a cent cinquante ans, d'un visiteur européen.

Première partie

L'ascension d'Henry Ford

1

Un fils de fermier

Alexis de Tocqueville débarqua aux États-Unis en mai 1831. Sa déception fut grande. Il espérait arriver dans un pays sauvage et y trouva au contraire la civilisation. Bien vite, il abandonna New York et les villes de l'Est pour s'enfoncer au cœur du continent. Il cherchait la « vraie frontière ». Plus il allait, plus il s'étonnait : où étaient donc les Indiens ?

« Ils étaient là il y a dix ans », lui répondait-on, puis « il y a cinq ans, il y a deux ans ». Finalement, il rencontra des gens qui lui dirent : « C'est nous qui avons coupé le premier arbre de cette forêt. »

Au mois de juillet, alors qu'il se trouvait à Buffalo sur les bords du lac Erié, il apprit qu'un bateau partait pour Detroit et le Michigan dans les vingt-quatre heures. Il monta à bord, convaincu qu'il allait enfin atteindre les limites de la civilisation européenne. Le Michigan combla tous ses vœux; la forêt commençait à un kilomètre de la ville et elle était si dense qu'on pouvait y marcher pendant des jours et des jours sans voir la lumière du soleil. A l'approche d'un campement, le voyageur entendait d'abord le son des cloches suspendues au cou des vaches, puis il apercevait des arbres aux branches dénudées. Faute de temps pour les abattre correctement, les pionniers faisaient autour du tronc de profondes entailles pour empêcher la sève de monter. Leurs récoltes pouvaient ainsi jouir du soleil.

Les hommes accueillaient Tocqueville d'une poignée de main mais sans grand enthousiasme. Leur hospitalité manquait de chaleur. Ils posaient des questions, mais dès qu'ils avaient obtenu les réponses qu'ils désiraient, ils n'ouvraient plus la bouche. Une seule chose les préoccupait : leur survie. Le voyageur notait les réflexions que lui inspirait ce peuple étrange et qui allaient servir de base à son livre *De la démocratie en Amérique.* Il le décrivait comme « une race aventureuse, calculatrice, infatigable, qui entreprend avec flegme des choses que seule la passion peut expliquer et qui fait commerce de tout. »

Tocqueville avait découvert ce qui allait faire le secret de la réussite américaine : « Une nation de conquérants... qui ne s'intéressent qu'aux aspects et aux acquis de la civilisation qui ont une utilité... un peuple qui, comme tous les grands peuples, n'a qu'un objectif et se préoccupe d'obtenir des richesses par son travail avec une persévérance et un mépris de la mort qu'on peut qualifier d'héroïques. »

C'est dans une clairière des forêts du Michigan que naquit Henry Ford, le 30 juillet 1863.

La famille Ford, qui venait d'Irlande, était arrivée aux États-Unis un an après le voyage de Tocqueville. Trente ans plus tard, au moment de la naissance d'Henry, le Michigan avait considérablement changé. Il était devenu un État de l'Union et sa principale ville, Detroit, était un port et un centre commercial florissant. Par de nombreux aspects cependant, elle rappelait encore la vie des pionniers d'autrefois avec ses palissades, l'odeur des souches de bois brûlées et le mauvais état des routes. Les chemins les plus praticables restaient les pistes tracées dans la forêt par les Indiens. Les Ford s'installèrent à Dearbornville – qu'on appellera plus tard simplement Dearborn –, la première clairière située sur la voie empruntée depuis des siècles par les tribus indiennes pour se rendre de la rivière de Detroit à la région où sera construit par la suite Chicago.

Tocqueville avait noté que le prix de la terre était extrêmement bas au Michigan : « Une acre coûte rarement plus de dix shillings, soit environ le prix d'une journée de travail. » C'est ce qui explique l'arrivée massive des Irlandais dans cet État, sans parler des Allemands, des Scandinaves et des Polonais. C'étaient tous des paysans durs à la tâche et rêvant de devenir de riches fermiers. Les Ford achetèrent leur lopin de forêt au gouvernement. Ils entaillèrent les arbres puis commencèrent à défricher le sol. Dans les années 1860, les loups rôdaient dans la forêt et l'on recevait une prime pour les abattre. Au printemps, les femmes recueillaient la sève des érables pour en faire du sirop car il n'y avait pas de sucre. Le thé et, plus encore, le café étaient des produits de luxe. A Noël, les enfants recevaient comme cadeau une orange.

« Mon premier souvenir d'enfance, écrivit Henry Ford à l'âge de 50 ans, remonte au jour où mon père nous a emmenés, moi et mon frère John, voir un nid d'oiseaux près de notre maison. Je me souviens très bien de la grosse souche de chêne, des quatre œufs et de l'oiseau qui chantait. Je n'ai jamais oublié ce chant et j'ai su plus tard qu'il s'agissait de celui d'un moineau. La souche est restée longtemps dans notre champ. »

Henry Ford avait pris l'habitude, à un âge déjà avancé, de noter ce genre d'anecdotes sur un petit carnet bleu où l'on trouvait aussi des numéros de téléphone et les dates des anniversaires de ses petits-enfants. Il avait accompagné l'histoire du nid d'un croquis représentant le champ, avec l'endroit exact où était située la souche, et la maison familiale.

Cette maison est aujourd'hui un lieu de tourisme. Longue et basse, crépie de blanc avec une charpente en bois, elle a été soigneusement restaurée. On trouve d'abord, au rez-de-chaussée, deux salons. Le premier, qu'on utilisait tous les jours, ouvre sur la salle à manger et la cuisine. L'autre, celui « des dimanches », occupe tout le devant de la maison. Un poêle ovale se trouve au centre de cette pièce un peu lugubre. Son tuyau passe à travers le plafond et émerge dans la chambre à coucher pour sortir ensuite à angle droit par une ouverture pratiquée dans le mur. C'est dans cette chambre qu'est né Henry Ford au petit matin du 30 juillet 1863.

Avec ses planchers de bois, ses lampes à huile, ses travaux d'aiguille accrochés aux murs, la demeure nous semble aujourd'hui plutôt modeste. C'était cependant, pour un fermier de l'époque, une riche maison avec ses madriers, son jardin bien entretenu, ses étables et ses dépendances. Elle fut prise pour modèle dans un album édité en 1876 représentant Detroit et ses environs. William Ford, le père d'Henry, était, dans sa communauté, une sorte de notable.

L'imagination populaire se plaît à présenter Henry Ford comme un jeune homme pauvre parti de rien. La description s'applique davantage à son père. William avait traversé l'Atlantique pour fuir la famine qui sévissait en Irlande du Sud. Les Ford, des protestants, étaient de petits métayers de la région de Cork. Les oncles de William émigrèrent les premiers dans les années 1830 et lui prêtèrent de l'argent pour acheter sa terre quand il les rejoignit avec sa famille en 1847. A la naissance d'Henry, il était devenu l'un des plus riches fermiers de Dearborn, possédait plusieurs dizaines d'hectares et vendait ses produits aux commerçants irlandais de Detroit.

Au cours de son existence, Henry Ford devait se montrer fort généreux avec les parents de sa femme et la branche maternelle de sa propre famille. Il accorda même un modeste soutien à sa sœur Margaret restée veuve très jeune. En revanche, il n'eut jamais de liens étroits avec ses frères et les autres Ford, comme s'il refusait de partager avec eux ce nom qu'il avait rendu célèbre. Son père, ses oncles, ses cousins témoignèrent quant à eux d'un réel esprit d'entraide et de solidarité.

William travailla d'abord pendant quelque temps comme charpentier dans les chemins de fer du Middle West, en pleine expansion à cette époque. Grâce à ses économies, il put agrandir ses terres. En 1864, il possédait 60 hectares. Cette même année, il acquit la nationalité américaine.

Une photographie le représente entouré de onze autres notables siégeant comme président du jury d'un tribunal de Dearborn. Il porte un costume trois-pièces avec une magnifique chaîne de montre accrochée à la veste. Le petit émigrant avait fait du chemin depuis qu'il avait pris pied sur le sol américain. Il devint commissaire à la voirie, membre de l'association scolaire, juge de paix après 1877, et même marguillier d'une paroisse bien qu'il fût plutôt libre penseur. Il possédait dans sa bibliothèque les œuvres d'Herbert Spencer, le fondateur de la philosophie évolutionniste, qui vulgarisa l'étude de la sociologie. Un emblème maçonnique était accroché au mur de son salon : un œil entouré des trois mots Foi, Espérance, Charité. Son fils Henry fit partie lui-même d'une loge de francs-maçons.

C'est en allant effectuer un travail de menuiserie chez un voisin que William Ford rencontra sa future femme. Patrick O'Hern était comme lui originaire d'Irlande du Sud où il habitait Fair Lane à Cork. Clonakilty, le village des Ford, se trouvait à une quarantaine de kilomètres de là. Après son arrivée au Michigan, O'Hern avait épousé une femme plus âgée que lui et, ne pouvant avoir d'enfants, ils adoptèrent deux fillettes. William Ford tomba amoureux de la plus jeune, Mary Litogot O'Hern, et l'épousa le 25 avril 1861. Leur premier enfant mourut à la naissance, au début de l'année 1862.

Henry Ford essaya plus tard de rechercher les origines de sa mère mais ses enquêteurs ne parvinrent à rassembler que de rares détails, assez tragiques d'ailleurs. Sa propre mère était morte peu après sa naissance; son père, qui était charpentier, s'était tué en tombant d'un toit; un de ses frères avait accepté de s'engager dans l'armée pour la somme de 1 000 dollars à la place d'un voisin et il avait disparu dans les premiers mois de la guerre civile.

Il n'existe qu'une seule photographie de Mary Litogot. Elle représente une jeune femme au visage rond avec des yeux noirs et une abondante chevelure brune séparée par une raie au milieu. Selon ses enfants, elle débordait d'activité. Henry éprouvait pour elle une véritable adoration. « Elle nous a appris, disait-il, tout ce qu'une famille moderne doit savoir, et surtout l'art d'être heureux. Elle était l'âme de la maison. »

Henry entra à l'école de Dearborn à 7 ans. Situé à un kilomètre de la maison familiale, l'établissement n'avait qu'une seule classe et un seul maître. Les élèves de tout âge s'entassaient derrière quatre rangées de bureaux. Au printemps, une maîtresse remplaçait le maître, qui était occupé aux travaux des champs. Les élèves les plus âgés cessaient aussi de suivre les cours et ne les reprenaient qu'après la moisson.

L'école était une simple bâtisse de brique surmontée d'une tour dont la cloche appelait les enfants qui travaillaient aux champs à des kilomètres à la ronde. Devant l'estrade se trouvait un gros poêle. Le maître faisait asseoir les élèves punis au premier rang et, note Henry, « on voyait très bien le poêle de cet endroit-là ». A-t-il été un élève indiscipliné ? Il ne semble pas. Il aurait été plutôt studieux et appliqué. Son meilleur ami, Edsel Ruddiman, était le premier de la classe.

« Nous commencions les cours par un chant et une prière, raconte sa sœur Margaret. Il n'y avait pas de véritable programme. Cela dépendait de l'humeur du maître. On nous enseignait l'orthographe deux fois par jour, d'abord avant la sortie de midi puis à la fin des cours. Nous écrivions sur de vieux cahiers. Il fallait apprendre plusieurs fois la leçon pour bien assimiler la prononciation. Notre premier livre de morale fut celui de McGuffey. »

Les *Eclectic Readers* de William Holmes McGuffey ont formé toute une génération d'Américains. C'étaient de petits récits illustrés dans lesquels les mauvais garçons finissaient mal tandis que les bons devenaient présidents. Au cours des années 1870, cet ouvrage était utilisé pratiquement dans toutes les écoles. Il reflétait les sentiments profonds d'une nation fondée par des puritains. Le bien et le mal y étaient strictement définis mais les Dix Commandements étaient parfois interprétés de façon originale. McGuffey enseignait dans différents collèges de l'Ohio à l'époque où il écrivit son livre, et il fut fortement influencé par le radicalisme du Middle West. Dans un chapitre intitulé « Appeler les choses par leur nom », les soldats sont, par exemple, qualifiés d'assassins.

D'innombrables anecdotes ont fleuri sur les prouesses mécaniques du jeune Henry et sur sa passion pour les outils et le bricolage. On raconte qu'à l'âge de 7 ans il échangeait des billes avec ses camarades contre des rouages d'horlogerie et réparait déjà des montres. Après avoir visité l'usine Nicholson de Detroit, il fabriqua une lime et tansforma les aiguilles à tricoter de sa mère en minuscules tournevis. Il fit également des pinces avec des baleines de corset, faillit perdre un doigt en essayant de comprendre le fonctionnement d'une moissonneuse-batteuse et se blessa à la lèvre avec une bouilloire qui explosa.

A en juger par ces anecdotes et par ses propres souvenirs consignés dans son petit carnet, il passait son temps à démonter des objets, à faire des expériences et à exercer déjà ses talents pour la mécanique.

Un des membres de sa famille au moins estime que les faits ont été quelque peu embellis. Sa sœur Margaret, quelque temps avant de mourir, critiqua la façon dont Henry avait restauré la maison familiale en ajoutant à sa chambre un petit établi et des outils d'horlogerie qui, selon elle, n'avaient jamais existé. Elle contesta également d'autres souvenirs d'enfance qu'Henry se plaisait à raconter : par exemple la façon dont, la nuit tombée, il se glissait hors de la maison et se rendait chez les voisins pour chercher des montres à réparer.

Margaret avait épousé James Ruddiman, le frère du camarade de classe de son frère. Elle n'était pas d'un caractère particulièrement envieux ou jaloux et garda toujours de bonnes relations avec Henry. Elle reconnaissait qu'il avait un penchant pour le bricolage. « Quand on nous donnait pour Noël, dit-elle, des jouets mécaniques, nous disions toujours : ne les montrons pas à Henry, il va les démonter. » Elle estimait qu'il ne mentait pas réellement quand il évoquait les souvenirs de leur enfance commune, mais qu'il avait légèrement tendance à exagérer.

En mars 1876, Mary Litogot Ford donna le jour à son huitième enfant. Après le premier bébé mort-né, les naissances s'étaient succédé régulièrement dans la famille : Henry en 1863, John en 1865, Margaret en 1867, Jane en 1869, William Junior en 1871 et Robert en 1873. L'arrivée d'un nouvel enfant constituait une sorte de routine. Mais, cette fois-là, les choses se passèrent mal. Le bébé mourut à la naissance et la mère douze jours plus tard, le 29 mars. Elle avait 37 ans.

Ce fut pour Henry un immense chagrin et un violent traumatisme. La maison et la famille lui parurent soudain « semblables à une horloge déréglée ». Il avait l'impression d'avoir perdu une âme sœur. « Elle lisait dans mon esprit », dira-t-il plus tard et, toute sa vie, il suivit ses conseils. « Elle m'a appris, confiera-t-il à l'un de ses biographes, que les tâches déplaisantes demandent du courage et de la discipline, et que dire : “ je ne veux pas ” ne vous mène nulle part. Elle me répétait souvent : “ Il te sera parfois difficile, dur et même douloureux de faire ton devoir, mais il faudra le faire. Tu peux avoir pitié des autres mais jamais de toi-même. ” »

Henry Ford chérit toute sa vie le souvenir de sa mère. Quand des visiteurs lui faisaient compliment sur l'ordre et la propreté qui régnaient dans ses usines, il faisait toujours allusion à son influence. En restaurant sa maison natale, il donna la place d'honneur à tout ce qui lui avait appartenu. Il fit exécuter par exemple des reproductions des faïences qu'elle utilisait. Le fils de fermier devenu l'homme le plus riche du monde donna de son succès cette explication toute simple : « J'ai essayé de vivre comme ma mère l'avait souhaité. » L'évocation de celle qui était morte alors qu'il avait à peine 13 ans amenait toujours sur son visage une expression de tendresse.

En cette année 1876, au mois de juillet, Henry se rendit un jour à Detroit avec son père dans une charrette traînée par des chevaux. C'est sur le chemin qu'il vit le premier véhicule à vapeur de son existence. « Je m'en souviens, dira-t-il quarante ans plus tard, comme si c'était hier. »

L'engin en question ne ressemblait pas aux locomotives à vapeur avec leurs cheminées et leurs énormes roues qu'on peut voir aujourd'hui, restaurées et peintes de couleurs vives, dans les parcs d'attractions. C'était une adaptation des chaudières que les fermiers utilisaient pour fournir l'énergie nécessaire à leurs petites machines agricoles. Avec sa forme arrondie, il évoquait plutôt un gros poêle. L'eau, dans la partie supérieure, était portée à ébullition grâce à un feu de bois dans la partie inférieure. L'énergie produite par la vapeur entraînait une roue placée sur le côté et reliée par une courroie aux moissonneuses, aux décortiqueuses à maïs ou aux scies circulaires.

Le propriétaire de celle qu'Henry vit sur la route de Detroit avait remplacé la courroie par une chaîne adaptée aux roues arrière d'un chariot. Il s'arrêta pour laisser passer la voiture à cheval des Ford et Henry sauta à terre. Il eut une conversation avec le conducteur, un ingénieur, qui lui précisa que la machine avait été fabriquée par Nichols, Shephard & Company de Battle Creek, Michigan, et qui lui montra comment on déconnectait la chaîne pour la remplacer par une courroie. La chaudière pouvait alors servir aux usages agricoles habituels.

Cet incident fut pour Henry une véritable révélation et, des années plus tard, il se rappelait encore mot pour mot sa conversation avec l'ingénieur qui lui avait assuré que la machine tournait à 200 tours à la minute. Les grands hommes, et Henry Ford plus que tout autre, ont toujours eu tendance à réécrire l'histoire de leur vie mais, en l'occurrence, nous pouvons ajouter foi à son interprétation des faits. Il se trouvait face à son destin. Après le choc causé par la mort de sa mère, le jeune garçon avait besoin de donner un sens à son existence, de trouver un centre d'intérêt. On peut comprendre l'enthousiasme qu'éveilla en lui la vue de cette machine inédite.

Dans son souvenir, sa mère avait toujours encouragé son activité manuelle. En revanche, il était convaincu que son père s'était constamment opposé à son intérêt pour la mécanique. C'est ainsi qu'il explique l'existence du fameux établi qu'il aurait installé dans sa chambre. Il devait travailler la nuit, en secret, avec pour tout chauffage une lampe à pétrole posée entre ses pieds.

Son père voulait qu'il devienne fermier, déclara-t-il à un journaliste, Samuel Crowther, qui, en 1922, lui servit de « nègre » pour rédiger son autobiographie. Il reprit le même thème dans des interviews accordées à Allan L. Benson, qui écrit : « Il ne pensait qu'à la mécanique, mais son père y était fortement opposé, craignant que ses projets n'entraînent le jeune homme loin de la ferme. » Benson accrédite la légende de l'atelier secret et enjolive l'anecdote sur les montres, décrivant Henry sellant un cheval en cachette et parcourant des kilomètres à travers la région pour rentrer mort de fatigue au petit matin.

Les souvenirs de Margaret diffèrent sensiblement. « Père, dit-elle, n'a jamais empêché Henry de réparer les montres de nos voisins. Il était fier qu'il ait hérité de ses qualités manuelles et lui apprenait à se servir des outils. »

William Ford, le seul charpentier de la région qui travaillait dans les chemins de fer, avait en effet installé un atelier à la ferme. Ses voisins et ses amis venaient lui demander conseil. C'est dans cet atelier et non dans sa chambre, affirme encore Margaret, qu'Henry fit son apprentissage de la mécanique.

En 1876, William Ford se rendit à Philadelphie pour visiter la foire qui commémorait le centenaire de l'indépendance américaine. Dans l'immense Machinery Hall, on pouvait voir des locomotives à vapeur, des foreuses, des tours, des charrues, une « machine à vapeur pour route », ainsi que sept modèles de la dernière découverte en matière d'énergie : un engin à combustion interne.

Il semble invraisemblable qu'à son retour de Philadelphie William n'ait pas fait partager à son fils ses impressions et son enthousiasme. Margaret, qui n'avait que 9 ans, a gardé un vif souvenir des récits de son père. Incontestablement, ce dernier s'intéressait à la mécanique. Il fut d'ailleurs membre d'une commission chargée d'étudier la possibilité d'équiper Dearborn en tramways.

On peut donc se demander pourquoi Henry Ford refusa toujours de devoir quoi que ce soit à l'influence de son père en ce qui concerne sa vocation. On peut l'expliquer par l'attachement qu'il portait à sa mère. Celle-ci étant morte en couches, Henry rejeta la responsabilité de sa disparition sur William et, pour justifier la prétendue hostilité de ce dernier à ses projets, il forgea de toutes pièces son dernier fantasme : sa fuite de la maison paternelle.

« Le conflit se poursuivit donc un certain temps entre la volonté du père et la détermination du fils, écrit encore Allan Benson. Il prit fin quand le garçon eut 16 ans. La mère était morte depuis trois années, la maison ne ressemblait plus à ce qu'elle avait été, et l'appel de la ville fut le plus fort. Sans avertir personne de son départ, Henry fit plus de dix kilomètres à pied jusqu'à Detroit, y loua une chambre et chercha un emploi dans un atelier de mécanique. »

Dans la biographie écrite par Samuel Crowther, Henry Ford raconte lui-même comment il quitta Dearborn « pour devenir apprenti dans un atelier de Detroit, le Dry Dock Engine Works ». Cette version est corroborée par deux autres auteurs, Horace Arnold et Fay Faurote, qui effectuèrent en 1914 la première enquête sérieuse sur la chaîne de montage de l'usine Ford à Detroit. Ils confirment que notre héros « quitta la ferme contre la volonté de son père ». Leur témoignage diffère cependant des deux autres sur un point : l'atelier où Henry trouva du travail était celui des Flower Brothers.

Frederick Strauss, un mécanicien qui devait travailler à plusieurs reprises avec Henry entre 1878 et 1902, rapporte dans ses Mémoires sa première rencontre avec le jeune Ford chez Flower Brothers. « Un matin, écrit-il, alors que j'entrais dans le bureau pour y apporter des soupapes, j'y trouvai Henry et son père. Je ne savais pas alors qui ils étaient mais le lendemain Henry commença à travailler avec moi... On le mit sous ma responsabilité et nous sommes devenus très vite bons copains. »

Des dizaines d'années plus tard, Strauss a rappelé ces circonstances dans une lettre au secrétaire particulier du constructeur, Frank Campsall, et a découvert qu'il avait involontairement abordé un sujet gênant. Henry nia formellement avoir jamais été employé chez Flower Brothers. « Il dit, rapporte Strauss, que j'avais dû me tromper et le confondre avec quelqu'un d'autre. Mr. Campsall m'écrivit une lettre dans ce sens. »

Mais Strauss était formel et il en parla un jour en tête à tête avec Henry. « Fred, finit par reconnaître celui-ci, tu avais raison. Je me souviens fort bien de cette époque. » Frederick Strauss se borna à conclure que son ami avait ses raisons personnelles pour laisser dans l'ombre cette période de son passé. En revanche Margaret essaya à plusieurs reprises de discuter avec son frère et de lui faire admettre la différence existant entre les versions qu'il donnait à l'opinion publique et la vérité que tous deux connaissaient. Henry refusa toujours catégoriquement de rétablir la vérité.

Il est clair cependant que les frères Flower, James, George et Thomas, sans être des amis intimes des Ford, entretenaient des relations avec eux. Ils avaient émigré d'Angleterre et travaillé pour la Michigan Central Railroad où William les avait sans doute connus.

Selon Margaret, ils venaient souvent à la ferme pour acheter du fourrage et « rendre visite à leurs vieux amis ».

On peut ainsi reconstituer les pièces du puzzle. Le père était en excellents termes avec celui qui fournit à son fils son premier emploi. Mais Henry Ford, pour l'opinion publique et peut-être plus encore pour lui-même, avait besoin de travestir la vérité. La réalité est beaucoup plus simple. « Comme dans toute famille normale, dit notamment Margaret, nous avions des discussions et des opinions différentes et Père critiquait souvent les décisions d'Henry. Mais nous savions tous qu'un jour ou l'autre notre frère partirait pour Detroit. »

2

L'âge de la machine

Les premiers Blancs qui s'installèrent dans la région des Grands Lacs furent des Français. C'est un soldat gascon, Antoine Laumet de La Mothe Cadillac, qui, après avoir remonté le cours de la rivière, fonda la ville de Detroit en juillet 1701.

« Le climat est tempéré, écrivait-il peu après son arrivée. De jour comme de nuit souffle une brise légère qui assainit l'atmosphère. Le ciel est toujours serein. »

Les explorateurs français du XVIe siècle étaient partis à la découverte des richesses des Indiens. Ils comprirent très vite qu'ils devraient se contenter du commerce des fourrures, qui se révéla d'ailleurs assez lucratif. Cadillac fut l'un de ces *coureurs de bois* [1], à la fois trappeurs et braconniers, qui vivaient aux dépens des Anglais et des Indiens. Il fut le premier à comprendre l'importance stratégique de la passe qui reliait les lacs Erié et Saint-Clair.

En décembre 1698, il soumit un projet à Louis XIV. Il y expliquait que, si la France pouvait contrôler ces voies d'eau, elle aurait la mainmise sur le commerce des deux tiers de la région est des Grands Lacs. Un fort installé sur la passe représenterait d'autre part un avantage certain sur les Anglais dans la conquête de l'Amérique du Nord. Le comte de Pontchartrain, secrétaire d'État à la Marine du Roi-Soleil, fut impressionné par cet argument. « Le roi, écrivit-il à Cadillac en 1700, m'a donné ordre de vous envoyer immédiatement au Canada pour prendre possession des détroits. »

Cadillac arriva dans la région pendant l'été 1701 à la tête de cinquante soldats, cinquante *coureurs de bois,* une centaine d'Indiens sympathisants et deux jésuites. En l'honneur du ministre, il donna à la colonie le nom de Pontchartrain du Détroit et, pendant un demi-siècle, la ville prospéra comme il l'avait prévu. Les trappeurs l'utilisaient

1. En français dans le texte.

comme base pour le commerce des fourrures. Les Français parvinrent à établir des liens amicaux avec les Indiens de la région et un nombre croissant de colons s'établirent sur les bords de la rivière et autour du lac Saint-Clair.

La terre du Michigan se révéla étonnamment fertile. Les haricots, les pois, les courges, les melons atteignaient des tailles impressionnantes. Le maïs s'élevait jusqu'à quatre mètres de hauteur. C'était un sol léger, facile à travailler, et les Français y plantèrent des hectares de vergers avec des pruniers, des pommiers, des cerisiers et des poiriers. Detroit devint célèbre pour la qualité de ses poires. Les terres des colons s'étendaient en longs rubans de l'intérieur jusqu'aux rives. Aujourd'hui encore, les rues de la ville portent des noms d'origine française : Rivard, Cadieux, Dubois, Gratiot.

Quand les Anglais s'emparèrent du Canada français en 1760, Detroit devint une ville de garnison. Les fermiers français, devenus de riches propriétaires terriens, choisirent d'avoir de bons rapports avec le commandant britannique et ses officiers. Les Indiens réagirent différemment : en 1763, le chef des Ottawas, Pontiac, attaqua la ville qui dut subir un siège de cinq mois. Puis le déclenchement de la révolution américaine en fit une base essentielle contre les colons rebelles du littoral. Les Anglais donnaient aux Indiens des primes allant jusqu'à 5 dollars par scalp.

Malgré la victoire des colons et le triomphe des États-Unis naissants, la Grande-Bretagne occupa encore Detroit et la péninsule du Michigan pendant une douzaine d'années. Le général Anthony Wayne réussit finalement à s'emparer de la ville en 1796 mais les Anglais la reprirent pendant la guerre de 1812. Quand Henry Ford vint s'installer à Detroit, en janvier 1879, l'influence européenne s'y faisait encore sentir. Le cricket était le sport principal et ce n'est qu'en 1876 que Frank Woodman Eddy, fondateur de l'Athletic Club, y implanta une activité plus typiquement américaine, le base-ball.

Dès le milieu du XIXe siècle, on pouvait s'apercevoir qu'on approchait de la ville au manteau de fumée qui la recouvrait. Il ne restait plus grand-chose des anciens vergers. Selon un recensement de 1870, Detroit comptait 80 000 habitants. En ce qui concerne la production industrielle, elle n'occupait encore que la vingtième place parmi les villes américaines mais son expansion allait être extraordinairement rapide. En 1899, elle était au dixième rang, et au troisième dans les années 1920, immédiatement après Chicago et New York.

Cette croissance spectaculaire s'explique par le percement, en 1817, du canal Erié qui, en reliant Buffalo à New York, donnait aux colons des Grands Lacs un accès direct à l'Atlantique. L'économie américaine allait prendre une nouvelle orientation. Boston, Philadelphie, Baltimore, les principaux ports et les villes les plus peuplées de la côte est, furent supplantés par New York et les agglomérations des Grands Lacs : Buffalo, Cleveland, Toledo, Detroit, Milwaukee et Chicago, qui poussaient comme des champignons.

La richesse de Detroit fut d'abord fondée sur les ressources naturelles du Michigan. Les Grands Lacs, qui représentent le quart des réserves d'eau douce du monde entier, n'avaient jamais été exploités. On commença à pêcher l'esturgeon, le brochet et de nombreuses autres variétés de poisson. En 1830, sept bateaux transportaient régulièrement leur cargaison de poisson salé vers l'Est. Le bois de construction fit la fortune de nombreux habitants du Michigan qui abattirent les arbres des forêts vierges. Après 1837, quand le territoire devint un État américain, on découvrit dans le sous-sol des richesses considérables.

Le docteur Douglas Houghton, maire de Detroit depuis 1842, s'aperçut au cours d'un voyage qu'il effectuait à travers l'État que sa boussole se déréglait. Il finit par comprendre qu'il se trouvait au-dessus d'une des plus grandes réserves de minerai de fer du monde. Des prospecteurs, attirés par cette découverte, trouvèrent à leur tour un important gisement de cuivre dont le Michigan resta, jusqu'à la fin des années 1880, le premier producteur mondial. On exploitait également le plomb et le sel. Des entreprises agro-alimentaires virent le jour grâce à la fertilité exceptionnelle du sol. C'est à Battle Creek que Mr. Post et les frères Kellogg créèrent une nouvelle industrie, celle des cornflakes.

En 1879, les rues de Detroit étaient faites de pavés de bois de cèdre assemblés par un mélange de gravier et de goudron qui fondait pendant les fortes chaleurs. Cependant les voitures à chevaux y circulaient à l'aise. La route qu'emprunta Henry Ford pour venir de Dearborn était également construite avec des madriers de ce même bois. Elle supportait facilement les lourds chariots et les engins à vapeur. On ne comptait pas moins de dix compagnies de chemin de fer qui desservaient la ville depuis 1830.

Dans Detroit même, il existait un réseau de 30 kilomètres de tramways tirés par des chevaux. Les rues étaient éclairées par des réverbères au gaz et au naphte qu'on allumait trois semaines sur quatre afin de ménager les ressources. La population en effet s'accroissait rapidement.

La bibliothèque municipale était l'une des meilleures du Middle West. Quand Thomas Alva Edison n'était encore qu'un jeune garçon qui vendait des journaux et des casse-croûte aux voyageurs de l'express du matin en provenance de Port Huron, il passait ses après-midi, en attendant le retour du train, dans la salle de lecture de la Young Men's Christian Association. Edison quitta la ville par la suite mais Detroit continue à s'enorgueillir du séjour de l'inventeur de la lampe électrique.

Le Michigan et sa ville principale ont toujours été à l'avant-garde des innovations mécaniques. En 1848, à Detroit, on construisit le premier haut fourneau de l'Ouest américain. Le premier bateau entièrement métallique sortit des chantiers de la Detroit Dry Dock Company. Cette société créa également la première aciérie utilisant le procédé Bessemer en Amérique du Nord. Les ressources locales en plomb et en sel permirent l'essor de l'industrie chimique et furent à l'origine des fortunes de Dow et de Parke Davis. Avec l'implantation d'une usine de soude caustique et d'alcali, la ville devint le premier producteur de savon du monde. Il en fut de même pour la production de cuivre avec la Detroit Capital Copper et la Brass Rolling.

Dans la seconde moitié du XIXe siècle, Detroit était véritablement à la pointe de l'économie américaine. Elle semblait avoir été touchée par une baguette magique. Un marchand de poisson, William Davis, eut l'idée des transports frigorifiques par voie ferrée. George Hammond, un boucher de Detroit, risqua l'aventure en mai 1869 et sa cargaison arriva à destination en parfait état. Dès lors, le commerce de la viande de bœuf se développa à grande échelle.

On n'abandonna pas pour autant la fabrication des poêles et des fourneaux. Les mines de fer de la péninsule fournissaient la matière première. La Detroit Stove Company fut créée en 1864 et, en peu de temps, produisit annuellement 150 000 poêles de 700 modèles différents. Dans le domaine des machines à vapeur affectées aux transports, les prix étaient compétitifs par rapport à ceux des fabricants européens.

C'est dans cette ambiance de créativité et de richesse qu'Henry Ford commença son apprentissage chez Flower Brothers. C'était l'une des plus petites usines de la ville mais elle avait une excellente réputation pour la qualité du travail et pour la formation des ouvriers. David Dunbar Buick, qui fit fortune dans la plomberie avant de s'intéresser à l'automobile, y fit lui aussi ses premières armes.

« On y fabriquait absolument tout ce qu'on pouvait tirer du cuivre et du fer, raconte Fred Strauss, le camarade d'atelier d'Henry Ford. Il y avait plus de machines que d'ouvriers. » C'est l'une des grandes leçons de l'essor de Detroit : rien ne peut remplacer la machine adéquate. Les industriels s'orientaient de plus en plus vers la spécialisation qu'Henry Ford devait porter plus tard jusqu'à la perfection avec sa chaîne de montage.

Après avoir passé quelques mois chez Flower Brothers, Henry Ford entra à la Detroit Dry Dock, les pionniers de la construction navale. A cette époque, il vivait non loin de l'usine dans un appartement de location. Il gagnait 2 dollars par semaine et devait payer, par semaine également, 3 dollars 50 de loyer. Pour joindre les deux bouts, il mit à profit ses talents d'horloger. Tous les soirs, il allait travailler chez un bijoutier, Robert Magill, et réparait des montres pour 50 cents. Il se rendait au magasin même pendant les week-ends. Le commerçant le confinait dans l'arrière-boutique car les clients auraient pu douter des capacités de cet employé imberbe.

Henry Ford ressemble en effet à un jeune garçon sur la photo où on le voit au milieu d'un groupe d'ouvriers de l'usine Dry Dock. Il se tient parmi les apprentis, sa casquette de mécanicien sur la tête, le visage étonnamment reposé pour quelqu'un qui effectue une double journée de travail. « Un travail intéressant n'est jamais fatigant, dira-t-il plus tard. Si l'on veut rester un ouvrier toute sa vie, on ne s'occupe plus de rien après le coup de sifflet annonçant la fin de la journée. Mais si on a l'intention d'aller de l'avant et de faire vraiment quelque chose, c'est à ce moment-là qu'on doit commencer à réfléchir. »

Il envisagea la possibilité d'ouvrir un commerce et calcula qu'il pourrait fabriquer une montre de bonne qualité pour 30 cents s'il parvenait à en produire 2 000 par jour. Mais comment écouler plus d'un demi-million de montres par an ? Il abandonna donc l'idée et quitta Detroit en 1882 après avoir terminé son apprentissage de mécanicien. Il décida de retourner à la ferme où il s'était d'ailleurs rendu chaque année à l'automne pour aider son père à la moisson. Il n'avait pas 20 ans. Il devait rester à Dearborn pendant dix ans.

Pour des raisons qui lui sont propres, le grand capitaine d'industrie qu'est devenu Henry Ford a toujours voulu faire croire à ses interlocuteurs qu'il n'aimait pas le travail agricole. Un journaliste du magazine *Fortune* qui l'interviewa en 1930 ne s'y est cependant pas trompé. « Vous pensez d'abord, écrivait-il, qu'il s'agit d'un mécanicien qui a un penchant pour le travail de la terre, puis vous vous apercevez que c'est un fermier qui s'intéresse à la mécanique. »

Il y a là moins de contradiction qu'il n'y paraît. L'engin qui avait tellement impressionné Henry sur la route de Detroit était destiné aux travaux des champs. Quand, plus tard, il travailla à la conception d'une machine à combustion interne, il semble qu'il ait d'abord voulu appliquer cette source d'énergie aux tracteurs. Et c'est finalement à cause d'une machine agricole qu'il quitta l'usine de Dry Dock et retourna vivre à Dearborn.

John Gleason, un voisin des Ford, avait acheté un petit engin à vapeur portatif à la Westinghouse Company. Il espérait l'utiliser pour moissonner et scier le bois, et le louer à son entourage, mais il ne réussit pas à le faire fonctionner.

« J'avais l'impression que la machine lui faisait peur, dit Henry que le voisin avait appelé à la rescousse. Pour dire la vérité, elle m'effrayait un peu moi-même. » Mais les mois d'apprentissage passés chez Flower Brothers et à la Dry Dock n'avaient pas été perdus. Au bout d'une journée de travail, il savait tout sur l'engin. Cet été-là, il l'utilisa pour le compte de Gleason.

« J'étais payé 3 dollars par jour, raconte-t-il, et j'ai travaillé sans arrêt pendant quatre-vingt-trois jours. J'allais de ferme en ferme pour couper le trèfle et le maïs, moudre le grain, scier le bois et transporter des charges. Le travail était dur. Je devais fournir le combustible et, comme j'avais rarement du charbon, j'utilisais de vieux morceaux de bois de clôture. J'adorais littéralement cette machine... Je n'ai jamais été aussi content de moi que pendant cet été où je la conduisais sur les routes mal entretenues de l'époque. »

Bien des années plus tard, il essaya de retrouver le petit engin. Il se souvenait de son numéro de série : 345. Avec l'aide de la Westinghouse, il finit par en dénicher un, hors d'usage, dans une ferme de Pennsylvanie. Il le fit réparer, nettoyer et huiler et le transporta à Dearborn. Pour son soixantième anniversaire, il s'en servit pour faire la moisson.

Alors qu'il travaillait pour le fermier Gleason, Henry avait rencontré le représentant local de la Westinghouse. A la fin de l'été, la société l'engagea comme démonstrateur et réparateur. C'était un travail idéal pour un homme d'une trentaine d'années. Il était son propre maître, recevait un bon salaire et se sentait quelqu'un d'important. Quand il arrivait dans un village, les enfants s'assemblaient autour de lui pour lui poser des questions. On l'invitait partout et il participait aux festivités traditionnelles du temps des moissons.

Henry Ford n'oubliera jamais cette période de son existence. Quand il sera devenu le roi de l'automobile, chaque mois de septembre il renouvellera le rituel. Ses limousines iront chercher tous ses amis et connaissances de la région de Dearborn. On s'installera dans un champ. On aiguisera les faux, on remettra en marche les vieilles moissonneuses en bois. Les cuisiniers dresseront des tables sous les arbres. La machine à vapeur sera le clou de la fête. Henry s'en occupera amoureusement et allumera lui-même la chaudière, éloignant les enfants de la courroie la reliant au moulin à maïs ou pressoir à cidre.

Ce furent incontestablement les plus belles années de sa vie et il s'en souviendra toujours comme d'un temps idyllique. La réalité était en fait bien différente. Le Middle West s'adaptait difficilement au monde moderne. Les idées nouvelles étaient mal accueillies par les fermiers. Pendant près de trente ans, l'État du Michigan avait été dominé par les Républicains mais la chute des prix des produits agricoles provoquait un mécontentement général. Les paysans quittaient la terre. En 1879, Henry avait fait partie de ces centaines de jeunes gens qui affluaient vers les villes.

Le problème affectait toutes les régions agricoles du centre des États-Unis. La mécanisation avait permis d'accroître le volume de la production et les prix avaient baissé. De plus, l'amélioration des transports par chemin de fer et bateau à vapeur obligeait les producteurs américains à entrer en compétition avec leurs concurrents étrangers.

Le fermier ne comprenait pas ces mécanismes. Pour lui, s'il produisait plus en utilisant des machines, il devait obligatoirement gagner davantage. On vit apparaître de nombreuses formations politiques qui proposaient des remèdes à cette situation, comme le National Greenback Party, du nom du papier-monnaie sans garantie or (« greenback ») émis pendant la guerre civile. Leurs terres étant pour la plupart hypothéquées, les fermiers n'avaient pas souffert de l'inflation. Ils avaient vu au contraire leurs dettes s'alléger. Avec la paix, on revint à une politique monétaire plus stricte. Les greenbacks furent rachetés et le dollar de nouveau garanti par l'or. L'inflation diminua, les dettes retrouvèrent leur valeur initiale et le revenu des fermiers se ressentit de la chute des prix. Les Greenbackers demandaient le retour à un papier-monnaie qui ne serait pas lié – ou le serait de façon plus souple – à l'or ou à l'argent. Ces questions techniques faisaient l'objet de débats politiques animés.

Au début des années 1880, pendant qu'il allait de ferme en ferme avec sa boîte à outils – la première version du service après-vente –, Henry Ford participait à des conversations où l'on parlait aussi facilement de « bimétallisme » que du prix du fourrage. En 1882, les 154 451 électeurs du Michigan votèrent pour Josiah W. Begole, le Greenbacker qui devint gouverneur avec le soutien des Démocrates.

Les magnats des chemins de fer, les banquiers de l'Est, les prêteurs sur gages, les intermédiaires en général et les Juifs étaient les véritables bêtes noires de la classe rurale du Michigan. Le mouvement des Greenbackers n'eut qu'une existence éphémère, mais son influence continua à se manifester à travers d'autres organisations. La Grange par exemple (National Grange of the Patrons of Husbandry), une société secrète fondée en 1867 sur le modèle de la franc-maçonnerie, faisait campagne contre le transport du fret par les chemins de fer. Pour lutter contre les intermédiaires, elle fonda des coopératives qui vendaient des produits de toutes sortes, des moissonneuses jusqu'au calicot. Elle prêchait la tempérance et organisait des *square dances* [1] où l'on ne buvait que de l'eau. Le Populist Party, une coalition d'anciens Greenbackers et autres activistes, présenta des candidats à la présidence : James B. Weaver en 1892 et William Jennings Bryan en 1896.

Le Populisme exprimait la colère des classes rurales. Les pionniers qu'avait connus Tocqueville et qui avaient défriché les forêts se sentaient floués. Leur mouvement, qui revendiquait une réglementation des chemins de fer, des prêts gouvernementaux aux fermiers et une réforme des impôts, avait pour l'époque un caractère progressiste.

Ses racines étaient cependant traditionnelles. On retrouvait le sentiment profond d'une conspiration ourdie quelque part dans l'Est et une nostalgie de l'âge d'or, avec ses verts pâturages et ses paysans aux mains calleuses qui ignoraient la duplicité. Henry Ford, bien qu'il eût plus que quiconque contribué à la disparition de ce type de société, garda toujours les convictions d'un fermier de la fin du XIXe siècle : le culte de la tempérance, un vif intérêt pour les théories monétaires et une méfiance fondamentale envers Wall Street, les prêteurs sur gages et les Juifs.

Il ne se cherchait aucune excuse. Il était fier de ses origines. « L'Amérique authentique, déclara-t-il en 1935 à un journaliste, ce n'est ni New York ni Chicago, mais les petites villes, les villages et les fermes. »

En janvier 1885, les habitants de Greenfield, la ville voisine de Dearborn, fêtèrent la nouvelle année à Martindale House, une auberge réputée. On y venait même de Detroit. Le restaurant était excellent et possédait une salle de bal que le Greenfield Dancing Club avait précisément louée pour le 1er janvier.

Henry Ford y dansa avec l'une de ses cousines, Annie. Celle-ci avait une amie qui fit sur lui une profonde impression : Clara Jane Bryant. Petite et vive, elle avait des yeux noirs et des cheveux châtains. « J'ai tout de suite su qu'elle serait la femme de ma vie », dit-il en 1923. On trouve, dans les archives de la famille Ford, un programme de danse qui rappelle cette rencontre romanesque, mais il semble bien qu'une fois encore Henry ait voulu embellir la réalité. La première rencontre du couple eut beaucoup moins d'importance pour Clara Bryant que pour son danseur.

1. Bals populaires.

Margaret Ford Ruddiman était une amie de Clara et, selon elle, la jeune fille avait de nombreux soupirants. Mrs. Ford est encore plus catégorique : « Il ne me fit pas la moindre impression et je ne l'ai pas revu pendant plus d'un an. » La seconde fois, cependant, elle le remarqua davantage car il était différent des garçons qu'elle connaissait. Les autres lui parlaient de musique ou de choses banales, Henry lui fit voir une montre qu'il avait fabriquée lui-même et qui indiquait l'heure solaire et l'heure locale qu'on venait tout juste d'introduire à cette époque. Je me souviens qu'en rentrant à la maison, j'ai raconté combien je le trouvais sérieux et intelligent. Ce fut le commencement... »

Le mariage eut lieu à Greenfield pour le vingt-deuxième anniversaire de Clara. William Ford et Martha Bryant, la mère de la mariée, signèrent l'acte de mariage en tant que témoins dans le salon des Bryant. Clara portait une robe qu'elle avait faite elle-même et Henry un costume bleu. Ils passèrent leur lune de miel dans la petite maison où ce dernier avait habité les deux années précédentes. A son retour de Detroit, il avait d'abord vécu avec son père mais, en 1886, William lui fit don de 32 hectares de forêt qu'il avait achetés dans les années 1860. Il y avait là un chalet en rondins qui constituait un cadre agréable pour de jeunes mariés.

Margaret et ses frères John et William Junior avaient aidé Henry à nettoyer et à décorer la maison mais Clara voulait avoir son propre foyer. Peu de temps après leur mariage, Henry, en suivant les instructions de sa femme, en commença la construction qui fut terminée en moins d'un an. C'était une maison basse avec une véranda qui lui donnait un petit air de cottage. Ils la baptisèrent « The Square House ».

Clara avait été élevée pour devenir une femme de fermier – son père possédait 16 hectares – et elle commença tout de suite à s'occuper des finances du ménage. Les Bryant avaient toujours été très près de leurs sous – trop près, disaient certains – et en peu de temps elle put ouvrir un compte en banque avec ses économies.

Henry faisait le commerce du bois qu'il défrichait. Il fournissait des planches d'orme à une fabrique de meubles de Detroit, comme en témoignent les reçus qui ont été conservés. On trouve aussi, consignés dans un registre, les noms de James, Sam et George Ford comme débiteurs pour plusieurs centaines de dollars. La famille se comportait sans doute ainsi avec Henry parce qu'il était lui-même mauvais payeur. Son père alla juqu'à informer la banque locale qu'il n'était pas responsable des dettes de son fils.

Henry n'était pas un fermier ordinaire. Il avait certes défriché un petit terrain où il cultivait des légumes et élevait quelques volailles pour les besoins du ménage, mais il aimait par-dessus tout les machines. Il était connu à des lieues à la ronde comme quelqu'un qui pouvait résoudre tous les problèmes mécaniques. Il travailla deux étés de suite à l'entretien du matériel de la société Buckeye Harvester. On l'appelait souvent à Detroit pour effectuer des réparations. Il se rendit même à Alpena, sur le lac Huron, et voyagea par une des compagnies de steamers des Grands Lacs.

« J'aurais aimé que tu sois là, écrivit-il à Clara. J'espère ne plus jamais me trouver si loin de toi. Il y a beaucoup de travail et ils insistent pour que je reste mais je veux rentrer car je ne peux supporter de rester un jour de plus séparé de toi. »

Quelques mois plus tard, il se rendit encore à Detroit pour voir une machine qui faisait alors les délices du monde de la mécanique, l'« Otto silencieux ». Conçue par l'Allemand Nikolaus August Otto, dont Gottlieb Daimler fut l'un des collaborateurs, elle fonctionnait à l'essence selon un nouveau système à quatre temps. La première course du piston introduisait une charge explosive dans le cylindre, la deuxième comprimait la charge que l'allumage faisait exploser, déclenchant ainsi la troisième course. Enfin, la quatrième course chassait les gaz brûlés et le cylindre se trouvait libre pour que le cycle puisse recommencer.

En rentrant à la maison, Henry essaya d'expliquer à Clara le fonctionnement de la machine en faisant un croquis au dos d'une partition de musique. Selon lui, le système pouvait être adapté sur roues, comme l'engin qu'il avait vu sur la route de Detroit quand il avait 13 ans. Il était convaincu qu'il pouvait fabriquer ce type de véhicule. Cependant, les machines à combustion interne utilisaient l'électricité et il savait qu'il n'avait pas de connaissances suffisantes dans ce domaine. Il avait donc aussitôt sollicité un poste d'ingénieur en mécanique dans une filiale de Detroit de la société Edison Illuminating. Le salaire était de 45 dollars par mois. Si Clara était d'accord, ils pouvaient déménager et il commencerait à travailler immédiatement.

Quand il lui fit part de ses intentions, Clara fut horrifiée et, sur ce point, les témoignages du couple concordent. En allant à Detroit, elle avait l'impression de se couper de ses racines. « Cela m'a presque brisé le cœur », confia-t-elle à sa belle-sœur Margaret. Elle aimait sa maison dont elle avait elle-même dessiné les plans. Elle vivait près de sa famille et ses amis et ne concevait pas son avenir loin des 65 hectares de forêt qu'Henry avait défrichés.

Pour ce dernier au contraire, les choses étaient très simples. Il n'avait pas l'intention d'abandonner ses terres de Dearborn mais il était intéressé par un nouveau type de machine plus moderne que toutes celles qu'il connaissait et voulait en apprendre davantage. D'ailleurs, comme il le dira lui-même, « tout le bois avait été coupé ».

3

Le premier Ford

Bell et le téléphone, Edison et la lampe électrique, les frères Wright et l'aéroplane, Henry Ford et l'automobile : tous ces noms figurent au panthéon des héros et des inventeurs américains. Henry Ford, cependant, contrairement aux autres, n'a rien inventé. En 1891, quand il commença à travailler à l'Edison Illuminating, il existait déjà en France des usines qui fabriquaient des automobiles. Les Français furent incontestablement les premiers dans ce domaine. Ils s'appuyèrent sur la technologie allemande, et c'est à Gottlieb Daimler et Karl Benz que revient l'honneur d'avoir construit la première automobile.

Aux États-Unis, Charles et Frank Duryea présentèrent à Springfield, Massachusetts, un véhicule à essence en septembre 1893. L'été suivant, Elwood Haynes exposa la voiture qu'il avait conçue pour les frères Apperson de Kokomo, Indiana, et, pour le Thanksgiving Day de 1895, le *Chicago Times-Herald* organisa la première course automobile. Six voitures furent engagées sur un circuit de 52 miles (83,6 km) sur les rives du lac Michigan. Deux seulement franchirent la ligne d'arrivée. La plus rapide, une Duryea, avait roulé à une vitesse moyenne de 6,66 miles, soit un peu plus de 10 kilomètres à l'heure.

A cette époque-là, Henry Ford avait déjà passé quatre ans chez Edison Illuminating où il était chargé de la surveillance des générateurs. Le fonctionnement d'une centrale électrique dépend en majeure partie de la bonne installation des appareils. Il ne s'agit plus ensuite que d'une question de maintenance et de routine. Henry avait le don de résoudre les problèmes techniques et de simplifier les choses. Il apporta certaines améliorations, reçut des augmentations de salaire et des promotions et put jouir d'une certaine liberté.

Il s'était aménagé dans la centrale elle-même un petit atelier personnel où il se livrait à des expériences. C'est là que Frederick Strauss, son ancien camarade de travail chez Flower Brothers, le retrouva. « De nombreux copains se rassemblaient autour d'Henry, raconte-t-il dans ses Mémoires. Il avait un petit tour et voulait construire un moteur à essence. Nous ne travaillions pas tous les soirs. C'était plutôt une sorte de passe-temps. La construction nous prit six semaines. Les samedis soirs, il y avait foule. Henry avait une sorte de magnétisme qui attirait les gens. Nous avons fabriqué l'engin pièce après pièce. Après le cylindre, nous avons fait un piston. L'allumage nous causa bien des tracas. »

Henry ramena le système d'allumage chez lui, la veille de Noël, dans l'appartement qu'il avait loué, 58, Bagley Avenue. Les Bryant devaient arriver de Greenfield le lendemain et Clara était très occupée à la préparation du repas. Henry connecta la rudimentaire bougie d'allumage à l'installation électrique de la maison. Pendant que Clara versait l'essence goutte à goutte et faisait tourner la soupape d'admission, il actionnait le volant de commande pour aspirer l'air et le gaz dans le cylindre et provoquer la combustion interne. La jeune femme se prêta de bonne grâce à l'expérience. Après deux essais infructueux, l'engin installé sur l'évier cracha des flammes et de la fumée.

Quand il n'était pas obsédé par son dernier projet ou sa dernière invention, Henry se plaisait à se féliciter de sa chance d'avoir une femme aussi docile qui ne lui faisait jamais de reproches. Il l'avait surnommée « la Croyante ». Elle avait accepté d'abandonner sa maison qu'elle aimait tant et de suivre son mari dans une ville sale et bruyante. Ils avaient déménagé plusieurs fois avant de s'installer sur Bagley Avenue. Elle ne protesta même pas quand, la veille de Noël, on lui ramena à la maison un engin dangereux pendant que son bébé de six semaines dormait dans la pièce à côté.

L'enfant était né le 6 novembre 1893. Le docteur O'Donnell qui accoucha Clara venait tout juste de terminer ses études et n'avait pas assez d'argent pour posséder un cheval et une calèche. Il faisait ses visites à bicyclette. L'accouchement se passa sans problème mais, quelques années plus tard, Clara dut être hospitalisée et subir, semble-t-il, une hystérectomie. Quoi qu'il en soit, les Ford n'eurent pas d'autre enfant.

Ils appelèrent leur fils Edsel, un prénom peu commun, en l'honneur du meilleur ami d'Henry, Edsel Ruddiman, qui allait bientôt devenir son beau-frère. Ce dernier avait fait des études universitaires. C'était maintenant un pharmacien aisé et, à cette époque, on pouvait dire qu'il avait mieux réussi que son ancien condisciple, le petit paysan devenu mécanicien qui, à l'âge de 30 ans, passait ses nuits à bricoler avec des amis.

La naissance de son fils apporta peut-être à Henry un sens nouveau de ses responsabilités. Ce même mois de novembre, on lui demanda d'effectuer des réparations à la centrale principale d'Edison Illuminating et l'on fut si satisfait de son travail qu'on lui proposa un poste permanent avec un salaire de 75 dollars par mois. Il devint très vite ingénieur en chef et gagna alors 100 dollars. Le soir, il donnait également des cours de mécanique à la Young Men's Christian Association de Detroit.

Il se fit ainsi de nouvelles relations qui cristallisèrent son goût pour la mécanique. L'un de ses élèves était un jeune mécanicien très doué, Oliver Barthel, qui avait vécu un certain temps en Allemagne et qui lui fit connaître son employeur, Charles B. King. Barthel et King étaient passionnés de parapsychologie et discutaient des théories sur l'immortalité et la réincarnation. King, pour sa part, était convaincu que les facultés créatrices de l'homme étaient d'essence indestructible et qu'elles existaient quelque part dans un « esprit immortel ». Ford en fit plus tard l'un des éléments de sa propre pensée.

Sur un plan plus pratique, Barthel et King faisaient des recherches sur un véhicule à moteur. King avait participé à la course de Chicago de 1895 à la fois comme arbitre et comme pilote d'une Benz. C'était un homme débordant d'idées et d'enthousiasme. Il inventa notamment le marteau pneumatique.

Henry Ford, quant à lui, avait une expérience considérable dans l'horlogerie, le matériel agricole et les générateurs électriques, mais jusque-là il n'avait pas encore développé ses talents pour la mécanique.

Il affirma plus tard qu'il avait expérimenté des tracteurs avec moteur à combustion interne dès son arrivée à Detroit, et même quand il vivait encore à la ferme. On ne possède aucune preuve de cette affirmation. En fait, à partir de 1903, alors qu'il était déjà un constructeur renommé, il fut engagé dans un procès contre George Selden, un ingénieur qui revendiquait le brevet de l'invention de l'automobile et le monopole de sa fabrication. Il était donc de la plus grande importance pour Ford de faire remonter ses travaux sur le moteur à combustion interne à une année précise. Pendant des années, ses thuriféraires datèrent de 1893 la construction de sa première voiture.

Janvier 1896 nous semble cependant plus plausible. A cette époque, il rendit visite à son ami King et trouva sur son bureau deux exemplaires de l'*American Machinist* qui contenaient un article en deux parties sur la façon de construire un moteur à essence sommaire. Oliver Barthel qui se trouvait là l'entendit s'écrier : « Je veux en fabriquer un. » George Cato, un électricien qui travaillait sous les ordres d'Henry chez Edison, rapporte aussi que son chef lui avait montré les magazines en lui disant : « On peut se faire une montagne d'argent avec ça. »

Cato faisait partie du petit groupe de mécaniciens qui s'étaient passionnés avec Henry pour la construction des petits moteurs et des systèmes d'allumage. Avec deux autres collègues, W. Bishop et Edward S. (« Spider ») Huff, ils formaient une joyeuse équipe qui échappait dès qu'elle le pouvait à l'ambiance aseptisée des turbines pour se plonger dans le bruit, la poussière et les explosions des cylindres et des soupapes.

Quand on passa aux choses plus sérieuses, ils s'intallèrent dans un atelier aménagé dans l'arrière-cour du 58, Bagley Avenue. C'était une petite construction en brique qu'Henry Ford restaura par la suite comme tant d'autres jalons des débuts de sa carrière. Les fenêtres et la porte étaient étroites, et il y avait tout juste assez de place pour les quatre hommes.

Aujourd'hui, les fanatiques de l'automobile peuvent construire ou modifier leurs mécaniques en se procurant les pièces détachées. En 1896, Henry et ses collaborateurs devaient tout faire eux-mêmes. Pour la partie centrale du moteur, ils utilisèrent un morceau de tuyau d'une vieille machine à vapeur. Ils fabriquèrent les cylindres. Le réservoir à essence fut placé directement au-dessus du moteur. L'énergie était transmise aux roues par une chaîne que King s'était procurée à l'Indiana Chain Company le 27 mai 1896, comme il le consigna dans son journal.

Charles King, aidé de Barthel, avait plus d'un mois d'avance sur Henry et, le 6 mars, il fit une démonstration de son moteur à quatre cylindres monté sur une voiture en bois. Il roulait à 5 miles (8 km) à l'heure. Henry suivait sur une bicyclette. L'événement fit les gros titres de la presse locale. Dans une interview accordée au *Detroit Journal*, King déclara le 7 mars que le prince de Galles lui avait commandé un véhicule. « Ils sont à la mode dans l'aristocratie anglaise », ajouta-t-il.

A la différence d'Henry, King pensait en termes traditionnels. Sa voiture était destinée à l'élite qui utilisait auparavant des voitures à chevaux. Avec un poids de 650 kilos, c'était un record s'il pouvait faire plus de 8 kilomètres à l'heure. Les premières voitures fabriquées par Henry Ford atteignaient une vitesse de 30 kilomètres à l'heure, ce qui pour l'époque était remarquable. Le secret résidait dans la légèreté : moins de 250 kilos. Si on enlevait le moteur, on pouvait facilement soulever le véhicule à mains nues. Le coût des matériaux de fabrication et la consommation d'essence étant moins élevés, le prix en était nécessairement plus bas.

Légèreté, rapidité, fiabilité et prix modéré : ce sont déjà les principes que Ford mettra en œuvre quand il pensera à une production en série de l'automobile. Il n'était sans doute pas conscient de cette orientation en 1896, mais il avait un plan à long terme et déjà en main tous les éléments qui devaient faire son succès.

Il donna à sa voiture le nom de Quadricycle. Elle ressemblait effectivement à deux bicyclettes réunies côte à côte. Le siège était en bois et, pour l'esthétique, on avait placé une planche sur le devant. Telle quelle, elle évoquait un peu un landau d'enfant. Henry y travaillait vingt-quatre heures sur vingt-quatre. « Nous nous demandions souvent s'il lui arrivait de dormir », dit Charles T. Bush de la Strelinger Company qui lui avait vendu de la boulonnerie et des vis.

Tout fut enfin achevé à l'aube du 4 juin 1896. Clara était près de son mari à qui elle tenait souvent compagnie, ainsi que Jim Bishop qui devait escorter le conducteur à bicyclette pour la première sortie. Mais, au moment où ils s'apprêtaient à pousser la Quadricycle dans la rue, ils s'aperçurent qu'ils avaient fait l'erreur la plus ridicule possible. Obsédés par la construction de la voiture, ils avaient tout simplement oublié que la porte de l'atelier était trop étroite.

Henry était prêt à abattre non seulement l'atelier mais toutes les maisons de Bagley Avenue s'il l'avait fallu. Armé d'une hache, il démolit le chambranle de la porte et fit sauter plusieurs rangées de briques. Clara, avec un parapluie et un châle sur la tête – il pleuvait légèrement –, sortit pour assister au départ. Henry mit la batterie en marche, remplit le réservoir, plaça le pouce et l'index sur le système qui faisait office de démarreur et tourna le volant d'entraînement. La Quadricycle démarra. Il avait fabriqué un avertisseur avec une cloche de porte d'entrée vissée sur l'avant et reliée à un bouton par une tige de fer recourbée. A deux heures du matin, cependant, il n'y avait pas grand monde dans les rues de Detroit pour assister à cet événement historique. La Quadricycle s'arrêta brusquement sur Washington Boulevard devant l'hôtel Cadillac. Des noceurs s'approchèrent en ricanant pour observer les efforts d'Henry et du fidèle Bishop qui effectuaient les réparations. Finalement la voiture démarra et retourna à Bagley Avenue pour quelques heures de repos bien gagnées. Au matin, Clara prépara le petit déjeuner et les deux hommes partirent au travail, comme d'habitude.

La Quadricycle n'était pas encore à même de couvrir de longues distances, mais, après chaque sortie, Henry lui apportait des améliorations. Enfin, la voiture fut prête pour aller jusqu'à Dearborn.

« Au milieu de la route, les roues de gauche paraissaient très hautes, raconte Margaret qui assista à l'arrivée au village, car Henry avait construit la voiture de telle façon que la distance entre les roues soit plus petite que celle des chariots pour éviter les ornières. Clara et Edsel étaient assis sur le siège, avec lui. Je me souviens qu'Edsel était encore tout petit et portait une robe. Clara le tenait serré contre elle. »

Edsel avait un peu plus de deux ans à cette époque. « Évidemment, dira-t-il plus tard en faisant une légère confusion dans les dates, je ne me souviens pas de la première automobile de mon père car il la construisit l'année de ma naissance et la commercialisa deux ans plus tard. En revanche, je me souviens très bien de la visite du maire de Detroit qui était venu voir une autre voiture. J'étais à la fenêtre pour attendre son arrivée. Ce devait être au moment des élections car nous avions sa photo collée sur la vitre. »

Le maire, William C. Maybury, un Irlandais, était un ami des Ford qu'il avait aidés à leur arrivée dans le Michigan. Sa famille avait fait fortune dans l'immobilier. William Ford et Mary célébrèrent leur mariage dans le grand salon des Maybury. En 1897, il offrit à leur fils de participer financièrement à la construction de sa nouvelle voiture.

La nouvelle Ford avait de grandes roues, un siège capitonné à deux places, des lampes de cuivre et des garde-boue qui lui donnaient une allure racée. Par son apparence et sa mécanique, elle pouvait soutenir la comparaison avec toutes les autres automobiles de l'époque. R. W. Hanington, un ingénieur qui avait travaillé avec Charles Duryea, se rendit en 1898 à Detroit pour effectuer une enquête sur les récents développements de l'automobile aux États-Unis. Il se livra à une inspection minutieuse de la Ford et en fit une critique élogieuse. « Le succès d'une voiture, concluait-il, réside dans sa capacité à rouler sur toutes sortes de routes sans subir de pannes. »

C'était également l'opinion de William Murphy, un autre Irlandais de Detroit. Comme les Maybury, les Murphy n'avaient pas mis tous leurs œufs dans le même panier. Ils s'occupaient d'immobilier mais avaient également des actions chez Edison Illuminating. William Murphy était un passionné d'automobile et, quand Henry Ford lui demanda de le commanditer, il lui répondit qu'il prendrait l'affaire au sérieux s'il pouvait le conduire sans encombre jusqu'à Farmington, au nord-ouest de Detroit, et revenir en passant par Pontiac, soit une odyssée d'une centaine de kilomètres.

Pendant l'été 1899, en juillet vraisemblablement, les deux hommes effectuèrent le voyage convenu. Murphy nota soigneusement la consommation d'essence, l'état des routes et les différentes performances de la voiture. Il n'y eut aucun incident pendant tout le trajet et, de retour à Detroit, Murphy déclara : « Maintenant, nous allons créer une société. »

La Detroit Automobile Company, avec un capital de 150 000 dollars, fut fondée le 5 août 1899. Henry Ford fut nommé directeur technique. Trois ans après la construction de sa Quadricycle, il avait réussi à obtenir l'appui des principaux membres de l'establishment. Outre Maybury et Murphy, d'autres personnalités faisaient partie des actionnaires : James et Hush McMillan qui contrôlaient des sociétés de transport maritime et ferroviaire, des banques, des compagnies d'assurance et de nombreuses autres entreprises, comme la compagnie du téléphone du Michigan et la Detroit Dry Dock, Dexter M. Ferry, le magnat des semences, Thomas W. Palmer, sénateur du Michigan, la famille Peck qui possédait l'Edison Illuminating, Frederick Osborne qui dirigeait l'une des plus importantes sociétés de courtage de la ville, et Frank Woodman Eddy, un richissime homme d'affaires qui avait fondé l'Athletic Club.

Parmi les anciens compagnons d'Henry, seuls Edward « Spider » Huff et Frederick Strauss acceptèrent de devenir actionnaires.

L'usine de la Detroit Automobile était située 1343, Cass Avenue. Le premier véhicule qui sortit de ses ateliers, le 12 janvier 1900, était cependant fort différent de la voiture précédemment construite par Henry. De couleur noire, il était entièrement fermé sur les côtés et possédait une cabine pour abriter le chauffeur et un passager.

« Plus rapide qu'un cheval de course, il vole à travers les rues verglacées », titra le *Detroit News* du 4 février. Un journaliste qu'Henry avait emmené avec lui pour essayer la voiture écrivit un article dithyrambique : « A chaque époque décisive de l'histoire de l'humanité s'élève une voix ou un cri. Il y eut d'abord le rugissement du lion, puis la voix de l'homme, enfin le pétillement du feu... Aujourd'hui, dans les rues de Detroit, on entend le murmure de l'automobile qui s'élance à 30 kilomètres à l'heure... »

Suivait une interview où le constructeur expliquait au journaliste qu'on peut apprendre à conduire une voiture aussi facilement qu'une bicyclette et qu'il ne s'agissait pas d'un moyen de transport dangereux. L'article était illustré d'une photographie qui révélait un aspect jusque-là inconnu de la personnalité d'Henry. Il semblait étonnamment à l'aise, alors qu'il était en général plutôt timide et peu doué pour parler en public. Mais quand il s'agissait d'automobiles, il était intarissable avec la presse.

Dans les mois qui suivirent, la Detroit Automobile produisit une douzaine d'autres voitures. Cependant, en novembre 1900, moins d'un an après sa fondation, elle arrêta les ventes et, deux mois plus tard, annonça sa liquidation. Henry en rejeta la responsabilité sur ses commanditaires, « un groupe de spéculateurs » uniquement intéressés par « l'exploitation d'autrui ». Ils ne comprenaient pas son objectif : fabriquer de meilleures voitures pour les consommateurs. « Ma position d'ingénieur, dira-t-il, ne me donnait aucune autorité et je me rendis compte que cette société ne me permettait pas de mettre mes idées en pratique, qu'elle n'était qu'un moyen de gagner de l'argent. »

Ses biographes ont eu tendance à prendre ces propos au pied de la lettre et à expliquer la faillite de la Detroit Automobile par le « perfectionnisme » d'Henry. En fait, les hommes d'affaires qui avaient investi dans la société ne pouvaient être taxés de légèreté. Avant de jeter l'éponge, ils avaient perdu, entre août 1899 et novembre 1900, 86 000 dollars. D'après Frederick Strauss, Henry n'avait pas tenu ses engagements. Pour une raison inconnue, il garda par-devers lui les plans du précédent véhicule dans lequel il avait emmené Murphy faire une randonnée et qui avait été à l'origine de la création de la société. L'usine était située dans la banlieue de Detroit et Henry allait souvent se promener dans les bois, prétextant qu'il réfléchissait à ses projets. Strauss et les autres mécaniciens le voyaient de moins en moins. Il apparaissait une ou deux heures par jour. Quand les directeurs exigèrent des explications, Henry répondit à Strauss : « S'ils me demandent, dis-leur que je suis en voyage. »

C'est un comportement qui peut paraître étrange pour un homme de 40 ans, mais il correspond bien au caractère d'Henry qui avait tendance à se replier sur lui-même dès qu'il rencontrait des difficultés. Strauss explique son attitude par le refus des actionnaires de lui donner de « meilleures installations ». En fait, ces derniers semblent s'être montrés plutôt compréhensifs. Maybury, l'ami de la famille, remboursa en grande partie les 86 000 dollars et Murphy fit suffisamment confiance à Henry pour l'aider à lancer un nouveau projet.

Il semble qu'à cette époque le constructeur n'était pas encore en mesure de maîtriser le processus complexe du passage de la fabrication d'un prototype à la production en série, contrairement à d'autres pionniers de l'automobile comme Duryea, Haynes ou Charles B. King. La Detroit Automobile Company lui avait offert une chance qu'il ne sut pas saisir.

4

Les courses

En janvier 1901, Clara Ford décida de tenir un journal. Comme la plupart des décisions qu'on prend en début d'année, celle-ci ne dura guère. Cependant le journal qui commence au moment de la dissolution de la Detroit Automobile nous donne un aperçu de la vie de la famille Ford à cette époque.

11 janvier 1901.
Il a neigé toute la journée. Edsel était trempé. Il a joué aux échecs avec Grand-Père (Ford). Edsel a horriblement triché. Il riait tellement en allant se coucher qu'il n'a pas pu dire ses prières.

Samedi 12 janvier.
Nous sommes allés en ville pour acheter des chaussures et des guêtres pour Edsel. Nous avons écouté de la musique dans le magasin Sheaffer. Après le dîner, nous avons appris à Grand-Père à jouer aux cartes.

Dimanche 13 janvier.
Je suis allée avec Edsel à l'école du dimanche. De retour à la maison, nous avons déjeuné et Henry a réparé le vieux traîneau, mais Edsel a refusé de sortir en disant que le traîneau était trop usé. Pour le punir, on l'a envoyé dans sa chambre. Il était tout triste.

Quand Edsel fut plus âgé, son père essaya de lui imposer sa volonté, mais pour l'enfant de 7 ans il fut un père très indulgent. Il adorait les gadgets et aimait montrer à son fils comment s'en servir. Dans les années 1890, il acheta un appareil photo et les images le montrent faisant le clown. Il apprit à Edsel à conduire alors que l'enfant n'avait que 8 ans.

Après la disparition de la Detroit Automobile, Henry consacra davantage de temps à sa famille. Clara note dans son journal que, le 11 avril 1901, pour son trente-cinquième anniversaire qui coïncidait avec le treizième anniversaire de leur mariage, ils se rendirent chez

Hudson, le magasin le plus chic de Detroit. Son mari lui offrit une paire de chaussures en cuir et des bas de soie noirs.

20 avril.

Je suis allée en ville et j'ai retrouvé Henry chez Hudson. J'ai voulu changer les chaussures mais ils ont refusé. Ils m'ont remboursée.

Le journal cesse peu de temps après cette date, mais nous y apprenons que, le 5 avril, Henry et Murphy firent le tour du lac Orchard en voiture en passant par Pontiac.

William Murphy n'avait pas été découragé par l'échec de la Detroit Automobile. Certes, il avait perdu de l'argent dans l'aventure mais, compte tenu de sa fortune, c'était pour lui sans grande importance. Lorsque Henry lui suggéra d'organiser pour l'été une course automobile, il fut tout de suite séduit par cette perspective.

C'était une habitude chez les nouveaux constructeurs de voitures. En septembre 1900, la crème de la société de la côte est s'était retrouvée à Newport, Rhode Island, pour voir William K. Vanderbilt gagner une course de 8 kilomètres en 9 minutes. Le mois suivant, un industriel de Cleveland, Alexander Winton, remporta la première place devant de sérieux concurrents, à Chicago, sur un circuit de 88 kilomètres. Il avait fait une moyenne de 60 kilomètres à l'heure et sa victoire lui assura une publicité certaine à la fois comme constructeur et comme pilote. On apprit qu'il avait l'intention de venir à Detroit et de lancer un défi à tous ceux qui voudraient bien l'accepter.

La course devait avoir lieu le 10 octobre sur une piste construite à Grosse Pointe, au bord du lac. Dès le printemps, Henry se mit à préparer sa propre voiture. Avec le soutien de Murphy, il recruta une équipe composée d'Oliver Barthel, l'ancien employé de Charles B. King, et de l'électricien Edward « Spider » Huff.

Il appliqua les principes mêmes qui avaient fait le succès de la Quadricycle qu'il avait vendue pour financer ses recherches. Le nouveau propriétaire, A. W. Hall, lui avait envoyé en 1899 une lettre élogieuse lui assurant que la Quadricycle marchait à la perfection.

La principale caractéristique de la voiture de course d'Henry était sa simplicité : deux cylindres et une puissance de vingt-six chevaux. De ce dernier point de vue, elle ne pouvait rivaliser avec les automobiles qui allaient entrer en compétition. Henri Fournier, qui détenait alors le record mondial du mile, pilotait un véhicule de soixante chevaux, de même que William K. Vanderbilt Junior avec sa « Red Devil », un véritable monstre qui lui avait coûté 7 000 dollars de taxes à l'importation.

Au début du siècle, Grosse Pointe n'était encore qu'un ensemble de petites villas enfouies parmi les arbres sur les bords du lac Saint-Clair. Elles servaient de résidence d'été à l'élite de Detroit. Un groupe d'estivants avaient formé un club et acheté un yacht à vapeur qui leur permettait de se rendre en ville. Deux propriétaires plus fortunés possédaient leur propre yacht. L'hiver, les gens regagnaient Detroit et retrouvaient leurs demeures de Woodward Avenue.

Quand les concurrents arrivèrent à Grosse Pointe pour participer à la course, l'exode de septembre avait déjà commencé. Les yachts étaient amarrés sur la plage et les volets des villas clos. La piste circulaire avait une longueur de 1 mile (1 609 m) et l'on avait remblayé les virages avec de la terre. Alexander Winton avait l'intention de battre le record mondial du mile, détenu par le Français Fournier qui allait faire le même jour une nouvelle tentative à New York. Les promoteurs de la course de Grosse Pointe espéraient que Detroit serait à l'honneur.

On attendait l'événement depuis des semaines. Le juge Phelan avait interrompu les audiences du tribunal à treize heures afin que les avocats et leurs clients puissent se rendre à Grosse Pointe où s'étaient rassemblés 8 000 spectateurs. L'un des trois concurrents ne put démarrer à cause d'un cylindre défectueux. Il ne resta donc plus en lice que Winton, qui avait battu le record du monde au cours des préliminaires, et Henry Ford. Les organisateurs décidèrent de limiter la course à 10 miles au lieu des 35 prévus.

Dès le début, Winton démontra sa supériorité en prenant la tête. La voiture de Ford pouvait rivaliser avec la sienne pour la vitesse mais son pilote semblait manquer de compétence. A chaque tour il perdait du terrain. Accroupi sur le marche-pied et accroché à des poignées spéciales, Huff lui servait de « postillon » en se baissant et en s'étirant au maximum dans les virages. Au troisième tour, Winton avait déjà 300 mètres d'avance. La course semblait définitivement jouée.

C'est alors qu'Henry commença à reprendre du terrain dans les lignes droites. Dès le sixième tour, il menaçait déjà de rattraper son adversaire. La voiture du leader était d'ailleurs en difficulté. Un nuage de fumée s'en échappait. Charles Shanks, le « postillon » de Winton et son directeur des ventes, essayait désespérément de limiter les dégâts en versant de l'huile dans le moteur. Au septième tour, en passant devant la tribune d'honneur, Henry Ford prit la tête et la garda jusqu'à la fin de la course.

Le délire s'empara des spectateurs. « J'aurais voulu que tu sois là, écrivit Clara à son frère, Milton Bryant. Les gens étaient devenus fous. Un homme a jeté son chapeau par terre et l'a piétiné. Un autre a frappé sa femme pour l'empêcher d'avoir une crise de nerfs. Elle hurlait : “ Si j'avais su, j'aurais parié 50 dollars sur Ford. ” »

Ce fut une belle victoire. A notre époque, si un pilote sort vainqueur d'une course grâce à un incident mécanique survenu à un autre concurrent, il ne s'estime pas vraiment satisfait. En 1901, les choses étaient différentes, car le véritable problème n'était pas la vitesse mais la fiabilité de la mécanique.

Le 6 septembre 1901, un mois avant la course de Grosse Pointe, William McKinley, qui venait d'être réélu président des États-Unis, fut victime d'une agression et mourut une semaine plus tard. On décréta un deuil national et le jour des obsèques on observa sur tout le territoire deux minutes de silence.

Dans l'atelier de Detroit où Henry Ford et ses amis préparaient leur voiture pour la course, on déposa les outils puis, en proie à de sombres pensées, on se mit à discuter. Oliver Barthel donna à Henry un petit livre qui, lui dit-il, l'avait considérablement aidé à former son propre jugement : *A Short View of Great Questions,* d'Orlando Jay Smith.

L'ouvrage fit une forte impression sur Henry. L'auteur y traitait de l'homme et de son destin et exposait trois théories : celle du « matérialisme » (la vie commence à la naissance et finit avec la mort), celle de la « théologie » (l'homme est né avec une âme immortelle) et celle de la « réincarnation ».

Il ne semble pas qu'Henry Ford ait été jusque-là préoccupé par des problèmes spirituels ou philosophiques. Quand il était jeune, il parcourait chaque dimanche plusieurs kilomètres pour se rendre à l'office à Dearborn avec Edsel Ruddiman mais, dit celui-ci, « nous n'avions guère l'esprit religieux et c'était surtout pour le plaisir d'être ensemble ».

A Detroit, Henry s'intéressa successivement à différents cultes sans trouver ce qu'il cherchait, mais l'ouvrage que lui offrit Oliver Barthel fut pour lui une véritable révélation. La réincarnation apporte une réponse claire et logique aux craintes et aux doutes qui peuvent assaillir l'esprit humain. « Chaque expérience a sa propre valeur, dira plus tard Henry, et le travail n'a de sens que si nous pouvons utiliser cette expérience dans une vie future. » Cette théorie avait pour lui un attrait particulier : elle lui permettait de penser qu'il ne devait qu'à lui-même sa réussite et que l'hérédité et l'éducation n'entraient pas en ligne de compte puisque tout procédait de vies antérieures.

Il expliquait ainsi les aspects contradictoires de sa personnalité. Au début de la Première Guerre mondiale, il se déclara pacifiste et, quand on lui en demanda la raison, il répondit qu'étant né en juillet 1863, pendant la guerre civile, le mois de la bataille de Gettysburg, il avait été tué à ce moment-là et qu'il en avait gardé l'horreur des combats.

L'explication paraît simpliste mais c'est précisément la raison pour laquelle elle lui plaisait. Henry Ford était un homme simple. Avec la réincarnation, il avait trouvé « un plan universel. Le temps n'avait plus de limites. Je n'étais plus son esclave ».

La société Henry Ford, avec un capital de 60 000 dollars, fut créée le 30 novembre 1901. La course de Grosse Pointe avait porté ses fruits. Ses commanditaires firent don à Henry d'une part de 10 000 dollars.

Les cinq investisseurs, avec à leur tête William Murphy, détenaient chacun une part de 10 000 dollars. Ils avaient tous perdu de l'argent dans la Detroit Automobile et, instruits par cette première expérience, ils prirent leurs dispositions pour éviter une seconde débâcle. L'avenir devait leur donner raison.

Après sa victoire sur Winton, Henry s'était rendu à l'exposition automobile de New York où il fut accueilli en héros. Il y rencontra Henri Fournier et envisagea avec lui une compétition. Son beau-frère, Milton Bryant, proposa de devenir son manager et d'organiser une course près de Louisville, dans le Kentucky. Moins de deux mois après la création de la nouvelle société, Henry était repris par le démon des courses. « Il ne semblait pas avoir envie de mettre sur pied une production de petites voitures, dit Oliver Barthel, qu'il avait engagé pour travailler à plein temps sur son prototype. Il parlait surtout d'une voiture de course plus grande et plus rapide. »

Il commença à réaliser son projet en secret et réussit à convaincre Barthel de l'aider. Comme à l'époque où il construisait sa Quadricycle sur le temps pris à ses employeurs de la Detroit Automobile, il se mit à travailler de nuit. Mais, cette fois, il s'agissait de sa propre société.

Cependant ses partenaires veillaient au grain. Murphy arriva un jour inopinément à l'usine et trouva Barthel occupé sur la voiture de course. Il menaça de le licencier s'il continuait. Murphy avait compris qu'Henry retombait dans les erreurs du passé mais il avait un plan de rechange. Il fréquentait la même église que Henry M. Leland, directeur et actionnaire de Leland & Faulconer, l'un des meilleurs ateliers de construction mécanique de Detroit. Leland était un homme sérieux, jouissant d'une excellente réputation. Murphy le prit d'abord comme conseiller puis, quand les choses commencèrent à mal tourner, il le fit venir à l'usine pour régler les problèmes sur le terrain.

Plus âgé qu'Henry, Leland estima qu'il pouvait dicter sa conduite à ce dernier. Quand l'affrontement inévitable se produisit, les associés de Ford prirent le parti de Leland. En mars 1902, quatre mois après la création de la société, Henry en fut exclu. On lui régla 900 dollars et il emporta avec lui les plans de sa voiture de course mais laissa ceux du prototype qu'il s'était engagé à construire.

La compagnie fut rebaptisée la Cadillac Automobile. Le moteur du prototype fut remplacé par le système à un seul cylindre d'Henry Leland. C'est ainsi que fut créée la Cadillac qui se fit une réputation sans précédent de qualité et de fiabilité. En 1909, elle devint le fer de lance de la General Motors. A l'origine, cependant, c'était une Ford.

C'est une sorte de record d'être parvenu à liquider deux sociétés en moins de deux ans. Ces échecs témoignent du sentiment profond d'insécurité qui habitait Henry Ford. A cette époque, il semblait avoir peur de la réussite.

Il traversa pourtant ces deux débâcles sans paraître en être affecté le moins du monde. « J'avais l'impression, dira-t-il à Oliver Barthel en 1928, que ma volonté n'avait aucune part dans les événements et que j'étais poussé par des forces intérieures et extérieures invisibles. » Il était devenu alors l'homme le plus célèbre et le plus riche des États-Unis et était convaincu d'avoir mérité son destin. Dans un certain sens, c'est la meilleure explication qu'on puisse donner de sa réussite. Lorsqu'il était jeune, il y avait effectivement des forces qui le poussaient dans toutes les directions.

Il était d'abord venu à Detroit puis retourné à la campagne et revenu de nouveau en ville, suivant le même itinéraire que des centaines de milliers de jeunes paysans de l'époque. Compte tenu de ses racines paysannes, il n'est pas surprenant qu'il ait éprouvé un sentiment d'insécurité qu'on retrouvera plus tard dans sa nostalgie d'un paradis pastoral qui n'avait jamais existé.

Mais d'autre part, l'essor économique était réel et l'on trouvait effectivement des emplois dans les villes. Au début du siècle, un jeune homme pauvre avait des chances de devenir riche par lui-même. C'est une possibilité qui ne s'est pratiquement plus jamais présentée par la suite. Sur le terrain qu'il s'était choisi, Henry Ford pouvait se permettre d'échouer par deux fois, et même davantage, avant de trouver ce qui lui convenait vraiment.

Entre 1900 et 1908, 502 usines d'automobiles ont vu le jour aux États-Unis; 302 ont fait faillite, ou se sont reconverties dans d'autres activités. En 1910, on fabriquait, dans l'ensemble du pays, près de 300 types différents de voitures. La seule ville de Detroit comptait 23 usines et 132 entreprises de mécanique qui produisaient des pièces détachées.

Henry Ford retrouva vite un commanditaire, Tom Cooper, un champion cycliste qui avait gagné une fortune dans les années 1890. En mai 1902, ils s'associèrent pour construire deux voitures de course auxquelles ils donnèrent les noms des trains express de l'époque : la

« Arrow » et la « 999 ». Cette dernière avait un moteur de soixante-dix chevaux et quatre énormes cylindres. C'était l'automobile la plus puissante qui avait jamais été réalisée.

Pour la fabrication de ces monstres, Henry s'était adjoint un nouveau partenaire, C. Harold Wills, un jeune dessinateur de talent qui était non seulement capable de réaliser des croquis d'une grande précision mais était aussi doué pour la mécanique. Les deux voitures furent construites au cours de l'été en prévision d'une course qui devait avoir lieu à Grosse Pointe au mois d'octobre. Alexander Winton y participerait et l'on décida de faire concourir la 999.

C'était un engin difficile à piloter. Tom Cooper fit des essais et déclara forfait. Un autre champion cycliste de ses amis, Barney Oldfield, un véritable casse-cou qui n'avait jamais conduit de voiture, accepta de relever le défi.

Le jour de la course, il se lança dans la bataille avec la joyeuse insouciance d'un néophyte. Il ne leva pas le pied de l'accélérateur et ne ralentit même pas dans les virages. Winton, qui avait baptisé sa voiture *The Bullet* (« la balle »), fut distancé dès le premier tour. La 999 battit également la voiture pilotée par Charles Sank, le directeur des ventes de Winton, et remporta la course des 5 miles (8 km) en 5 minutes et 28 secondes, établissant ainsi un nouveau record américain. Ce fut le début d'une brillante carrière de coureur automobile pour Barney Oldfield. Six semaines plus tard, il pulvérisait son propre record en 1 minute, 1 seconde et 2 dixièmes.

Quant à Henry, il se trouvait de nouveau dans une impasse. Il s'était brouillé avec Cooper et avait dû lui vendre la 999. Clara raconta à son frère Milton que le champion cycliste avait entraîné son mari dans « de nombreuses combines » et qu'il ne s'intéressait qu'à lui-même. Les anciens partenaires d'Henry auraient pu en dire autant de celui-ci.

Il avait été question entre Ford, Milton et Cooper de former une équipe pour organiser des courses à travers tout le pays. « Je suis bien heureuse que nous soyons débarrassés de lui, écrivit Clara à son frère. L'idée de vous voir voyager ensemble ne me plaisait pas. C'est un homme qui s'intéresse trop aux femmes de mauvaise vie... »

5

Le docteur Pfennig achète une voiture

Quand, dans les années trente, Diego Rivera, le peintre mexicain, arriva à Detroit pour commencer ses fresques célèbres sur l'industrialisation de la ville, le directeur du musée, le docteur William Valentiner, lui fit parcourir la cité à travers les masses grises des usines et des cheminées, et lui expliqua comment tout cela avait commencé.

Selon Valentiner, l'essor économique était dû en grande partie au climat où « seuls les forts pouvaient survivre ». C'était un esthète allemand qui n'appréciait guère les conditions de vie du Michigan du sud-est. Il comparait Detroit à Berlin et à Madrid, deux capitales installées dans un milieu naturellement hostile à l'homme.

Il faut cependant reconnaître que la nature avait été généreuse pour le Michigan. Les gisements de cuivre et de minerai de fer fournissaient la matière première aux ateliers de construction mécanique. On trouvait du charbon en abondance mais, à l'usage, il ne se révéla pas d'une qualité énergétique satisfaisante. Les chantiers navals de Detroit lui préférèrent l'essence. On construisait depuis longtemps à Detroit des machines à combustion interne quand ailleurs on se servait encore d'engins à vapeur.

L'exploitation des forêts permit à la ville de devenir un important centre de construction pour les transports ferroviaires et les voitures à chevaux. Ces deux industries employaient de nombreux ouvriers du cuir, des tapissiers, des menuisiers dont les usines d'automobiles utilisèrent ensuite les talents. Jusqu'aux années vingt, en effet, les carrosseries des voitures étaient en bois.

Après la vague de troubles sociaux des années 1880, les patrons décidèrent de s'unir pour contrecarrer l'action des syndicats. Ils fondèrent l'EAD (Employers' Association of Detroit), connue dans tout le pays pour ses méthodes de répression des grèves, ses provocateurs, ses espions et ses hommes de main. Les intérêts des patrons étaient bien protégés, et des sociétés comme la Packard Motor de l'Ohio et la

Burroughs Adding Machine de Saint Louis transférèrent leurs activités à Detroit.

Henry B. Joy et Truman H. Newberry, les nouveaux commanditaires de Packard, étaient d'ailleurs originaires de la ville. Avec William Murphy, les frères McMillan et les autres hommes d'affaires qui avaient soutenu Henry Ford à ses débuts, ils devinrent les rois de Griswold Street, le Wall Street de Detroit.

La construction automobile n'avait pas vu le jour à Detroit, mais en Nouvelle-Angleterre. Plus tard Alexander Winton avait fabriqué sa voiture à Cleveland, et Elwood Haynes réalisé la sienne en Indiana. Jusqu'en 1905, Indianapolis compta plus d'usines d'automobiles qu'aucune ville du Michigan. Mais entre 1880 et 1900, la population de Detroit avait doublé; au début du XXe siècle la fièvre de la construction s'empara de la ville, et les investisseurs et les capitaux extérieurs affluèrent.

Quand il travaillait chez Edison, Ford avait fait la connaissance d'un marchand de charbon jeune et dynamique, Alex Y. Malcomson. Né en Écosse en 1865, il avait d'abord été garçon d'épicerie à son arrivée à Detroit. Il comprit vite tout le parti qu'il pouvait tirer du commerce du charbon car les besoins étaient considérables. La plupart des marchands utilisaient de grands chariots traînés par quatre ou six chevaux. Malcomson préféra se servir de petites charrettes à deux chevaux, ce qui permettait des livraisons plus rapides. Son commerce prospéra rapidement. Il acheta une voiture à Winton, et son instinct des affaires le poussa à s'intéresser à l'industrie automobile.

Henry Ford et Malcomson créèrent la Ford & Malcomson Ltd. le 20 août 1902. Ils se fixèrent pour objectif la construction d'une voiture de tourisme. Leur association ne promettait guère de durer. Henry, malgré son mépris affiché pour les « grosses affaires », se montrait d'un opportunisme égal à celui de n'importe quel grand manitou quand il s'agissait de ses intérêts. L'Écossais était de la même trempe et avait les yeux plus grands que le ventre. Paradoxalement, ce fut ce qui sauva leur entreprise. Comme Henry n'osait même pas avouer à ses banquiers le montant de ses hypothèques, il ouvrit un compte au nom de son caissier et chef du personnel, James Couzens.

Couzens fut certainement l'un de ceux qui contribuèrent le plus à la réussite d'Henry Ford. Il manifestait déjà toute l'ambition qui allait faire de lui plus tard un maire et un sénateur. Infatigable, dépourvu de tout sens de l'humour, on disait de lui que lorsqu'il souriait une fois l'an, la glace des Grands Lacs fondait. Né au Canada, il avait dix ans de moins qu'Henry. Il se montra moins enthousiaste que son employeur pour l'aventure dans laquelle il l'entraînait. Dans les premiers temps, de l'industrie automobile n'avait pas une grande réputation de respectabilité. Des sociétés naissaient et disparaissaient presque chaque jour. Les mécaniciens se montraient peu scrupuleux à l'égard de leurs commanditaires et les records d'Henry dans ce domaine n'étaient guère encourageants.

Le prototype qu'il apportait à la nouvelle société était cependant d'excellente qualité. Extérieurement, il ressemblait à la voiture qu'il avait fabriquée au temps de son association avec Murphy et, au premier regard, rien ne la distinguait de la Cadillac de Leland à un cylindre. En fait, il avait travaillé sur un nouveau moteur qui allait se révéler trop robuste. Si James Couzens fut le partenaire idéal sur le plan des affaires, C. Harold Wills, l'ingénieur qui avait réalisé avec Henry la 999, joua le rôle d'un véritable catalyseur dans le domaine de la mécanique.

Pendant une douzaine d'années, Ford et Wills furent à l'origine de multiples découvertes. En 1902, ils eurent une idée de génie issue de leur expérience des courses automobiles. Ils décidèrent de placer verticalement les deux cylindres de leur voiture de tourisme qui étaient auparavant en position horizontale. Cette modification réduisait l'usure et les vibrations et augmentait la puissance. Ce fut un acquis fondamental dans la technologie de l'automobile. On baptisa le nouveau prototype Modèle A, ce qui laissait entendre qu'il y aurait une succession par ordre alphabétique.

Après la seconde victoire de Ford sur le circuit de Grosse Pointe, il fut décidé que, lorsque l'association entre Ford et Malcomson aurait augmenté son capital, elle prendrait le nom de Ford Motor Company. Ce fut Wills qui dessina le logo de la marque de fabrique qui allait devenir célèbre dans le monde entier.

Les premiers constructeurs étaient essentiellement des réalisateurs et des assembleurs. Une fois les plans achevés, ils confiaient la fabrication des différentes pièces à d'autres sociétés. Aujourd'hui encore, les 5 000, 6 000 ou 13 000 pièces qui entrent dans la composition d'une voiture produite par les trois grandes sociétés de Detroit : Ford, Chrysler et General Motors, sont fabriquées par d'autres entreprises. Les carburateurs, les instruments du tableau de bord, les ornements du capot, parfois même la carrosserie tout entière, proviennent d'usines qui travaillent pour plusieurs compagnies. Detroit est connue non seulement pour être la capitale de l'automobile et des grandes firmes, mais aussi pour ses milliers de fabricants de pièces détachées.

En 1903, la Ford Motor sous-traita, pour les revêtements de bois et de cuir du Modèle A, avec la C. R. Wilson Carriage, et avec John F. et Horace E. Dodge pour les éléments mécaniques. Les deux frères

Dodge, de jeunes mécaniciens, avaient créé une entreprise de construction mécanique florissante connue dans tout le Middle West. Ils furent les premiers à se consacrer exclusivement aux pièces détachées pour voitures. Ils avaient déjà produit des arbres de transmission pour Ransom E. Olds, et quand Henry Ford leur apporta les plans du Modèle A, ils envisageaient un nouveau contrat avec Oldsmobile.

On a dit que les frères Dodge avaient été si impressionnés par le Modèle A qu'ils abandonnèrent le contrat Oldsmobile pour s'y consacrer. En réalité, l'affaire que leur proposait la Ford Motor représentait un meilleur marché. Alex Malcomson manquait d'argent liquide. Les constructeurs obtenaient en général quarante à soixante jours de crédit de leurs fournisseurs, mais la situation financière de Malcomson était telle qu'il dut accepter de payer contre remboursement immédiat les cent premiers châssis, avec un crédit de quinze jours pour les livraisons suivantes. S'il ne pouvait tenir ses engagements, les véhicules invendus deviendraient propriété des Dodge.

Le Modèle A devait donc être assemblé – et écoulé – rapidement. En février 1903, Ford et Malcomson signèrent un contrat avec les frères Dodge pour la fourniture de 650 moteurs, arbres de transmission et essieux, de 250 dollars par commande, soit un total de 162 500 dollars à payer en quelques mois. Il leur fallait à tout prix trouver de l'argent.

Les précédents commanditaires d'Henry Ford s'étaient rassemblés sans difficulté et leurs investissements ne représentaient qu'une petite partie de leur fortune personnelle. Il en alla différemment avec ceux qui acceptèrent de financer le Modèle A. Alex Malcomson mit six mois pour réunir les fonds.

Il commença par son oncle John S. Gray, un banquier à qui il devait déjà de l'argent. La première livraison des frères Dodge, d'un montant de 5 000 dollars, devait être payée à la mi-mars 1903, et la seconde le mois suivant. Gray offrit d'investir 10 500 dollars à condition d'être associé à l'entreprise et d'en devenir le président. Il détint ainsi 105 actions. Les frères Dodge en eurent chacun 50. Ils devaient livrer pour 7 000 dollars de matériel et payer cash 3 000 dollars. Un cousin de Malcomson, Vernon C. Fry, accepta de risquer 5 000 dollars, ainsi qu'Albert Strelow, un entrepreneur qui avait travaillé pour Malcomson. Deux avocats, John W. Anderson et Horace H. Rackham, dont la principale activité consistait à s'occuper des dettes de Malcomson, prirent chacun 50 actions. James Couzens, qui ne possédait pas les 2 500 dollars que représentaient ses 25 actions, fit appel à sa sœur Rosetta qui lui prêta 200 dollars sur ses économies. Enfin un comptable de Malcomson prit 10 actions.

Le seul investisseur qui n'était pas lié d'une façon ou d'une autre à Malcomson était Charles H. Bennett, un homme d'affaires qui avait essayé le Modèle A et avait été très impressionné.

La première réunion des actionnaires eut lieu le 13 juin 1903. John S. Gray fut élu président. Henry Ford et Alex Malcomson furent respectivement crédités de 25 500 dollars, soit 255 actions, pour le matériel, les brevets et les plans qu'ils apportaient à la société. Ils détenaient ainsi à eux deux la majorité : 51 % des 1 000 voix. La Ford Motor Company fut officiellement créée le 16 juin.

Ford, Wills et leur équipe de mécaniciens avaient commencé à travailler dès le début du mois dans un atelier de Mack Street – aujourd'hui Mack Avenue – que leur louait Albert Strelow pour 75 dollars par mois. Ils avaient embauché une douzaine d'ouvriers qui étaient payés 1 dollar 50 par jour. James Couzens avait établi une comptabilité très stricte d'où il ressortait que la vente d'une voiture au prix de 750 dollars procurerait un bénéfice net de 150 dollars.

Pour 100 dollars supplémentaires, on proposait aux acheteurs un « tonneau », c'est-à-dire un siège qui pouvait être fixé à la banquette, ce qui transformait le véhicule en voiture à quatre places. On espérait en tirer un bénéfice de 50 dollars.

Il y eut quelques semaines difficiles pendant lesquelles l'argent sortait mais ne rentrait pas car, si la production avait bien démarré, aucun acheteur ne se présentait. Finalement, le 15 juillet, un certain docteur E. Pfennig, dentiste à Chicago, acquit le premier Modèle A avec son « tonneau » en option. Et James Couzens put enfin inscrire dans son livre de comptes à la colonne du crédit, en écorchant d'ailleurs le nom de l'acheteur :

« Chicago Illinois Trust and Savings Bank – Dr E. Phenning – 850 dollars. »

En janvier 1904, Henry Ford acheta son premier habit de soirée qu'il paya 65 dollars. Il pouvait se permettre cette fantaisie car, après la commande du docteur Pfennig, de nombreux acheteurs s'étaient présentés.

Les actionnaires qui, dans les débuts de l'entreprise, avaient connu de sérieuses difficultés, ne tardèrent pas à recevoir les dividendes de leurs investissements. En juin 1904, le total des bénéfices fut de 98 000 dollars, ce qui rapporta à Henry – qui n'avait pas mis un sou dans l'affaire – 25 000 dollars.

Albert Strelow avait ajouté un étage à l'usine de Mack Street en octobre 1903 mais les installations devinrent vite trop exiguës. En avril 1904, une réunion spéciale des actionnaires approuva l'acquisition d'une nouvelle usine dans des locaux plus spacieux situés au croisement des avenues Piquette et Beaubien, près de Grand Boulevard, dans le quartier nord de Detroit. La Ford Motor s'y installa début 1905. Outre le bâtiment principal, on trouvait là une station électrique, un atelier de peinture et un laboratoire. Une grande cour servait à tester les voitures nouvellement assemblées.

C'était une entreprise prospère. L'usine sortait 25 véhicules par jour. James Couzens avait réduit le personnel administratif au minimum et Henry Ford, qui avait la paperasserie en horreur, approuvait ses méthodes. A un employé qui cherchait un jour en vain une facture et lui demandait s'il savait où elle se trouvait, Henry répondit vaguement : « Peut-être bien en haut. » Dans son bureau s'amassait un monceau de correspondance, de lettres jamais ouvertes, parmi lesquelles des factures impayées et même des chèques non encaissés.

Ford, Wills et Huff apportaient sans arrêt des modifications aux véhicules. Ils changèrent par exemple le carburateur du Modèle A, fabriqué par les frères Dodge et qui ne les satisfaisait pas. Ils firent venir de Pennsylvanie George Holley, un jeune mécanicien qui avait travaillé sur des motocyclettes et des petites voitures, et tous quatre conçurent un nouveau carburateur plus solide, plus fiable et moins cher que tous ceux qu'on pouvait trouver sur le marché.

James Couzens s'efforçait d'endiguer ce flot constant d'innovations qui risquait de ralentir la production et, par voie de conséquence, les ventes. Henry avait voulu par exemple retarder la première livraison de l'été 1903 en prétextant qu'il restait encore des améliorations à apporter, mais Couzens s'y opposa formellement. Il mit d'autre part sur pied un réseau de concessionnaires, ce qui était pour l'époque une innovation. En 1905, il avait réussi à créer 450 agences, de New York à San Francisco.

Le premier portrait officiel d'Henry Ford date de 1904, et il est intéressant de le comparer aux photographies des années précédentes. C'est évidemment un cliché pris par un professionnel et qui le présente à son avantage. Il a rasé sa moustache et paraît plus jeune, mais l'expression du regard dénote une nouvelle assurance, un sentiment de puissance. Il ressemble déjà à ce qu'il sera plus tard : l'homme d'affaires qui a réussi, le grand constructeur d'automobiles, le capitaine d'industrie.

Pour sa deuxième année d'activité, la Ford Motor annonça la sortie de trois nouveaux modèles : le Modèle B, le Modèle C et le Modèle F. Ces deux derniers, selon ce qui deviendra d'ailleurs une tradition chez les constructeurs de Detroit, n'étaient qu'une version légèrement améliorée du Modèle A destinée à justifier une augmentation des prix. Ils coûtaient respectivement 800 et 1 000 dollars. Le Modèle B, en revanche, était entièrement différent. C'était une voiture plus spacieuse, plus puissante, « la première quatre-cylindres utilisable sur toutes les routes ». Son prix était nettement plus élevé : 2 000 dollars.

La Ford Motor était cependant encore loin de proposer la voiture la plus économique du marché. Le Modèle C par exemple coûtait 150 dollars de plus que la « Merry Oldsmobile » qui était extrêmement populaire, et sur laquelle on avait même fait une chanson. Le rythme des ventes commençant à se ralentir, on arrêta la fabrication du Modèle B au printemps 1905.

Ce ne fut pas sans débats animés entre les directeurs. Des divergences étaient apparues entre Ford et Malcomson sur la conception des nouveaux modèles. Alors que Ford et Wills travaillaient sur les plans d'une voiture moins coûteuse, Malcomson était convaincu que l'avenir de l'automobile résidait dans un véhicule de tourisme de grand luxe. La tendance du marché semblait lui donner raison. Entre 1903 et 1907, le nombre de voitures vendues chaque année coûtant plus de 1 375 dollars augmenta régulièrement. Finalement, la Ford Motor se décida à sortir le Modèle K, un véhicule à six cylindres.

Henry Ford affirmera plus tard qu'il était opposé à sa fabrication. Il n'en avait pas moins dessiné les plans. Il est vrai cependant qu'il avait des perspectives totalement différentes de celles de Malcomson. Dans une interview accordée au *Detroit Journal* en 1905, il annonçait qu'ii avait l'intention de produire « 10 000 voitures à 400 dollars ».

On retrouvait les mêmes divergences chez Oldsmobile entre Fred L. Smith et Ransom E. Olds ainsi que chez les autres constructeurs. Les inventeurs du XIXe siècle avaient dû résoudre les problèmes techniques et mettre au point les méthodes de production. Cette étape était révolue et il s'agissait désormais de savoir comment et à qui vendre des produits fabriqués en grande quantité. Le marketing, autrement dit la capacité d'identifier le groupe adéquat de consommateurs et de leur vendre le produit, devint la clé du succès commercial.

Les classes les plus fortunées représentaient le marché traditionnel. Henry Ford avait cependant le sentiment que des possibilités plus importantes existaient ailleurs. Devenu riche après des années d'échecs, il aurait pu suivre la voie de la sécurité. Mais, comme à chaque tournant de son existence, il opta pour une solution radicale et non conformiste. Son instinct, le fameux « génie » qui avait vécu avant lui et accumulait des expériences pour une vie future, le guidait. D'autre part, l'ancien fils de fermier gardait toujours sa méfiance instinctive vis-à-vis des classes supérieures. Il y avait enfin dans son attitude une part de pure ambition et le désir de prendre enfin son destin en main.

Quant à Malcomson, devant l'ascension fulgurante de la société, il regrettait d'avoir laissé ses intérêts entre les mains de Couzens. Il proposa à son ancien comptable de retourner au commerce du charbon afin de pouvoir jouer lui-même un rôle plus actif. Couzens refusa et obtint le soutien d'Henry Ford. L'amitié qui existait entre les deux hommes peut paraître surprenante. Henry n'avait jamais pu travailler avec des partenaires possédant une forte personnalité. Il avait besoin de les dominer et, quand c'était impossible, il adoptait une attitude fuyante, comme il l'avait fait avec ses premiers commanditaires. Avec Couzens cependant, il établit dès le départ une qualité de relation qui allait bien au-delà de leurs intérêts réciproques.

Malcomson était appuyé par son cousin Vernon Fry et par Charles H. Bennett. Mais son oncle John Gray et tous les autres actionnaires se rangèrent aux côtés de Ford et de Couzens qui, grâce à leur travail acharné, leur avaient permis de toucher en moins d'un an 100 % de bénéfices sur leurs investissements.

Le problème se situait d'ailleurs au-delà des conflits de personnes ou des divergences sur la taille des voitures. L'heure était venue pour la Ford Motor de prendre de nouvelles décisions. Malgré ses 25 voitures produites quotidiennement, elle n'était encore qu'une usine de montage, toutes les pièces, du moteur à la carrosserie, étant fabriquées par les frères Dodge. Ces derniers faisaient ainsi un double bénéfice puisqu'ils étaient à la fois actionnaires et fournisseurs. Ils avaient déjà subi des reproches sur la qualité et la finition du travail. Mais en fait, le véritable objectif de Ford et de Couzens consistait à produire plus vite et en plus grande quantité.

En travaillant sur le nouveau prototype de voiture bon marché, Ford et Wills étaient arrivés à la conclusion suivante : pour faire baisser le prix de vente, il fallait améliorer les techniques de production et réduire le nombre d'heures de travail, ce qui nécessitait le contrôle de l'ensemble du processus.

Le 22 novembre 1905 fut créée la Ford Manufacturing Company, société anonyme au capital de 100 000 dollars, chargée de fabriquer toutes les pièces nécessaires à la construction d'une voiture. Malcomson, qui n'avait aucune participation dans cette nouvelle société, se prépara à la bataille. Il annonça la création de sa propre entreprise, l'Aerocar Company, et son intention de fabriquer 500 véhicules par an. Cette initiative lui fut fatale. Les actionnaires de la Ford Motor ne pouvaient accepter qu'il utilise ses dividendes pour lancer une entreprise rivale. Le 6 décembre, l'avocat Horace Rackham, soutenu par Ford, demanda sa démission.

Malcomson commença par refuser et décida d'engager un procès mais, après quelques mois de réflexion, il entama des négociations pour le rachat de ses parts. Charles Bennett, Vernon Fry et Charles Woodall suivirent son exemple. Albert Strelow, qui avait soutenu initialement Ford et Couzens, se retira à son tour et plaça son argent dans des mines d'or au Canada.

Après ces défections, le capital de la Ford Motor se répartissait de la façon suivante : les avocats Anderson et Rackham détenaient chacun 50 actions, ainsi que les frères Dodge, le banquier John Gray 105, et Couzens 110. Les 585 parts restantes étaient propriété d'Henry qui réalisa immédiatement son projet initial : l'intégration de la Ford Manufacturing. Il conclut avec Wills un accord aux termes duquel il devait lui retourner une petite part de ses dividendes. Mais en fait il n'avait plus besoin de personne. Il possédait le contrôle total de la société.

Au printemps 1906, Clara et Henry reçurent chez eux un couple anglais, Mr. et Mrs. Percival Perry. Ce dernier était un passionné de l'automobile, qui avait servi d'intermédiaire pour introduire à Londres les premiers taxis, trois Modèle B. Pour la sécurité des piétons, les autorités avaient demandé que les véhicules soient peints en blanc.

La Ford Motor s'était déjà lancée sur le marché international en vendant six Modèle A au Canada, en août 1903. Perry espérait obtenir les droits exclusifs de la distribution en Angleterre. Son journal de voyage nous donne un aperçu de la vie à l'usine dans ses débuts. Puisqu'il venait parler affaires, il commença par rencontrer John Gray, le président de la société, « un vieux monsieur charmant », qui lui conseilla d'aller voir Henry et le conduisit en voiture jusqu'à Piquette Avenue. Là, il trouva Ford et Wills en tenue de mécanicien. Henry invita Perry et sa femme à habiter chez lui pendant leur séjour à Detroit.

Les Ford habitaient encore un appartement modeste qu'ils louaient sur Harper Avenue. A la maison, on ne buvait pas d'alcool et Henry proposa à son hôte un jus de fruit, le « Malto Grape », qu'il achetait en gros à une fabrique de Paw Paw dans le Michigan. Perry se prit immédiatement d'amitié pour le constructeur à qui il trouvait du génie tout en percevant intuitivement les complexités de son caractère. « C'était, écrit-il notamment, un homme à qui vous auriez donné votre dernier sou. » Il le décrit comme quelqu'un qui adorait plaisanter, ce qui correspond également aux témoignages de Wills et de Huff.

A plus de 40 ans, Henry avait en effet toutes les raisons de voir la vie en rose. Il ne possédait pas encore sa propre maison, mais il envisageait d'en acheter une sur Woodward Avenue. Les problèmes avec Malcomson tiraient à leur fin, et pour son plus grand avantage. Il entrait dans une nouvelle phase de son existence.

Le jour où il racheta les parts de Malcomson, en juillet 1906, il demanda à l'un de ses mécaniciens, Fred Rockelman, de le ramener chez lui. Tout en roulant le long de Harper Avenue, il se laissa aller à son enthousiasme. « Fred, dit-il, c'est un grand jour. Nous allons donner une expansion formidable à la compagnie, et vous verrez qu'elle progressera à pas de géant. L'idée que j'ai en tête, c'est de fabriquer une voiture pour le plus grand nombre possible de gens. »

DEUXIÈME PARTIE

Les jours de gloire

6

Le Modèle T

Une voiture pour le peuple – la voiture qui allait faire le succès d'Henry Ford et transformer le visage de l'Amérique – était une notion inconnue en 1907. On retrouve dans cette idée les instincts populistes du constructeur, son ressentiment à l'égard des riches – les seuls à pouvoir profiter de l'existence –, et ce désir généreux, presque didactique, de faire partager à d'autres les joies de la mécanique.

Certains constructeurs avaient pensé avant lui à promouvoir une production en série pour proposer un prix de vente plus bas, mais il se distingue d'eux par son ambition d'améliorer sans cesse la technologie et d'innover afin d'y parvenir.

Henry assista en 1905 à une course automobile où son Modèle K, le haut de gamme de six cylindres, était engagé contre une voiture française. Il avait déjà constaté que les automobiles européennes semblaient à la fois plus légères et plus solides que leurs concurrentes américaines. Une collision se produisit et, en examinant l'épave de la voiture française, il remarqua une petite tige de soupape qui lui sembla d'une qualité exceptionnelle. Il entreprit une enquête minutieuse pour découvrir quel genre d'acier avait été utilisé. Il s'agissait d'un alliage de vanadium inconnu aux États-Unis. Les hauts fourneaux d'ailleurs n'atteignaient pas la température nécessaire pour réaliser cet alliage.

Il demanda à une petite aciérie de Canton, Ohio, de se livrer à des expériences en lui fournissant toutes les garanties nécessaires en cas d'échec. C'est ainsi qu'en mars 1907 il obtint sa première livraison d'acier au vanadium. Produit exclusivement par Ford, cet alliage avait une résistance à la tension dix fois supérieure à celle de l'acier fabriqué par la Carnegie Steel Company pour ses plaques de blindage.

Le modèle N fut la première voiture à bénéficier de l'acier au vanadium. C'était un véhicule robuste, conçu à partir des Modèles A, C et F. Le 1er janvier 1906, James Couzens annonça à la presse qu'elle ne coûterait que 450 dollars et que la Ford Motor envisageait d'en fabriquer 10 000 par an.

Il existait déjà aux États-Unis une tradition de production en série avec les machines à coudre Singer, les moissonneuses McCormick, les armes légères de Samuel Colt. Depuis 1903, Ransom E. Olds produisait annuellement 5 000 de ses fameuses « Merry Oldsmobile ». Ford et Couzens décidèrent de relever le défi et de doubler le chiffre.

Ils s'aperçurent rapidement que ce n'était pas une mince affaire. La chaîne de montage mobile n'existait pas encore. Les pièces et les châssis fabriqués par la Ford Manufacturing devaient être transportés jusqu'à l'usine de Piquette Avenue pour l'assemblage. Avant même d'entamer la production, Ford et Couzens arrivèrent à la conclusion qu'ils ne pourraient maintenir un prix de vente de 450 dollars et que le Modèle N, pour être rentable, ne devrait pas coûter moins de 600 dollars.

Il restait cependant le moins cher dans la gamme des petites voitures et le plus compétitif grâce à son puissant moteur à quatre cylindres et à son système d'allumage conçu par Huff, Ford et Wills. Sa principale caractéristique était sa légèreté qui allait s'accroître encore par l'emploi d'acier au vanadium pour les pièces détachées.

Ford décida de mettre sur pied son propre atelier de métallurgie pour expérimenter différents alliages. Harold Wills proposa d'engager un spécialiste, mais le patron rétorqua : « Nous ferons de Wandersee un expert. » C'était un jeune mécanicien qui avait commencé sa carrière à l'usine comme balayeur.

Henry, qui avait quitté l'école à 15 ans, montrera toujours une très grande méfiance envers les études supérieures. Les diplômés qui sollicitaient un emploi ne l'obtenaient jamais. John Wandersee se révéla à la hauteur de l'ambition de Ford. Une voiture pour le peuple et par le peuple. Après trois mois de formation, il installa un atelier expérimental de métallurgie qui devait être pendant des années le meilleur de tout le pays.

Le 30 septembre 1907, la Ford Motor avait déjà vendu 8 243 Modèle N, soit cinq fois plus que sa production des meilleures années. Pour la première fois aussi elle faisait un bénéfice net d'un million de dollars. Avec le Modèle R, puis le Modèle S, des versions améliorées du Modèle N, il ne restait plus que sept lettres avant d'arriver à la fin de l'alphabet.

Peu de temps après s'être installé à l'usine de Piquette Avenue en 1905, Henry Ford avait offert un emploi à un jeune menuisier d'origine danoise, Charles E. Sorensen. C'était un ami du champion cycliste Tom Cooper pour qui il effectuait des maquettes en bois. L'idée plaisait au constructeur. Travailler sur des plans ne lui convenait guère. Il engagea Sorensen pour 3 dollars par jour.

« Venez avec moi, lui dit-il un matin de l'hiver 1906-1907, je veux vous montrer quelque chose. » Il l'emmena au dernier étage du bâtiment dont une partie restait inoccupée. « J'ai besoin, lui dit-il, de faire une pièce à cet endroit. Faites un mur et une porte assez large pour pouvoir y faire passer une voiture. Mettez une bonne serrure. Nous allons commencer un travail entièrement nouveau. »

Selon Sorensen, Henry Ford conçut l'idée du Modèle T à partir de ses expériences sur les alliages et les aciers obtenus à haute température. Il était arrivé à la conclusion qu'on pouvait construire une voiture plus solide, plus légère et plus rapide que toutes celles qui existaient déjà. Il avait déjà utilisé de nouveaux alliages pour certains éléments du Modèle N, mais il avait maintenant des projets plus ambitieux pour le « travail entièrement nouveau » qui s'effectuait au dernier étage de l'immeuble de Piquette Avenue, derrière la porte close du nouvel atelier.

Joseph Galamb, un jeune ingénieur hongrois qui avait travaillé en Allemagne dans des usines de construction automobile, fut chargé de la direction des recherches. Dans un ouvrage consacré aux quarante années qu'il passa chez Ford, il évoque ses souvenirs de cette époque. « Mr. Ford, écrit-il, faisait d'abord sur le tableau noir une esquisse de son idée. Il venait ensuite vers sept ou huit heures du soir pour se rendre compte de la façon dont les choses avaient progressé. »

Vers la fin de l'année, l'équipe était attelée à la tâche tous les jours jusqu'à dix ou onze heures du soir. Galamb raconte encore comment le patron « suivait les choses de très près. Il passait pratiquement tout son temps avec nous, assis dans son rocking-chair, et nous avions de longues discussions. » Le rocking-chair en question avait appartenu à la mère d'Henry.

Avec le Modèle N, Ford avait véritablement innové en proposant une voiture à prix modéré. Sur le plan technique, il en allait différemment. Les quatre cylindres du moteur étaient coulés séparément, puis boulonnés ensemble. Le constructeur imagina de les fabriquer en un seul bloc. Cette conception est restée à la base de tous les moteurs à combustion interne qui ont été conçus par la suite.

En ce qui concernait la transmission, Henry désirait quelque chose de solide et de souple à la fois. Les dents des engrenages d'acier de la plupart des voitures de l'époque se grippaient facilement. Joseph Galamb perfectionna un ancien système à base de bandes de toile que Ford avait déjà utilisé pour ses précédents véhicules. Il présentait l'avantage d'être plus léger et plus durable puisque le facteur de résistance n'intervenait pas.

Sorensen l'expérimenta sur ses maquettes en bois et c'est ainsi que fut créée la fameuse transmission « planétaire » du Modèle T, une version primitive de la transmission automatique. Elle était actionnée à l'aide de trois pédales : l'une pour les freins et les deux autres pour la marche avant et la marche arrière. Faire fonctionner cet ensemble était tout un art, un peu comparable à la pratique de l'orgue, mais, une fois la technique maîtrisée, on pouvait effectuer de nombreuses manœuvres et passer par exemple directement de la marche avant à la marche arrière.

Spider Huff était le spécialiste des questions électriques. Il mit au point une magnéto composée de seize fils de cuivre et d'aimants qui devait remplacer les batteries sèches utilisées couramment pour l'allumage des cylindres. Testé sur route, le système se révéla inefficace. Ce fut Henry qui trouva la solution. Il apporta un jour à l'atelier plusieurs bouilloires qu'on utilisait pour faire le sirop d'érable. « Le problème avec cette plaque (la magnéto), dit-il, c'est qu'elle n'est pas convenablement isolée. »

Avec l'aide de Sorensen, il bricola les bouilloires pour en faire des marmites sous pression. Ils y placèrent les magnétos et laissèrent le tout sous pression dans le vernis qu'on utilisait à l'époque pour l'isolation électrique. Quand elles furent bien imprégnées, ils les mirent dans un four à peinture pendant six heures. Le résultat fut satisfaisant. Le vernis recouvrait parfaitement les fils de cuivre à la manière d'un revêtement moderne de plastique. Tous les problèmes d'isolation étaient résolus.

Jour et nuit, l'équipe travailla pendant plus d'un an dans l'atelier installé au dernier étage de l'usine de Piquette Avenue. Henry veillait soigneusement à tout : le circuit électrique, le système de transmission, le monobloc des quatre cylindres et l'utilisation de l'acier au vanadium. Le vilebrequin fabriqué avec le nouvel alliage paraissait fragile comparé à ceux qui existaient antérieurement. Cependant, quand on le testa, on s'aperçut qu'il pouvait supporter deux fois la tension nécessaire pour faire tourner le moteur.

Ford fêta son quarante-cinquième anniversaire trois mois avant la sortie du modèle T. Il était alors en pleine possession de ses moyens. Il avait l'argent et l'équipe nécessaires pour réaliser ses inventions.

Le Modèle T fut un véritable triomphe. « Les premières publicités apparurent un vendredi, rapporte le *Ford Times,* et dès le lendemain nous reçûmes par courrier des centaines de demandes de renseignements. Le lundi, nous étions déjà débordés et, le mardi, nos bureaux croulaient sous les lettres. »

A la fin de l'hiver, Ford dut annoncer que l'usine ne pouvait plus prendre de commandes jusqu'au mois d'août de l'année suivante. Dès septembre 1909, il avait vendu plus de 10 000 voitures et réalisé un bénéfice de 9 millions de dollars, soit 60 % de plus que l'année précédente. Comme il l'avait prévu, le succès du nouveau modèle résidait dans sa solidité, sa puissance et son prix. En fait, il n'était pas encore vraiment bon marché puisqu'en 1908 il coûtait 825 dollars, soit presque le salaire annuel d'un instituteur. Mais, par la suite, les prix devaient baisser avec l'augmentation de la production.

On trouvait certes sur le marché des voitures moins chères mais aucune n'offrait autant d'innovations et de fiabilité que le Modèle T avec son monobloc de quatre cylindres, sa transmission « planétaire » semi-automatique et sa magnéto qui épargnait le poids d'une lourde batterie. Les différents mécanismes étaient remarquablement protégés de la pluie, de la poussière et des chocs par des carters d'acier léger.

Ses propriétaires éprouvaient immédiatement pour leur nouvelle automobile une sorte de sympathie et lui donnaient souvent un prénom féminin. Le commerce des accessoires devint une véritable industrie. Dans les années 1920, un catalogue proposait une liste de 5 000 éléments pouvant être adaptés sur le véhicule.

La voiture sortait en effet de l'atelier dans sa plus simple expression. Elle ne possédait ni compteur de vitesse ni essuie-glaces. Parfois elle n'avait même pas de portes. La jauge à essence était une simple tige de métal que le conducteur devait plonger dans le réservoir. L'engouement pour les accessoires peut s'expliquer aussi par le fait que le public, confronté pour la première fois à une voiture standardisée, ait éprouvé le besoin de la personnaliser.

Les fermiers l'adoptèrent immédiatement. Sa suspension composée de deux ressorts transversaux à l'avant et à l'arrière était en effet exceptionnelle. D'un point de vue technique, elle n'était guère plus élaborée que celle des charrettes à fourrage, mais elle convenait parfaitement aux routes boueuses et pleines d'ornières et de cailloux. Le Modèle T était d'une telle souplesse qu'en traversant des rails de chemin de fer, on avait l'impression qu'il en épousait la forme. C'était vraiment la voiture idéale pour l'Amérique rurale du XXe siècle : l'équivalent moderne des chariots couverts.

Dès que ses affaires avaient commencé à prospérer, Henry s'était intéressé à la fabrication d'un tracteur en transférant les mécanismes du Modèle A et de ses successeurs sur des machines rudimentaires qu'il expérimentait à Dearborn. Ces tests lui furent d'une grande utilité pour la réalisation du Modèle T. Pour lui, une voiture incapable de rouler à la campagne n'était pas une voiture.

Il prenait un grand plaisir à faire des démonstrations devant des fermiers. Il couchait par exemple le véhicule sur le côté, enlevait une roue et fixait sur le moyeu une courroie reliée à une scie circulaire ou à une machine à décortiquer le maïs. Les fermiers n'avaient cependant pas besoin d'être persuadés. Ils avaient tout de suite compris les avantages de la nouvelle voiture. « Elle nous a sortis de la boue, écrivit à Henry une fermière de Rome, Georgie, en 1918. Elle nous a apporté le bonheur. »

Avec le Modèle T, les femmes en effet avaient une nouvelle liberté. Elles pouvaient se déplacer facilement pour aller faire leurs courses, travailler ou étudier. Gertrude Stein l'utilisa dans les neiges et la boue des Flandres alors qu'elle était volontaire comme infirmière pendant la Première Guerre mondiale. Elle adorait discuter mécanique. Selon Hemingway, elle avait entendu la fameuse expression « une génération perdue » dans la bouche d'un garagiste français qui manifestait son irritation contre un jeune mécanicien incapable de réparer sa voiture.

En 1918, Ford dominait non seulement le marché américain mais encore le marché international. Près de la moitié de toutes les voitures alors en circulation étaient des Modèle T. Jusqu'en 1928, année où la fabrication fut stoppée, il s'en vendit quinze millions. La « voiture populaire » avait apporté une nouvelle liberté de circulation et transformé le mode de vie des Américains. C'est grâce à la radio et à l'automobile que ce vaste continent devint une véritable communauté.

Le Modèle T servait vraiment à tous les usages. A l'époque de la Prohibition, ce fut le véhicule favori des botoleggers. L'écrivain Sinclair Lewis en acheta un, et sa femme raconte que l'attribution du prix Nobel ne lui apporta pas plus de plaisir que l'acquisition de sa voiture. « Il arrêta sa Ford devant la maison. Père, Mère et moi-même étions assis sous le porche après le dîner. Il nous cria : Que penseriez-vous d'une petite balade ? » Les Lewis adoraient leur automobile. Ils la gardèrent jusqu'en 1916 et quand finalement ils la revendirent à deux étudiantes, ce fut un véritable crève-cœur pour Grace Lewis qui, en la regardant disparaître au bout du chemin, pleura toutes les larmes de son corps.

Le 15 septembre 1909, alors que le Modèle T approchait de son premier anniversaire et battait tous les records de vente, un jugement de la cour du district sud de New York sembla remettre soudain tout en question. L'Association of Licensed Automobile Manufacturers (ALAM) avait intenté un procès à Ford pour infraction à la législation sur les brevets. Le juge Charles Merrill Hough soutenait la plainte. La Ford Motor fut condamnée à payer plusieurs millions de dollars à l'ALAM. Elle venait de perdre une bataille qu'elle menait depuis sa création.

George Baldwin Selden, un avocat de Rochester, dans l'État de New York, se prétendait inventeur. Sa création la plus originale consistait en une machine à cercler les tonneaux. Dans les années 1870, il commença à s'intéresser à ce qui se faisait en Europe dans le domaine du moteur à combustion interne. Il mit au point un texte qui lui assurait l'exclusivité pour accorder des brevets et toucher des royalties sur tout ce qui concernerait le développement de l'industrie automobile aux États-Unis.

Il s'associa en 1899 avec un groupe d'hommes d'affaires de Wall Street qui virent là une occasion de profiter de cette industrie naissante. Curieusement, lorsqu'ils voulurent faire valoir les « droits » de Selden auprès des cinq constructeurs les plus importants de l'époque, dont Alexander Winton, ils ne rencontrèrent aucune résistance. Au lieu de s'opposer à Selden, les constructeurs préférèrent s'associer à lui, évitant ainsi les frais d'un procès et espérant, dans l'avenir, exercer un droit de contrôle sur leurs concurrents.

En 1903, la première réaction d'Henry Ford, qui était en train de lancer sa propre société avec Malcomson, fut de tenter de se joindre à l'ALAM. Il prit contact avec le trésorier de l'Olds Motor, Fred L. Smith, qui était également le président de l'association. Mais ce dernier fut formel. La Ford Motor n'était qu'une usine d'assemblage et la demande ne pouvait être prise en considération. Au cours d'une réunion, il tint le même langage aux autres actionnaires.

– Que Selden aille au diable avec son brevet! s'exclama Couzens, furieux.

– Vous êtes stupide, rétorqua Smith. Selden et sa bande ont tous les moyens de vous empêcher de travailler. Et ils le feront.

– Qu'ils essaient donc, répondit Ford.

La guerre fut officiellement déclarée quelques jours plus tard lorsque Ford et Couzens publièrent dans le *Detroit News* un avis « à tous les vendeurs, importateurs, agents et usagers de nos automobiles à essence », assurant que la Ford Motor « les protégerait contre toute accusation de prétendue infraction à la législation sur les brevets ». Ils rejetaient la plainte de Selden en disant clairement ce que tous les ingénieurs et les membres de l'ALAM eux-mêmes savaient parfaitement : « Le brevet Selden n'a jamais servi et ne servira jamais à la fabrication d'une machine qui soit utilisable. »

La bataille fit rage pendant six ans entre la Ford Motor et l'ALAM dans une série d'audiences à huis clos, avec une rencontre mémorable, le 14 juin 1907, sur un circuit de course près de Guttenberg, New Jersey. Selden fit solennellement la démonstration d'une voiture sur laquelle il prétendait avoir travaillé depuis de longues années. La machine fit quelques mètres et s'arrêta net. Le juge Hough estima cependant que cette défaillance mécanique n'était pas à prendre en compte. Selden gagna son procès en 1909.

Ce fut un coup sévère pour Henry Ford et ses collègues qui ne s'attendaient pas à un tel verdict. Ils se retrouvèrent complètement isolés. Les autres constructeurs, qui les avaient soutenus pendant le procès, les abandonnèrent. En l'espace de quelques semaines, une trentaine de sociétés indépendantes adhérèrent à l'ALAM, dont la General Motors que venait de fonder William Durant en regroupant Cadillac, Buick et Oldsmobile.

Henry Ford ne se découragea pas. Le lendemain du verdict, il télégraphia à ses revendeurs : « Nous nous battrons jusqu'au bout » et leur renouvela sa promesse, ainsi qu'aux acheteurs, de les indemniser s'ils étaient poursuivis par l'ALAM. Il avait déjà émis à cet effet pour 12 millions de dollars d'obligations.

Il engagea de nouveaux avocats et menaça d'aller jusqu'à la Cour Suprême. Finalement, le 9 janvier 1911, il obtint satisfaction. La décision du juge Hough fut annulée et l'ALAM dissoute. Grâce à Ford, l'industrie automobile américaine venait d'échapper à une véritable conspiration qui aurait sérieusement menacé sa liberté dans l'avenir.

Le combat avait été rude et le constructeur avait bien mérité sa victoire. Après sa défaite de 1909, il aurait pu choisir la voie de la facilité et devenir membre de l'ALAM, comme celle-ci le lui proposait enfin. Le paiement des royalties ne lui aurait posé aucun problème : le Modèle T se vendait bien. Mais autant par principe que par obstination il refusa le compromis.

Le procès Selden avait fait de lui un personnage public. On le connaissait certes comme l'inventeur de la « voiture populaire », mais on ignorait tout de sa véritable personnalité. Pour la première fois, en 1911, son nom fit les gros titres de la presse de Detroit. Il avait affronté seul le « trust de l'automobile » et vaincu les géants. Un nouveau héros était né.

Quand on roule vers le nord sur Woodward Avenue, on aperçoit sur la droite, après avoir passé Manchester Street, l'usine Ford de Highland Park. C'est un immense bâtiment rectangulaire au toit plat, en brique rouge, avec des centaines et des centaines de fenêtres. Aujourd'hui, il est pratiquement à l'abandon, comme nombre d'autres usines de la banlieue de Detroit. Les locaux administratifs, utilisés il y a soixante-quinze ans par James Couzens et son personnel, sont déserts.

Cependant l'usine sert encore de dépôt. Quand une chaîne de montage de Thunderbird ou d'Escort cesse de fonctionner à Saint Louis ou à Mexico, on transporte les machines à Highland Park en attendant qu'elles puissent de nouveau servir ailleurs. Les fours à peinture, les presses, les robots se recouvrent lentement de poussière.

C'est un monde silencieux et fantastique où l'on trouve aussi des épaves de voitures accidentées attendant la conclusion d'un procès. C'est dans cette usine aujourd'hui désaffectée que Ford mit au point une des innovations majeures dans le domaine de la production industrielle du XXe siècle : la chaîne de montage.

Les premières voitures construites par Ford étaient montées, comme toutes celles produites au début du siècle, selon un processus logique qui permettait d'épargner à la fois du temps et de l'argent, celui de la production en série qui assura le décollage économique des États-Unis à la fin du XIXe siècle.

Il avait été introduit par des pionniers comme Singer, McCormick et Samuel Colt pour la fabrication des machines à coudre, des moissonneuses et des armes. Les ouvriers venaient à tour de rôle effectuer les différentes opérations nécessaires sur la machine qui restait immobile. En ce qui concernait l'automobile, les usines étaient divisées en ateliers : le châssis passait d'un atelier à l'autre pour recevoir successivement le moteur, puis les essieux et les roues, et enfin la garniture intérieure.

Le procédé qui se rapprochait le plus de la chaîne de montage mobile que nous connaissons actuellement était celui qu'utilisaient les abattoirs de Chicago où les ouvriers découpaient les carcasses d'animaux suspendues à un rail qui défilaient devant eux.

En avril 1907, la Ford Motor acheta dans la banlieue de Detroit un terrain qui avait servi autrefois de champ de courses. Henry voulait, pour fabriquer son Modèle T sur lequel il travaillait déjà avec Galamb, Wills et Sorensen, une usine qui serait la plus vaste et la plus belle du monde.

Il eut la chance de rencontrer un architecte qui partageait son goût pour les innovations techniques : Albert Kahn, un fils de rabbin qui était né et avait fait ses études en Allemagne. Il s'intéressait à la nouvelle méthode de construction à base de béton armé et avait déjà réalisé à Detroit une usine pour la société Packard. Plus économique que la brique et les charpentes d'acier utilisées jusqu'alors, le procédé présentait de nombreux avantages : moins de vibrations, moins de risques d'incendie, la possibilité de créer de plus larges espaces pour installer les machines, et de grandes baies vitrées pour laisser entrer la lumière. En comparaison, les anciennes usines avaient l'air de prisons.

Ford et Kahn se découvrirent de réelles affinités et prirent un grand plaisir à travailler ensemble et à résoudre les problèmes techniques. L'usine de Highland Park fut inaugurée en décembre 1909, et l'on y commença la fabrication du Modèle T dès les premiers mois de l'année suivante.

Le processus de fabrication était encore rudimentaire, sensiblement identique à celui qu'on pratiquait auparavant à Piquette Avenue. Une équipe d'une cinquantaine d'ouvriers commençait à monter une voiture installée sur un échafaudage et celle-ci n'était déplacée d'un poste à l'autre qu'après la pose des roues.

La demande croissant sans cesse – 18 664 voitures furent vendues pendant la saison 1909-1910, et 34 528 la saison suivante –, il devenait urgent de trouver de nouvelles méthodes de fabrication. La construction d'ateliers supplémentaires sur le terrain de Highland Park n'apporta pas de solution réelle. En 1911-1912, la production doubla encore – 78 440 véhicules – tandis que les commandes continuaient à affluer. Il fallait fabriquer davantage et de plus en plus vite. De ces impératifs naquit la chaîne de montage.

Les bâtiments construits par Kahn étaient un cadre idéal, et le Modèle T, avec son monobloc de quatre cylindres, convenait parfaitement à la production en série. Le personnel était hautement qualifié. Charles Sorensen et P. E. Martin, un Canadien français qui faisait partie de l'équipe depuis l'époque de Mack Avenue, jouaient un rôle de plus en plus important dans la coordination de la production. Ils avaient comme assistant Clarence W. Avery, un jeune instituteur qu'Henry Ford avait remarqué à l'école que fréquentait son fils et qu'il avait embauché. A ce groupe s'ajoutaient des contremaîtres et des surveillants remarquables.

En 1912, Ford recruta du nouveau personnel. Il avait racheté l'année précédente l'usine de Keim Mills à Buffalo dont les presses fabriquaient les carters d'essieux qui avaient fait le succès du Modèle T. Une grève menaçant d'interrompre la production, il fit immédiatement fermer l'entreprise et transporter les presses à Highland Park où elles commencèrent à fonctionner dans les trois jours qui suivirent.

Une partie du personnel de Keim Mills suivit le matériel : William H. Smith, qui avait proposé à Ford les premiers revêtements d'acier, John R. Lee, un directeur administratif qui allait trouver à Highland Park un nouveau champ d'application pour ses méthodes personnelles, et William S. Knudsen, un ingénieur d'origine danoise dont la contribution à l'expansion de la Ford Motor allait être aussi importante que celle de son compatriote Charles Sorensen. Ces trois hommes mirent au service d'Henry Ford les compétences techniques indispensables pour assurer une production plus rapide.

En 1908, Henry Leland avait ébloui les membres de l'Automobile Club de Brooklands en faisant démonter sous leurs yeux trois de ses Cadillac et en mélangeant les différentes pièces détachées. Ses ingénieurs s'étaient ensuite mis au travail et avaient reconstitué les véhicules dans lesquels ils avaient fait faire un tour de piste triomphal aux membres du club.

Il paraît normal aujourd'hui que les pièces les plus complexes d'une voiture puissent être immédiatement remplacées par celles que l'on possède en stock. En 1908, la fabrication d'un véhicule était encore, sous certains aspects, un travail artisanal. Avant le montage d'un moteur, on devait généralement limer ou ajuster les différents éléments qui arrivaient des ateliers.

« L'un des points forts de Mr. Ford, fait remarquer Max Wollering qui avait supervisé la fabrication des pièces du moteur du Modèle N, c'est qu'il a compris l'importance d'avoir à disposition des éléments interchangeables pour permettre un montage rapide. » Un autre observateur note en 1910 que « l'utilisation d'un gabarit évite de limer, de scier et de marteler les pièces avant l'assemblage. » Aucune autre usine de Detroit ne possédait des presses comparables à celles de Keim Mills qui pouvaient fabriquer en une seule opération à partir de feuilles d'acier des carters ou des radiateurs composés de quatre-vingt-quinze tubes.

Ford, Wills, Galamb et Sorensen se comportaient comme de véritables enfants furetant parmi les machines-outils, y apportant des améliorations au millimètre près pour accroître la rapidité de la fabrication. Dès qu'ils avaient découvert un nouveau dispositif, ils mettaient l'ancien au rebut, ce qui provoquait parfois les protestations de Couzens, mais les bénéfices réalisés leur donnaient raison.

Couzens était certainement un adepte du taylorisme qui faisait alors fureur à Detroit. Taylor, qui avait commencé à analyser les notions de temps de travail et de mouvement dans les ateliers au début des années 1880, était une sorte de fanatique qui appliquait ses théories à sa vie personnelle. C'est ainsi qu'il avait mis au point un système qui le réveillait automatiquement s'il s'assoupissait dans son fauteuil... Il fit plusieurs conférences à Detroit, notamment devant le personnel de direction de Packard qui s'empressa d'adopter ses méthodes. Ford était cependant en avance sur lui. Taylor se préoccupait en effet du temps que mettait un ouvrier pour faire un travail donné tandis que Ford posait la question suivante : pourquoi utiliser un homme quand on peut le remplacer par une machine?

La première chaîne de montage au monde fut installée à Highland Park, dans l'atelier des magnétos, au printemps 1913. Les ouvriers étaient alignés devant les volants de magnétos placés sur une étagère métallique à hauteur de la taille. Chaque homme avait à sa disposition un petit bac contenant un ou deux éléments mécaniques. Auparavant, un monteur travaillait sur un établi et devait effectuer vingt-neuf opérations différentes. Avec le nouveau système, il lui suffisait de placer un aimant ou de serrer un boulon avant de pousser l'ensemble vers son voisin. Le temps de travail pour la fabrication d'une magnéto tomba immédiatement de 15 minutes à 13 minutes et 10 secondes.

On remplaça ensuite l'étagère métallique par une bande transporteuse mue par un moteur. En répartissant plus précisément les tâches, le temps de travail fut de nouveau réduit à 7 puis à 5 minutes. L'introduction du mouvement continu permettait à un seul ouvrier d'effectuer une tâche qui en nécessitait auparavant trois ou quatre. De plus, il n'était pas indispensable qu'il fût qualifié.

On installa bientôt une autre bande transporteuse pour les moteurs, puis pour le système de transmission. Brusquement, au cours de l'été 1913, la direction de Highland Park dut faire face à un problème. La rapidité de production obtenue avec l'introduction des nouvelles chaînes risquait de submerger l'atelier de montage sur les châssis, phase finale du processus.

On chronométra soigneusement les opérations et l'on s'aperçut que, pour fabriquer 6 182 voitures (moteur et châssis compris), on utilisait 250 monteurs et 80 ouvriers transportant les pièces, travaillant 9 heures par jour pendant 26 jours, ce qui équivalait à une moyenne de 12 heures 30 par homme et par châssis. On décida d'installer une chaîne rudimentaire consistant en un filin actionné par un treuil. A mesure que le châssis se déplaçait, les monteurs suivaient sa progression en prenant les pièces nécessaires placées à des endroits précis. La moyenne tomba alors à 5 heures et 50 minutes.

On passa ensuite à une autre phase où les monteurs restaient sur place et on analysa les différentes opérations avec davantage de précision. Chaque ouvrier était affecté à une tâche précise : poser une vis ou un écrou, serrer un boulon. En quelques mois, l'usine de Highland Park était devenue une véritable ruche où un gigantesque ballet mécanique se déroulait en permanence.

Ford exultait : « Dans les ateliers, chaque pièce est en mouvement, suspendue à des crochets, à des chaînes ou sur une plate-forme roulante. Les ouvriers n'ont plus besoin de se déplacer. En économisant dix pas par jour pour 12 000 ouvriers, on économise 80 kilomètres de mouvement et d'énergie. »

En 1911-1912, quand l'usine produisait 78 440 Modèle T, elle employait 6 867 personnes. L'année suivante, la production et le nombre d'ouvriers doublèrent. Avec l'introduction de la chaîne de montage en 1913-1914, la production suivit la même progression que l'année précédente, mais le nombre d'ouvriers passa de 14 336 à 12 880. Henry Ford avait trouvé la clé d'un monde magique.

7

Les oiseaux et l'esprit

En juillet 1913, Henry Ford fêta son cinquantième anniversaire et, le 28 octobre de la même année, il commença à noter ses premiers souvenirs d'enfance : entre autres l'histoire de son père l'emmenant voir un nid d'oiseaux sous la souche d'un chêne.

Il n'était cependant pas homme à regarder en arrière. Les dix années qui allaient suivre l'apparition de la première chaîne de montage à Highland Park seraient les plus exaltantes de toute son existence. A un âge où l'on ralentit généralement ses activités, il se montrait toujours aussi créatif et acquérait encore plus de pouvoir et de richesse. Il n'avait pas perdu sa capacité de faire plusieurs choses à la fois. Pendant l'été 1913, il trouva même le temps de prendre des vacances dans des circonstances qui eurent pour lui un profond retentissement sur le plan personnel.

Il venait de se faire, de façon inattendue, un nouvel ami. Le 6 décembre 1912, John Burroughs, poète, naturaliste et disciple de Thoreau et d'Emerson, avait reçu une lettre surprenante, dans laquelle, comme il le raconte lui-même, « Mr. Ford, un des noms de l'automobile, se présente comme un grand admirateur de mon œuvre... et souhaite m'offrir une voiture... sans qu'il soit question de publicité ».

Ford s'était en effet ému de certaines critiques de Burroughs envers l'industrialisation et en particulier envers l'automobile qui, selon lui, allait éloigner les Américains du contact de la nature. Le constructeur espérait qu'en faisant cadeau d'un Modèle T au vieux monsieur – Burroughs avait alors 75 ans –, il le ferait changer d'avis.

Le naturaliste se montra d'abord effrayé par l'arrivée du véhicule dans sa ferme des Catskills, et il lui fallut un certain temps pour l'apprivoiser. Il prit d'abord comme chauffeur un jeune parent puis, quand il eut approfondi les mystères de la transmission planétaire, on le vit bientôt parcourir la campagne de l'État de New York au volant de sa voiture pour faire la tournée de ses nids d'oiseaux. Il écrivit à Ford pour le remercier et, quand ils se rencontrèrent pour la première fois à Detroit en 1913, il fut très étonné de découvrir que le constructeur appréciait et connaissait lui aussi les oiseaux.

Dès qu'il avait commencé à gagner de l'argent, Henry avait acheté des terres et des forêts dans les environs de Dearborn. Il voulait y expérimenter ses tracteurs mais il était également poussé par sa passion pour l'ornithologie, encouragée d'ailleurs par sa femme. Il avait lu un premier livre de Burroughs qui l'avait vivement intéressé, et Clara lui acheta les œuvres complètes du naturaliste. En décembre 1912, il décida d'accorder son soutien à la proposition de loi Weekes-McLean, un texte sur la protection des oiseaux migrateurs qui avait été déposé devant le Congrès dès 1909.

C'est ainsi qu'il fit son entrée dans l'arène politique. Tout en travaillant avec Wills, Avery et ses autres lieutenants sur la chaîne de montage, il mobilisa ses vendeurs à travers tout le pays pour qu'ils fassent pression sur leurs représentants au Congrès et qu'ils obtiennent le soutien des écoliers et des associations de protection de la nature. Fort de la popularité qu'il s'était acquise avec le procès Selden, il écrivit même à Thomas Edison et à John D. Rockefeller en leur demandant d'user de leur influence. La loi Weekes-McLean, fut adoptée en 1913.

Après sa visite à Detroit, John Burroughs invita les Ford dans le Massachusetts. Pendant la première semaine de septembre, il emmena Henry à Walden Pond et à Concord pour voir la maison où avait vécu Emerson. Ils se rendirent également au cimetière de Sleepy Hollow où le philosophe repose aux côtés de Nathaniel Hawthorne, Louisa May Alcoot et Henry David Thoreau.

Burroughs demanda à Frank Sanborn, un biographe d'Emerson, de faire découvrir à Henry ces hauts lieux du transcendantalisme américain, mais ce fut toujours envers le naturaliste que l'industriel garda une profonde reconnaissance pour lui avoir transmis le message du sage de Concord.

Ford n'était pas grand amateur de lecture. Il lisait lentement et à voix haute en s'arrêtant entre chaque mot. Cela explique peut-être pourquoi il gardait de ses lectures une si forte impression. Les *Essais* d'Emerson le marquèrent particulièrement.

L'idée du philosophe selon laquelle tout homme porte Dieu en lui semble avoir donné à Henry une nouvelle vision du monde et le moyen de vivre en paix avec lui-même. Dans une édition des *Essais* qu'il a annotée en marge, certains passages sont soulignés, comme par exemple : « De même qu'il n'y a ni écran ni plafond entre notre tête et l'infini des cieux, il n'y a pas de barrière ou de mur dans l'esprit entre l'homme, l'effet, et Dieu, la cause. »

Ce n'est qu'en laissant le champ libre à la divinité qui se trouve en chacun de nous, estime Emerson, que nous pouvons échapper aux limitations de la raison et donner cours aux impulsions les plus étranges et les plus créatrices de notre génie personnel.

« Nous ne sommes forts que dans nos actions simples et spontanées », indique encore un passage souligné par Henry. Il était sans doute sensible à ce genre d'arguments qui donnaient un sens à sa vie, d'abord quelque peu désordonnée et fantasque, puis couronnée par un succès tardif. Il avait suivi son instinct en s'opposant aux tentatives d'hommes fortunés et rationnels qui avaient essayé de le dominer, et son instinct lui avait donné raison.

La pensée d'Emerson n'était pas en contradiction avec la croyance d'Henry dans la réincarnation : « L'esprit joue avec le temps : il peut rassembler toute l'éternité en une heure ou faire d'une seule heure l'éternité. » D'autre part, ce qui était encore plus important, ce mysticisme transcendantal cadrait parfaitement avec sa principale passion et ses principaux objectifs. Le philosophe, une vingtaine d'années avant la naissance de Ford, estimait que les machines étaient « des faits nouveaux et nécessaires », essentiellement en harmonie avec la nature si on les concevait et les utilisait avec honnêteté. Les haches des pionniers, les locomotives à vapeur ouvrant les grands espaces des prairies, les bateaux à voile fendant les vagues, autant d'exemples de mécanisation qui rapprochaient les Américains des mystères naturels de leur continent. A partir de 1913, on pouvait à juste titre ajouter à cette liste le Modèle T, création d'Henry Ford.

Ford rentra à Detroit à l'automne, la tête bruissante de découvertes. L'œuvre d'Emerson lui avait permis de comprendre cette part de magie qu'il sentait en lui, cette possibilité de s'attaquer aux secrets de la nature et de fabriquer des objets qui plaisaient aux hommes comme le forgeron des sociétés primitives, ce sorcier qui créait la vie à partir du feu et de son marteau.

Chaque jour, pendant ces mois d'exaltation, Ford et ses lieutenants faisaient une nouvelle découverte permettant d'économiser du temps et d'accroître la production. Ce fut l'une des périodes les plus enivrantes de son existence. Il avait le sentiment d'être doué de qualités intellectuelles supérieures. Il devenait de plus en plus riche et, dans les enseignements d'Emerson, il avait trouvé le cadre philosophique qui donnait un sens plus profond à la révolution technologique qu'il était en train d'accomplir à Highland Park.

Cependant son nouveau mentor spirituel ne prêchait pas seulement l'autosatisfaction. Si Dieu vivait en vous, disait-il, vous faisiez partie de cette rare catégorie d'hommes qui ont de la chance et vous deviez en être conscient. C'était le devoir des héros d'aider les plus faibles, qui n'avaient pas encore découvert le potentiel qui était en eux. Ford allait s'attaquer à cette tâche dès 1914.

Comme toutes les entreprises industrielles du début du siècle, les usines d'automobiles de Detroit fonctionnaient selon le système embauchage-débauchage. Quand il n'y avait plus de travail, on renvoyait les ouvriers chez eux, le temps par exemple de faire un inventaire ou de mettre sur pied une nouvelle chaîne de production. Ils n'étaient évidemment pas payés et il en allait de même pour Noël ou les autres fêtes traditionnelles. Des files d'ouvriers sans emploi stationnaient devant les portes des usines et attendaient parfois deux ou trois semaines jusqu'à ce que la sirène retentît à nouveau.

Pendant l'une de ces périodes de chômage, précisément celle de Noël 1913, James Couzens observait de la fenêtre de son bureau les milliers d'ouvriers piétinant dans le froid sur Woodward Avenue, leur gamelle à la main. « Nous les avions fait travailler dur pendant une année, dira-t-il plus tard, et nous les obligions à passer les fêtes sans argent. La société avait tiré un bénéfice énorme de leur travail, les actionnaires s'étaient enrichis, mais eux avaient à peine de quoi survivre. » Selon Couzens, « l'injustice criante de cette situation » l'amena à prendre une décision.

La version d'Henry Ford est différente. Traversant un jour l'usine en compagnie de son fils Edsel, qui avait alors 20 ans et venait de commencer à travailler avec lui, il aperçut deux ouvriers, sales et en sueur, qui se battaient férocement. C'était peu de temps avant Noël. Il fut bouleversé que son fils ait été le témoin de cette scène et se demanda ce qui pouvait transformer un être humain en véritable brute. Ses réflexions l'amenèrent aux mêmes conclusions que Couzens et un certain nombre de cadres de l'usine. Lors d'une réunion tenue le 5 janvier 1914, on décida de porter la paie à 5 dollars par jour.

Ford n'avait jamais eu jusque-là la réputation d'être particulièrement généreux avec ses ouvriers. Sans être chiche, il payait selon les tarifs en cours. En 1908, au moment de la fabrication du Modèle T, les ouvriers recevaient 1,90 dollar par jour. La paie augmenta progressivement jusqu'à 2,50 dollars en 1913 – avec un minimum de 2,34 dollars. Les primes annuelles, comparées aux dividendes que se partageaient les actionnaires, étaient fort modestes.

Dès l'automne 1913, John R. Lee, le directeur administratif recruté à Keim Mills, avait envisagé une réforme profonde de la politique des salaires. Afin de créer une force de travail plus stable et plus motivée, il avait augmenté la masse salariale d'environ 13 % et mis au point un système qui permettait aux ouvriers les plus qualifiés de gagner jusqu'à 4 dollars par jour. Ces dispositions entrèrent en vigueur au mois d'octobre.

On était cependant bien en deçà de ce qui fut décidé moins de trois mois plus tard. Tout en portant les salaires à 5 dollars par jour, on réduisit les heures de travail. Les deux équipes, qui effectuaient 9 heures quotidiennement, furent remplacées par une rotation non-stop (le système des trois huit), ce qui devait permettre d'augmenter la production. Cela semblait trop beau pour être vrai.

Henry Ford, qui, depuis sa victoire dans le procès Selden, avait développé son sens de la publicité, comprit qu'il tenait là une bonne information pour la presse locale. Les journalistes furent convoqués à Highland Park le 5 janvier et James Couzens les informa des décisions que la direction avait adoptées quelques heures plus tôt.

La réalité était en fait plus complexe. La paie quotidienne était toujours calculée sur la base de 2,34 dollars. Le chiffre magique de 5 dollars pouvait être atteint grâce à un système très élaboré de primes et de « participation aux bénéfices », que les ouvriers devaient mériter par la qualité de leur travail et leur rendement. Ils devaient en outre remplir certaines conditions : avoir plus de six mois d'ancienneté, être âgés de plus de 22 ans (sauf s'ils étaient mariés ou avaient une mère veuve ou une personne de leur famille à charge), et enfin être « propres, sobres et travailleurs ».

La presse ne tint évidemment pas compte, sur le moment, de tous ces détails. « Cinq dollars par jour » constituait une information à sensation. Une augmentation de salaire aussi importante paraissait incroyable et elle fit les gros titres de tous les journaux du pays.

Le *Detroit News*, l'un des premiers quotidiens américains du soir, annonça la nouvelle le lundi même où la décision fut prise. Dès le lendemain, vers deux heures du matin, 10 000 chômeurs, pour la plupart en haillons, étaient rassemblés devant les portes de l'usine de Highland Park, attendant en silence sous les rafales de neige. Cet hiver était particulièrement rude, et la municipalité de Detroit avait déjà distribué des secours à 19 000 personnes, un chiffre que l'on n'avait pas atteint depuis vingt ans.

L'usine n'avait besoin que de 5 000 ouvriers supplémentaires. On accrocha rapidement la pancarte « Plus d'embauche », et la foule se dispersa. Mais le lendemain matin et les jours suivants, les chômeurs revinrent encore plus nombreux. Certains arrivaient même de Milwaukee et de Chicago.

A la mi-janvier, on comptait tous les jours 15 000 personnes massées sur Woodward Avenue et Manchester Street, qui essayaient par tous les moyens d'atteindre le bureau d'embauche. Des bagarres éclataient. Les chômeurs tentaient de corrompre ou d'intimider le personnel de la Ford Motor. On assista à des scènes pathétiques : des hommes âgés enduisaient leurs cheveux gris de cirage noir pour paraître plus jeunes. Certains mouraient pratiquement de faim, d'autres étaient ivres, mais tous étaient animés d'une grande colère. Le 10 janvier, un samedi, la direction afficha d'immenses pancartes en plusieurs langues pour annoncer qu'il n'y avait plus aucun emploi disponible. La presse de son côté essaya de décourager les chômeurs qui déferlaient sur Detroit de tout le Middle West.

La plupart ne disposaient même pas de l'argent nécessaire pour le retour. Le lundi suivant, il y en avait encore 10 000 devant l'usine. La vue des ouvriers de la Ford, bien nourris et bien vêtus, se frayant un passage à travers la foule en brandissant leurs badges – les passeports pour les privilèges – fut la goutte d'eau qui fit déborder le vase. Les chômeurs, en se moquant d'eux et en les insultant, commencèrent à leur lancer des briques puis, se tenant solidement par les bras, prirent d'assaut les portes de l'usine. On fit appel à la police. Un camion de pompiers arrosa les manifestants avec une lance à incendie. Trempés jusqu'aux os, grelottant de froid, les chômeurs se dispersèrent après avoir renversé les stands des vendeurs de sandwiches et de cigarettes qui s'étaient installés devant Highland Park.

Les caricaturistes avaient accueilli l'annonce des « 5 dollars par jour » avec des dessins représentant les ouvriers de Ford allant toucher leur paie dans des limousines avec chauffeur et vêtus de manteau de fourrure. Cependant l'émeute de Manchester Street donna l'occasion aux milieux d'affaires américains de critiquer Ford sur le mode du « je vous l'avais bien dit ». Le *New York Times* prévoyait des « troubles sérieux » et qualifiait l'initiative d'utopique, tandis que le *Wall Street Journal* parlait d'une « maladresse, sinon d'un crime, qui se retournerait contre son entreprise et la société tout entière ». En souhaitant naïvement des améliorations sociales, poursuivait le journal, « Ford a fait intervenir des principes moraux dans un domaine où ils n'ont rien à faire ». Les capitaines d'industrie firent front pour condamner « la chose la plus stupide qui ait jamais été tentée sur le plan économique ». Si d'autres patrons suivent l'exemple de Ford, estima le président de la Pittsburgh Plate Glass Company, « ce sera la ruine du commerce dans ce pays (...) Ford lui-même va être obligé de se rendre compte qu'il ne pourra jamais payer 5 dollars par jour ».

Ce que ses détracteurs ignoraient, c'est que le constructeur pouvait fort bien se le permettre en réduisant les coûts de production grâce au système de la chaîne de montage. James Couzens avait calculé qu'un salaire de 5 dollars par jour ferait perdre dix millions de dollars à la société en un an, mais il s'aperçut que, au contraire, le système rapportait de l'argent. Pendant cette même période, les actionnaires se partagèrent des dividendes de l'ordre de 11 200 000 dollars.

Henry Ford et ses collègues n'avaient certes pas prévu ce résultat quand ils avaient pris leur décision. La masse des commandes et quelques mois d'expérimentation leur avaient vite donné un aperçu des bénéfices qu'ils pouvaient réaliser, mais on peut affirmer qu'au départ il s'agissait d'une initiative généreuse.

L'influence d'Emerson y était sans doute pour quelque chose. Son essai sur la « compensation » était l'une des lectures favorites d'Henry Ford. « Dans le travail comme dans la vie, écrivait le philosophe, on ne peut tricher. Le voleur se vole lui-même, l'escroc s'escroque lui-même. » Un patron doit essayer d'éduquer ses ouvriers, poursuivait-il en substance, et s'efforcer d'améliorer leur qualité de vie. Il en sera récompensé autrement que par de l'argent.

« Le travail humain sous toutes ses formes, poursuivait Emerson, de la fabrication d'un poteau jusqu'à l'édification d'une ville ou la création d'un poème épique, illustre le phénomène de compensation dans l'univers, l'équilibre absolu entre " donner " et " prendre ", la théorie selon laquelle chaque chose a son prix. Si on ne paie pas le prix, on n'obtient pas cette chose-là. »

Jusqu'en 1913, Henry Ford n'avait pas payé « le prix ». Il n'avait pas fait profiter ses ouvriers des bénéfices considérables obtenus grâce à l'introduction de la chaîne de montage. Il avait rencontré d'énormes difficultés qui menaçaient de remettre en question les avantages que laissaient espérer les nouvelles méthodes de production. Les ouvriers n'aimaient pas le travail à la chaîne et se refusaient à coopérer. Ils cherchaient des emplois ailleurs. En décembre 1913, quand la direction décida d'accorder une prime aux employés qui avaient plus de trois ans d'ancienneté, elle n'en trouva que 640 sur 15 000. La rotation du personnel avait atteint un taux de 380 %, ce qui signifiait que pour garder en permanence 100 ouvriers il fallait en embaucher 963.

C'était pour Henry Ford un véritable problème. A quoi servaient ses innovations si elles faisaient fuir les ouvriers vers d'autres usines ? La chaîne de montage permettait de gagner du temps et de l'argent, mais elle occasionnait par ailleurs des dépenses supplémentaires pour l'embauche et la formation. Ce fut encore dans l'œuvre d'Emerson qu'il trouva le diagnostic et le remède : « Il faut toujours à un moment ou un autre payer entièrement sa dette... C'est une lâcheté de recevoir des faveurs et de ne rien donner en échange... Prenez garde à accumuler trop de richesses entre vos mains. Cela entraîne vite la corruption. »

Henry Ford estimait que c'était précisément ce qui s'était passé à Highland Park. A la grande fureur de John R. Lee, il remit en question la réforme des salaires appliquée par celui-ci en octobre 1913. Plus qu'une simple augmentation de la paie des ouvriers, il envisageait une « compensation » au sens où l'entendait Emerson.

Quand il évoquait son initiative des « 5 dollars par jour », Ford faisait toujours remarquer que c'était d'abord une question d'efficacité et qu'en aucune façon il ne s'était agi pour lui de faire la charité. Mais il était bien conscient que les mécanismes de la libre entreprise entraînaient des conséquences morales. « Il y a des centaines d'hommes qui travaillent à l'usine, expliquait-il au révérend Samuel S. Marquis, le pasteur de l'église locale, et qui ne vivent pas comme ils le devraient. Ils habitent des maisons surpeuplées et insalubres. Les femmes sont obligées de travailler parce que leurs maris ne gagnent pas assez. Ils doivent prendre des locataires pour augmenter leurs revenus. Tout cela est très mauvais, particulièrement pour les enfants. Ils n'ont pas choisi la vie qu'ils mènent. Donnons-leur un salaire décent et ils vivront de façon décente... Ils ont besoin que quelqu'un s'intéresse à leur sort, quelqu'un qui leur montre qu'il leur fait confiance... Nous voulons non seulement fabriquer des automobiles, mais aussi des hommes. »

Les ouvriers de la Ford Motor pouvaient compter sur un salaire de base de 2,34 dollars comme dans toutes les autres usines et porter ce salaire à 5 dollars grâce au « partage des bénéfices ». Ils devaient cependant prouver qu'ils utilisaient leurs primes dans leur intérêt et celui de leur famille, et qu'ils vivaient selon la façon préconisée par Henry Ford.

Les inspecteurs du « Service Sociologique », nouvellement créé dans l'entreprise, étaient chargés d'effectuer des contrôles dans les maisons des ouvriers, interrogeant les femmes et les voisins de ces derniers sur la manière dont ils dépensaient leurs primes. Ce comportement nous paraît relever aujourd'hui du plus pur paternalisme et évoque irrésistiblement les descriptions d'Orwell.

Avec le développement rapide et spectaculaire de l'industrie automobile, la population de Detroit avait considérablement augmenté. On comptait 1 600 bars munis de licences, un millier de débits de boisson clandestins, des fumeries d'opium, des maisons de jeu, et les maisons de tolérance étaient plus nombreuses que les églises. Il y avait 500 bordels autorisés et contrôlés par la police.

La plupart des ouvriers qui travaillaient dans les usines d'automobiles louaient des chambres dont les lits étaient occupés à tour de rôle par les équipes qui effectuaient la rotation des trois huit. Les bars et les bordels étaient les seuls endroits où ils pouvaient trouver un peu de chaleur humaine et de confort. Les gens s'y retrouvaient entre eux, selon leurs origines. Miss Hatie Miller tenait l'établissement le plus chic de la ville. Le *Bucket of Blood Saloon* était fréquenté par une clientèle moins huppée. Les autorités s'efforçaient d'occulter le problème en changeant le nom des rues qui avaient mauvaise réputation. Un contrôle de vingt-deux bureaux d'embauche révéla que dix-sept d'entre eux recrutaient des prostituées. Certains hôtels qui étaient censés assurer la protection des familles des nouveaux arrivants servaient en fait de filière à la prostitution. Le taux de criminalité était très élevé.

La Ford Motor mettait ses ouvriers en garde contre les personnes sans scrupules et les trafiquants de toutes sortes. Elle les prévenait que « ceux qui logeraient dans des locaux insalubres constituant une menace pour leur santé ne participeraient pas aux bénéfices ». Des photos illustraient la différence entre une « chambre insalubre, foyer de tuberculose » et « une bonne chambre claire et aérée ».

Le Service Sociologique montrait la même sévérité avec ceux qui possédaient leur propre maison, leur enjoignant de « ne pas sacrifier le confort de leur famille en louant des chambres et de ne pas mettre en danger la santé morale de leurs enfants par le contact avec des inconnus ». On recommandait fortement la propreté : « Les employés doivent utiliser beaucoup d'eau et de savon pour eux-mêmes et leurs enfants et prendre des bains fréquents. Rien n'est meilleur pour la santé que la propreté. Les gens les plus évolués sont aussi les plus propres. »

Les inspecteurs, une cinquantaine environ, avaient chacun la charge de 700 ouvriers. Ils effectuaient une douzaine de contrôles par jour et posaient des questions sur le statut conjugal, la religion, la citoyenneté, les économies, la santé, les loisirs et d'innombrables autres aspects de la vie quotidienne. Chaque inspecteur disposait d'un Modèle T neuf avec chauffeur et interprète car beaucoup d'ouvriers et leur famille ne parlaient pas anglais.

Selon une enquête menée en novembre 1914, on constate que 29 % seulement des employés de la Ford Motor étaient nés en Amérique. Parmi les 71 % restants, on comptait vingt-deux nationalités différentes. Highland Park était une véritable tour de Babel. En mai 1914, on avait institué des cours d'anglais obligatoires, selon la méthode Berlitz, pour les ouvriers qui souhaitaient bénéficier des primes. Ils étaient dispensés gratuitement par 150 employés après les heures de travail. A la fin du stage, on organisait une cérémonie qui tenait à la fois du service religieux et du rite d'initiation.

« Au fond de la scène, rapporte un témoin, se dressait la silhouette d'un bateau à vapeur dans le décor d'Ellis Island. Tout en haut de la passerelle, dans la demi-obscurité, apparaissait une silhouette. A la façon dont l'homme était habillé, on comprenait qu'il s'agissait d'un étranger. Il portait ses biens personnels dans un baluchon accroché à un bâton qu'il tenait sur l'épaule. C'était le premier diplômé, bientôt suivi par tous les autres. Ils allaient ensuite se rassembler dans un immense chaudron sur lequel on lisait : " Ford English School Melting Pot. " Chacun portait une pancarte indiquant le nom de son pays d'origine. Quand ils ressortaient du chaudron, quelques minutes plus tard, ils étaient vêtus à l'américaine et agitaient de petits drapeaux. »

Les ouvrières ne bénéficiaient pas du partage des bénéfices. Henry Ford, de même que la plupart des hommes de son époque, n'éprouvait aucune gêne à se montrer résolument anti-féministe. « Selon moi, déclarait-il en 1923, dans une interview au *Ladies' Home Journal*, les femmes ne constituent qu'un facteur occasionnel dans l'industrie. Leur véritable fonction consiste à se marier et à élever leurs enfants. Je paie bien mes ouvrières afin qu'elles puissent s'habiller correctement et être assez séduisantes pour trouver un mari. »

Il faut reconnaître cependant qu'il employait plus de femmes que les autres patrons de Detroit et qu'il les payait mieux. Il était également en avance sur son temps en ce qui concernait les handicapés. Seules les personnes atteintes de maladies contagieuses étaient refusées à l'embauche. En 1919, sur un total de 44 569 hommes et femmes, on comptait 9 563 handicapés y compris des aveugles, des sourds-muets et des épileptiques. Un bâtiment spécial était affecté aux tuberculeux. Tous ces ouvriers, qui touchaient la même paie que les autres et avaient également droit aux primes, auraient pu difficilement trouver du travail ailleurs. Ford tirait une profonde satisfaction de leur gratitude, qu'ils manifestaient d'ailleurs par un travail exemplaire. Il employait également 400 à 600 anciens détenus dont la plupart avaient été libérés grâce à son intervention. Il se flattait d'obtenir d'eux un meilleur rendement que de ses ouvriers qui n'avaient jamais eu affaire à la justice.

Une semaine après l'annonce des « 5 dollars par jour », le *Detroit Times* envoya un journaliste à Highland Park pour constater l'impact de cette décision sur les employés. Le reporter eut l'impression que l'usine était un paradis sur terre. « Les ennemis sont devenus des amis, écrivit-il. La fraternité universelle est née avec la liberté industrielle. »

En parcourant les ateliers, derrière le grondement des machines, il lui sembla entendre le « chant d'hommes heureux ». On pouvait reconnaître un ouvrier de la Ford Motor à certains signes : « un pas plus léger, un sourire qui perçait à travers le masque d'huile et de poussière, des épaules fatiguées qui se redressaient et une nouvelle lueur dans le regard ».

Ces ouvriers couverts d'huile et de poussière qui travaillaient 8 heures par jour et 6 jours par semaine ont gardé de cette période de moins bons souvenirs, comme par exemple celui de la séance de recrutement pendant laquelle, nus, ils devaient subir un examen physique humiliant, « comme du bétail à la foire ».

Charles A. Madison, qui écrivit plus tard ses souvenirs, avait quitté Dodge au début de l'année 1914 pour entrer chez Ford. Il n'y resta qu'une semaine. Alléché par la perspective des 5 dollars par jour, il n'avait pas compris qu'il lui faudrait d'abord travailler six mois avant de pouvoir bénéficier des primes. Après sa journée de travail, dit-il, il se sentait « trop fatigué pour lire, aller au concert ou au théâtre ». Il préféra retourner chez Dodge pour 3 dollars par jour. Son passage à Highland Park lui laissa « un souvenir amer, celui d'une sorte d'enfer où les hommes étaient devenus des robots. Contrairement à ce qu'avait prétendu la publicité, les ouvriers y étaient exploités plus durement que dans les autres usines ».

Il s'était senti harcelé par son contremaître qui était lui-même harcelé par ses supérieurs. Pendant les 8 heures de travail, les ouvriers n'étaient pas autorisés à prendre le temps de manger, d'aller aux toilettes ou même d'affûter leurs outils. Quand ils avaient montré qu'ils pouvaient maintenir ce rythme pendant une journée, on leur avait demandé de travailler encore plus vite.

Madison était une victime du « speed-up », le nouveau terme entré dans le vocabulaire des ouvriers américains avec l'apparition de la chaîne de montage et l'augmentation des cadences. Le volume de la production s'accroît, les prix de vente baissent et, devant sa chaîne, l'ouvrier s'aperçoit que la courroie passe de plus en plus vite et que le contremaître lui demande d'ajouter une ou deux pièces de plus par heure, une douzaine par jour.

Cinq dollars de travail, c'est aussi cinq dollars de tension et de discipline. Au cours du premier mois où fut introduit le nouveau système, 900 ouvriers grecs et russes furent licenciés parce qu'ils s'étaient absentés pour célébrer Noël qui, selon le rite orthodoxe, tombe en janvier. Dieu et l'efficacité industrielle ne font pas bon ménage.

A la fin de l'année 1915, le révérend Samuel Marquis quitta sa paroisse de Detroit pour travailler au Service Sociologique de Highland

Park. Il se rendit vite compte que les principales critiques des ouvriers portaient sur le fait que Ford faisait davantage de bénéfices qu'il n'en distribuait et qu'il avait trouvé un moyen pour obtenir plus de travail de ses employés. Il dut admettre que « Mr. Ford n'avait jamais prétendu que l'attribution de primes équivalait pour lui à faire la charité. » Il travaillait pour son propre intérêt et souhaitait que les ouvriers fassent de même. Il s'agissait de profit mutuel.

Les statistiques sont en effet impressionnantes. En 1914, la valeur des maisons habitées par les ouvriers était évaluée à trois millions et demi de dollars. Deux ans plus tard, elle était de vingt millions. Même si l'on tient compte de l'inflation et de l'augmentation du nombre d'ouvriers, ces chiffres reflètent une amélioration certaine des conditions de vie. La proportion des maisons « pauvres » était tombée de 20 à 2 %. Pendant la même période, les économies globales (banque et immobilier) détenues par les employés étaient passées de 196 dollars à 750 dollars par personne.

Les ouvriers de Ford étaient fiers de leur badge qu'ils portaient avec ostentation comme les francs-maçons arborent leur emblème. Ils étaient devenus les cibles priviligiées des commerçants de Detroit. La caricature de l'ouvrier en manteau de fourrure n'était pas loin de ressembler à la réalité.

En quelques années, l'inflation devait porter un coup sensible à la politique des « 5 dollars par jour » pour 8 heures de travail. Les autres usines de Detroit adoptèrent les méthodes de Ford et payèrent des salaires identiques. Quant à la vocation charitable du Service Sociologique, elle devait s'émousser avec le temps.

Il n'en reste pas moins que le principe selon lequel les travailleurs des grosses industries doivent être bien payés devint une tradition aux États-Unis. Ainsi que l'a déclaré le leader syndical Walter Reuther, « la consommation de masse rend possible la production en série. » Vingt ans avant Keynes, Henry Ford avait démontré l'influence de la consommation sur la croissance économique.

Il avait apporté une réponse au dilemme du capitalisme du début du siècle : qui allait acheter les produits industrialisés qu'on avait maintenant la capacité de fabriquer en grande quantité ? La solution était là, sous les yeux des patrons, dans les usines : il suffisait de transformer en salaires – et plus tard en autres avantages – une plus forte proportion des bénéfices.

En 1917, la révolution russe allait faire surgir de nouvelles forces dans l'Histoire mais, trois ans auparavant, Ford avait fait la preuve à Highland Park que les ouvriers n'étaient pas nécessairement les ennemis du capitalisme. De hauts salaires pouvaient en faire des partenaires et des complices. Que cela plaise ou non à l'employeur – et un jour viendrait où cela ne plairait plus à Henry Ford –, le paiement d'un salaire décent permettant à l'ouvrier de vivre correctement et de consommer allait devenir indispensable à la survie de la libre entreprise dans le monde occidental.

8

Le bateau pour la paix

En août 1914, les Américains accueillirent le déclenchement de la Première Guerre mondiale avec plus d'étonnement que d'horreur. La décennie précédente qui avait vu le crépuscule des empires européens, avait été au contraire, de l'autre côté de l'Atlantique, l'aube d'un nouveau siècle plein de promesses. Quand on apprit aux États-Unis l'hécatombe dans les tranchées et l'obscur conflit des Balkans qui en avait été la cause, tout cela parut incroyable.

L'Amérique était entrée dans une ère de progrès. Woodrow Wilson venait d'être élu président. Il avait choisi comme secrétaire d'État William Jennings Bryan, candidat du Parti populiste dans les années 1890, qui avait enfin la possibilité de mettre en pratique ses principes pacifistes. Bryan avait mené sans relâche pendant un an des négociations au cours desquelles les États-Unis offraient leurs bons offices pour tenter d'empêcher différentes parties d'entrer en conflit. Il était parvenu ainsi, pour sa plus grande satisfaction, à faire signer à un certain nombre de pays une trentaine de traités de paix.

Il entrait dans cette attitude une bonne part de naïveté, d'optimisme, mais aussi de présomption. Les Américains étaient convaincus que leur expérience nationale pouvait servir de modèle au monde entier. Ils ignoraient ainsi délibérément que l'épisode le plus sanglant des cinquante années précédentes avait été leur propre guerre civile. C'est ce traumatisme qui explique le consensus sur le pacifisme, qui s'accordait parfaitement avec un isolationnisme traditionnel, particulièrement dans le monde rural.

Henry Ford professait lui aussi des opinions pacifistes. « Selon moi, déclarait-il au *New York Times* en 1915 en se souvenant vraisemblablement de ses lectures scolaires, on devrait écrire en lettres rouges le mot “ assassin ” sur la poitrine de chaque soldat. » Il estimait que les capitalistes, les fabricants d'armes et Wall Street avaient, par leurs manipulations secrètes, une grande part de responsabilité dans les guerres.

Il développa ce thème dans une conférence de presse tenue en juin 1915 où il annonça qu'il avait enfin réussi à appliquer le principe du moteur à combustion interne aux machines agricoles. Après six ans d'expérimentations, il était convaincu qu'il pouvait proposer aux petits fermiers un tracteur qui leur permettrait d'accroître massivement la productivité. « Si les gens continuent à travailler, disait-il, l'Amérique ne sera jamais entraînée dans la guerre. Ce parasite que représente le propriétaire absentéiste est responsable des guerres. New York veut la guerre, mais le peuple des États-Unis ne la veut pas. »

Le directeur du *Detroit Free Press,* pensant qu'il y aurait matière à faire un bon article sur les idées pacifistes du constructeur, avait envoyé un jeune journaliste de talent pour faire le reportage. Theodore Delavigne connaissait déjà Henry Ford et avait attiré son attention en reconnaissant, dans les bureaux de Highland Park, un mécanisme d'horlogerie d'origine anglaise. Il se retrouva bientôt en sa compagnie, parcourant avec lui son domaine de Dearborn tout en prenant des notes.

Depuis 1903, l'année où la Ford Motor avait vendu sa sixième voiture au Canada, la société avait acquis une réputation internationale, et des usines et des agences Ford existaient dans plusieurs pays européens. En compagnie de Clara et d'Edsel, Henry s'était rendu en Angleterre et en France en 1912, où il avait visité les installations Ford. Au cours de ce voyage, il avait pris conscience de son influence internationale. Il préférerait, disait-il, brûler une de ses usines plutôt que d'y laisser fabriquer des voitures qu'on utiliserait à des fins militaires. Il se disait prêt à financer « une campagne internationale pour la paix » d'un million de dollars. Il ferait même mieux : il était prêt à donner « tout ce qu'il possédait » pour arrêter la guerre et mpêcher la fabrication d'armes aux États-Unis.

– Vous le pensez vraiment? lui demanda Delavigne.

– Oui monsieur, que Dieu m'en soit témoin, répliqua Henry qui autorisa le journaliste à reproduire ses propos.

L'article parut le lendemain sous le titre « *Henry Ford prêt à soutenir une campagne pour la paix universelle* ». Il fut immédiatement repris par tous les journaux du pays. En septembre, Delavigne donna de nouveaux détails : un prix serait décerné à l'auteur d'une histoire de l'antimilitarisme et on lancerait dans le monde entier un programme d'investissements pour encourager la production de tracteurs et autres « machines utilisées à des fins pacifistes ». Henry estimait que la paix pouvait permettre de gagner de l'argent, et il faisait un parallèle entre ses idées sur le pacifisme et son initiative des « Cinq dollars par jour » : se comporter de façon morale pouvait paraître utopique, mais c'était en réalité le meilleur moyen d'augmenter la prospérité et les bénéfices.

Tous ses collaborateurs – et James Couzens en particulier – étaient farouchement opposés à ses projets. Malgré des discussions acharnées, ils ne réussirent pas à le convaincre de les abandonner. En revanche on vit arriver un flot d'excentriques et de charlatans. Son secrétaire particulier, Ernest Liebold, qui avait remplacé dans cette fonction Frank Klingensmith, eut fort à faire pour protéger son patron des solliciteurs en tout genre et des conséquences de sa générosité.

Liebold était en tournée d'inspection dans la région de Denver quand Rosika Schwimmer se présenta à Highland Park, le 17 novembre 1915. Cette Juive hongroise avait mené avec passion des campagnes pour la paix et les droits de la femme en Europe. Elle venait à Detroit pour y donner une série de conférences. Malgré ses bonnes intentions, elle s'était attiré par son agressivité l'antipathie des pacifistes américains les plus convaincus, comme Jane Addams – qui devait obtenir plus tard le prix Nobel. Dès que Mme Schwimmer s'intéressait à un projet, elle en faisait aussitôt une affaire personnelle et déversait sur ses interlocuteurs des flots d'éloquence. Elle transportait partout avec elle un volumineux sac à main noir qui contenait les rapports de ses conversations avec différents dirigeants européens et constituait selon elle la preuve formelle qu'un véritable désir de paix existait chez les belligérants. Elle se disait convaincue qu'une initiative pacifiste venant d'un pays neutre rencontrerait l'approbation des gouvernements engagés dans le conflit et proposa à Ford de soutenir cette initiative.

Ce dernier avait toujours été impressionné par les femmes à la forte personnalité, à commencer par la sienne. Il invita Rosika Schwimmer à déjeuner, la rencontra à nouveau le lendemain et le 19 novembre, un mercredi, il l'emmena chez lui en compagnie du journaliste Theodore Delavigne et de Louis Lochner, un jeune pacifiste qui militait pour un projet similaire auquel il voulait intéresser le gouvernement américain. Les deux hommes, pensait Henry, ne seraient pas de trop pour lui prêter main-forte dans les discussions avec la Hongroise. Clara, comme toujours, lui serait aussi d'un grand soutien.

« J'aimerais avoir l'opinion de ma femme sur cette affaire », dit-il en laissant Clara avec son invitée et en s'esquivant avec ses deux compagnons pour les emmener faire une promenade en voiture afin de leur montrer ses derniers tracteurs.

A son retour, il s'aperçut que sa femme avait été complètement subjuguée par Rosika Schwimmer comme il l'avait été lui-même. On décida donc de se rendre à New York pendant le week-end pour mettre au point, avec les leaders du mouvement pacifiste, les modalités de sa propre contribution.

Pendant le voyage, Louis Lochner commença à se demander si le soutien de Ford était vraiment désintéressé. Ce dernier, tout en lui exposant ses idées, observait attentivement les réactions de son interlocuteur aux slogans qu'il lançait : « Ce sont des hommes assis autour d'une table et non des hommes mourant dans les tranchées qui résoudront ce conflit. » Comme Lochner approuvait, il ajouta : « Notez cela, nous le dirons aux types de New York. » Il s'agissait évidemment de la presse.

Avec la campagne des « Cinq dollars par jour », Henry était devenu une célébrité nationale. Les journalistes le courtisaient, ce qui était loin de lui déplaire. Il avait un instinct très sûr pour les formules frappantes. L'été précédent, par exemple, il avait promis aux acheteurs de ses voitures une « participation aux bénéfices ». S'il en vendait plus de 300 000 cette année-là, il leur ferait une réduction de 50 dollars. Et il avait tenu parole. Maintenant, il était à la recherche d'un geste aussi spectaculaire pour la campagne pacifiste.

L'occasion se présenta dès la première réunion, le 22 novembre 1915. La discussion tournait autour de l'envoi d'une délégation américaine en Europe et quelqu'un émit l'idée d'affréter un bateau. Henry s'anima soudain. Un « Bateau pour la paix ». Voilà un geste simple que tout le monde pourrait comprendre. Il voyait déjà les gros titres des journaux.

Ceux qui participaient au déjeuner, notamment Jane Addams, ne se montrèrent guère enthousiastes. Ford devait rencontrer le président Wilson le lendemain à Washington. Il semblait absurde de compromettre les résultats de cette entrevue avec une idée aussi extravagante.

Il écouta toutes les objections mais n'en tint aucun compte. En rentrant à son hôtel, il prit des dispositions pour réserver la plupart des passages en première et en deuxième classe sur l'*Oscar II,* un bâtiment de la Scandinavian-American qui devait quitter New York quinze jours plus tard.

En accordant une audience au constructeur d'automobiles, le président Wilson n'avait qu'un but : témoigner publiquement son soutien à la cause pacifiste sans avoir pour autant à faire quelque chose de concret. Il fut complètement abasourdi quand Ford l'invita à faire le voyage à bord du « Bateau pour la paix » dont il entendait parler pour la première fois. L'invitation concernait également son gendre, William McAdoo, secrétaire au Trésor, ainsi que la femme de ce dernier et son autre fille, Margaret Wilson.

« Le président est un homme sans envergure », murmura Henry à l'oreille de Louis Lochner en quittant la Maison-Blanche. Il ne comprenait pas comment une entrevue qui avait débuté sous de si bons auspices avait pu se terminer par un refus pur et simple. Il avait fait de son mieux pour mettre le président à l'aise en lui racontant, une jambe passée sur l'accoudoir de son fauteuil, la dernière blague, celle du propriétaire d'un Modèle T qui avait voulu être enterré dans sa voiture, parce que, disait-il, elle lui avait permis de sortir de tous les trous qu'il avait rencontrés sur son chemin.

Les déceptions ne faisaient que commencer. Henry avait promis aux journalistes des déclarations exclusives pour le mercredi 24 novembre. Il avait trouvé un bon slogan : « Nous renverrons les petits gars chez eux pour Noël. » Il était convaincu que cette promesse, combinée avec l'affaire du « Bateau pour la paix », lui assurerait une grande publicité.

Louis Lochner, cependant, était pessimiste. Il avait déjà remarqué qu'Henry n'était pas doué pour parler en public et avait tenté, par l'intermédiaire de Garrison Villard, le rédacteur en chef de l'*Evening Post*, de l'amener à modifier sa formule. La chose paraissait en effet peu vraisemblable puisque l'*Oscar II* ne devait pas arriver en Europe avant le 16 décembre.

La conférence de presse fut un échec et le *New York Tribune* titra ironiquement le lendemain : « La Grande Guerre sera terminée pour Noël. Henry Ford y mettra fin. » Le *Detroit Free Press*, pour sa part, fit remarquer qu'il n'y avait aucun programme précis pour le voyage en Europe.

C'était la pure vérité. Les biographes de Ford ont généralement rejeté toute la responsabilité sur Rosika Schwimmer et ses excentricités, mais ce fut bel et bien Henry qui décida d'attacher son nom à une affaire aussi mal organisée afin d'en retirer de la publicité. Il avait invité de nombreux amis et des célébrités à participer à son expédition pacifiste, mais tout se passa dans une telle précipitation que beaucoup en profitèrent pour s'excuser.

John Burroughs, l'amateur d'oiseaux, exprima sa position avec honnêteté. « Le cœur de Mr. Ford, dit-il, est plus grand que sa tête. Vouloir précipiter en ce moment l'arrivée de la paix, c'est comme si l'on voulait hâter celle du printemps. » Plus la date du départ approchait et plus les amis d'Henry devenaient sceptiques. Clara elle-même avait changé d'avis à propos de Rosika Schwimmer, l'amazone de la paix, qui s'était entre-temps découvert des goûts de luxe. Elle dirigeait les opérations de sa suite de l'hôtel *Biltmore*, envoyait chaque jour des télégrammes pour la somme de 1 000 dollars et s'était constitué une « garde-robe pacifiste » avec tenues de soirée et manteau de fourrure. Évidemment, c'était Henry qui payait. « Il accourt au moindre de mes signes », confiait-elle à Louis Lochner.

Clara refusa d'accompagner son mari à bord de l'*Oscar II* et essaya jusqu'à la dernière minute de le dissuader d'entreprendre le voyage. Le *Lusitania* avait fait naufrage moins de six mois plus tôt. On savait que des mines avaient été mouillées dans les eaux européennes et elle tremblait à l'idée de perdre son mari. Ce fut, de son propre aveu, la période la plus sombre de son mariage.

Elle demanda l'aide du pasteur Samuel Marquis et du chauffeur et garde du corps de Ford, Ray Dahlinger. La veille du départ, les deux hommes passèrent la nuit avec les Ford, à essayer de convaincre Henry de renoncer à ses projets. Henry refusa de changer d'avis mais, pour rassurer sa femme, il proposa d'emmener avec lui le pasteur et le chauffeur.

Le spectacle auquel on assista sur la jetée de Hoboken, le lendemain matin 4 décembre 1915, justifia pleinement les craintes de Clara. « Personne ne savait où aller, que faire, et qui était responsable de quoi », rapporta le *Detroit Free Press.* Quinze mille personnes s'étaient rassemblées pour assister à l'événement. Des orchestres installés sur le quai et à bord du bateau jouaient l'air : « Je n'ai pas élevé mon fils pour qu'il devienne un soldat. » Henry jeta des roses. Clara pleura. Deux délégués décidèrent de se marier dans le grand salon pour effectuer respectablement le voyage.

L'*Oscar II* devait faire route vers la Norvège, puis les délégués avaient l'intention de traverser la Suède, le Danemark et la Hollande. Ils espéraient organiser dans ces pays neutres des conférences et des meetings pour faire pression sur les belligérants. Les cinquante-cinq participants passèrent le voyage à mettre au point les détails du programme et à rédiger un manifeste pour donner une consistance à leurs objectifs plutôt imprécis.

Mme Schwimmer s'était entourée d'une équipe de trente et une personnes pour les besoins de son travail. Elle avait fait transporter à bord 20 000 enveloppes, 565 rames de papier, 1 778 crayons et 5 caisses de gommes. Chacun rivalisait d'ardeur pour écrire son propre rapport. Les quarante-quatre journalistes qui voyageaient aux frais d'Henry Ford s'amusaient beaucoup de toute cette agitation. Ils envoyaient à leurs journaux des articles pleins d'humour.

Rosika Schwimmer devint le centre de toutes les controverses. Elle refusait obstinément de montrer les documents qu'elle transportait dans son grand sac noir et, toute remplie de son importance, n'apparaissait ni aux repas ni aux réceptions.

Henry Ford au contraire gagna la sympathie de tous. Les journalistes furent impressionnés par sa sincérité et désarmés par sa naïveté. L'un d'eux le définit comme « un génie de la mécanique avec un cœur d'enfant ». Un autre le compara à Lincoln et au Christ. Le dix-septième jour de la traversée, les représentants de la presse se réunirent pour essayer de trouver le moyen de protéger leur nouveau héros du désastre vers lequel courait inévitablement toute cette aventure.

L'*Oscar II* arriva finalement à Oslo à l'aube du 18 décembre par une température de – 12°. Henry Ford insista pour se rendre à pied par les rues enneigées jusqu'à son hôtel où il s'effondra. Il avait pris froid pendant la traversée. Inquiets pour sa santé, ses protecteurs, Marquis et Dahlinger, le mirent promptement au lit dans une suite où l'on ne pouvait pénétrer qu'en passant par leurs chambres. Quand ils convoquèrent la presse norvégienne, le 22 décembre, les journalistes découvrirent un homme affaibli, désorienté – il les reçut en chemise de nuit – et manifestement peu enclin à leur parler du « Bateau pour la paix ». En revanche il les entretint de son sujet favori : le tracteur, qui libérerait enfin l'homme de l'esclavage. Pour redonner une impulsion à l'économie européenne après la guerre, expliqua-t-il, les usines d'armements pourraient se reconvertir en fabriques de machines agricoles.

A quatre heures du matin, le lendemain, on fit prendre les bagages d'Henry dans sa chambre. Samuel Marquis avait appris qu'un bateau quittait Bergen pour New York dans la journée, et le constructeur se laissa facilement convaincre de rentrer aux États-Unis.

Rosika Schwimmer, qui était encore occupée à rédiger l'un de ses innombrables documents, eut vent du départ de son commanditaire. Elle mobilisa un certain nombre de personnes et essaya de l'intercepter dans le hall de l'hôtel. C'est aux cris de « Kidnapping » que Ford, entraîné par Dahlinger et Marquis, monta dans un taxi et quitta ses compagnons pacifistes qu'il avait rencontrés à Detroit moins d'un mois auparavant.

Pendant le voyage du retour, il s'entretint sérieusement avec Samuel Marquis de toute cette affaire. Pourquoi avoir pris un tel risque ? « Ce qu'on peut obtenir avec de l'argent ne m'intéresse pas, dit-il. Je veux simplement que le monde soit meilleur après que j'y aurai vécu. »

Le pasteur estima pour sa part qu'Henry devrait désormais limiter ses ambitions aux domaines qu'il connaissait bien : « A chacun son métier et les vaches seront bien gardées. »

Les deux hommes s'encourageaient mutuellement car ils appréhendaient l'accueil qu'on allait leur réserver. Ils s'attendaient à être couverts de ridicule. L'expédition pour la paix, qui avait déjà peu de chances de réussir au départ, était irrémédiablement compromise avec la désertion d'Henry. Paradoxalement, l'opinion publique américaine réagit de façon inattendue. « Qu'importe s'il n'a pas réussi, écrivit le *New York American,* il aura au moins essayé. » Henry revenait aux États-Unis avec l'auréole d'un Don Quichotte. « Mieux vaut mille fois être pris pour un fou au service de l'humanité, déclara le rabbin Joseph Krauskopf de Philadelphie, que de passer pour un héros pour avoir versé des torrents de sang. »

Les journaux des petites villes écrivirent des articles particulièrement élogieux. Certains appelèrent Henry « le fou de Dieu » tandis que d'autres le comparèrent au fermier qui se dressait devant les trains pour les empêcher d'avancer. Son courage lui attira toutes les sympathies. Après le procès Selden et les « Cinq dollars par jour », le « Bateau pour la paix » vint alimenter la légende de l'homme luttant seul pour ses principes contre le monde entier. Il avait conquis l'Amérique profonde.

Cependant, il n'était guère satisfait de lui-même. Il avait certes toujours prétendu qu'il ne craignait pas le ridicule et que, conformément à l'enseignement d'Emerson, il tirait les leçons des critiques qu'on lui adressait. En réalité, son échec l'avait profondément blessé et, comme il était incapable d'assumer ses erreurs, il en rejeta la responsabilité sur les autres.

Rosika Schwimmer était le bouc émissaire idéal. Quand Ford se lança dans une virulente campagne antisémite – un des chapitres les plus déplaisants de son histoire –, il se référa toujours à la Juive hongroise et à leur mésaventure commune. Pour la première fois, dira-t-il, il avait compris les liens secrets existant entre le « radicalisme » et les Juifs.

Il continua cependant à soutenir le comité pour la paix pendant un certain temps et dépensa près de 500 000 dollars avant que les autres membres abandonnent à leur tour la partie en 1917. Louis Lochner fut le seul avec qui il resta en relation.

Après des années marquées par une réussite constante, le « Bateau pour la paix » constituait le premier échec patent d'Henry. Il avait été pris au dépourvu par le ridicule, et son optimisme inné s'en ressentit. Cette humiliation le marqua profondément. De plus en plus soupçonneux et aigri, il commença à montrer les mauvais côtés de son idéalisme.

9

L'argent du sang

Henry Ford était déjà devenu une célébrité quand le *New York Herald* lui envoya un de ses journalistes, William Richards, pour lui poser dix questions auxquelles il devait répondre au pied levé.

Il s'en tira fort bien pour les quatre premières, rejeta les quatre suivantes en disant qu'il ne connaissait pas les réponses, considéra la neuvième comme un piège, ce dont convint d'ailleurs Richards. Restait la dixième.

« Mr. Ford, demanda le journaliste, le *Herald* aimerait savoir quel effet cela vous fait d'être le premier milliardaire du monde. »

Ce n'était pas encore tout à fait le cas à l'époque, mais le constructeur était déjà un homme fort riche. Il réfléchit quelques instants en se balançant sur son fauteuil, une jambe passée par-dessus l'accoudoir. « Oh, merde ! » répondit-il finalement, et le *New York Herald* dut se contenter de quatre réponses sur dix.

La voiture populaire avait fait la fortune du constructeur. En janvier 1916, quand il était revenu de son expédition pacifiste, la Ford Motor avait déjà distribué à ses actionnaires 52 millions de dollars de bénéfices et la part d'Henry se montait à plus de 30 millions.

En fait, l'argent n'avait jamais eu pour lui beaucoup d'importance. Le pouvoir – et ses voitures évidemment – l'intéressait davantage. Mais à part ses innombrables costumes gris toujours impeccablement repassés, il n'était guère sensible au luxe. Pour un homme qui avait passé les trois quarts de sa vie à compter chaque sou, il montrait une belle indifférence pour les questions matérielles. Sa femme trouva un jour dans ses poches un chèque de 75 000 dollars qu'il avait oublié d'encaisser.

Les Ford avaient fait construire une maison près de Highland Park au 66, Edison Avenue, mais ils n'y habitèrent pas longtemps. La publicité faite autour des « Cinq dollars par jour » avait complètement transformé leur vie. Des journalistes, des chômeurs, des spéculateurs, des mendiants se rassemblaient chaque jour devant leur domicile dès six heures du matin, et il était pratiquement impossible de sortir faire une promenade dans la journée. Comme le lui dit un jour Samuel Marquis, on avait l'impression de se trouver à Versailles au temps du Roi-Soleil. « Les gens ne cessent de l'aborder pour lui demander un million de dollars », se plaignait Clara.

Mrs. Ford n'avait jamais aimé se faire remarquer et, au bout d'un certain temps, son mari lui-même en fut incommodé. Mais où aller? Avec l'industrialisation de Detroit pendant les vingt premières années du siècle, les riches commençaient à s'installer en dehors de la ville. Les maisons de maître de Woodward Avenue furent remplacées par des bureaux et des magasins. Henry décida de suivre le mouvement et d'aller vivre à Grosse Pointe. Il acheta un terrain sur les bords du lac pour y construire, comme les membres de la haute société de Detroit, une résidence.

Cependant, après avoir réfléchi, il changea d'avis. Il ne s'était jamais senti à l'aise avec les vieilles familles de la ville et le sentiment était réciproque. Sa politique des salaires le faisait considérer comme une sorte de paria par les milieux d'affaires. Il ne recevrait vraisemblablement pas un accueil très chaleureux au Club de Grosse Pointe qui, pour bien marquer son rang social, avait décidé de s'appeler « Country Club de Detroit ». La véritable place d'un fils de Dearborn, estima-t-il, était à Dearborn. Il y avait d'ailleurs acquis, dès 1908, un terrain boisé réservé à ses chers oiseaux. Pourquoi ne le partagerait-il pas avec eux?

Les travaux commencèrent en février 1914. Ford donna à son nouveau domaine le nom de Fair Lane, en souvenir du quartier de Cork où avait vécu Patrick O'Hern, le grand-père qui lui avait appris à aimer les oiseaux. Pour l'exécution des plans, il s'adressa au cabinet d'un architecte de renom de Chicago, Frank Lloyd Wright, connu pour ses réalisations originales s'harmonisant avec l'environnement naturel. Fair Lane, avec sa forêt dominant la rivière Rouge, fournissait un cadre idéal. D'ailleurs, le Middle West avait déjà inspiré à l'architecte certaines de ses plus belles œuvres.

Malheureusement, Wright avait quitté les États-Unis depuis 1909 pour s'enfuir en Europe avec la femme d'un de ses clients. Il avait laissé ses affaires entre les mains d'un jeune Allemand, Hermann von Holst, dont les plans déplurent à Henry qui s'adressa à un décorateur de Pittsburgh, William H. Van Tine. Le résultat fut une véritable catastrophe. La construction massive tenait à la fois d'un mausolée de l'époque victorienne et d'une hacienda espagnole. Faite de pierre grise, elle aurait paru sinistre partout ailleurs; sur les bords de la rivière Rouge, elle était parfaitement grotesque.

Fair Lane coûta un million de dollars, soit environ 30 à 40 millions de dollars d'aujourd'hui. Une seule pièce était vraiment belle : la centrale électrique dont Henry avait dessiné les plans lui-même. Faite de marbre et de cuivre, elle comportait de petits générateurs placés sur des socles, comme des sculptures. Ils étaient alimentés par un barrage aménagé sur la rivière.

C'était toujours la première chose que Ford montrait aux visiteurs. Les turbines produisaient suffisamment d'électricité pour alimenter Dearborn pendant plusieurs années. L'endroit était entretenu comme un véritable lieu de culte. Tout en haut des murs peints en gris courait une frise de cuivre représentant des rouges-gorges, une sorte d'hommage à Emerson et à sa théorie d'une harmonie finale entre la technologie et la nature.

La centrale était reliée au bâtiment principal par un tunnel souterrain parcouru de tuyaux de cuivre et de câbles électriques. Chaque salle de bains était munie de quatre robinets (eau de source et eau de pluie, chaude et froide) et d'un séchoir à cheveux. Les bancs de marbre autour de la piscine intérieure étaient également chauffés. Autour de la maison, une température constante était entretenue dans 500 baignoires pour oiseaux afin qu'elles ne gèlent pas l'hiver.

En aménageant sa nouvelle demeure, Henry avait davantage pensé à son fils qu'à Clara ou à lui-même. Edsel jouissait d'un appartement particulier avec une terrasse surplombant la rivière, un bowling et une salle de billard, et d'un terrain de golf dans le jardin. Il eut sa première voiture à l'âge de 8 ans et il la conduisait lui-même pour se rendre à l'école. Il passait également de longues heures à bricoler dans l'atelier que lui avait installé son père. Ses cahiers étaient remplis de dessins d'automobiles. C'était un excellent élève mais, dès que les cours étaient terminés, il se précipitait à l'usine pour aller se rendre compte des dernières expériences au laboratoire de recherche. Quand, vers la fin de l'après-midi, Ford entrait dans son bureau et remarquait le cartable de son fils, son visage s'illuminait d'un large sourire et il allait immédiatement le rejoindre.

Edsel adorait son père et avait pour lui une profonde admiration. Quant à Ford, il aimait non seulement son propre fils mais les enfants en général. Clara et lui-même, plutôt casaniers, restaient volontiers chez eux et traitaient Edsel en camarade. Ils l'emmenaient partout, et le petit Edsel participa même aux premiers essais de la Quadricycle. A Detroit, c'était devenu un spectacle familier de voir la famille au complet roulant dans les rues de la ville.

De toute éternité, il avait été décidé qu'Edsel rentrerait dans l'entreprise de son père. Son niveau scolaire lui aurait permis de poursuivre ses études et il n'y avait évidemment aucun problème financier pour l'inscrire dans le plus huppé des collèges de la région. Mais Henry manifestait une méfiance instinctive pour les études supérieures. Le jeune homme commença donc à travailler à l'usine dès sa sortie de l'école et en 1915, à 21 ans, il devint membre du conseil d'administration. « Mr. Edsel » était un jeune homme réservé et modeste qui traitait tout le monde avec respect, s'attirant ainsi la sympathie générale.

Physiquement, il ressemblait beaucoup à son père avec toutefois des traits plus fins et un teint plus mat. Toujours impeccablement vêtu, il avait quelque chose d'un *gentleman farmer* anglais. Malgré sa modestie innée, on sentait chez lui l'assurance d'un membre de la seconde génération.

Comme son père, il avait l'habitude de noter ses réflexions dans de petits carnets. Ceux-ci révèlent un esprit ouvert, une certaine gaieté, et une qualité que ne possédait pas Henry : celle de ne pas se prendre au sérieux. Edsel était un jeune homme heureux de vivre qui montrait une grande ardeur au travail et passait la plupart de ses loisirs avec ses parents. Mais on peut penser qu'il attendait autre chose de la vie qu'une table de billard et un golf personnel.

Une dame d'un certain âge, Miss Annie Ward-Foster, enseignait les bonnes manières à la jeunesse dorée de Detroit. Ses cours de danse étaient fréquentés par des jeunes filles accompagnées de leurs chaperons et des jeunes gens en cravate et gants blancs. Elle veillait au moindre écart de conduite et rappelait ses élèves à l'ordre d'un claquement de ses castagnettes.

Edsel rencontra chez elle Eleanor Clay, une jeune personne passionnée de basket-ball et de patin à glace qui appartenait à une riche famille de commerçants de Detroit. Son oncle, Joseph L. Hudson, originaire de Newcastle, était arrivé aux États-Unis vers le milieu du XIXe siècle et possédait sur Woodward Avenue un des plus grands magasins de la ville. On accédait à l'entrée grâce à un tapis rouge et des portiers en uniforme aidaient les « ladies » à descendre de leur voiture. La prospérité des Hudson était encore trop récente pour les placer vraiment parmi les membres de la haute société, mais ils dépassaient déjà par leur fortune l'aristocratie du pétrole.

Joseph Hudson avait l'esprit de famille. Quand sa sœur Eliza perdit son mari en 1908, il l'installa chez lui avec ses filles, Eleanor et Josephine. Après sa mort, en 1912, elles continuèrent à vivre dans la belle demeure de Boston Boulevard. En entrant dans la famille Ford, Eleanor apportait en dot un crédit illimité chez Hudson et des réductions sur tous les achats.

Edsel lui fit une cour discrète. Ses parents n'imaginaient guère que leur fils puisse se marier à 22 ans. Quant à Eleanor Clay, elle n'avait pas encore terminé ses études à Ligget School où elle était une élève brillante. On envisageait de l'envoyer à Vassar. Pourtant, dès le printemps 1916, les deux jeunes gens avaient déjà décidé de leur avenir.

Pendant l'été, Eleanor participa à une kermesse organisée par « Tau Beta », un club féminin philanthropique, et c'est à cette occasion que son amie Kathie Shiell remarqua pour la première fois l'intérêt que lui portait Edsel. La jeune fille tenait un stand où les joueurs devaient jeter une pièce de monnaie dans une petite bassine remplie d'eau. S'ils réussissaient, ils gagnaient 1 dollar, sinon l'argent revenait au club. Edsel sembla trouver le jeu passionnant et passa tout l'après-midi à jeter des billets de 1 dollar à côté de la bassine.

On annonça les fiançailles le 16 juin, le jour même où Ellie obtenait son diplôme à Ligget School, et le mariage eut lieu le 1er novembre. La cérémonie se déroula chez les Hudson dans la plus grande simplicité. Ellie s'était rendue elle-même à New York pour faire faire sa robe et celles de ses demoiselles d'honneur dans un style russe des plus exotiques. Le journaliste du *Free Press* avait espéré davantage. « Il n'y avait pas, écrivit-il, plus de 1 000 dollars de bijoux. »

Louis Lochner revint d'Europe le 14 janvier 1917 pour rendre compte des activités du Comité pour la paix. Avec les autres participants, il était resté sur place pendant un an, aux frais de Ford, pour tenter de proposer une médiation entre les belligérants. L'industriel avait déjà dépensé près d'un demi-million de dollars, finançant notamment, à son retour de Norvège, une campagne de presse dans les plus grands journaux du pays. Il avait ensuite soutenu la réélection de Woodrow Wilson avec son programme pacifiste, ce qui lui avait coûté 50 000 dollars de plus. Il montrait toujours le même optimisme et espérait bien mettre fin à la guerre.

Cependant, le 1er février, l'Allemagne annonça son intention d'attaquer désormais tous les bateaux apportant une aide aux Alliés, y compris ceux des pays neutres. Deux jours plus tard, le président américain réagit par la rupture des relations diplomatiques.

La guerre semblait soudain toute proche. Quand on interrogea Henry Ford à ce sujet, il répondit que sa société consacrerait désormais tous ses efforts à produire des munitions et des armes. On était loin des déclarations pacifistes et du serment de brûler Highland Park plutôt que de fabriquer des armes pouvant servir à la destruction de l'humanité. Il soumit même un projet de petit sous-marin.

Ce revirement brutal n'impressionna guère le secrétaire d'État adjoint à la Marine, le jeune Franklin Roosevelt, qui n'y vit qu'un moyen pour Ford de se faire de la publicité. Pourtant ce dernier n'était pas le seul à avoir fait volte-face. Deux jours avant de rompre les relations diplomatiques, Woodrow Wilson proclamait encore son espoir d'aboutir à une conciliation. Quant à Jennings Bryan, il parlait maintenant de la volonté des Américains de « mourir pour leur liberté ». Les populistes, estimaient-ils, étaient certes des pacifistes, mais ils étaient d'abord patriotes et « une déclaration de guerre fermait la porte à toute discussion ». Les intérêts des États-Unis étaient sacrés, et la perspective de voir les sous-marins allemands attaquer leurs navires avait soulevé la fureur des Américains, y compris de ceux qui n'étaient pas favorables à une aide à la Grande-Bretagne.

Henry Ford promit solennellement de « ne pas toucher un cent » des bénéfices qu'il ferait sur sa nouvelle production. S'enrichir grâce à l'effort de guerre national revenait pour lui, dit-il, à « toucher le prix du sang ». Highland Park se mit à produire des casques, des masques à gaz, des caisses pour les munitions, des plaques de blindage et des moteurs d'avions. On transforma le Modèle T en ambulance et on essaya même d'en faire un blindé mais l'expérience ne fut pas concluante.

En revanche, le gouvernement chargea le constructeur de mettre au point un croiseur, l'*Eagle Boat.* Charles Sorensen étant occupé par la production des tracteurs, ce fut William Knudsen qui supervisa les travaux.

Le projet était doublement intéressant, car c'était à la fois un défi sur le plan mécanique et le gage d'un regain de publicité. De plus Ford avait aussi l'ambition de développer, de façon encore plus spectaculaire, le système de la chaîne de montage.

Il se sentait à l'étroit dans Highland Park, pourtant le plus grand complexe industriel du monde. En 1915, l'usine avait fabriqué 250 000 Modèle T mais elle pouvait facilement doubler sa capacité. Et pourtant cela ne suffisait pas au roi de l'automobile. Il voulait maîtriser le processus dans sa totalité, depuis le matériau brut – le caoutchouc, le bois, le charbon, le fer et l'acier – jusqu'au produit fini.

Il avait trouvé, pendant l'été 1915, l'emplacement pour la nouvelle usine dont il rêvait et avait acheté un terrain marécageux au confluent de la rivière Rouge et de la rivière de Detroit. Les autres actionnaires, les frères Dodge en particulier, voyaient d'un mauvais œil les investissements énormes que nécessitait l'aménagement de ce site. Grâce au contrat passé pour la fabrication de l'*Eagle Boat,* le gouvernement se chargea de financer le drainage.

Certains membres du Congrès comprenaient mal pourquoi les contribuables devraient débourser plus de 3 millions de dollars pour permettre à Ford de construire un chantier naval dans le Middle West. Mais les installations de la marine étaient surchargées de travail et on estima que le constructeur pourrait rembourser l'État quand la guerre serait terminée. Toutefois ce n'était qu'une suggestion.

Les travaux, dirigés par Albert Kahn, commencèrent au début de 1918. Jusqu'alors, on avait toujours construit les bateaux à ciel ouvert. Envisager leur fabrication dans une usine était une innovation. D'autre part, le bâtiment était conçu dans un style entièrement nouveau sur 800 mètres de longueur et 30 de hauteur, avec une charpente d'acier et d'immenses baies vitrées. On l'appela le Building B et il fit date dans l'histoire de l'architecture industrielle. Il existe toujours et sa chaîne de montage a produit les Mustang de quatre, six et huit cylindres.

Le premier *Eagle* fut lancé le 10 juillet. Le Building B comprenait trois chaînes fabriquant chacune sept bateaux. C'était la première production en série dans le domaine naval. L'enthousiasme populaire fut à son comble et l'on salua bien haut le génie d'Henry Ford.

Après la signature de l'armistice en novembre, on s'aperçut cependant que les résultats avaient été plutôt maigres. Le contrat de 46 millions de dollars portait sur cent douze croiseurs, et sept seulement avaient été livrés. Un autre était armé mais en était encore aux essais à la mer.

Ford rejeta la faute sur les concepteurs qui, en modifiant à plusieurs reprises le projet initial, avaient retardé la fabrication. En fait, les ingénieurs dirigés par William Knudsen avaient rencontré un certain nombre de difficultés imprévues. Il n'était pas facile d'adapter les techniques de l'automobile à la construction navale. Après la fin de la guerre, la Ford Motor livra encore soixante *Eagle* à la Marine américaine, mais elle ne fut plus jamais sollicitée dans ce domaine.

Au moment de l'entrée en guerre des États-Unis, en 1917, Edsel Ford avait été appelé sous les drapeaux. Il demanda à être réformé. Les avocats de la société firent valoir qu'il se battait déjà à sa manière en supervisant la production de munitions dans l'usine de son père. Sa demande fut rejetée en novembre. Cependant, grâce à une nouvelle réglementation, il fut intégré dans la classe 2A, celle des soutiens de famille – car son premier fils, Henry Ford II, était né en septembre – puis dans la classe 3L qui comprenait les hommes indispensables à l'industrie de guerre. Nicholas Longworth, un membre du Congrès, fit ironiquement observer que sept personnes au moins pouvaient espérer échapper à la guerre : les six fils du Kaiser et Edsel Ford.

Edsel n'avait fait que suivre la volonté de son père. Généreux, sensible, intelligent, il avait infiniment plus de qualités humaines que ce dernier, mais il avait toujours été incapable de lui refuser quoi que ce soit. Il paya toute sa vie ce manque d'indépendance. Les journalistes ne manquèrent pas de souligner que le jour où Quentin, le fils de Teddy Roosevelt, fut tué dans un combat aérien, Edsel et sa femme donnaient une réception dans un club à la mode. Henry Ford, écrivit le *Detroit Saturday Night,* avait mieux réussi à éloigner son fils des tranchées qu'à « ramener les gars chez eux » avec son « Bateau pour la paix ».

L'affaire eut un retentissement public quand le constructeur décida de se présenter aux élections sénatoriales en 1918. Deux ans plutôt, il avait obtenu d'excellents résultats dans les élections primaires du Middle West. Il avait battu, par 83 000 voix contre 78 000, le sénateur William Alden Smith dans le Michigan et, dans le Nebraska, bastion du mouvement populiste, il avait manqué de peu remporter la victoire sur Albert Cummins. Il était très populaire auprès des fermiers : dans le Missouri, siège traditionnel de l'agitation paysanne, un sondage du *Saint Louis Times* le plaçait en tête de liste des candidats potentiels à la présidence.

Les représentants et les vendeurs de la Ford Motor assuraient évidemment la promotion de ce genre de candidature soi-disant spontanée, et des échos favorables parvenaient jusqu'à Ernest Liebold, le secrétaire personnel d'Henry. Cependant celui-ci affirmait hautement en 1916 qu'il n'avait pas d'ambitions présidentielles et il le prouva d'ailleurs en soutenant activement la campagne pour la réélection de Woodrow Wilson. Il concentra ses efforts sur la Californie et c'est grâce à lui que Wilson put y battre – par 4 000 voix seulement – Charles Evans Hughes.

Deux ans plus tard, le président fit de nouveau appel à lui pour contrecarrer la majorité républicaine au Sénat opposée à son programme pacifiste. Il l'invita personnellement à la Maison-Blanche pour lui demander de faire pencher la balance en faveur des Démocrates dans le Michigan. « Mr. Ford, lui écrivit-il, nous vivons des temps difficiles où l'on doit se sacrifier pour son pays... Vous êtes le seul au Michigan qui puisse être élu et aider à ramener la paix que vous appelez de tous vos vœux. J'espère que vous surmonterez vos sentiments et vos intérêts personnels et entrerez dans la bataille. »

La presse se montra sceptique tandis que ses amis essayaient de le dissuader. « Vous ne savez pas parler en public, lui dit Thomas Edison qui était devenu un intime de la famille. Qu'iriez-vous faire là-bas? Vous ne pourrez pas prononcer un traître mot! »

Ce fut précisément la façon dont Henry choisit de mener sa campagne pour les sénatoriales : le silence. Il avait remporté les élections primaires de 1916 en restant tranquillement chez lui et il décida d'adopter la même tactique. Il ne fit aucune déclaration, sauf pour manifester son accord sur le vote des femmes, et, contrairement à ce qui s'était passé quand il avait soutenu Wilson en Californie, ne dépensa pas un sou pour sa promotion personnelle.

Ses adversaires républicains eurent ainsi le champ libre. A la surprise générale, son adversaire, Truman H. Newberry, ne l'emporta sur lui que de 2 200 voix. Newberry faisait partie de l'élite de Grosse Pointe qu'Henry détestait si cordialement, de cet establishment qui avait tourné en ridicule son initiative des « Cinq dollars par jour ».

Il se prit soudain d'un intérêt passionné pour le résultat des élections. Avec l'aide d'Harvey Firestone, son principal fournisseur en pneus, qu'il avait fait venir de l'Ohio pour lui prêter main-forte, il s'efforça de trouver des irrégularités. Il engagea des détectives privés pour prouver que Newberry et ses supporters avaient dépassé les limites autorisées par la loi dans le financement de leur campagne. Il dénonça dans les journaux Wall Street et les banquiers, ses cibles favorites. Ce fut aussi la première fois qu'on l'entendit tenir en public des propos antisémites. Newberry, déclara-t-il au président de la Chambre de commerce de Detroit, était l'instrument d'un « gang de Juifs influents ».

Toutes ces accusations n'avaient pas la moindre trace de vraisemblance, d'autant que Newberry était certainement encore plus antisémite que Ford. La vendetta dura cependant quatre ans. Une quarantaine d'enquêteurs dirigés par Bernard M. Robinson, un avoué qui travaillait pour Firestone, passèrent le Michigan au peigne fin. Ils apportèrent la preuve que les Républicains avaient distribué 176 000 dollars, soit beaucoup plus que la somme fixée par la loi.

« Si Newberry est capable de dépenser 176 000 dollars pour un siège au Sénat, déclara Ford, il peut aussi bien dépenser 176 millions pour parvenir à la présidence. » Il oubliait qu'il avait investi lui-même des sommes considérables pour les causes qui lui tenaient à cœur et qu'il n'avait jamais montré de scrupules pour acheter ceux à qui il voulait faire partager ses opinions. Le patriotisme n'avait pas grand-chose à voir dans toute cette affaire. Ford était tout simplement un mauvais perdant.

Il obtint finalement satisfaction en 1922 avec le retour d'une majorité démocrate au Sénat. Les deux parties étaient déjà allées devant différents tribunaux, mais on rouvrit le procès, et Newberry dut abandonner son siège de sénateur. Dans sa lettre de démission, il attribua sa défaite aux « persécutions politiques », affirmant que « des centaines d'agents avaient pourchassé et terrorisé les habitants du Michigan ». Il continua à mener sa petite guerre personnelle. Sa femme se mit aussi de la partie et refusa de se rendre aux réceptions auxquelles les Ford étaient invités.

Dans un ouvrage paru au début de 1922, *The Truth About Henry Ford,* Sarah T. Bushnell faisait l'apologie du constructeur en soulignant notamment sa générosité. Elle affirmait qu'il avait fait don au Trésor américain de 29 millions représentant la totalité des bénéfices faits sur la production de guerre. Dans sa préface, elle le remerciait pour l'aide que Mrs. Ford lui avait apportée pour la rédaction de son livre.

Andrew W. Mellon, le secrétaire au Trésor, fut extrêmement étonné à cette lecture. Il n'avait pas le moindre souvenir d'un tel don. Après avoir fait effectuer des vérifications par ses services, il écrivit à Ford le 16 mars pour lui demander des explications.

Une semaine plus tard, Ernest Liebold répondit au nom de son patron. Ce dernier, affirmait-il, n'avait pas autorisé la publication de l'ouvrage de Mrs. Bushnell et ne l'avait même pas lu. Il ne s'estimait donc pas responsable des informations qu'il contenait.

Mais ni Mellon ni la presse n'étaient décidés à s'arrêter en si bon chemin. Ford avait clamé bien haut pendant la guerre son refus de toucher « le prix du sang » et l'on découvrait subitement qu'il n'avait jamais versé cet argent au Trésor. Après avoir, eux aussi, consulté leurs archives, les ministères de la Guerre et de la Marine déclarèrent que toutes les factures de la Ford Motor concernant la livraison de casques, de caisses de munitions, de différents équipements militaires et des croiseurs *Eagle* avaient été intégralement payées.

L'affaire prenait une tournure politique et, sommé de s'expliquer publiquement, l'industriel fit savoir à l'automne 1923 qu'il s'était attaqué à « l'énorme travail » consistant à évaluer ce qu'il devait au gouvernement et que, lorsqu'il en aurait terminé, il ferait « comme il l'avait dit ».

On n'a jamais pu évaluer avec précision le montant des bénéfices réalisés par Ford sur sa production de guerre. En se basant sur les rapports de la Ford Motor, ses biographes officiels, le professeur Allan Nevins et Frank Ernest Hill, donnent un chiffre global de 8 millions de dollars, soit 4 357 000 dollars déduction faite des impôts. Ford détenant 58 % des actions, son bénéfice net, après paiement des impôts personnels, aurait été de moins d'un million de dollars.

Le chiffre semble incroyablement bas. En décembre 1918, après dix-huit mois de guerre, le total des bénéfices sur la production civile et militaire se montait à 78 millions de dollars. Selon les évaluations de Nevins et Hill, les contrats passés avec le gouvernement auraient représenté 6 % seulement des activités globales de la société. Cependant, en novembre 1917, quand Edsel refusa d'être incorporé dans l'armée, ses avocats affirmèrent que les commandes militaires étaient de l'ordre de 40 millions de dollars par mois. Si l'on calcule sur cette base, on parvient à un chiffre pratiquement analogue à celui cité par Mrs. Bushnell. Celle-ci, de toute évidence, tenait ses informations de la famille Ford.

Quoi qu'il en soit, l'industriel ne remit jamais au Trésor américain la moindre part de ses bénéfices. Le plus surprenant de toute cette affaire, c'est que la légende de sa générosité ne s'en soit pas moins perpétuée.

« Henry Ford, pouvait-on lire en 1935 dans un article du *Detroit Saturday Night,* a reversé jusqu'au moindre *cent* ses bénéfices tirés des contrats militaires. » Trois ans plus tard, à l'occasion de son soixante-quinzième anniversaire, deux pasteurs de l'Église luthérienne firent l'éloge du constructeur, « le seul homme fortuné qui ait eu l'occasion de tirer profit de la guerre et qui s'y soit refusé ».

L'histoire ne dit pas d'où ils avaient tiré ces renseignements, ni si la politesse d'Henry Ford l'empêcha de relever cette inexactitude. Mais, cette même année, une biographie écrite par Ralph H. Graves reprenait le même thème et, jusqu'en 1940, le service des relations publiques de la Ford Motor en distribuait gratuitement un exemplaire à toute personne désireuse d'obtenir des informations précises sur la vie de son fondateur.

10

Pas d'actionnaires, pas de parasites

Quand John Reed, journaliste et homme de gauche, rencontra pour la première fois Henry Ford en 1916, il fut immédiatement fasciné. Les termes dans lesquels il décrit l'industriel le montrent assez : « Une silhouette juvénile, de longues mains fines sans cesse en mouvement; il n'était pas rasé, avait le visage bronzé, des yeux verts, lumineux et candides, un front haut, des cheveux gris; la partie inférieure du visage reflétait une sérénité et une naïveté extraordinaires tandis que la partie supérieure donnait une impression de vie intense et d'intelligence aiguë. »

Reed, qui allait être l'un des fondateurs du Parti communiste américain et faire plus tard l'apologie de la révolution russe, n'avait aucune sympathie pour les hommes d'affaires. Il méprisait les gros bonnets de Detroit, ces « millionnaires-champignons » selon sa propre expression, un gang d'exploiteurs sans scrupules qui vivaient dans le luxe, uniquement préoccupés de leurs intérêts. Henry Ford, jugea-t-il, était complètement différent : « Il ne possède pas une villa à Grosse Pointe; il vit dans une ferme, dans le petit village de Dearborn, à 15 kilomètres de Detroit. Il ne fréquente pas les cercles de la haute société et préfère discuter avec les fermiers. Il n'appartient à aucun des clubs où se retrouvent les autres millionnaires, et ces derniers le haïssent. »

Le journaliste était littéralement tombé sous le charme, ce qui explique qu'il n'ait pas hésité à travestir la vérité – Fair Lane n'avait rien d'une ferme. Comme tant d'autres, il avait été séduit par Henry Ford, par ses idées originales, sa franchise et « son extraordinaire simplicité ».

Il s'était rendu à Detroit en pensant rencontrer un magnat de l'industrie et il avait trouvé un authentique représentant de l'Amérique profonde, un paysan plein d'énergie et de sens pratique. « Seuls les gens du Middle West, écrivit-il, les fermiers et les éleveurs, gardent encore ce parfum de terroir. » Il avait donné comme titre à son portrait : « L'ouvrier miracle de l'industrie. » Pour lui, Ford n'avait rien d'un ploutocrate. Il était un « self-made man ».

Reed aurait été bien inspiré de s'entretenir, avant d'écrire son article, avec ceux qui connaissaient Ford depuis longtemps. James Couzens, par exemple, ou John et Horace Dodge auraient pu lui donner une autre appréciation et lui dire que le constructeur avait profondément changé depuis qu'ils avaient commencé à travailler avec lui. A cette époque, d'ailleurs, Couzens ne faisait plus partie de la société.

Depuis 1908, en plus des nombreuses responsabilités qu'il exerçait à la Ford Motor, Couzens s'était occupé du *Ford Times,* le journal de l'entreprise, beaucoup plus agréable à lire que les autres publications du même genre. En septembre 1915, après la reprise de l'article de Theodore Lavigne sur ses convictions pacifistes, Ford décida de publier, le mois suivant, une virulente critique des intentions du gouvernement américain quant au soutien de l'effort de guerre de la Grande-Bretagne et de la France. Une délégation conduite par Lord Balfour était sur le point de se rendre aux États-Unis pour solliciter une aide financière. Ford proposait carrément que les visiteurs soient « chassés à coups de pied ».

– Henry, dit Couzens, cet éditorial ne peut pas paraître dans le journal.

– J'ai 59 % des actions, répliqua Ford, et si je le veux, il paraîtra.

– C'est juste, répondit Couzens, mais dans ce cas je démissionne.

C'est ce qu'il fit immédiatement. Il alla ensuite donner aux journalistes de Detroit sa version de l'affaire avant qu'Henry ait eu le temps d'intervenir. Sa démission de vice-président et de trésorier fut acceptée la 13 octobre. Il resta cependant, après Ford, le principal actionnaire avec 11 % des parts, et membre du conseil d'administration.

En fait, Couzens avait, depuis quelque temps déjà, des ambitions politiques. Par la suite, il allait devenir maire de Detroit et occuper au Sénat le siège laissé vacant par Truman H. Newberry. Il soutenait activement la politique de Woodrow Wilson et ne pouvait accepter que les idées de celui-ci soient remises en question par le journal de l'entreprise dont il était le directeur commercial.

En bon politicien cependant, il n'avait pas agi sur un coup de tête. Ses relations avec Ford avaient déjà commencé à se détériorer. Il concevait une certaine amertume à voir son partenaire s'attribuer seul le succès d'une entreprise qu'il avait, grâce à ses conseils et à sa compétence, sauvée de la ruine. Il pensait aussi à sa propre carrière. Le temps était venu pour lui de sortir de l'ombre d'Henry. Ce dernier était également prêt à la séparation. Il supportait de plus en plus mal les critiques et la causticité de Couzens. L'éditorial sur la paix fut pour tous deux un excellent prétexte.

Le processus prit plus de temps avec les frères Dodge. John avait quitté le conseil d'administration en août 1913 après avoir signifié que son entreprise cesserait de fournir des pièces détachées dans un délai d'un an. Les deux frères avaient décidé de fabriquer eux-mêmes des voitures à prix modéré. Ils gardèrent cependant leurs actions dans la Ford Motor. Le capital qu'ils comptaient investir dans leur nouvelle société provenait en grande partie de leurs dividendes. Pour la seule année 1914, par exemple, ils avaient touché plus d'un million de dollars. Ford voyait évidemment d'un mauvais œil le fait qu'ils allaient utiliser cet argent pour monter une compagnie rivale.

Parmi les nombreuses critiques de l'initiative des « Cinq dollars par jour », on relève celle du *Wall Street Journal* qui avance l'hypothèse suivante : en distribuant 10 millions de dollars à ses ouvriers, la générosité de Ford n'était qu'apparente. C'était autant de bénéfices qu'il n'avait pas à partager avec les autres actionnaires. Le Service Sociologique de l'usine interprétait évidemment le geste d'une façon différente, mais c'était une assez bonne explication de la tactique que Ford devait réutiliser par la suite. Quand, en 1914, il offrit à tout acheteur d'un modèle T un remboursement de 50 dollars, par exemple, il priva les frères Dodge d'un bénéfice d'un million de dollars. Il fit mieux encore, en août 1916, en annonçant que 58 millions de dollars de dividendes ne seraient pas distribués aux actionnaires mais réinvestis dans la nouvelle usine au bord de la rivière Rouge.

C'était une véritable provocation. Le 2 novembre, les Dodge portèrent plainte devant la cour de justice du Michigan en exigeant que la Ford Motor partage immédiatement entre les différents partenaires 75 % des bénéfices, soit 39 millions de dollars. Henry Ford refusa. La guerre était déclarée.

La réduction continuelle du prix de vente des voitures constituait l'un des principaux griefs des frères Dodge. On ne parvenait pas à satisfaire toutes les commandes et néanmoins Ford refusait d'augmenter les prix. C'était un défi aux lois traditionnelles de l'offre et de la demande. Ses partenaires y voyaient une atteinte à leurs intérêts.

L'industriel raisonnait différemment. Il aurait dû selon lui s'estimer davantage lésé puisqu'il détenait près de six fois plus d'actions que les Dodge (58,5 % contre 10 %). « Je ne pense pas, déclara-t-il le 14 novembre 1916 au *Detroit News,* que nous devions tirer des bénéfices exorbitants de la vente de nos voitures. »

Ces nobles sentiments, exprimés quelques jours avant qu'il ne reçoive l'assignation à comparaître, tendaient évidemment à lui attirer les sympathies de l'opinion publique. C'était cependant une politique qu'il suivait depuis plusieurs années et qui résultait des principes qu'il avait souvent exposés : vendre le plus grand nombre possible de voitures afin d'assurer de meilleurs salaires aux ouvriers.

Le prix de vente du Modèle T avait d'abord augmenté à la fin de la première année de production, puis il avait régulièrement diminué pour passer de 825 dollars en 1908 à 345 dollars en 1916. L'année précédente, la Ford Motor avait produit 390 000 voitures, soit 44,6 % de la production américaine.

Cependant, comme pour tout autre industriel, le principal souci d'Henry Ford était de gagner de l'argent. Il prétendait être l'inventeur de nouvelles lois économiques : ce fut en fait par hasard qu'il découvrit les mécanismes de la consommation de masse. Sa voiture populaire fut effectivement une réussite mais ses motivations profondes n'étaient pas aussi claires qu'elles le paraissaient.

Son succès auprès du public avait accentué la répugnance à partager, la paranoïa et la susceptibilité qu'il avait manifestées avec ses premiers commanditaires. C'est pourquoi les frères Dodge avaient de bonnes raisons de craindre l'appétit grandissant de leur partenaire. Et ce fut en effet le rêve d'Henry Ford de construire un nouveau complexe industriel qui les amena devant les tribunaux. Comme on l'a vu, il devait recevoir en 1918, grâce au contrat passé pour la construction des croiseurs *Eagle,* l'aide du gouvernement. Mais en 1916, le terrain n'était encore qu'un vaste marécage dont l'aménagement demandait d'énormes investissements.

Un matin de juillet 1915 – un an avant l'expédition du « Bateau pour la paix » –, Ford emmena Charles Sorensen et un groupe de cadres visiter l'emplacement de la future usine. Proche de deux lignes de chemin de fer, le site offrait l'avantage d'être situé au bord de la rivière Rouge, peu profonde mais assez large à cet endroit, près de son confluent avec la rivière de Detroit menant aux Grands Lacs. L'imagination du constructeur s'était immédiatement enflammée. Il voyait déjà les bateaux chargés de charbon et de fer arrivant du nord du Michigan pour alimenter ses hauts fourneaux. Il rêvait aux immenses cargos qui emporteraient ses automobiles à travers les océans et dans le monde entier. Il pourrait posséder ses propres mines de charbon et de fer, ses forêts, ses plantations de caoutchouc et créer une flottille qui amènerait les matières premières aux portes de l'usine. Le nom de Ford deviendrait celui d'un empire industriel.

Il acheta le terrain à son nom et annonça la création de l'usine comme un projet personnel. Il voulait commencer par y fabriquer des tracteurs. Il créa une société anonyme, Henry Ford and Son – le tracteur recevrait le nom de Fordson –, et présenta l'affaire aux journalistes comme une entreprise familiale. Il n'aurait besoin, dit-il, « ni d'actionnaires, ni de directeurs, ni de propriétaires absentéistes, ni de parasites ».

Les frères Dodge furent certainement irrités par cette boutade, eux qui avaient été effectivement des parasites dans les premières années du développement de la Ford Motor, mais ils n'avaient aucun motif de se plaindre puisque l'usine devait être indépendante du reste de la société.

Des rumeurs commencèrent cependant à circuler. Ford, disait-on, utilisait des ouvriers et du matériel de Highland Park pour la fabrication de son nouveau tracteur. Il avait même l'intention de se servir du moteur du Modèle T. Il évoquait parfois ses plans pour produire lui-même de l'acier. Installer des hauts fourneaux supposait un investissement massif dépassant les bénéfices qu'il pourrait retirer de la vente des tracteurs. John Dodge exigea une réunion.

Henry, accompagné de Wills, rencontra les deux frères au début de l'année 1916. Il parvint à rassurer ses interlocuteurs : la production des tracteurs ne se ferait pas au détriment de celle des automobiles, et toutes les dépenses engagées seraient remboursées intégralement à la Ford Motor.

Cependant, quand John Dodge évoqua la démission de James Couzens pour dire qu'il la regrettait, il toucha un point sensible. « Ce fut une très bonne chose, rétorqua Henry, nous pouvons maintenant faire ce qu'il nous empêchait de réaliser : doubler la taille de l'usine, doubler la production et vendre les voitures à moitié prix. » Puis, perdant toute mesure, il révéla ses véritables intentions. « Les actionnaires, dit-il, ont déjà reçu beaucoup plus que ce qu'ils ont investi... Les bénéfices seront désormais réinvestis pour le développement de la société. »

John Dodge répliqua que, s'il voulait disposer à son gré de l'argent des actionnaires, il devait leur racheter leurs parts. Il pourrait ainsi contrôler la Ford Motor à 100 %. Il suffisait d'en négocier le prix. Mais le constructeur écarta délibérément cette suggestion. Le contrôle qu'il détenait déjà lui suffisait amplement.

Le 30 décembre 1918, Henry Ford annonça qu'il abandonnait la présidence de la Ford Motor. Il avait 55 ans et souhaitait, assura-t-il, consacrer son énergie à d'autres activités. Edsel fut désigné pour le remplacer, avec un salaire annuel de 150 000 dollars.

Pour bien mettre l'accent sur sa démission, Ford quitta Detroit en compagnie de Clara et se rendit à Altadena, en Californie, pour prendre de longues vacances. Tout le monde se perdait en conjectures sur ses nouveaux projets.

Le 5 mars 1919, le *Los Angeles Examiner* révéla que le constructeur mettait sur pied une nouvelle société qui produirait des voitures à des prix encore plus bas, entre 250 et 350 dollars, et qui entrerait ainsi directement en compétition avec la Ford Motor. Il affichait la plus grande indifférence pour l'avenir d'une entreprise qu'il avait mis quinze ans à édifier.

La nouvelle se répandit comme une traînée de poudre et les journalistes se précipitèrent à Altadena. Henry leur confia qu'il comptait employer quatre à cinq fois plus d'ouvriers – la Ford Motor en comptait 50 000 – et que le projet de la nouvelle voiture était déjà fort avancé. Il y travaillait pendant ses vacances. « Nous aurons, dit-il, une usine sur la côte ouest et d'autres dans le reste du pays. Nous nous proposons en fait de créer des entreprises dans le monde entier. »

Alléchées par ces perspectives, cinquante et une chambres de commerce envoyèrent des télégrammes à Detroit pour proposer des emplacements. En fait, tout le but de l'opération consistait à irriter les actionnaires. Un mois plus tôt, les frères Dodge avaient finalement gagné leur procès devant la cour supérieure de l'État du Michigan. Ford avait été condamné à leur payer plus de 19 millions de dollars.

Il pouvait facilement réunir une telle somme. L'argent importait peu. Le véritable enjeu était le contrôle de la société. Le juge Russell C. Ostrander avait reconnu les aspects « philanthropiques et altruistes » de certaines activités de la Ford Motor et il avait annulé la décision d'un autre tribunal d'interdire la construction de hauts fourneaux à l'usine de la rivière Rouge. « Les juges ne sont pas des experts financiers », déclara-t-il.

Mais d'autre part, le juge Ostrander n'approuvait pas la légèreté avec laquelle Ford traitait les personnes qui avaient autrefois pris des risques en l'aidant à créer son entreprise et qui détenaient encore 41,5 % des actions. Ford semblait penser qu'ils devaient se contenter de ce qu'il voudrait bien leur donner. C'était à la fois « arbitraire » et illégal. La Ford Motor devrait désormais prendre en considération les intérêts des actionnaires.

C'était bien là où le bât blessait. Henry avait pris goût à diriger la société selon son bon vouloir. Les membres du conseil d'administration, parmi lesquels Edsel et Klingensmith étaient les seuls à avoir une activité dans la société, approuvaient toutes ses décisions sans discuter. Désormais, il lui faudrait tenir compte de l'avis de Couzens et de celui des frères Dodge.

Ces derniers avaient déjà proposé de revendre leurs parts. Au cours du procès, leur avoué, Elliott Stevenson, y fit indirectement allusion et s'attira une réponse violente et inattendue de Ford. « Vous pouvez rester ici jusqu'à la fin des temps, jamais je ne rachèterai leurs actions. »

« Ce n'est pas ce que je vous demande », dit Stevenson surpris.

« Ni celles des Dodge ni celles de personne, poursuivit Ford. Je n'en ai pas besoin. »

L'avoué renonça à poursuivre le débat mais la réponse était révélatrice. Ford n'essayait pas seulement d'empêcher ses partenaires d'avoir leur mot à dire mais il voulait encore les laisser sans le sou. En effet, son refus de leur verser des dividendes et de racheter leurs parts rendait à long terme les actions de la Ford Motor virtuellement sans valeur. Personne ne se risquerait à racheter des parts dont les dividendes étaient trop faibles ou trop aléatoires. L'annonce de la création d'une nouvelle société faisait partie de la même stratégie. En février 1919, S. K. Rothschild avait offert aux Dodge 18 000 dollars par action. Après avoir appris le projet de Ford, il leur en proposa seulement 12 500 dollars.

Toute cette comédie se termina au mois d'avril 1919. Les frères Dodge et les autres actionnaires minoritaires furent mystérieusement contactés par des acheteurs. On eut vite la preuve qu'ils agissaient au nom d'Edsel, mais c'était évidemment Henry qui tirait les ficelles. Les premières offres commencèrent à 7 500 dollars. Finalement les frères Dodge, John Anderson, Horace Rackham et les héritiers du banquier Gray vendirent leurs parts pour 12 000 à 12 500 dollars. Seul Couzens s'en tira mieux en les vendant 13 000 dollars.

Personne n'était perdant dans la transaction, et Henry Ford moins que quiconque. Pour 105 millions de dollars, il racheta 41,5 % du capital de sa société. On pouvait donc estimer le capital global à 250 millions, ce qui était vraisemblablement bien au-dessous de la réalité en 1919. Quelques années plus tard, un groupe financier fit une offre d'un milliard de dollars pour l'achat de la Ford Motor. Les parts de ses actionnaires valaient donc en fait quatre fois le prix qu'il avait payé.

Ce contrôle total d'une société est sans exemple dans l'histoire du capitalisme américain. John D. Rockefeller lui-même, au sommet de sa puissance, ne détenait que les deux septièmes des actions de la Standard Oil. Le capital de la Ford Motor fut redistribué de la façon suivante : 55 % pour Henry, 42 % pour Edsel et 3 % pour Clara. Il ne fut plus jamais question de créer une nouvelle société ou de fabriquer le nouveau modèle de voiture dont il aurait été question lors des « vacances » à Altadena.

Moins d'une année plus tard, par un matin de mai 1920, l'usine construite sur les bords de la rivière Rouge fut inaugurée en grande pompe en présence de la famille Ford. Trois générations assistaient à l'événement : Henry, Edsel et le fils de ce dernier, Henry Ford II, âgé de 2 ans, à qui revint l'honneur d'allumer le premier haut fourneau. Comme il était encore trop jeune pour jouer avec les allumettes, raconte le *Detroit News,* son grand-père lui vint en aide. La foule applaudit et le petit garçon se joignit à l'enthousiasme général « en tapant dans ses mains et en poussant des cris de joie ».

John Reed ne fut pas témoin de ce touchant spectacle familial dans la plus pure tradition capitaliste. Il se trouvait à Moscou où il mourut la même année et fut enterré au Kremlin. Si l'on compare la description qu'il fit d'Henry Ford en 1916 à la cupidité et à la ruse dont ce dernier fit preuve dans son conflit avec les frères Dodge, on conviendra aisément que le journaliste avait manqué de discernement.

Le révérend Samuel Marquis, qui fut l'un des intimes du constructeur et travailla dans le Service Sociologique de l'usine, estimait qu'on trouvait chez lui les qualités morales « les plus hautes et les plus nobles qu'on puisse voir réunies chez un même homme ». Il ne ressemblait pas au riche de la Bible qui ignore froidement le mendiant devant sa porte et qui considère la misère comme un mal nécessaire.

Le pasteur était cependant doué d'une rare objectivité. Il était frappé par certains aspects de la personnalité de son ami, comme ses accès de colère et de jalousie, ou son goût pour les machinations. Il avait pu se rendre compte combien certains en avaient cruellement souffert. « Un conflit permanent, écrit-il, se déroulait en lui entre un idéal, des émotions, des impulsions aussi différents que le jour et la nuit, comme si deux personnalités s'affrontaient. » Ce conflit se manifestait parfois jusque dans l'aspect physique d'Henry.

« Dans ses bons jours, dit encore Marquis, il était plein de vie et gai comme un enfant. » Dans ses yeux rayonnait « l'âme d'un génie, d'un rêveur, d'un idéaliste... une âme tendre et généreuse ». Le lendemain, il pouvait être complètement différent. Le pasteur cherchait à comprendre cette transformation surprenante. Il lui semblait que l'inventeur de la chaîne de montage n'avait pas réussi à assembler correctement les différents éléments de sa propre personnalité.

TROISIÈME PARTIE

Un héros populaire

11

Evangeline

Le lundi 9 avril 1923, quelques instants avant midi, naquit à l'hôpital Henry Ford de Detroit un petit garçon. L'accouchement s'était passé sans complications. La mère, Mrs. Evangeline C. Dahlinger, une sténo-dactylo de 29 ans, était en parfaite santé. Le bébé pesait 3 kilos 500. Bref, il s'agissait d'une naissance tout à fait normale.

Le lendemain cependant, le personnel fut très étonné de l'arrivée d'Henry Ford qui demanda à voir le nouveau-né. La plus surprise fut Miss Lynch, une infirmière de la maternité. Il l'informa que, désormais, elle ne travaillerait plus à l'hôpital mais irait s'installer chez Mrs. Dahlinger pour s'occuper de l'enfant.

Après avoir pris le contrôle total de la Ford Motor, l'industriel avait éprouvé le besoin de diversifier ses activités. Il avait toujours couru plusieurs lièvres à la fois : la politique des salaires, la campagne antimilitariste, l'amour des oiseaux. Il se passionnait souvent pour des idées qu'il abandonnait ensuite.

Le thème central de son existence était cependant resté sa fameuse voiture, le Modèle T, et les moyens de la perfectionner et de la fabriquer en quantités toujours plus importantes. Aux environs de 1920, la production annuelle atteignait un million de véhicules. On avait apporté quelques modifications : un starter automatique, de nouveaux éléments sur le tableau de bord. Elle restait toujours compétitive vis-à-vis des autres marques, et Ford ne jugeait pas nécessaire de créer un nouveau modèle.

Il lui fallait trouver de nouveaux centres d'intérêt. C'est ainsi qu'il devint éditeur, acheta une compagnie de chemins de fer, construisit des avions. Il fit construire un hôpital conforme à ses propres conceptions. Il défia les Juifs et se consacra à la cause des Noirs. Il fut un fervent promoteur des supermarchés. Il prit part à la course pour la Maison-Blanche. Il ne lui suffisait pas d'avoir créé une automobile qui était devenue une sorte d'institution nationale. Il voulait devenir lui-même une institution, un héros. Et parmi toutes ses occupations, il trouva encore le temps de s'intéresser à Evangeline Dahlinger.

C'était une jeune femme brune, fort séduisante et pleine d'assurance. Sa famille, les Côté, était canadienne Française. Son père étant tombé gravement malade quand elle était encore toute jeune, elle apprit seule, par nécessité, la sténo-dactylographie. C'est ainsi qu'elle put trouver, en 1909, un emploi à Highland Park. Elle n'avait alors que 16 ans mais elle obtint rapidement une promotion. En 1912, elle dirigeait le pool des sténographes. Harold Wills, qui était à cette époque très influent dans la société, en fit sa secrétaire personnelle.

Wills était un homme à femmes. Bien fait de sa personne, toujours tiré à quatre épingles, il avait une passion pour les pierres précieuses qu'il collectionnait et portait en épingle de cravate et en boutons de manchettes. Certains lui reprochaient son ostentation. A la moindre occasion, il faisait admirer les gemmes qu'il avait toujours dans ses poches. En revanche, il n'était nullement mesquin. Il lui arrivait souvent d'en offrir à ceux qui avaient gagné ses faveurs – Charles Sorensen fut un jour fort surpris de recevoir une bague en diamant – et il fut certainement séduit par le charme d'Evangeline.

Ce n'était pas le seul admirateur de la jeune fille. Henry, dans les années 1913-1914, passait beaucoup de temps dans le bureau de son assistant. Très vite, Evangeline commença à travailler également pour lui. Elle n'hésitait pas à rester à l'usine après les heures de service et le patron la raccompagnait alors chez elle.

Très compétente, elle savait prendre des initiatives, ce qui plaisait à Ford qui avait l'habitude de se décharger de ses problèmes sur ses subordonnés. Quand il décida de restaurer la maison familiale, il confia la tâche à Evangeline qui s'occupa des moindres détails.

Il semble que la nature ait doté Henry Ford d'appétits sexuels exigeants. On peut voir, dans les archives de Dearborn, une ordonnance de son médecin, l'ostéopathe Lawson B. Coulter, qui avait prescrit à son patient, alors âgé de 82 ans, un onguent à base de mercure ammoniaqué « à appliquer chaque jour sur la peau en frottant soigneusement ». On ne connaît pas d'utilisation médicale de cette substance, mais l'ordonnance était accompagnée d'une note du docteur concernant différents aphrodisiaques et leur utilisation.

Harry Bennett, un ancien marin qui entra chez Ford après la Première Guerre mondiale et devint l'un de ses familiers, raconte que son patron lui demanda un jour de s'occuper du rapatriement d'une jeune Finlandaise, Wantatja, qui travaillait à Fair Lane. Elle avait surpris Henry derrière une haie du jardin en train de caresser les mains d'une autre servante, Agnès, qui sanglotait.

Mr. Ford expliqua à Harry Bennett qu'il n'avait rien fait de répréhensible mais s'était contenté de « réconforter » la jeune fille. Cependant, Watantja s'était peut-être méprise sur ses intentions et pourrait raconter à Mrs. Ford une version erronée de l'incident. Il était donc préférable, dit-il, « de la renvoyer d'où elle venait ».

C'était l'une des spécialités d'Harry Bennett de régler ce genre de problèmes, et Watantja se retrouva promptement en Finlande. Elle n'avait pas annoncé son départ à son frère, qui vivait aussi dans le Michigan, et celui-ci trouva l'affaire suspecte. Comme il ne parvenait pas à rencontrer Henry Ford pour obtenir des explications, il s'adressa à la police de l'État et au FBI. Il fallut s'employer à le calmer. C'était une autre spécialité d'Harry Bennett.

Le patron ne se sentait toujours pas rassuré. Il suggéra que ce ne serait peut-être pas une mauvaise chose si Agnès quittait la maison. Elle avait un beau-frère sur la côte ouest. Celui-ci se montra coopératif et lui trouva un emploi à plus de 3 000 kilomètres de Dearborn.

Harry était en train de se féliciter de la façon dont il avait réglé ces menus problèmes lorsqu'il reçut un coup de téléphone d'Henry.

– Agnès est heureuse sur la côte ouest?

– Absolument. Vous n'entendrez plus jamais parler d'elle.

– Vraiment? Eh bien, sachez qu'elle est ici à Dearborn.

La domesticité de Fair Lane avait parlé et Mrs. Ford avait engagé un détective privé pour retrouver la jeune fille.

On ignore ce qui se passa par la suite. « Cette fois, je m'en charge », aurait dit Ford à Harry. Il réussit sans doute à convaincre Clara de son innocence.

Harry Bennett avait une imagination débordante et il a bien pu inventer toute l'histoire. Cependant, Henry Ford n'hésitait pas à user du pouvoir que lui conférait sa richesse pour parvenir à ses fins avec les hommes. Pourquoi aurait-il agi différemment avec les femmes? On peut expliquer ainsi les relations, durables et assez complexes, qu'il entretint avec Evangeline Dahlinger.

Il n'en faisait d'ailleurs aucun mystère. Les personnages riches et influents ont souvent des maîtresses, mais ils se comportent alors avec discrétion. Tout cela était contraire au caractère d'Henry. Il lui importait peu qu'Evangeline apparût auprès de lui en public. On les voit ainsi côte à côte sur diverses photos, assistant à un match de base-ball ou entourés d'un groupe de personnalités en visite. Il ne pouvait certes ignorer les interprétations que suscitait la présence auprès de lui de cette séduisante jeune femme, mais il se conduisait comme s'il se sentait différent du commun des mortels et dispensé de se justifier.

Evangeline avait épousé Ray Dahlinger en 1917. Celui-ci, au cours de l'expédition du « Bateau pour la paix », avait servi de porteur à Henry. A une époque où les traveller's cheques n'existaient pas encore, il avait en effet transporté, au sens propre, l'or nécessaire au financement du voyage. Il avait également joué le rôle de garde du corps lors du départ précipité d'Oslo, au petit matin. Il devait tout à son patron. La version officielle de sa carrière dit qu'il débuta à Highland Park en tant que « chauffeur d'essai ». En réalité, il se contentait de réceptionner l'automobile qui sortait de la chaîne de montage, de la conduire au dépôt et de revenir en courant chercher la suivante.

Comme Harry Bennett, il faisait partie de ce groupe sans véritable qualification et aux fonctions mal définies dont Ford aimait s'entourer. C'étaient ses hommes de confiance. Leur pouvoir et leur statut dépendaient de leur loyauté envers le patron et de leur capacité à régler ses problèmes. Dahlinger fut effectivement d'une grande utilité quand il épousa Evangeline.

John, le bébé né en 1923, devait découvrir plus tard que celui qu'il appelait Papa avait été profondément amoureux de sa mère. Les lettres qu'il lui écrivit à une certaine époque en témoignent. Le journal intime tenu par la jeune femme entre 1917 et 1923, dont son fils publia les extraits en 1978, est en revanche uniquement centré sur Henry Ford et ses activités. Après la naissance de John, les Dahlinger firent d'ailleurs chambre à part.

Qui était le véritable père? Quand son fils l'interrogea à ce sujet, Evangeline répondit simplement : « Je ne veux pas en parler. » John en conclut qu'il était le fils naturel d'Henry. C'était d'ailleurs ce que tout le monde pensait à Dearborn. Mais on peut aussi imaginer qu'Evangeline ignorait la véritable réponse.

L'ambiguïté vint principalement du comportement de Ford après la naissance du bébé. Il lui offrit sa propre robe de baptême et le lit en bois dans lequel il avait dormi enfant. A deux mois, il lui fit un cadeau inattendu et somptueux : un poney shetland.

Irving Bacon, un artiste amateur qui occupait la position de peintre officiel à la cour des Ford, fut chargé de décorer la nursery du petit John. Parmi les jouets se trouvait une reproduction en aluminium du tracteur Fordson. « Ça avait dû coûter fort cher, note le peintre, et je supposai que c'était un cadeau du patron... Les Dahlinger semblaient avoir du piston. »

Effectivement, les faveurs s'étendirent au reste de la famille. Ford confia au père et au frère de Ray une agence Ford. Il offrit à sa mère une ferme située à Belleville, sur les bords d'un lac, à une cinquantaine de kilomètres de Dearborn. Elle faisait partie d'un véritable petit empire rural. Henry aimait les produits naturels, les légumes et les fruits frais. Il chargea Dahlinger de superviser ses fermes et d'approvisionner quotidiennement Fair Lane et la maison d'Edsel en œufs, en lait et en beurre.

Les Dahlinger avaient vécu, au début de leur mariage, dans une grande ferme située à côté de la laiterie des Ford à Dearborn, mais Evangeline avait d'autres ambitions. Henry lui offrit un terrain jouxtant Fair Lane, et une résidence y fut construite par ses ouvriers selon les indications de la jeune femme.

Ray aimait beaucoup son ancienne maison et parlait de la nouvelle comme de « ce foutu château ». Pour Evangeline c'était la réalisation de ses rêves : un garde devant le portail, trois granges, une forge, un lac, une patinoire, une piste cavalière pour son élevage de chevaux, un garage pouvant contenir six voitures, une serre, des quartiers pour les domestiques, un hangar à bateaux, une ferme avec trois autres garages, un bâtiment appelé « la baraque des menuisiers », et enfin la maison principale, de style Tudor, avec un escalier secret conduisant aux appartements de Mrs. Dahlinger.

Cette résidence se trouvait sur les bords de la rivière Rouge, un peu en amont de Fair Lane, et Henry y faisait souvent des visites impromptues à bord de son canot à moteur. C'était, après celle du patron, la plus somptueuse demeure de Dearborn. Les largesses ne s'arrêtèrent pas là. Les Dahlinger reçurent encore une ferme et trois cents vaches à Romeo, Michigan, et une propriété au nord de la péninsule, près du Huron Mountain Club où l'élite de Chicago et de Detroit passait généralement l'été. Evangeline élevait des chevaux à Romeo et fit construire, dans sa résidence d'été, des bungalows pour ses invités ainsi qu'un dock pour son hydravion personnel, un Curtiss équipé d'un moteur Hispano-Suiza.

Henry Ford ne dépensa jamais autant d'argent pour qui que ce soit. Les amis de Clara s'offensaient du train de vie luxueux de l'ex-sténographe et de son mari. Ils reconnaissaient cependant que la femme légitime n'était pas négligée et qu'Henry l'aimait. A sa façon. « Si c'était à refaire, disait-il souvent, je prendrais la même femme. »

Il était certainement sincère. Ses proches ont pu souvent relever des contradictions entre ses paroles et ses actes, mais ils sont unanimes pour reconnaître son attachement à Clara. Ses relations avec Evangeline ne furent jamais une menace pour leur mariage. Clara elle-même sembla trouver un *modus vivendi* avec la jeune femme et, vers la fin de la vie d'Henry, les Dahlinger étaient leurs meilleurs amis.

Henry et Clara Ford en effet avaient beaucoup de choses en

commun. Ils étaient tous deux d'origine paysanne et avaient partagé ensemble le pire comme le meilleur. Quand Henry arrivait à Fair Lane dans l'après-midi, il lançait un chant d'oiseau et Clara où qu'elle soit lui répondait de même.

Elle comprenait très bien son mari et son intérêt pour les femmes ne lui échappait pas, mais elle avait sa propre stratégie comme on l'a vu avec l'épisode d'Agnès. Elle n'était pas prude. Elle avait par exemple créé, à Detroit et à Dearborn, des foyers d'accueil où les mères célibataires pouvaient trouver refuge et assistance avant de commencer une nouvelle vie.

Il y eut certainement une période où elle supporta mal l'existence d'Evangeline. Irving Bacon avait été chargé, en 1929, de peindre une grande toile commémorant une réception en l'honneur de Thomas Édison. Il commit l'erreur d'y inclure Evangeline Dahlinger. « Effacez-la, lui dit Henry, cela déplairait à Mrs. Ford. »

Les passions se calmèrent avec le temps. Il semble d'ailleurs qu'Henry et Evangeline aient entretenu des relations moins passionnées après la naissance de l'enfant. Clara montra toujours pour le petit John la même bienveillance que son mari. Elle l'accueillait à Fair Lane avec ses petits-enfants. D'autre part, les Dahlinger étaient de rudes travailleurs et savaient se rendre utiles. Ray intervenait dans tous les aspects de la vie quotidienne des Ford en s'occupant des fermes, du matériel, des jardiniers qui cultivaient les roses de Clara. Evangeline elle-même ne répugnait pas à la tâche. Elle aidait Mrs. Ford à rédiger son courrier et à faire ses achats. Henry ne buvait pas d'alcool, mais sa femme, à l'occasion, ne dédaignait pas un verre de bière ou de sherry, qu'Evangeline savait où acheter à bon prix.

Le plus grand plaisir de Mrs. Ford était de « faire une bonne affaire ». Elle était économe, pour ne pas dire plus. Quand on construisit Fair Lane, elle engagea Jens Jenssen, le paysagiste « naturaliste » célèbre dans tout le Middle West, et celui-ci dut exiger à plusieurs reprises le paiement de certaines sommes pourtant minimes. Grace Prunk se souvient de sa tante Clara passant toute une matinée à parcourir New York, en limousine avec son chauffeur, à la recherche d'un magasin vendant un filet à cheveux au prix qu'elle s'était fixé : dix cents.

Son sens de l'épargne s'appliquait particulièrement aux chaussettes. Elle avait toujours reprisé celles d'Henry et ne voyait aucune raison de ne pas continuer maintenant qu'il gagnait de l'argent. L'achat de chaussettes neuves lui semblait une extravagance contraire à ses principes de bonne ménagère, et elle montrait la plus grande vigilance à ce sujet. Henry, grâce à la complicité de leur domestique Rosa, cachait tout nouvel achat de chaussettes à sa femme. Il quittait Fair

Lane le matin avec ses chaussettes reprisées et, dans la journée, s'arrêtait dans un magasin de Dearborn pour en acheter d'autres. Harry Bennett affirme que le spectacle d'un homme qui valait un milliard de dollars changeant subrepticement de chaussettes dans sa voiture était unique au monde.

Le sens de l'économie de Clara explique peut-être en partie la prodigalité d'Henry pour Evangeline. Un homme riche se sent toujours frustré s'il ne peut faire étalage de son pouvoir en dépensant l'argent qu'il a amassé. Ford dut éprouver un certain plaisir à voir l'une des femmes de sa vie s'offrir le luxe d'un hydravion avec un moteur Hispano-Suiza.

12

La page de Mr. Ford

Henry Ford acheta un journal en novembre 1918. La chose lui semblait aller de soi. Il avait trop souvent des problèmes avec la presse qui tournait en ridicule ses tentatives pour rendre le monde meilleur. S'il possédait son propre journal, il pourrait battre les autres journaux et les magazines sur leur propre terrain. C'est ainsi qu'il fit l'acquisition du *Dearborn Independent.*

C'était un petit journal local qui existait depuis le début du siècle. Il avait été créé grâce à un millier de souscriptions. Henry aimait son nom qui cadrait bien avec ses opinions. Il avait de vastes projets et se plaisait à penser que la petite communauté rurale d'où il était originaire pouvait parvenir à se faire une réputation. S'il avait pu transformer de simples balayeurs en spécialistes de la métallurgie, pourquoi ne parviendrait-il pas à donner une envergure nationale à son journal? Il imaginait déjà le *Dearborn Independent* distribué dans tous les kiosques à journaux du pays et rivalisant avec le *New York Times* et le *Wall Street Journal.*

Il acheta un important matériel d'imprimerie, augmenta le nombre des rédacteurs et installa de nouveaux locaux dans l'ancienne usine de tracteurs de Michigan Avenue. Après la guerre, la production des tracteurs avait été transférée à l'usine de Rouge River. Il avait des idées bien précises quant à la réalisation d'un journal et pensait qu'on pouvait y appliquer les principes du travail à la chaîne : un journaliste apportant les faits, un autre les commentant, etc.

Les choses se passèrent différemment dans la pratique. Les rédacteurs se montrèrent hostiles à cette conception. C'étaient de bons journalistes. Comme il les payait bien, il avait pu recruter les meilleurs de Detroit. Edwin G. Pipp, par exemple, qu'il avait nommé directeur, était l'ancien rédacteur en chef du *Detroit News.*

Le premier numéro parut le 11 janvier 1919. Le *Dearborn Independent* était un hebdomadaire vendu cinq cents le numéro, et un dollar pour un abonnement d'un an. L'éditorial fut un véritable manifeste libertaire dans lequel le journal s'engageait « à servir la justice sociale et le progrès humain ». Ford avait enfin l'occasion de faire connaître publiquement ses idées personnelles, un mélange d'optimisme façon Emerson et de populisme biblique. Il dénonçait les propriétaires absentéistes, soutenait le projet de Woodrow Wilson de créer une Société des Nations, insistait sur la nécessité d'améliorer les logements. Il demandait la nationalisation des compagnies de téléphone et, pourquoi pas, des chemins de fer. On imagine aisément l'approbation qu'il allait rencontrer auprès des fermiers sur ce dernier point. Les gros brasseurs d'affaires, les banquiers et Wall Street étaient comme d'habitude ses cibles favorites. Enfin trois causes lui tenaient particulièrement à cœur : la tempérance, la prohibition et les droits de la femme.

Il s'était réservé une page entière du journal où, dans un invraisemblable assortiment d'épigrammes et d'anecdotes, il développait sa vision du monde. Il insistait sur le fait que son journal n'était pas l'organe de la Ford Motor. « J'ai mes propres idées, disait-il, et un idéal, et je tiens à les faire connaître au public sans qu'ils soient dénaturés ou déformés. »

« La page de Mr. Ford » n'était cependant pas son œuvre car, bien que convaincu de son génie dans de nombreux domaines, il n'osait pas se lancer dans l'écriture. Il dictait donc ses articles à William Cameron, un journaliste plein de talent mais alcoolique qu'Edwin Pipp avait amené, avec une dizaine d'autres rédacteurs, du *Detroit News.*

Cameron avait l'art de donner un sens aux propos souvent énigmatiques de son patron. Henry, disait-on, parlait en style télégraphique, mais les textes de Cameron étaient d'une clarté remarquable. Par la suite, ils furent radiodiffusés. La Ford Sunday Evening Hour (« l'heure du dimanche soir de Ford ») devint l'un des programmes les plus populaires des années trente. Émis en direct de Dearborn et de Detroit, il était composé de morceaux de musique classique et légère avec, comme plat de résistance, une sorte d'homélie – le nec plus ultra de la sagesse de Ford – concoctée et lue par Cameron.

Ces petits sermons finirent par constituer, au fil des années, les bases d'une doctrine philosophique dont Ford était persuadé qu'elle lui était propre. Certains furent d'ailleurs publiés sous le titre de *Ford Ideals.* Le maître ne reprocha jamais à son interprète d'avoir déformé, exagéré ou embelli sa pensée.

Malgré leurs caractères fort différents, il existait une sympathie profonde entre les deux hommes. Très corpulent, très complaisant, Cameron, rappelait un peu W.C. Fields. Henry, qui ne pardonnait jamais la moindre faiblesse, fermait les yeux sur celle de son scribe. On devait parfois, certains dimanches soirs, soutenir Cameron qui tenait tout juste sur ses jambes devant le micro.

En fait, ils partageaient tous deux le même idéal populiste de la fin du XIXe siècle. Cameron, qui avait été prédicateur dans sa jeunesse, était membre de la secte des « Israélites britanniques » qui se disaient les descendants des tribus perdues d'Israël.

Le *Dearborn Independent* et « La page de Mr. Ford » ne firent pas grande impression sur les professionnels de la presse. Le *Detroit Saturday Night* qualifia le journal de « meilleur hebdomadaire jamais sorti d'une usine de tracteurs ». Mais on pouvait facilement s'attendre à ce genre de commentaires de la part des journalistes. Quant à Ford, il s'estimait très satisfait de sa publication. C'était disait-il « la chronique de la vérité habituellement négligée ».

Pendant l'été 1919, toute l'équipe du journal alla installer à Mount Clemens, une station thermale située à 25 kilomètres de Detroit. Ses eaux sulfureuses étaient réputées pour soigner l'eczéma, l'arthrite et de nombreuses autres maladies, et l'on y venait de tout le Middle West. Pour Ford et ses journalistes cependant, il ne s'agissait pas de faire une cure. L'industriel était de nouveau engagé dans un procès et le tribunal siégeait précisément dans cette ville où flottaient des senteurs d'œuf pourri.

En juin 1916, le président Wilson avait rappelé les réservistes de la Garde nationale pour repousser les raids des guérilleros mexicains à la frontière. Le *Chicago Tribune* mena une enquête auprès des principaux chefs d'entreprise afin de savoir s'ils continueraient à payer leurs ouvriers mobilisés. Le correspondant du journal à Detroit ne put s'entretenir avec Ford mais rencontra Frank Klingensmith, secrétaire personnel de l'industriel et membre du conseil d'administration. Celui-ci affirma sans ambiguïté que, si les ouvriers quittaient leur travail pour rejoindre la Garde nationale, ils ne seraient ni payés pendant leur absence ni repris à leur retour.

Le secrétaire n'avait pas consulté son patron avant de répondre à la question du *Tribune.* L'avenir prouva au contraire que Ford se conduisit en patriote. Le Service Sociologique s'occupa des familles des 89 employés qui rejoignirent la frontière mexicaine, et ils retrouvèrent tous leur emploi.

Sans prendre la peine de la vérifier, le journal publia la déclaration de Klingensmith sous le titre : « Flivver Patriotism », *flivver* étant un mot d'argot employé pour désigner une voiture bon marché et notamment une Ford. Le *Tribune* publia également le lendemain un éditorial accusant l'industriel d'être « non seulement un idéaliste inculte mais un anarchiste et un ennemi de la nation à laquelle il doit sa fortune ». Henry ne prit pas la chose au sérieux, mais son avocat, Alfred Lucking, y vit une insulte grave et le poussa à porter plainte en diffamation.

Chaque partie souhaitait que le procès se tînt sur son propre territoire, les uns à Detroit, les autres à Chicago. Pour trancher, on décida qu'il aurait lieu à Mount Clemens.

La station thermale possédait déjà un célèbre parc d'attractions et Miss Mae McKenna, propriétaire de la principale maison de tolérance de la ville, constituait l'une des curiosités majeures de la station. On pouvait l'admirer, l'après-midi, impeccablement coiffée et habillée, faisant sa promenade dans une voiture décapotable conduite par une femme chauffeur.

Mais le cirque qui débarqua cet été 1919 à Mount Clemens dépassa tout ce que les estivants avaient pu voir jusque-là. Cinquante correspondants de journaux et de radios s'étaient déplacés pour faire au jour le jour le compte rendu du procès. Chaque partie avait amené une foule de témoins. L'objectif était de démontrer la nécessité du devoir patriotique. Le *Tribune* avait expédé au Michigan une vingtaine de cow-boys texans qui paradaient à travers la ville avec leurs pistolets à six coups. Ford, bizarrement, avait recruté une centaine de Mexicains coiffés de leurs sombreros.

L'équipe du *Dearborn Independent* devait présenter le point de vue du constructeur. Ce dernier, convaincu que des « ennemis puissants » manipulaient les services de radio, installa son propre service de presse, le « Mount Clemens News Bureau », dans un local situé en face du tribunal.

L'opération avait été minutieusement mise au point. Outre les articles destinés à l'hebdomadaire, les journalistes envoyaient quotidiennement par radio des informations en direction d'une douzaine de points stratégiques dans tout le pays, où elles étaient imprimées et distribuées gratuitement aux journaux. Près de trois mille quotidiens participèrent à cette campagne de propagande fort onéreuse pour son organisateur. On avait installé, dans un local du Mount Clemens News Bureau, une immense carte des États-Unis : 12 500 épingles bleues représentaient les publications qui soutenaient Ford et 397 épingles jaunes celles qui lui étaient hostiles.

Un tel soutien n'était pas superflu car Alfred Lucking avait commis une erreur grossière. En fondant sa plainte sur le seul qualificatif d'« anarchiste », la position du constructeur aurait été inattaquable. Il avait au contraire mis en cause l'ensemble de l'éditorial et les défenseurs du *Tribune* eurent beau jeu de prouver que Ford était un « idéaliste inculte ».

Saisissant trop tard qu'il avait fait une manœuvre malheureuse, l'avocat essaya de donner hâtivement à son client des notions d'histoire et de politique américaine afin de lui permettre de répondre aux questions qu'on allait lui poser devant le tribunal. Edwin Pipp passa de son côté de longues heures avec Henry qui se révéla un élève peu attentif. Il se levait sans arrêt de son siège pour aller jusqu'à la fenêtre et signaler à ses professeurs le passage d'un aéroplane ou le vol d'un oiseau.

Sur ce dernier chapitre, il aurait été intarissable. Malheureusement, les avocats du *Tribune* examinèrent ses connaissances sur l'histoire des États-Unis.

Question : Y a-t-il eu une révolution dans ce pays?

Réponse : Oui.

Question : A quelle époque?

Réponse : En 1812.

Question : Et c'est tout?

Réponse : Je n'en connais pas d'autre.

Question : Vous ignorez donc que cette nation a été formée à la suite d'une révolution?

Réponse : Ah oui, en 1776.

Question : Vous aviez donc oublié?

Réponse : Je suppose...

Question ; Savez-vous ce qui nous amena à faire cette révolution?

Réponse : Non, je ne sais pas.

Alfred Lucking criait son indignation devant la façon dont on traitait son client, tandis qu'Henry, parfaitement à l'aise, accumulait les gaffes et jouait les rustauds. Ainsi :

Question : Mr. Ford, j'ai l'impression que vous n'avez pas lu certains documents concernant le procès et qu'en fait vous ne savez pas lire. Est-ce exact?

Réponse : Oui, on peut dire ça. Je ne lis pas très vite et avec, en plus, mon rhume je saboterais le travail.

Finalement, en juillet 1919, le jury condamna le *Chicago Tribune* à des dommages et intérêts. Il était clair, pour les onze fermiers et l'inspecteur de la voirie qui le composaient, que Ford n'avait rien d'un anarchiste. Mais quand ils durent se prononcer sur le portrait qu'avait fait le journal du constructeur et sur ce qu'ils avaient pu constater pendant plus de trois mois – la durée du procès –, ils évaluèrent les dommages à la somme de 6 cents.

« Le mystère est finalement éclairci, écrivit le *Nation* après le verdict. Henry Ford est purement et simplement un mécanicien yankee sans aucune éducation et incapable de comprendre autre chose que les tracteurs et les automobiles. »

Ce procès fut, pour certains intellectuels, une nouvelle occasion de tourner l'industriel en ridicule. « On a testé ses capacités intellectuelles, put-on lire dans le *New York Times,* et il n'a pas reçu de diplôme. » Mais l'Amérique profonde en tira d'autres conclusions. Arthur Brisbane, le chroniqueur du groupe Hearst qui écrivait dans de nombreux journaux vendus à la campagne, organisa une pétition en faveur de Ford. Les lecteurs devaient découper un encadré où l'on pouvait lire notamment : « Cher Mr. Ford, je suis heureux que vous soyez un de nos concitoyens. Si vous êtes anarchiste, je souhaite qu'il y en ait beaucoup comme vous. Signez ici : —. »

Le nombre de réponses fut impressionnant. Des centaines de lettres exprimaient des sentiments religieux. Des pasteurs envoyèrent des prières destinées à arracher Ford des mains des Philistins. Jésus-Christ, disaient-ils, était lui aussi un anarchiste. La propagande organisée à partir de Mount Clemens avait sans doute porté ses fruits, mais il est certain aussi que ses compatriotes s'étaient reconnus dans le personnage de Ford. Interrogés par les avocats du *Tribune,* ils auraient montré la même ignorance de la révolution américaine et hésité comme lui à lire à haute voix. Henry n'avait pas su dire le sens de l'expression « chili con carne ». De nombreux Américains n'y voyaient rien de surprenant. C'était pour eux une preuve de sa méfiance envers tout ce qui était étranger.

Peu de temps avant le verdict, Ford décida de prendre des vacances et de faire une excursion avec le naturaliste John Burroughs, Thomas Edison et le fabricant de pneus Harvey Firestone. Le petit groupe avait fait du camping, l'été précédent, dans les Adirondacks, et l'expérience les avait tellement enchantés qu'ils se promirent de la renouveler chaque année.

Ils décidèrent donc, en 1919, de se rendre jusqu'en Nouvelle-Angleterre en traversant les forêts du nord de l'État de New York. La caravane comprenait une douzaine de voitures et de camions, un Modèle T transformé en cuisine, deux tentes dont l'une abritait un réfrigérateur tandis que l'autre servait de salle à manger pour une vingtaine de personnes. Les « vagabonds » comme il se désignaient eux-mêmes, disposaient en outre de tentes individuelles avec l'électricité, des lits pliants et tout le matériel de couchage nécessaire. Ils en sortaient chaque matin pour le petit déjeuner, tirés à quatre épingles avec col blanc, cravate et costume trois-pièces.

« Quand nous avons choisi l'emplacement du camp, note Burroughs qui tint la chronique de ces expéditions, Mr. Edison reste dans sa voiture pour lire ou méditer tandis que Mr. Ford s'arme d'une hache et coupe du bois pour faire le feu. » L'industriel aimait défier ses amis à la course. « C'est un rude marcheur, écrit encore Burroughs. Il fait une promenade d'un pas rapide tous les matins et tous les soirs. Gai et sociable, il se montre toujours remarquablement optimiste. »

Ford considérait Edison et Burroughs comme des héros. Quant à ce dernier, il admirait le constructeur d'automobiles pour ses qualités de visionnaire : « Malgré son esprit pratique et sa maîtrise de la mécanique... c'est avant tout un idéaliste, ce qui fait de lui une personnalité attachante. Il peut être tendre comme une femme et manifeste toujours une grande tolérance. »

Les quatre amis se réunissaient le soir autour du feu de camp pour écouter Edison leur parler de ses inventions. Ils discutaient aussi de littérature. Edison tenait *Les Misérables* pour le meilleur roman qu'il ait jamais lu. Burroughs n'était pas d'accord. Selon lui, d'un point de vue artistique, c'était une « monstruosité ». Il portait le même jugement sur « Evangeline », le poème de Longfellow, qu'Edison, avec peut-être une intention malicieuse, considérait comme le plus beau poème de tous les temps.

Devant chaque rivière, Henry évoquait irrésistiblement l'énergie électrique qu'on pourrait en tirer. Burroughs avait une spécialité culinaire, le « Brigand Steak ». Il coupait une branche d'arbre, y enfilait un morceau de viande enrobé de bacon et d'oignons et le faisait cuire en tournant au-dessus du feu cette broche improvisée.

Pendant ces randonnées, les quatre hommes célèbres redevenaient de jeunes garçons, grimpant aux arbres, explorant les vieux moulins à eau, retroussant les jambes de leurs pantalons pour patauger dans les mares. Ford, comme toujours, soignait sa publicité. A chaque halte, cameramen et photographes recueillaient les images de ce retour aux sources.

Ces équipées estivales firent les gros titres des journaux entre 1918 et 1924. Le président Harding lui-même se joignit une fois à la caravane. Les Américains auraient sans doute été fort surpris de certaines conversations autour du feu de camp. « Mr. Ford, rapporte Burroughs dans son journal de l'été 1919, attribue aux Juifs et aux capitalistes tout le mal dont souffre l'humanité. Pour lui, les Juifs sont responsables des vols, des guerres, de l'incurie de la marine dont Edison parlait la nuit dernière... »

L'antisémitisme d'Henry Ford commença à sa manifester publiquement en 1920 dans un article en première page, mais non signé, du *Dearborn Independent.* Sous le titre : « La juiverie internationale, le problème de notre époque », cet article, bourré de contrevérités et d'arguments bien connus, transmettait un message d'une rare simplicité : « Il existe une race, une part de l'humanité, qui n'a jamais été bien acceptée et qui a réussi à s'attribuer un pouvoir que les Gentils n'ont, en aucun cas, revendiqué – même les Romains, au temps de leur puissance. »

Le journal reprit pendant une vingtaine de numéros, jusqu'au début de l'année 1922 le même thème : l'influence pernicieuse des Juifs sur la vie publique, la politique, les finances, la moralité. La virulence des articles et le prestige de Ford apportèrent de l'eau au moulin des préjugés antisémites dans une campagne de propagande telle que l'Amérique n'en avait jamais connue.

A la base de cette intolérance, on trouve les origines paysannes d'Henry Ford et sa méfiance innée envers les financiers et les intermédiaires. Sa sœur Margaret fait remarquer que « pour lui, tous les prêteurs sur gages étaient des Juifs ». D'autre part, dans les années qui précédèrent l'holocauste, l'antisémitisme sévissait dans toutes les classes de la société américaine. Edison parlait d'une conspiration des Juifs. Il était lui-même peu fortuné et ses inventions ne lui rapportaient guère. Ernest Liebold, un Allemand qui s'était fait auprès du patron une position identique à celle de Ray Dahlinger, avait vraisemblablement amené avec lui de Prusse ses sentiments antisémites.

Comme on l'a déjà vu, Ford prétendait que l'expérience du « Bateau pour la paix » et le voyage à bord de l'*Oscar II* lui avaient ouvert les yeux sur la race juive, allusion directe à Rosika Schwimmer et à un autre délégué, Herman Bernstein, propriétaire d'un journal libéral, *The Day.* C'était très simple, disait-il : le monde est régi par l'or et l'or est entre les mains des Juifs. Cette explication simpliste des malheurs qui frappaient le monde semblait cohérente pour quelqu'un qui avait grandi dans l'atmosphère des années 1880.

Mais il y avait davantage. Après des années ininterrompues de réussite, Henry Ford avait connu un échec retentissant avec l'épisode du « Bateau pour la paix ».

Ford s'efforçait de suivre les enseignements d'Emerson et de tirer les leçons de ses erreurs. Edwin Pipp se souvient de l'avoir vu parcourir attentivement des articles où on le critiquait puis s'écrier : « Ils ont raison. Il faut que nous corrigions cela! »

Cependant, quand il s'agissait de circonstances importantes, il ne disposait pas d'une force de caractère suffisante pour reconnaître ses défaillances, encore moins pour les analyser. Il restait convaincu que des forces extérieures en étaient la cause. Il cherchait des explications simplistes, comme celle d'une conspiration. Loin de lui être salutaire, l'échec fortifiait sa manie de la persécution. «Les journaux capitalistes ont entrepris une campagne contre moi, déclara-t-il après le procès de

Mount Clemens. Ils ont déformé mes propos, menti... Le " gouvernement invisible " s'est mis à l'œuvre. »

Cette expression était devenue courante dans les premières années du siècle. Elle avait fait son apparition dans un ouvrage intitulé *Protocoles des sages de Sion*, un faux écrit sous le tsarisme et censé rapporter des entretiens entre des sionistes et des francs-maçons complotant pour détruire la civilisation chrétienne et diriger le monde. Ford et Liebold eurent connaissance de l'ouvrage et y puisèrent abondamment de quoi alimenter leur propagande antisémite.

Rétrospectivement, les arguments nous paraissent d'une pauvreté navrante. Selon le journal par exemple, le jazz, bien que joué par les Noirs, faisait partie de cette conspiration internationale : « La niaiserie, la sensiblerie, la suggestion sournoise, la sensualité de ses accords étaient d'origine juive. » Puisqu'ils tenaient l'industrie du vêtement, les Juifs étaient aussi à l'origine de la mode des jupes courtes et des socquettes. Les loyers augmentaient par la faute des propriétaires juifs. « L'actuel gouvernement juif de Russie a été pratiquement transporté dans sa totalité depuis New York... La révolution bolchévique est un investissement profitable pour la finance juive internationale. » L'Amérique était rongée par ce fléau qui provoquait « une détérioration de notre littérature, de nos loisirs, de notre vie sociale ». On ne retrouvait plus « cette sorte de rudesse de l'homme blanc telle qu'elle apparaît, par exemple, dans les personnages de Shakespeare, mais un orientalisme obscène qui affecte insidieusement tous nos moyens d'expression ». Il fallait voir l'origine de tous ces maux dans « une unique source raciale ».

Les articles du *Dearborn Independent* et les *Protocoles* furent édités par les soins de Liebold. Dans les années vingt, ils furent diffusés dans le monde entier et eurent, en Allemagne notamment, un profond impact. Des groupements racistes continuent encore de nos jours à les faire circuler.

Cette campagne antisémite cessa aussi soudainement qu'elle avait commencé. Un matin de janvier 1922, Cameron trouva Henry Ford qui l'attendait dans son bureau. « Vous êtes en retard », lui dit ce dernier et, avant même que le journaliste ait pu formuler une excuse, il ajouta : « Je veux que l'on supprime les articles sur les Juifs. »

Cameron était devenu rédacteur en chef après la démission d'Edwin Pipp, provoquée précisément par la propagande antisémite. Pipp avait fondé son propre journal dans lequel il s'attachait à réfuter les opinions de celui qu'il dirigeait précédemment.

On a donné plusieurs explications à propos de ce changement radical d'Henry Ford, qui fut d'ailleurs temporaire. Il avait dû affronter plusieurs procès. William Fox, le producteur de films de Hollywood, avait déclaré que si l'industriel pouvait inonder les kiosques à journaux de propagande antisémite, il pouvait, lui, submerger les salles de cinéma de films où l'on verrait des voitures Ford provoquant de graves accidents. Une menace de boycott de ses automobiles dut certainement faire réfléchir le constructeur. Il faut noter cependant que la production de 1921-1922 avait atteint un million et demi de véhicules.

La vérité était beaucoup plus simple et, comme toujours, elle avait un rapport avec les ambitions de Ford. Il aspirait ni plus ni moins à la présidence des États-Unis. L'administration Harding croulait sous le poids de l'incurie et de la corruption. Ford lui-même n'aurait pas fait pire, et des voix commencèrent à s'élever en faveur de sa candidature, notamment dans le *Wall Street Journal* et le *New York Times.*

Flatté par ces encouragements, il commença à prendre ses projets au sérieux et à compter le nombre de voix qu'il pourrait obtenir. Si l'hostilité des Juifs ne représentait pas un handicap pour ses ventes, elle pouvait en revanche lui enlever de nombreux votes, surtout dans les villes.

Les difficultés qu'il éprouvait à parler en public avaient toujours constitué le principal obstacle à ses ambitions politiques. On imagine aisément l'importance qu'il aurait eue dans la vie américaine s'il avait été doué de talents oratoires. C'est pour pallier cette insuffisance qu'il avait créé son journal et utilisé les compétences de Cameron. En 1922, la publication de son autobiographie, *My Life and Work*, remplit encore plus efficacement cet objectif.

C'était en fait le septième livre écrit sur lui, mais il dépassait de loin tous les autres. Il reprenait évidemment la légende du jeune garçon qui réparait les montres et avait fui la maison familiale, mais le texte était émaillé de réflexions sur la situation du pays et de conseils adressés aux lecteurs qui souhaitaient parvenir à la même réussite que leur héros. Le tout était écrit dans un style familier, comme une sorte de « conversation au coin du feu ».

La pratique de l'autobiographie rédigée par un « nègre » commençait à être vue comme un atout dans le domaine des relations publiques. Ford choisit, pour rédiger son autobiographie, un journaliste spécialisé en économie, Samuel Crowther. Ce dernier fit quelques interviews du constructeur, discuta avec Liebold et Cameron et puisa largement dans « La page de Mr. Ford ». Le livre fut traduit en douze langues et édité en braille. Ce fut un best-seller, particulièrement en Allemagne où il était aussi vendu que les articles antisémites du *Dearborn Independent.* Aux États-Unis, il contribua largement à accréditer l'idée que Ford conviendrait parfaitement comme président.

Parallèlement à cette ambition, Ford tentait de prendre le contrôle de Muscle Shoals, le complexe hydro-électrique qui allait devenir le centre industriel de la vallée du Tennessee. On associe généralement cet exemple de développement régional au nom de Roosevelt et au New Deal. Sa réalisation débuta en fait pendant la Première Guerre mondiale. L'administration Wilson consacra près de 100 millions de dollars à la construction d'un barrage et de plusieurs usines de nitrate pour rendre les États-Unis indépendants dans le domaine des explosifs. Les usines pouvaient également produire des engrais.

Après la guerre, les usines de nitrate périclitèrent. Le laisser-faire de l'administration Harding permit la mise en vente des installations. Henry Ford fit une offre en 1921. Posséder le plus grand complexe hydro-électrique du monde et servir ainsi les intérêts des petits fermiers du Middle West représentait pour lui une perspective idéale. Il décrivit avec ferveur la ville qui s'étendrait le long de la vallée sur 120 kilomètres et qui relierait le barrage aux différentes unités industrielles. Muscle Shoals serait un nouveau Detroit. Enthousiasmés par le projet, les spéculateurs immobiliers achetèrent des terrains dans l'Alabama et commencèrent à poser les jalons des futures agglomérations.

Pendant quelques mois, Muscle Shoals fut la coqueluche de tout le pays, une nouvelle ruée vers l'or. Le complexe de la Tennessee River couvrait près de 70 000 kilomètres carrés avec une population de quatre millions d'habitants dont la plupart étaient des fermiers. La renaissance miraculeuse qui devait se faire grâce à l'énergie hydraulique et au génie d'Henry Ford en fit un symbole d'espoir pour tous les paysans américains.

Pour l'industriel, Muscle Shoals était à la mesure de son messianisme et lui permettait de se montrer sous son meilleur jour devant la nation. Non seulement il aiderait ses compatriotes comme aucun autre politicien ne pouvait le faire, mais il voyait encore plus loin : le complexe servirait d'exemple au monde entier et éliminerait la menace d'une nouvelle guerre. Il serait plus fort que Wall Street, l'or, les banquiers cosmopolites qui déclenchaient des conflits armés pour leur seul profit. Ford envisageait même de créer une nouvelle sorte de monnaie, le « dollar de l'énergie », basé non plus sur la valeur d'un quelconque métal mais sur ce que la terre produisait.

Restait cependant le problème du prix que proposait Henry Ford au gouvernement pour l'achat de Muscle Shoals. Ford estimait que la question d'argent était subsidiaire. Il offrait d'abord son nom et son talent et n'avait rien d'un spéculateur. Mais, quand tout fut mis sur le papier, on s'aperçut qu'il ne ferait pas un mauvais marché. Pour des installations ayant coûté 85 millions de dollars investis par l'État, c'est-à-dire les contribuables, il proposait de verser 5 millions, à condition que le gouvernement consacre 68 millions à la restauration du barrage et des usines. Il mentionnait un vague système de remboursement à long terme et à faible intérêt. Si un entrepreneur juif avait eu l'audace de faire une telle proposition pour s'approprier une partie du territoire national, le *Dearborn Independent* aurait eu matière à écrire des articles indignés pendant des semaines.

« Aucune entreprise n'a jamais obtenu ce genre de contrat », déclara, le 10 mai 1922, le sénateur George Norris, président de la commission de l'Agriculture. Il prit la tête d'un petit groupe de politiciens, déterminés à s'opposer aux projets de Ford.

Pendant que l'administration Harding s'effondrait sous l'effet de multiples scandales, Muscle Shoals et « Henry président » furent, dans les années 1922 et 1923, les thèmes favoris des supporters du constructeur. Celui-ci signa un article écrit par Cameron et publié par le *Collier's Weekly* : « Si j'étais président. » Tous les sondages montraient que cette possibilité n'était pas à exclure. Ford lui-même commença à s'exprimer comme s'il était déjà officiellement candidat. Il promit même à Sorensen le secrétariat d'État de la Guerre.

Mais Sorensen resta constructeur d'automobiles. Le président Harding mourut le 2 août 1923 et Calvin Coolidge lui succéda. En décembre, Ford se rendit à la Maison-Blanche pour informer ce dernier qu'il soutiendrait sa candidature l'année suivante. Il semble qu'il y ait eu échange de bons procédés et que Coolidge ait donné de son côté des assurances concernant l'achat de Muscle Shoals. Norris continuait à mener contre ce projet une campagne d'opposition résolue. Ford dénonça encore une fois les manigances de Wall Street, mais ses lamentations étaient peu crédibles puisque Norris était originaire du Nebraska.

Le *Dearborn Independent* reprit ses attaques contre les Juifs en avril 1924. La Chambre des représentants avait approuvé le 10 mars l'acquisition de Muscle Shoals par Ford. Restait à obtenir l'accord du Sénat. En reprenant sa campagne antisémite, Ford comptait bien s'attirer le soutien des fermiers.

Aaron Sapiro, avant de devenir avocat et de travailler pour les coopératives de producteurs d'agrumes californiens, avait fait des études pour être rabbin. Il organisa la structure commerciale des coopératives de façon que les agriculteurs ne dépendent plus des intermédiaires et des revendeurs. Le but du « plan Sapiro » était de permettre aux fermiers de contrôler le marché. Dès 1919, il eut un grand succès dans tout le pays. En 1925, il avait été adopté par

90 associations dans 32 États et jusqu'au Canada. Il regroupait 890 000 fermiers dont le chiffre d'affaires annuel représentait quelque 600 millions de dollars. Sapiro était extrêmement populaire dans les campagnes.

C'est pourtant à lui que choisit de s'attaquer le *Dearborn Independent* au printemps 1924. « Exploitation par les Juifs des organisations de fermiers », titrait un article dans lequel on affirmait qu'une « bande de Juifs, banquiers, avocats, prêteurs sur gages, agents de publicité, emballeurs de fruits, acheteurs et experts comptables » vivaient sur le dos des fermiers américains.

Sapiro n'était pas un petit saint. Il avait un caractère exécrable et autoritaire et ne donnait certes pas ses conseils gratuitement. En 1922, ses revenus avaient atteint 61 531 dollars. Cependant les accusations de fraude et d'extorsion de fonds du journal étaient sans fondement et il porta plainte en diffamation.

Ernest Liebold engagea une équipe de détectives privés qui s'employèrent, pendant les deux années précédant le procès, à rassembler des preuves contre Sapiro. Ils constituèrent un dossier composé de 125 déclarations sous serment et de plus de 40 000 pages de dépositions sur les activités de l'avocat. Cependant, dans cette masse de documents, il n'y avait guère de faits substantiels.

La plainte en diffamation ayant été portée contre Ford lui-même et non contre son journal, ses avocats s'attachèrent à démontrer qu'il n'avait pas eu connaissance des articles incriminés. William Cameron jura devant le tribunal qu'il n'avait jamais discuté avec son patron de ses articles contre les Juifs et ne les lui avait jamais montrés avant publication. Il maintint cette position insoutenable pendant cinq jours.

Le seul témoin que pouvait faire citer Sapiro pour démontrer le caractère fallacieux des arguments de Cameron était Ford lui-même – ce qui, par la même occasion, aurait démontré que « La page de Mr. Ford » et l'ensemble du journal étaient une mystification. L'avocat fit déposer par un huissier une assignation à comparaître sur les genoux de Ford qui se trouvait à ce moment-là dans une voiture décapotable. Les défenseurs de l'industriel prétendirent que le document était tombé à terre et que, par conséquent, leur client ne l'avait pas reçu en main propre. La cour ne se laissa cependant pas impressionner et il fut effectivement cité comme témoin. Il devait se présenter devant le tribunal le 1er avril 1927.

La veille du procès, un dimanche soir, il arriva à pied devant le portail de sa résidence de Fair Lane, hébété et couvert de sang. Il avait eu, dit-il, un accident de voiture. Il pleuvait et son Modèle T avait dérapé sur la route. On le mit au lit. On appela les médecins et on alla examiner le véhicule.

Il se trouvait à une centaine de mètres de la maison, sur Michigan Avenue, la route qui menait de Detroit à Chicago. La voiture avait percuté un arbre. Il semblait pour le moins bizarre qu'Henry ait eu un accident à un endroit qu'il connaissait si bien, sur une route qu'il avait parcourue toute sa vie et au milieu de son propre domaine. Il expliqua qu'une Studebaker conduite par deux inconnus l'avait forcé à quitter la route et qu'en y réfléchissant bien, il se souvenait avoir vu un peu plus tôt cette même voiture dont les occupants l'avaient regardé d'un air soupçonneux.

Les amis d'Henry, qui connaissaient bien sa façon de conduire, avaient pour leur part une autre explication. Il avait tendance à garder le milieu de la route sans se préoccuper de ceux qui se trouvaient derrière lui. Le chauffeur de la Studebaker avait peut-être essayé de le doubler sans pour autant avoir provoqué volontairement l'accident.

Deux jeunes gens, aperçus dans le voisinage au volant d'une Studebaker, furent interrogés puis relâchés. Tout semblait confirmer qu'Henry avait de lui-même quitté la ligne droite, que sa voiture avait roulé dans le fossé et s'était écrasée contre un arbre. Si l'on n'avait pas connu sa tempérance, on en aurait tiré d'évidentes conclusions.

Plus vraisemblablement, il s'agissait d'une mise en scène. Au risque de se blesser grièvement, il avait simulé un accident pour éviter de se présenter devant le tribunal. Mais comment le prouver? On le transporta, deux jours plus tard, à l'hôpital Ford.

Pendant le procès, ses avocats produisirent quatorze déclarations sous serment accusant Sapiro de tentatives de corruption des membres du jury. En fait, c'était exactement ce qu'avait fait la partie adverse. Les agents de Ford, dirigés par Harry Bennett, n'avaient cessé de harceler les jurés, non sans obtenir d'ailleurs des résultats. Une femme fit des déclarations en ce sens aux journaux et le procès fut reporté pour vice de forme.

Il devait, en principe, se tenir à nouveau six mois plus tard mais Ford publia, le 7 juillet, un article dans lequel il retirait tous ses propos tenus contre Sapiro et les Juifs en général. A la fin de l'année, il interrompit la publication de l'hebdomadaire qui lui avait coûté 5 millions de dollars.

Ce comportement ressemblait à s'y méprendre à son départ précipité d'Oslo au moment de l'expédition du « Bateau pour la paix ». Malgré son obstination, il savait très bien quand il fallait cesser le combat. En 1923, il était au sommet de sa puissance; il aspirait à la présidence; il voulait acquérir Muscle Shoals; il répandait ses opinions par son journal et son autobiographie; il s'attaquait aux banquiers; il était l'idole des fermiers. Tout lui semblait possible. Mais finalement, il échoua sur toute la ligne. C'est ainsi qu'en octobre 1924, devant l'opposition du Sénat, il dut retirer son offre d'achat de Muscle Shoals.

Il s'était servi, pour se tailler une position au niveau national, de ses opinions antisémites, de sa conviction d'avoir découvert le secret des « rouages pourris de la politique » et l'existence d'une prétendue clique de conspirateurs responsables des malheurs de l'humanité. Logiquement, avec cette démarche et ces arguments insoutenables, les choses ne pouvaient se terminer autrement que par le mensonge et la bassesse : le prétendu accident de voiture, les tentatives de corruption du jury, des excuses qui n'en étaient pas réellement car il continua en privé, et parfois même en public, à faire étalage de ses sentiments anti-Juifs.

Au début du siècle, l'antisémitisme était particulièrement virulent aux États-Unis et, si l'on devait citer un Américain ayant apporté sa contribution au nazisme, ce serait bien Henry Ford. Hitler, encore inconnu à cette époque, avait lu les articles et les ouvrages publiés sous la signature du constructeur. Il avait accroché au mur l'un de ses portraits et il avait coutume de citer ses idées exprimées dans les articles écrits par Cameron. Ford est d'ailleurs le seul Américain à avoir le triste privilège d'être mentionné dans *Mein Kampf* : « Chaque année, ils (les Juifs) se rendent de plus en plus maîtres de la production d'une nation de 120 millions d'habitants; à leur grande fureur, une seule personnalité, Henry Ford, garde une totale indépendance. »

Josephine Gomon, qui fut très proche de Ford quand elle travaillait à l'usine de Willow Run pendant la Seconde Guerre mondiale, rapporte une anecdote qui pourrait laisser supposer qu'il fut pris de remords tardifs. On projeta un film sur les camps d'extermination et Henry, qui avait alors plus de 80 ans, ne put en supporter l'horreur. Il eut une crise cardiaque.

Sans chercher d'excuses à son antisémitisme, on peut toutefois admettre qu'il n'avait pas le même caractère que celui des racistes qui cherchent à s'assurer le pouvoir par des méthodes inhumaines. Il fut très surpris quand le rabbin Leo Franklin, après la parution des articles du *Dearborn Independent*, lui renvoya le Modèle T qu'il lui avait offert. Il resta toujours en excellents termes avec l'architecte Albert Kahn. Quand il commença à s'intéresser aux antiquités, il s'adressa à un commerçant juif. Son boucher de Fair Lane était également juif. Il n'employait pas moins de 3 000 ouvriers juifs. En fait, il semble qu'il ait entretenu les meilleurs rapports du monde avec tous les Juifs qu'il connaissait personnellement.

L'antisémitisme représenta pour lui un moyen – comme son journal, Muscle Shoals ou même la présidence des États-Unis. Sa réussite lui avait donné une conviction qui tenait à la fois de l'humilité et de l'arrogance. Il se croyait sincèrement au service de ses contemporains et pensait qu'il pouvait tout faire pour eux. Si on pouvait réduire, grâce à la chaîne de montage, le nombre d'heures nécessaires à la fabrication d'une voiture, pourquoi ne pas utiliser les mêmes méthodes dans le journalisme, la politique et l'économie ?

Il était persuadé d'avoir trouvé une clé magique pour pénétrer le cœur de la réalité. Si finalement il se repentit en s'apercevant qu'il s'était trompé, il n'éprouva certainement pas de remords, de sympathie tardive ou de pitié. Il fut plus vraisemblablement rempli d'amertume et de frustration. On ne peut comparer la vie à la fabrication d'une voiture.

13

Quelques éléments de réflexion

En 1900, on comptait à Detroit un peu plus de 5 000 Noirs. Une vingtaine d'années plus tard, ils étaient 40 000. Ils arrivaient alors au rythme d'un millier par mois, qui venaient chercher du travail dans les usines d'automobiles pour échapper aux conditions de vie dans le Sud. La ville avait une réputation de libéralisme. Elle avait été, au temps de John Brown, l'un des terminus du « chemin de fer clandestin » qui faisait passer les esclaves au Canada.

Le docteur Ossian Sweet faisait partie de cette communauté noire. Gynécologue, il s'était constitué une bonne clientèle et avait acheté en 1925, dans le quartier est de la ville habité en majorité par des Blancs, une maison qui lui avait coûté 18 000 dollars. Avec l'arrivée massive des Noirs, le Ku Klux Klan s'était implanté à Detroit. Des exactions avaient déjà été commises contre le domicile de certaines familles noires du quartier. Dès que les Blancs avaient appris la prochaine installation du médecin dans le quartier, ils avaient formé une « association pour le progrès ». Le 8 septembre 1925, les Sweet et leur jeune enfant durent emménager sous la protection de la police.

Dans la soirée du lendemain, une centaine de Blancs se rassemblèrent devant la maison. Vers onze heures du soir, l'excitation gagna la foule qui commença à lancer des pierres. Un premier coup de feu fut tiré de l'intérieur, suivi par une dizaine d'autres. Un Blanc qui était assis sous son porche de l'autre côté de la rue fut tué. Un autre fut blessé.

Les policiers qui n'avaient rien fait pour contenir les émeutiers arrêtèrent immédiatement le docteur Sweet, ses deux frères et plusieurs de ses amis qui se trouvaient chez lui. Onze Noirs furent ainsi inculpés de meurtre.

Le procès fut le plus controversé que Detroit ait jamais connu. Des journalistes vinrent y assister de tous les coins du pays. Les Sweet avaient choisi un avocat célèbre, Clarence Darrow. La salle du tribunal était bondée : les Noirs d'un côté, les Blancs de l'autre. Un témoin blanc affirma qu'il y avait très peu de monde dans la rue, le soir de l'émeute, et que les Sweet avaient ouvert le feu les premiers sans avoir été provoqués. Darrow, pour sa part, tenta de rejeter la responsabilité sur un policier connu pour ses sentiments racistes. Le jury ne parvint pas à trancher.

Au cours du second procès, Darrow changea de tactique. L'un de ses clients, Henry Sweet, le jeune frère du médecin, admit qu'il avait tiré le coup fatal et le procureur posa en termes très clairs la question au jury : « Notre grande nation et notre ville doivent affronter directement ce problème. Si onze Blancs avaient tué un Noir pour protéger leur maison et défendre leur vie contre une foule de Noirs, on leur aurait donné une médaille. »

Les membres du jury furent sensibles à cet argument. Le docteur Sweet et les autres inculpés furent acquittés.

Ce procès avait focalisé l'attention de toute la ville sur un problème qui allait souvent se poser par la suite. Les immigrants étrangers n'avaient rencontré aucune difficulté d'insertion dans la cité de l'automobile. Il n'en alla pas de même avec les Noirs. Le maire de Detroit, John W. Smith, alarmé par les sentiments de haine raciale qui s'étaient manifestés au cours du procès, décida de créer une commission inter-raciale chargée de prendre contact avec les employeurs. Il leur demandait d'adopter une position plus favorable à l'égard des Noirs. Cette initiative ne rencontra aucun écho chez les patrons. A l'exception d'Henry Ford.

Selon Josephine Gomon, qui faisait partie de cette commission : « Il y avait peu de Noirs dans les autres usines et ils occupaient des emplois subalternes. Mr. Ford au contraire prit la question au sérieux. Il s'efforça d'augmenter le nombre des Noirs travaillant chez lui et de leur donner des emplois qualifiés. »

On pourrait penser qu'après ses attaques contre Aaron Sapiro le constructeur voulait prouver qu'il n'avait pas de préjugés raciaux. Il s'agissait en fait d'autre chose. Son antisémitisme relevait d'un pur fantasme, d'un sentiment de peur et d'insécurité. Il était d'autre part incapable de comprendre que la pratique de l'argent pouvait être une activité créatrice. « Le Juif n'est qu'un profiteur, déclarait-il en 1921 au journaliste Judson Welliver, un marchand qui refuse de produire mais tire profit de ce que produisent les autres. »

Pour lui, au contraire, les Noirs étaient des producteurs. Il en avait fait l'expérience. A l'époque où il sciait les arbres dans les forêts de Dearborn, il avait travaillé avec l'un d'eux, William Perry. En 1914, il le fit venir à Highland Park, lui montra les machines et demanda au surveillant-chef de « le mettre à l'aise ». Ce fut le premier ouvrier noir de l'usine.

Au début des années vingt, il en employait 5 000. Le chiffre avait doublé en 1926 et représentait le dixième de la main-d'œuvre. La Ford Motor à elle seule avait plus d'ouvriers noirs que toutes les autres usines d'automobiles réunies.

Cette situation ne plaisait guère aux ouvriers blancs, surtout lorsque, sur ordre du patron, les Noirs étaient nommés contremaîtres. Parfois, des bagarres éclataient; les ouvriers blancs cessaient le travail. La commission inter-raciale suggéra une sorte de ségrégation. En 1929, tous les emplois concernant la fabrication de l'acier à la fonderie de l'usine de Rouge River furent confiés aux Noirs. Ford citait souvent cette unité comme la plus efficace de tout le complexe.

Les Blancs ne furent évidemment pas mécontents de voir les Noirs se charger des travaux les plus pénibles. Quand, par la suite, les conflits syndicaux commencèrent, le constructeur utilisa ses ouvriers noirs en tant que briseurs de grève. Mais il faut lui rendre cette justice : il ne paya jamais quelqu'un en fonction de la couleur de sa peau et, dans ce domaine, il était en avance sur son temps. A journée de travail égale, salaire égal, telle était sa devise. Il se souvenait de William Perry et de « l'homme de couleur d'un côté du tronc et le Blanc de l'autre ». La question raciale se posait si peu pour lui qu'il ne se glorifiait même pas de son attitude.

« Henry Ford ne s'est jamais présenté comme l'ami de telle ou telle race, écrivit à sa mort le *Journal of Negro History*, mais il a donné aux Nègres les mêmes chances qu'aux autres. De ce fait, nous pouvons le considérer comme un ami. »

L'industriel éprouvait une certaine méfiance à l'égard des médecins qui, selon certains, remontait à la mort de sa mère. Mary Litogot Ford avait toujours fait appel à des sages-femmes mais, pour son dernier enfant, ce fut le médecin de la famille, le docteur Duffield, qui pratiqua l'accouchement qui la tua. A tort ou à raison, Henry le rendit responsable de la mort de sa mère. Son ressentiment s'accrut encore lors de la césarienne que dut subir sa femme à la naissance de leur fils. Par la suite, avec les inévitables maladies infantiles, il s'aperçut que les honoraires des médecins tendaient à augmenter au même rythme que ses revenus. « J'ai parfaitement conscience du dévouement que témoigne ou du temps que consacre un médecin ou un chirurgien à ses malades, déclara-t-il un jour, mais je ne suis pas vraiment convaincu que leurs prix doivent être fonction de la richesse des gens qu'ils soignent. »

A Detroit comme dans toutes les grandes villes américaines, on pouvait alors facilement recevoir des soins médicaux à condition d'être ou très riche ou très pauvre. Les gens aisés payaient des honoraires élevés, ce qui permettait aux médecins de consacrer un ou deux jours par semaine aux indigents qui bénéficiaient également d'aumônes faites aux institutions charitables. Les classes moyennes étaient les plus défavorisées. L'une des grandes innovations de l'hôpital Henry-Ford, qui fut ouvert en novembre 1919, était de proposer des tarifs égaux et modérés pour tous.

Une commission, dont Henry était le président, avait été créée en 1908. Elle devait se charger de réunir des fonds pour le futur hôpital. Il s'agissait encore une fois d'une entreprise philanthropique. L'expansion de la ville nécessitait de nouvelles structures médicales et, puisqu'il avait été l'un des artisans de cette expansion, il lui semblait normal d'apporter sa contribution.

Il fit un don important mais la commission ne parvint pas à rassembler tout l'argent nécessaire. Le constructeur avait d'autres préoccupations – la mise sur pied de la chaîne de montage – et n'entretenait pas de bonnes relations avec les autres membres de la commission, tous de gros bonnets de la ville. Au printemps 1914, l'opération faillit sombrer dans le scandale : sur West Grand Boulevard, les bâtiments n'étaient pas terminés et restaient ouverts à tous les vents, faute de fonds.

Ford décida de prendre l'affaire en main. Il remboursa les sommes avancées par les autres membres de la commission et décida de « donner à Detroit le meilleur hôpital du monde ». Terminé au début de la guerre, celui-ci fut pris en charge par le gouvernement jusqu'en 1919. Par la suite, le constructeur y apporta des améliorations, constitua sa propre équipe médicale et mit en pratique ses théories.

Comme sur beaucoup de choses, il avait des idées bien définies sur la santé. « N'écoutez donc pas ce que vous dit le docteur, déclara-t-il un jour à un malade qui souffrait de troubles cardiaques. Sortez de votre lit. Étendez-vous sur le sol deux fois par jour pendant une demi-heure, mangez du céleri et des carottes, et vous verrez que vous vous sentirez mieux. »

Ces idées farfelues n'eurent heureusement aucune prise sur les médecins qu'il avait recrutés. La plupart avaient travaillé à l'hôpital Johns-Hopkins de Baltimore. Ils surent contenir l'enthousiasme de leur patron dans certains domaines. Cependant ils donnèrent leur accord sur la question des tarifs médicaux – ce qui irrita évidemment beaucoup d'autres praticiens – et acceptèrent de travailler pour un salaire fixe en renonçant à toute clientèle extérieure.

L'establishment médical de Detroit appelait ironiquement l'hôpital Henry-Ford le « garage humain ». Dans un certain sens, la comparaison était juste. Au moment de son admission, chaque malade était examiné par un professeur puis dirigé vers différents spécialistes qui établissaient un bilan complet et rassemblaient ensuite tous les éléments pour le rapport final. Cette méthode de diagnostic est aujourd'hui courante. Dans les années vingt, elle suscita le plus grand étonnement.

Chaque malade avait une chambre particulière et ensoleillée. Ford avait fait construire des maquettes grandeur nature avec des cloisons amovibles pour parvenir, avec l'aide des médecins, aux proportions correctes. Les différents pavillons étaient entourés d'espaces verts ou paissaient des vaches et communiquaient entre eux par des passages souterrains – une caractéristique qu'on retrouve dans toutes les réalisations immobilières de Ford. Il était strictement interdit de fumer; de nombreux médecins trouvaient d'ailleurs cette consigne difficile à appliquer. D'autre part, ce fut le premier hôpital général des États-Unis à admettre des malades mentaux.

Les médecins venus de Baltimore, notamment Roy D. McClure et Frank J. Sladen, avaient des idées révolutionnaires. L'établissement devint progressivement l'un des principaux centres de recherche et d'enseignement du Middle West. Quand, dans les années trente et quarante, les médecins étrangers venaient aux États-Unis pour s'informer des nouvelles techniques médicales, on leur faisait systématiquement visiter la clinique Mayo, l'hôpital Johns-Hopkins et l'hôpital Henry-Ford. Aujourd'hui encore, il a toujours ce statut d'avant-garde. Il fut pendant des années à la pointe des techniques de chirurgie à cœur ouvert.

Ford fut lui-même à l'origine d'une innovation. En novembre 1932 – il avait alors 69 ans –, il dut être hospitalisé pour l'opération d'une hernie. C'était la première intervention chirurgicale qu'il subissait. La veille, on lui donna un somnifère. Le lendemain, après avoir été opéré, il refusa d'utiliser le bassin et se leva pour aller seul aux toilettes. Malgré l'insistance des médecins, il refusa également de rester couché et s'assit près de son lit. A cette époque, on prescrivait une longue période de repos allongé après une opération. Au bout d'une semaine, il rentra chez lui et reprit son travail cinq jours plus tard. Extrêmement étonnés, les médecins n'en réfléchirent pas moins et se demandèrent si, en faisant prendre de l'exercice à un malade immédiatement après une opération, on n'éviterait pas l'atrophie musculaire qui résulte d'une trop longue station couchée. C'est ainsi que l'hôpital adopta une nouvelle méthode thérapeutique.

Le petit Henry Ford II aimait passer les week-ends à Fair Lane. Il jouait dans le passage souterrain qui reliait la centrale électrique à la maison, cultivait sa petite parcelle personnelle dans le jardin potager et, le samedi matin, visitait l'usine avec son grand-père.

Il n'y avait qu'un problème, la nourriture. Henry Ford II se souvient des carottes que l'on mangeait sous toutes les formes : crues, bouillies, râpées, en purée, en soupe, en jus et même en gâteaux. Ce n'était guère agréable pour un petit garçon qui aimait surtout les hamburgers.

Ford était convaincu de l'influence déterminante de la nourriture. Dans sa jeunesse, la diététique avait connu une grande vogue dans le Middle West. Les Adventistes du Septième Jour avaient fondé un institut diététique à Battle Creek, en 1866. Le docteur John Harvey Kellogg avait lancé la mode des céréales – pour le plus grand bien des fermiers et des consommateurs. Pour Ford, le corps humain était une sorte de machine dont l'efficacité dépendait de la qualité du fioul qu'on versait dans sa chaudière. Les maladies et les crimes, déclara-t-il au *New York Times* en mai 1929, « sont causés par de mauvais mélanges dans l'estomac ». Le pain frais lui semblait particulièrement suspect. On ne devait pas mélanger les protéines animales et l'amidon, et c'est ainsi qu'il mangea pendant longtemps du poulet au déjeuner et des pommes de terre au dîner.

Pendant la Foire internationale de Chicago en 1934, il organisa un grand banquet où il offrit à ses invités du jus de tomate, du fromage de soja et du céleri en hors-d'œuvre. Venait ensuite un potage de soja accompagné de biscuits de farine de soja. Le plat principal était des croquettes de soja et le dessert consistait en une tarte aux pommes dont la croûte était faite de farine de soja. Le tout arrosé de lait de soja. Sur les murs de la salle à manger, on pouvait voir différents objets en plastique fabriqués à partir des dérivés du soja.

Quelques années plus tôt, Ford s'était enthousiasmé pour un projet qui lui tenait particulièrement à cœur : la création d'une demi-douzaine de petites usines et de fabriques le long des rivières du sud-est du Michigan. Les « villages industriels », avec leurs pittoresques moulins à eau et leurs petits ateliers produisant des pièces détachées et des accessoires pour les voitures, concrétiseraient son vieux rêve de construire les villes à la campagne. Lui-même se sentait à la fois paysan et citadin. Lors de la réforme des salaires et de la mise en application des « Cinq dollars par jour », il avait par exemple envisagé de planifier la production pour que les ouvriers soient disponibles au moment de la moisson « afin de les inciter, avait-il déclaré en janvier 1914, à répondre aux besoins des fermiers en main-d'œuvre ».

C'était évidemment une disposition impossible à appliquer mais il persista dans cette vision complètement utopique grâce aux villages industriels. « Il faut implanter les industries à la campagne, confia-t-il à Judson Welliver en 1921. La cité moderne est un développement anormal. Elle tend à s'effondrer sous son propre poids. »

Il souhaitait un avenir meilleur pour des ouvriers qui resteraient aussi des paysans et pourraient s'occuper de leurs jardins potagers et de leurs champs pendant l'été. La réussite du projet était basée sur le même élément magique que celui de Muscle Shoals : l'énergie hydro-électrique.

Le *Dearborn Independent* vantait chaque semaine dans des articles dithyrambiques le charme bucolique et la productivité des villages industriels. En réalité, ils ne pouvaient prétendre à la même efficacité que les autres entreprises de Ford. Le transport rendait les coûts de production trop élevés. C'est alors que l'industriel découvrit, avec les vertus du soja, la solution miracle. On le cultiverait autour des usines et l'on en tirerait le plastique qui était de plus en plus utilisé pour la fabrication des voitures.

Il réfléchissait sur ce thème depuis quelque temps déjà. En 1916, il avait créé avec Edsel une société. La « Henry Ford and Son Laboratories », spécialisée dans les « recherches mécaniques, botaniques et chimiques ». L'alcool distillé à partir des végétaux pourrait, selon lui, remplacer l'essence pour les tracteurs. Il avait fait appel à son ancien condisciple, le docteur Edsel Ruddiman, et lui avait installé un laboratoire dans l'usine de Dearborn. Le chimiste se livrait à de nombreuses expériences notamment sur la marijuana qui, selon Henry, pouvait fournir une base pour la fabrication du plastique. Des équipes parcouraient la campagne pour ramasser toutes sortes d'herbes.

Henry s'intéressait de près aux expériences de son ami. Il ramenait de la cuisine des peaux d'orange et des épluchures de légumes qu'il lui demandait d'analyser. Un beau jour de 1932, il fit déverser devant le laboratoire un chargement de *glycine max* – nom donné par les Américains au soja – que les fermiers utilisaient comme engrais. On sait en effet que l'une des propriétés du soja consiste à fixer l'azote dans ses racines. Depuis des siècles, il est considéré en Chine comme l'une des cinq plantes sacrées et constitue, avec le riz, l'élément de base de la nourriture.

Ford fut l'un des premiers, avec certains scientifiques et notamment le docteur Harry W. Miller de l'Institut diététique de Battle Creek, à faire connaître aux Occidentaux les vertus du soja et à le cultiver à grande échelle. Il en fit planter sur une cinquantaine d'hectares dans les environs de Dearborn, expérimenta une centaine de variétés et créa une usine chimique qui pouvait extraire 6 tonnes d'huile de soja par jour. Le soja contient trois fois plus de protéines que le blé, le maïs ou les autres céréales, et son prix de revient est extrêmement bas.

L'industriel ne s'intéressait pas uniquement au soja pour ses qualités diététiques. Il y voyait aussi un potentiel pour l'industrie. Il connaissait depuis l'enfance les problèmes sociaux et économiques des fermiers, que les États-Unis continuent d'ailleurs d'affronter de nos jours. Les premiers Américains avaient été des fermiers. Ce pays était leur œuvre. Puis les choses avaient commencé à changer, vers l'époque justement où Henry Ford était né, et les fermiers participaient de moins en moins à la prospérité de la nation.

Ce paradoxe touchait profondément Henry en tant que patriote, en tant que fils de paysan et en tant que symbole de cette évolution qui privait les fermiers de leur travail. Il serait trop simple de parler de culpabilité. Il éprouvait vraisemblablement des sentiments mêlés : regret, nostalgie, besoin de se racheter mais aussi de trouver une solution à un problème d'ordre pratique. Pour remédier à une situation, il lui fallait agir, et ce fut ainsi qu'il se lança dans la culture du soja et devint un partisan du mouvement « chimurgical ».

Inspirée du populisme, la « chimurgie » représenta dans les années vingt et trente une tentative pour répondre au drame vécu par les fermiers. Cette terre fertile qui avait permis le développement de l'industrie agricole la plus importante du monde continuait de produire en abondance mais, avec la progression du chômage, les récoltes se vendaient de moins en moins. L'existence d'énormes surplus de coton, de tabac, de blé et de viande de porc, provoqua l'effondrement des prix. En tenant compte de l'inflation, ceux de certains produits agricoles atteignirent un niveau qu'on n'avait pas connu depuis trois siècles.

Comme dans les dernières années du XIXe siècle, les fermiers américains ne parvenaient pas à comprendre ce qui leur arrivait. Ils travaillaient plus dur que jamais, utilisaient des méthodes de culture et d'élevage scientifiques, des machines, comme les tracteurs, qui leur permettaient d'épargner des heures de travail, et finalement tous ces progrès les conduisaient à la ruine.

L'aide financière accordée par le gouvernement n'était pas une solution. En 1933, on paya les fermiers pour détruire le quart de leur récolte de coton. Six millions de porcs furent tués et brûlés pendant que les familles des chômeurs mouraient de faim et s'entassaient devant les soupes populaires. L'idée de la « chimurgie » est directement issue de ces bouleversements sociaux et de ce désespoir. La science, estimaient ses promoteurs, pouvait aider les fermiers en leur permettant de cultiver des produits qui serviraient à autre chose qu'à l'alimentation. La baisse de la consommation entraînait une surproduction dans l'agriculture, l'industrie dépérissait; les deux secteurs devaient donc se compléter. Henry Ford avait toujours défendu cette théorie. On venait de découvrir, avec les derniers développements de la chimie, une fibre miraculeuse, la rayonne, fabriquée à partir du bois. En faisant des recherches pour remplacer l'ivoire utilisé pour les boules de billard, John Hyatt avait mis au point le Celluloïd. De la betterave à sucre, du pois de Lima et de nombreux autres légumes, on obtenait de l'alcool, ou éthanol, qui pourrait servir de carburant. La fibre de soja, enfin, était une base idéale pour la fabrication du plastique.

Les aspects technologiques et idéologiques de la « chimurgie » cadraient parfaitement avec les conceptions d'Henry Ford et les causes qui lui tenaient le plus à cœur. Il avait été, sans le savoir, un pionnier dans ce domaine en utilisant dès 1915, pour certains éléments du moteur du Modèle T, du plastique à base de gluten de blé. Les animateurs du mouvement « chimurgical » trouvèrent auprès de lui un accueil favorable. Leur première conférence eut lieu à Dearborn sous son patronage en 1935, et ils en tinrent une seconde l'année suivante.

Des expériences pour la production de matières synthétiques dérivées des minéraux se poursuivaient parallèlement et ceux-ci se montrèrent supérieurs aux végétaux eu égard aux résultats obtenus. Au moment du déclenchement de la Seconde Guerre mondiale, il était établi que les hydrocarbures provenant du goudron de houille, du pétrole et du gaz naturel allaient être à l'avenir la base de la technologie du plastique.

La « chimurgie » connut ainsi le même sort que le « Bateau pour la paix », les villages industriels ou d'autres croisades menées par Henry Ford. Cependant, il ne s'était pas passionné en vain pour la culture du soja dont les dérivés sont aujourd'hui largement utilisés dans l'industrie alimentaire et chimique. La production de soja dépasse de loin aux États-Unis celle du blé, de l'avoine, du riz et des pommes de terre cultivés traditionnellement par les fermiers. Il occupe la deuxième place après le maïs.

Ford aurait été ravi d'apprendre que les résidents de Grosse Pointe des années quatre-vingt, si préoccupés de diététique, font leurs délices d'une crème glacé, le Tofutti, à base de lait de soja.

Au début de l'année 1926, un mystique soufi se rendit à Detroit pour donner des conférences sur la méditation et la vie spitrituelle. Henry Ford l'invita à Fair Lane. Quand les deux hommes se virent pour la première fois, rapporta A. M. Smith dans le *Detroit News*, « ils se sourirent comme de vieux amis ». Le numéro du 7 février du journal reproduisit mot pour mot leur conversation. « Selon moi, dit Ford, le vrai pouvoir de l'homme réside dans son esprit. Certaines entités, certaines forces existent tout autour de nous – on peut, si vous voulez, les appeler des électrons. Quand un homme fait le bien, ils s'empressent autour de lui pour l'aider... Nous sommes trop impatients. Nous avons besoin de fortifier notre esprit avec ce pouvoir invisible qui attend d'être utilisé. »

Le mystique à barbe grise essaya à son tour d'expliquer comment l'homme pouvait entrer en contact avec cette puissance invisible : « Quand un artiste peint un tableau, le résultat ne correspond jamais à ce qu'il avait imaginé. L'inspiration et la créativité se manifestent pendant qu'il se perd lui-même dans son œuvre. Totalement absorbé par ce qu'il fait, il s'oublie et se ferme au reste du monde. Une fois la peinture terminée, c'est une expression authentique de sa créativité, de son moi qu'il avait oublié. »

Pour Henry, c'était une assez bonne description de la façon dont il avait conçu le Modèle T. Au cours de la discussion, les rôles semblèrent parfois inversés. Le mystique demanda par exemple au magnat de l'industrie s'il croyait en l'immortalité de l'âme. « Tout est indestructible, répondit ce dernier. Rien ne se perd. Les âmes vont et viennent, apparaissent, disparaissent puis réapparaissent à nouveau. Grâce à leur expérience passée, elles peuvent parvenir à des réalisations encore plus grandes. »

Pour le soufi, on accédait à l'Être suprême par la méditation, où l'on faisait complètement abstraction du monde extérieur. Ford partageait entièrement cette idée. « Selon moi, disait-il, c'est vraiment le point central d'une religion personnelle. Pendant des années, j'ai tenté de résoudre ce problème et finalement, comme vous venez de le dire, j'ai compris qu'en me retirant dans le calme pour échapper à l'angoisse et à la nervosité, je trouvais une force nouvelle et le sentiment de faire partie d'une immense puissance invisible. » Il n'était cependant pas prêt à une retraite totale car il ajoutait : « Si l'on médite trop, on ne peut plus rien faire. »

Les objets les plus divers sollicitaient l'attention d'Henry Ford : la réforme hospitalière, la réincarnation, les relations entre les Noirs et les Blancs, le soja, les villages industriels. Il s'attaquait de front à tout ce qui lui passait par la tête sans tenir compte du fait que ce n'était pas précisément de son ressort.

Il fit souvent des erreurs. Son antisémitisme par exemple aura marqué son existence d'une tache indélébile. Les aventures de Muscle Shoals et du *Dearborn Independent* furent des épisodes peu reluisants.

Mais quand il s'agissait de problèmes d'ordre pratique, de situations dans lesquelles il pouvait vraiment exercer ses talents, il était capable de grandes choses. Il y avait en lui une bonté innée, un désir sincère d'aider ses contemporains. Après 1914, il sut faire bon usage du temps et de l'argent que lui apportait le succès du Modèle T.

Henry Ford eut 60 ans en juillet 1923. C'est généralement un âge où la plupart des hommes ralentissent leurs activités. Il continua cependant à s'occuper de ses affaires. Après le déjeuner, il parcourait souvent la campagne du Michigan dans une voiture découverte pour aller examiner un de ses moulins à eau ou se rendre compte du progrès des cultures de soja. Il emmenait parfois dans ses randonnées l'un de ses médecins, Roy McClure ou Frank Sladen, pour discuter des problèmes de son hôpital.

Judson C. Welliver, un journaliste compétent et objectif, tenta dans les années vingt de cerner cette personnalité complexe. Dans les quelques articles qu'il publia, il reconnut que ce n'était pas chose facile. « Si l'on ne connaissait pas sa capacité à transformer les rêves en réalité, écrivit-il notamment, on ne pourrait que sourire de lui avec indulgence. »

14

L'âge de la machine

Depuis les étages supérieurs de l'immeuble du Ford World Headquarters (le Quartier général mondial de Ford) on peut voir nettement la piste d'essais de Dearborn. Elle est située sur la droite, de l'autre côté de Michigan Avenue, et se déploie vers le sud-ouest. A cette distance, c'est tout juste si l'on aperçoit les voitures qui paraissent minuscules et qui font en vrombissant le tour du circuit. A l'extrémité du terrain s'élèvent les cubes noirs et étincelants des laboratoires de recherche.

A côté de la piste, on découvre, émergeant de la verdure et des arbres, un ensemble de clochers, de girouettes, le toit d'un moulin à eau. De petits nuages de fumée évoquent des activités d'un autre âge. En allant regarder de plus près cette étrange juxtaposition où l'ancien côtoie le moderne, on perçoit le sifflement d'une locomotive à vapeur et, dans le lointain, le tintement de la cloche d'un bateau.

Nous sommes à Greenfield Village où Henry Ford a fait édifier, sur une centaine d'hectares, des maisons en bois, en brique rose et en ardoise. C'est sa contribution au passé, une tentative pour faire revivre l'Amérique d'autrefois qu'il a, plus que personne, contribué à faire disparaître. On trouve là des demeures datant des XVIIIe et XIXe siècles et même un antique cottage des Costwolds d'une époque encore plus reculée. Voici, côte à côte, le tribunal où plaida Abraham Lincoln, une taverne où s'arrêtaient les diligences, un moulin à blé et l'atelier de bicyclettes de l'Ohio où Orville et Wilbur Wright ont conçu le premier aéroplane. Les rues sont couvertes de gravier et éclairées par des réverbères à gaz. On peut voir aussi un atelier pour la réparation des chariots, un pressoir à cidre, une ferme.

Les guides sont en costumes d'époque. En prenant l'omnibus traîné par des chevaux qui descend la rue principale, on a véritablement l'impression de remonter le temps, d'être soudain revenu dans un monde sans accélération, sans course contre la montre, sans machines.

La vitesse, dont Aldous Huxley a dit qu'elle représentait le seul plaisir véritable du XXe siècle, n'existe pas à Greenfield Village, isolé par de hauts murs de brique de la piste d'essais.

A partir de Memorial Day [1], les visiteurs affluent de tout le Middle West. Des voitures et des caravanes immatriculées dans l'Ohio, l'Illinois, le Wisconsin stationnent devant l'entrée du village. Un million et demi de personnes viennent chaque année retrouver ici le goût du passé dans une reconstitution historique réalisée par celui qui avait dit : « L'histoire, c'est de la foutaise [2]. »

Henry Ford a toujours soutenu qu'on avait déformé ses propos. Pendant le procès qui l'opposa au *Chicago Tribune*, il reconnut cependant que l'expression « foutaise » qualifiait parfaitement pour lui la façon dont on enseignait l'histoire dans les manuels scolaires : une accumulation de dates, de batailles et de noms d'hommes politiques. Cette sorte d'histoire ne l'intéressait pas et de plus, d'après lui, elle était nuisible.

« Les banquiers, les fabricants d'armes, les alcooliques, les rois et leurs partisans, les livres scolaires » sont responsables de tous les malheurs du monde, avait-il déclaré au *New York World* en 1919. Après avoir passé l'été à Mount Clemens, cette même année, il avait confié à Ernest Liebold qu'il allait « donner aux gens une idée de leur véritable histoire... construire un musée... pour montrer ce qui s'était réellement passé autrefois ».

Il avait aussi décidé de restaurer la maison familiale. Il voulait la protéger de la circulation automobile en construisant un nouveau réseau routier à Dearborn et en faire une sorte de sanctuaire. Il chargea Evangeline Dahlinger de rechercher des tapis, des poêles et des lampes conformes à ceux qui existaient dans son enfance.

Quelques années plus tard, il eut vent d'un projet encore plus important. En 1923, alors qu'il pensait faire acte de candidature à la présidence, il fut contacté par un groupe de Bostoniens qui lui demandèrent sa contribution pour la préservation de Wayside Inn à South Sudbury, Massachusetts. Il fit plus que contribuer, ce qui était bien dans ses habitudes, il acheta la célèbre auberge immortalisée par Longfellow dans un de ses poèmes et où avaient séjourné George Washington et La Fayette. Construite en 1686, c'était la plus ancienne de tout le pays. Ford dépensa 280 000 dollars pour détourner la Boston Post Road sur laquelle la bâtisse était située. Les vibrations provoquées

1. 30 mai. Fête chômée aux USA en mémoire des morts de la guerre.
2. Interview de Ford donnée au *Chicago Tribune* en 1916 : « L'histoire, c'est plus ou moins de la foutaise. De la tradition. Nous ne voulons pas de la tradition. Nous voulons vivre dans le présent. »

par la circulation menaçaient les fondations et des vendeurs de hot dogs et autres « attrape-sous » s'étaient installés à proximité.

Il acquit également un millier d'hectares autour de l'auberge pour faire de celle-ci le centre d'une communauté à l'ancienne mode, un village où les habitants vivraient et travailleraient comme à l'époque de la colonisation. Il fit transporter jusqu'à South Sudbury d'autres bâtiments de la Nouvelle Angleterre, et il découvrit avec ravissement que la vieille école du village voisin de Sterling avait été fréquentée, au XIXe siècle, par une certaine Mary Elizabeth Sawyer qui possédait un petit agneau blanc comme neige qui la suivait partout. On tenta vainement de le persuader que le poème attribué à Sarah J. Hale, « Mary had a little lamb » (Mary avait un petit agneau), n'avait aucun rapport avec la petite fille de Sterling. Mais il n'en démordit pas et l'école fut démontée pierre à pierre puis reconstruite pour accueillir les enfants des employés de l'auberge. Le jour de l'inauguration, il était assis au premier rang, tenant en laisse un agneau.

Après des vacances passées à South Sudbury, il eut l'idée de réaliser un musée en plein air. Il avait déjà dépensé un million et demi de dollars pour Wayside Inn, mais il était prêt à débourser davantage. Il demanda conseil à George Francis Dow, un historien qui avait réalisé un projet similaire à l'Essex Institute de Salem, Massachusetts.

L' « histoire vivante » était en vogue à l'époque. Le révérend William Goodwin de Williamsburg, Virginie, espérait que Ford choisirait sa localité et en serait le commanditaire, mais Henry voulait réaliser son projet plus près de chez lui : il laissa Goodwin s'adresser à John D. Rockefeller Junior, qui se montra plus coopératif.

Il décida finalement d'édifier son musée à Dearborn même. Selon ce qu'il disait alors, toutes ces initiatives – que seul un milliardaire pouvait se permettre – étaient une façon d'expier, de redorer sa réputation ternie par la malencontreuse et ridicule réflexion : « L'histoire est une foutaise. » Ses motivations étaient en fait plus profondes. Le constructeur qui avait popularisé l'usage de l'automobile voulait se le faire pardonner en faisant revivre, ne fût-ce qu'en partie, une Amérique plus paisible et plus calme. De plus, ce n'était pas une pénitence : il s'aperçut qu'il aimait recréer l'histoire.

A 60 ans, il s'était enfin découvert un violon d'Ingres. Jusqu'à sa mort, la reconstitution du passé devait rester pour lui une véritable passion. Il se rendait pratiquement chaque jour à Greenfield Village pour examiner une nouvelle acquisition ou procéder à des arrangements. Il dépensait des sommes fabuleuses pour faire venir des objets témoins du passé des quatre coins du monde.

Proust retrouva le temps perdu grâce à une madeleine. Ford étant ce qu'il était, il lui en fallait davantage. Pourtant, dès qu'il commença à construire Greenfield Village, il fut pris dans un tourbillon où le passé et le présent se mélangeaient sans cesse, à importance égale. Une matinée au milieu des hauts fourneaux, un après-midi dans un cottage du XVIIe siècle, des essais pour améliorer un carburateur, la réparation d'un antique rouet, c'était pour Henry du pareil au même. Il ne craignait plus ses propres contradictions. L'harmonie de l'histoire leur avait donné un sens. Il avait réconcilié en lui l'ancien fils de fermier et l'ouvrier, le passé et le présent, la ville et la campagne.

Il ne se bornait pas à restaurer les vieilles demeures pour le seul plaisir des yeux. Il aimait s'y installer, en monter les escaliers, s'asseoir dans leurs fauteuils et y manger les plats d'autrefois. Les bruits et les odeurs lui rappelaient ceux de son enfance.

La demeure familiale ne lui suffisait pas. N'avait-il pas vécu des vies antérieures? Qui pouvait dire qu'il n'avait pas habité ces vieilles maisons qui l'attiraient si fort? Une étrange alchimie s'opérait en lui et Clara contribuait à raviver ses souvenirs. Ils bavardaient un soir dans « la pièce de la forêt », le salon aux murs de rondins de leur maison de Fair Lane, en évoquant les danses de leur jeunesse : la polka, la scottish et la gavotte. « Te rends-tu compte, dit soudain Clara, prise de nostalgie, que nous avons bien peu dansé depuis notre mariage? »

Combien de maris ont accueilli ce genre de réflexion avec un haussement d'épaules... Mais Henry ne détourna pas la conversation et, quelques semaines plus tard, il décida d'organiser à Wayside Inn un bal dans le style d'autrefois. Supposant que ses invités seraient aussi peu experts que lui en la matière, il fit appel à Benjamin B. Lovett qui dirigeait des écoles de danse à Worcester et dans d'autres localités.

« Connaissez-vous le *ripple*? » lui demanda-t-il quand il le rencontra pour la première fois. Devant la réponse négative du professeur, il s'exclama joyeusement en se tournant vers Clara : « Nous lui avons posé une colle! » Lovett écuma le Massachusetts, le New Hampshire et le Vermont, et découvrit que les habitants du Middle West appelaient ainsi une danse connue en Nouvelle-Angleterre sous le nom de *Newport, Down East.* Il était devenu ainsi, un spécialiste du ripple.

Ce fut le début d'une longue amitié. En 1924, Clara décida d'organiser pour Halloween [1] un bal dans la grange de la vieille maison familiale. On fit venir Lovett à Dearborn pour enseigner les pas. Des radiateurs de fortune, alimentés par un vieux moteur à vapeur Westinghouse, chauffaient la salle. On avait tendu de la toile au plafond et accroché des épis de maïs et des citrouilles aux murs.

1. Fête traditionnelle américaine célébrée le 31 octobre.

Lovett décida de quitter le Massachusetts et de s'installer avec sa femme dans le Michigan. C'est ainsi qu'il devint le maître de ballet d'Henry. Ce dernier était un excellent danseur. Il installa Lovett dans ses nouveaux laboratoires de Michigan Avenue, en face de Fair Lane. Les invités et les cadres de l'entreprise se retrouvaient après le déjeuner pour une leçon de danse. La piste était séparée par un rideau du reste du local. Guidé par son patron, Charles Sorensen apprit le menuet. On dansait aussi dans la soirée; Lovett dirigeait un orchestre composé de quatre musiciens.

Dans une plaquette illustrée et composée par son imprimerie, Henry Ford exprima clairement en 1926 le sens que revêtait cette initiative : les valeurs morales de l'Amérique paysanne n'avaient pas disparu. Sous le titre : « Après une interruption de vingt-cinq ans, les danses d'autrefois revivent grâce à Mr. et Mrs. Ford », le texte donnait certains conseils : « Un gentleman doit pouvoir guider sa partenaire sans la serrer dans ses bras comme s'il était son petit ami » et condamnait la promiscuité et l'immoralité qui régnaient dans les dancings. Cette littérature était, en principe, l'œuvre de Benjamin Lovett, mais on reconnaissait aisément la griffe de William Cameron et les arguments du *Dearborn Independent* mettant en garde les lecteurs contre l'influence néfaste de la vie citadine reflétée notamment par les danses modernes.

Au début de l'été 1924, quelques tracteurs Fordson commencèrent l'aménagement d'un terrain d'une centaine d'hectares près de Dearborn. On construisit des pistes d'envol, des hangars et, avec des pierres blanches, on écrivit en lettres énormes le nom de Ford sur le sol. Henry se lançait dans l'industrie aéronautique.

Pendant les neuf années suivantes et jusqu'à ce que la dépression l'oblige à se cantonner dans le domaine de l'automobile, il apporta de nombreuses innovations dans celui de l'aviation. On lui doit l'utilisation de la radio pour le guidage des appareils commerciaux, l'inauguration de vols réguliers entre Detroit et Cleveland et le lancement du service aéropostal. Il fabriqua aussi le premier avion entièrement en métal, le Tri-Motor Ford, conçu par William B. Stout.

L'aéroport jouxtait Greenfield Village – aujourd'hui la piste d'essais a pris sa place – et certains ne parvenaient pas à comprendre ces deux formes d'activité si différentes, et surtout ce besoin d'amasser de vieux objets trouvés dans les fermes.

Le paradoxe n'allait pas s'arrêter là. En 1928, Henry Ford annonça son intention d'édifier, à côté du village symbolisant l'Amérique rurale, un musée consacré au progrès technologique et au triomphe de la machine. On pourrait ainsi voir, côte à côte, les deux visages de Ford – et de l'Amérique.

En réalité, il devenait urgent de trouver une place à tous les objets que l'industriel ne cessait d'accumuler. Parcourir avec lui la campagne était devenu un problème. Dès qu'il apercevait, au milieu d'un champ, une vieille charrue rouillée, il fallait s'arrêter pour qu'il puisse l'examiner de près. S'ils la voyaient avant lui, ses compagnons s'efforçaient d'attirer son attention ailleurs, en lui montrant un arbre ou une haie. Sa passion pour l'histoire avait éveillé en lui un goût pour la dépense qu'il n'avait jamais ressenti pour son propre compte. Les antiquaires du Massachusetts voyaient souvent arriver chez eux un vieux monsieur sémillant aux cheveux blancs, dont le visage leur semblait vaguement familier, qui jetait un bref coup d'œil autour de lui puis sortait en hochant la tête. La personne qui l'accompagnait proposait alors un prix pour l'ensemble des objets. Le riche inconnu ne marchandait jamais âprement.

On amenait par autorail à Dearborn les porcelaines, les cristaux, les boîtes à musique, les buffets de ferme. A côté d'antiquités de valeur, Ford collectionnait également des casseroles, des planches à laver, des bouteilles à lait, des machines à coudre, des fers à repasser, des bains de siège, tout un bric-à-brac témoignant de la vie quotidienne que les conservateurs du musée essayèrent d'ordonner de façon cohérente.

Thomas Edison posa la première pierre du musée Henry-Ford le 27 septembre 1928. Il écrivit son nom et laissa l'empreinte de son pied dans le béton humide.

Le bâtiment est une reproduction grandeur nature et en brique rouge de trois des édifices américains les plus célèbres – l'Independance Hall, le Congress Hall et le Old City Hall de Philadelphie – alignés côte à côte. A l'intérieur sont exposés les machines à vapeur utilisées pour les travaux agricoles dans la jeunesse d'Henry, des avions biplans en bois – l'aéroplane a été une invention américaine – et toute la série des voitures fabriquées par Ford depuis la Quadricycle.

Dans Greenfield Village, on retrouve, selon l'expression de William Cameron, « la réalité quotidienne du peuple à l'époque où l'Amérique était en formation ». Henry Ford s'est particulièrement attaché à reconstituer les demeures modestes des grands hommes ayant contribué à cette formation, et il a réussi à imprégner cet ensemble inanimé d'une certaine émotion en faisant revivre le rêve américain. Voici la maison natale du vénéré McGuffey, celle où Noah Webster composa son dictionnaire, le jardin où Luther Burbank cultivait ses plantes, la demeure du compositeur de chansons populaires Stephen Collins

Foster – malheureusement, comme pour l'école de la petite Mary, il s'agit d'une erreur, l'auteur de « Old folks at home » et de « My old Kentucky home » n'y ayant jamais vécu.

Les choix d'Henry Ford reflètent la conception qu'il se faisait des grands hommes. La place d'honneur revint à Thomas Alva Edison. Une des gares du vieux chemin de fer qui fait le tour du village est celle de Smith's Creek où le futur inventeur vendait des journaux dans sa jeunesse et où il mit le feu à un train au cours de l'une de ses premières expériences.

Greenfield Village et le musée apportèrent quelques contributions importantes et novatrices à une étude de l'histoire ne relevant pas uniquement de la relation des événements politiques ou de la vie de l'élite, et c'est un point de vue qui est aujourd'hui largement admis. L'histoire sociale est devenue une discipline universitaire. Sans l'apport de Ford, de nombreux témoignages du passé auraient à jamais disparu, comme ces deux cabanes d'esclaves d'une plantation de coton. Il était convaincu que ce genre de détails intéresserait l'homme de la rue et lui plairait. Les visiteurs qui continuent d'affluer depuis plus d'un demi-siècle lui donnent raison. Avec Greenfield Village, il a ouvert la voie à d'autres réalisations du même genre comme Colonial Williamsburg et, plus récemment, Disneyland. Ford aura ainsi construit en Amérique le premier parc d'attractions « thématique ».

Ce type d'entreprise porte en lui-même ses contradictions. Greenfield Village n'a jamais existé dans la réalité. Il tire simplement son nom du quartier de Dearborn où a été élevée Clara Ford. La foule défile sans doute avec respect devant le fauteuil taché de sang dans lequel Lincoln fut assassiné et s'émerveille en regardant le flacon qui contient le dernier souffle d'Edison, il se dégage néanmoins de l'ensemble une impression de fête foraine. Les musées classiques sont peut-être élitistes et leurs collections enfermées dans leurs cages de verre peu représentatives d'une époque, mais les souvenirs sauvegardés par Ford reflètent surtout sa propre nostalgie. Greenfield Village se présente comme un témoignage historique, mais c'est plutôt d'un témoignage autobiographique qu'il s'agit. Parce qu'il aimait les montres, on peut y voir par exemple trois bijouteries. En revanche, il n'y a aucune banque, aucun cabinet d'avocat, aucun bar ou débit de boisson clandestin et pas la moindre allusion au mode de vie des riches.

Henry Ford choisit le 21 octobre 1929 pour procéder à l'inauguration. Ni Greenfield Village ni le musée n'étaient prêts à être ouverts au public, mais cette date marquait le quinzième anniversaire de l'invention de la lampe électrique par Edison. C'était une occasion favorable pour donner plus d'ampleur à la cérémonie. Le président Hoover se déplaça de Washington pour y assister. Les équipes des actualités filmées étaient sur place et la liste des invités comprenait des personnalités comme Mme Curie, Orville Wright et le comédien Will Rogers. Albert Einstein, qui se trouvait alors en Allemagne, prononça un discours radiodiffusé. Des millions d'Américains écoutèrent le reportage des festivités. Depuis 1920, plus de 600 stations de radio avaient été créées et 10 millions de familles possédaient des récepteurs.

L'instant ou Thomas Edison, accompagné d'Henry Ford et du président Hoover, se livra à une reproduction de sa fameuse découverte dans son laboratoire reconstitué de Menlo Park fut le clou de la soirée. Les invités en habit étaient assis à la lumière des bougies. Ford avait demandé aux Américains qui suivaient la cérémonie à la radio d'éteindre l'électricité et de la rallumer après l'opération.

Ce fut un grand moment dans la vie de l'industriel, le plus grand sans doute de toute son existence. Devant une assemblée d'hôtes célèbres, il recevait une adhésion massive à ses convictions : l'imagination au service de la mécanique et l'habileté pratique avaient fait de l'Amérique une grande nation. Ce soir-là, ses compatriotes le considérèrent comme un véritable héros. Le fils de fermier avait focalisé l'attention de toute l'Amérique sur son petit village du Michigan. Il ne fut égalé sur ce plan-là que par Orson Welles dans sa fameuse émission « La Guerre des mondes ». Quelques jours plus tard, c'était le « mardi noir » et le krach de Wall Street qui allait faire voler en éclats le mode de vie que tout le pays considérait comme acquis.

Greenfield Village n'était cependant pas terminé. Tout au long des années trente, Henry Ford y apporta des perfectionnements. Ray Dahlinger supervisait le travail des ouvriers et Evangeline recherchait les vieilles maisons et les antiquités. L'école d'Henry fut reconstituée. On y enseignait aux enfants des voisins et des employés le sens des vieilles traditions.

La touche finale fut apportée en 1937. Le 26 octobre de cette année, Clara et son mari accueillirent leurs invités dans le Lovett Hall, une immense salle de bal de style colonial dédiée au maître de ballet. Dès le début, on avait donné des soirées dans les différentes maisons du village. Edsel et Eleanor étaient souvent invités à venir prendre le petit déjeuner autour du poêle de la vieille maison familiale. Henry aimait aller s'asseoir avec les enfants dans la salle de classe et assistait plusieurs fois par semaine avec eux aux offices religieux qui se déroulaient chaque matin dans la chapelle.

A présent, tout était en place pour satisfaire sa nostalgie. Ses limousines amenèrent ses hôtes jusqu'au portique de l'entrée. Des serveurs en uniforme distribuaient des sandwiches et des boissons non alcoolisées sous d'immenses candélabres de cristal. Les musiciens de Benjamin Lovett prirent place sur l'estrade avec leur cymbalum, leur violon, leur tympanon et leur accordéon. Le maître de ballet leva son bâton et le roi de l'automobile ouvrit le bal...

QUATRIÈME PARTIE

Henry et Edsel

15

L'héritier tout désigné

Sur les images pâlies et sautillantes des films muets tournés par Henry Ford dans les premières années de son mariage, on peut voir son fils, Edsel. En costume de flanelle blanche, il fait des grimaces devant la caméra, joue avec des chiens, saute d'une voiture en marche pour épater des jeunes filles aux cheveux courts qui pouffent de rire. Eleanor et d'autres jeunes femmes sont assises sur des vérandas, en Floride, de longs fume-cigarette à la main. Edsel fait le clown comme Charlie Chaplin, danse comme Fred Astaire. C'est un jeune homme mince, facétieux et plein d'entrain.

A 25 ans, le 31 décembre 1918, il devint président de la Ford Motor et garda ce poste jusqu'à sa mort. Il travaillait dans la société depuis sa sortie de l'école, six ans plus tôt. Cette nouvelle fonction représentait pour lui une lourde responsabilité, d'autant que son premier acte fut de racheter les actions des frères Dodge. Son père, qui se trouvait en Californie, l'avait chargé de cette tâche et il s'en tira fort bien. La société devint ainsi une entreprise familiale. En 1919, au moment de la réorganisation, le fils se vit attribuer 40 % des parts.

Il joua dès lors, et avec succès, auprès d'Henry Ford le rôle qui avait été celui de James Couzens. Chargé de l'aspect commercial, il s'occupait des ventes, du marketing et de la comptabilité – Frank Klingensmith lui fut d'un précieux secours dans ce dernier domaine – et il contribua également à la conception des voitures.

La technique n'avait pas de secrets pour lui. Dès sa plus tendre enfance, il avait joué avec les cylindres et les bougies d'allumage. Son père lui avait installé un atelier à Edison Avenue et à Fair Lane. Accompagné de quelques amis, il effectua en 1915 un voyage à travers les États-Unis et impressionna les journalistes : quand il fallait faire des réparations, c'était toujours Edsel qui retroussait ses manches et plongeait la tête sous le capot.

La technique restait cependant le domaine exclusif d'Henry Ford.

Tout le monde le savait et Edsel mieux que personne. Il se chargea donc principalement des caractéristiques secondaires du Modèle T : la forme, la place des instruments sur le tableau de bord, les accessoires. Tant que la Ford resta la seule voiture bon marché, tous ces éléments n'avaient guère d'importance. Mais avec le développement de la concurrence, l'apparence d'une automobile devint l'un des facteurs clés de son succès.

Edsel dessinait déjà des voitures sur ses cahiers d'écolier. Quand il eut assez d'argent pour s'en procurer une, il la fit fabriquer selon ses propres directives. Dans les années vingt, on achetait rarement une Bentley, une Rolls-Royce ou une Hispano-Suiza avec sa carrosserie. On s'adressait à un spécialiste qui recouvrait le châssis et le moteur de façon élégante et personnalisée. Edsel prenait plaisir à demander des peintures et des finitions spéciales à des carrossiers comme Brewster ou la Holbrook Company de New York. On a retrouvé les lettres et les télégrammes dans lesquels il expliquait ses préférences pour telle laque ou tel dessin, les modifications à apporter à la pédale d'accélération; « Je me propose de conduire souvent moi-même et, comme je ne suis pas de très grande taille, je crains que le siège ne soit trop éloigné. »

Il se composa ainsi toute une écurie – une Packard, une Cadillac, une Bugatti, une Daimler, une M.G. Midget et une Hispano-Suiza – et son enthousiasme s'étendit à l'humble Modèle T.

Ce dernier adopta au cours des années des formes diverses : sans portes, ou avec une, deux, trois ou quatre portes, fermé, décapotable, conduite intérieure, break, fourgonnette. La Ford Motor s'adressait, pour la carrosserie, à des fournisseurs et notamment à la Briggs Body Company. Tout ce qui concernait la mécanique restait évidemment identique. C'était Edsel qui concevait et revoyait les maquettes, et son père lui abandonnait volontiers cette tâche.

Il arrivait tous les matins à neuf heures trente à son bureau de Highland Park aux murs lambrissés situé à côté de celui de son père. Il travaillait toute la journée d'arrache-pied. Son secrétaire particulier, A.J. Lepine, ne se souvient pas de l'avoir jamais vu prendre un instant de repos, fût-ce pour lire le journal. Il ne refusait jamais de recevoir un visiteur et écoutait toujours ses interlocuteurs avec attention. Son amabilité et sa patience étaient remarquables. Lepine le décrit comme « une personne d'un caractère égal qui ne se montrait jamais sarcastique ou désagréable. Sa seule façon de manifester sa désapprobation était le silence. Il gardait toujours son contrôle ». Dans une profession qui n'était pas sécialement réputée pour ses manières raffinées, il se conduisait en parfait homme du monde.

Il épousa Eleanor Lowthian Clay en 1916. Bien que dotée d'une forte personnalité, la jeune femme n'avait rien d'arrogant ou d'autoritaire. Elle était extrêmement sociable. Ce fut grâce à elle qu'Edsel commença à sortir du cercle familial et à devenir vraiment lui-même.

Aussitôt après le mariage, le couple quitta Dearborn. Clara et Henry espéraient vraisemblablement que leur fils resterait à Fair Lane, la maison ayant en grande partie été conçue pour lui. Les jeunes mariés s'installèrent à Indian Village, un nouveau quartier résidentiel situé sur les bords de la rivière et habité par la jeunesse dorée de Detroit. Pour 60 000 dollars, Edsel acheta une maison 439, Iroquois Avenue. Sans être d'un luxe tapageur, c'était une demeure cossue. L'architecte Leonard Willeke fut chargé d'aménager l'intérieur dans un style art déco aux formes dépouillées et modernes où chaque détail comptait. Le petit Henry Ford II, né en 1917, avait une chaise haute art déco conçue spécialement pour lui.

La presse de Detroit décrivit le mariage d'Edsel et d'Eleanor comme l'alliance de la fortune et de la haute société. Certes, la richesse de la famille Hudson, de gros commerçants, était réelle, mais il est vrai aussi qu'Edsel, timide et réservé, n'allait guère dans le monde. Sa femme l'y introduisit. Elle débordait d'énergie, faisant du patin à glace l'hiver, des randonnées au printemps et de la natation en été. En 1923, ils achetèrent à Haven Hill, dans les environs de Pontiac, un domaine d'un millier d'hectares pour y jouir d'un espace qui leur manquait à Indian Village. Un second fils était né en 1919 qu'on appela d'abord Edsel Junior puis Benson, un prénom sans doute porté dans la famille Hudson. Vinrent ensuite Josephine en 1923 et William Clay en 1925. La famille passait la plupart des week-ends à Haven Hill. Les enfants faisaient du cheval, nageaient – il y avait une piscine – et jouaient sur un toboggan de 400 mètres équipé d'une sorte de remonte-pente à moteur.

Pour les vacances d'hiver et de printemps, tout le monde se rendait en Floride à Hobe Sound, près de Palm Beach où ils possédaient une villa. L'été on s'installait dans une troisième résidence dans le Maine, à Seal Harbour, sur une colline dominant l'océan. Des autorails privés y amenaient toute une suite de domestiques ainsi que des chevaux. Eleanor voulut faire connaître le Maine et son climat agréable à son beau-père. « Je ne me sens plus de joie, lui écrivait-elle en août 1918, à la pensée de votre arrivée. Je suis sûre que vous aimerez les promenades en forêt d'où l'on découvre le sommet des montagnes à l'horizon, et où l'on a le sentiment que plus rien d'humain n'existe. »

La jeune femme ne semble pas avoir beaucoup apprécié le prénom de son mari. Elle l'appelait toujours « Ned ». Pour lui, elle était « Ellie ». Son fort accent du Michigan et sa façon de rouler les « r » cadraient parfaitement avec ses manières directes. Elle ne dissimulait jamais ses sentiments. Son fils, Henry Ford II, avait hérité son caractère et lui ressemblait beaucoup physiquement : un nez assez fort, un visage bien en chair.

Comme la plupart des membres de la famille Hudson, Eleanor ne dédaignait pas l'alcool, sans toutefois dépasser les limites convenant à une vraie « lady ». Elle avait des amis nombreux et fidèles appartenant à son milieu et elle introduisit Edsel dans leur cercle. Le jeune homme échappa ansi à l'ambiance provinciale de Dearborn, où son père, de par sa notoriété, jouait un peu le rôle de seigneur du village.

Les voisins et amis du jeune couple étaient des gens de leur âge, assez fortunés cependant pour s'offrir des nurses, des cuisiniers et des gens de maison. Eleanor faisait généralement ses achats dans le grand magasin de son père mais, au printemps, les jeunes femmes, accompagnées de leurs maris, se rendaient en bande à New York pour renouveler leur garde-robe. Ils voyageaient de nuit dans un wagon privé, dînaient dans le train et prenaient le lendemain matin le petit déjeuner au Ritz.

En 1926, Edsel et Eleanor firent un séjour à la station thermale de Warm Springs, en Georgie, en compagnie de Lynn et d'Elizabeth Pierson, qui avait eu la poliomyélite. Ils y rencontrèrent Franklin D. Roosevelt qui avait été victime de la même maladie et conduisait une vieille Ford à commandes manuelles. Roosevelt leur fit part de son projet d'une fondation pour les enfants handicapés et Edsel lui offrit immédiatement un chèque de 25 000 dollars. Roosevelt en resta muet d'étonnement. Il n'avait jamais reçu une telle somme, surtout sans l'avoir sollicitée.

Les revenus d'Edsel étaient considérables. Dans les années vingt, ils atteignaient 3 000 000 de dollars par an (ceux de son père se montaient à 4 500 000). Le jeune couple se lança très vite dans l'acquisition d'œuvres d'art. Eleanor elle-même avait quelques connaissances dans ce domaine. Vers la fin du XIXe siècle en effet, les hommes d'affaires de Detroit avaient compris que l'acquisition d'objets d'art ou d'antiquités européennes renforçait leur image sociale. Le magasin des Hudson possédait le plus important rayon de décoration d'intérieur de la ville et, dès son enfance, la jeune femme avait vu des tableaux de peintres français accrochés aux murs. Elle connaissait aussi la valeur des vieux meubles. Son cousin Robert Tannahill, qui avait été élevé dans sa famille et qu'elle considérait comme son frère, possédait une collection de tableaux dont peu de gens, à Detroit, connaissaient alors les auteurs : Seurat, Gauguin, Matisse et Van Gogh.

Les Hudson financèrent la première exposition de la Société des arts et de l'artisanat, un organisme nouvellement créé dont l'objectif était de favoriser l'esthétique dans la vie quotidienne. Ils apportèrent aussi une importance contribution financière à la Pewabic Pottery [1] qui se consacrait à faire revivre et reconnaître comme un art véritable la fabrication de la céramique du Middle West.

Toutes ces activités plaisaient beaucoup à Edsel. Depuis toujours il aimait la peinture et le dessin. Tout jeune, il découpait, dans les illustrés, des reproductions en noir et blanc des maîtres de la Renaissance italienne, Michel-Ange, Botticelli et surtout Raphaël. Il avait gardé ses dissertations scolaires sur ces trois grands peintres. « Quand il était jeune, écrivait-il à propos de Michel-Ange, il voulait étudier la peinture mais son père Lodovico s'y opposa en prétendant qu'être artiste n'était pas un moyen de gagner sa vie. »

Henry Ford éprouvait une certaine fierté des dispositions artistiques de son fils. En 1910, il le présenta au peintre Irving Bacon comme « l'artiste de la famille. Quant à moi, ajouta-t-il, je n'y connais rien ». Faisant ensuite au visiteur les honneurs de la station électrique de Highland Park, il déclara : « Voilà le genre d'art qui nous intéresse aujourd'hui. »

Henry et Edsel avaient toujours eu des relations de camaraderie. Ils partageaient la même passion pour la mécanique. En 1911, le jeune homme, qui avait alors 17 ans, écrivit en lettres capitales dans son journal intime : « Nous avons gagné le procès Selden » et raconta le banquet offert à cette occasion à New York par son père. « Je me suis couché à deux heures du matin », nota-t-il.

Après l'accession d'Edsel à la présidence de la société, Henry ne manquait jamais une occasion de faire figurer son fils sur les photos prises pendant les visites de l'usine, l'inspection des voitures et, plus tard, parmi le bric-à-brac historique de Greenfield Village. Il affectionnait particulièrement celle qui les représentait tous deux assis sur un vieux siège en bois devant un feu brûlant dans la cheminée. Il en fit faire des reproductions pour des cartes de vœux de Noël. La ressemblance entre les deux hommes est frappante. On y perçoit aussi toute l'intimité et la chaleur de leurs relations.

Très proches l'un de l'autre, ils passaient chaque jour plusieurs heures à discuter et à travailler sur un projet quelconque. Si leurs occupations ne leur permettaient pas de se rencontrer, ils se téléphonaient. Une ligne privée reliait leurs bureaux respectifs de Fair Lane et d'Indian Village.

1. *Pewabic* est un mot indien signifiant « terre de couleur foncée ». La poterie, créée en 1907 par William B. Stratton, Mary Chase Perry et Horace Caulkins, tous amis d'Edsel, existe encore de nos jours, près d'Indian Village.

Quand ils voyageaient, ils s'écrivaient régulièrement. Les archives de la famille Ford contiennent un nombre impressionnant de lettres, de télégrammes et de cartes postales échangés presque quotidiennement, qui prouvent assez le besoin qu'ils avaient l'un et l'autre.

On est frappé cependant par le fait qu'ils n'abordaient jamais dans cette correspondance des problèmes importants. Il fait beau, les enfants vont bien, la voiture est tombée en panne, le pique-nique a été très réussi... On ne se douterait jamais, à cette lecture, que les deux hommes dirigeaient l'une des entreprises les plus importantes du monde. On en retire également l'impression qu'il n'existait entre eux aucun désaccord, ni sur le plan des affaires ni sur le plan personnel.

Les Ford ont toujours eu, et ont encore, une grande réticence à exprimer leurs sentiments profonds qui se dissimulent sous une amabilité de façade mais explosent parfois de façon imprévue. On voyait toujours Henry et Edsel ensemble, bras dessus, bras dessous, discutant et plaisantant. Cette attitude cachait une grande ambivalence, la crainte, la jalousie, le ressentiment. C'est un phénomène fréquent entre un père et un fils qui, tout en s'aimant profondément, sont incapables d'une véritable communication. L'orgueil et la rivalité, les espoirs et les désillusions, toutes ces contradictions minaient l'affection qu'ils se portaient.

Quand certains cadres contestaient devant Henry les décisions d'Edsel, l'industriel soutenait toujours son fils. « Faites ce qu'il vous dit, répondait-il invariablement, c'est lui qui dirige l'entreprise. » Aux journalistes qui lui demandaient quel était son rôle exact puisqu'il se bornait à faire partie du conseil d'administration, il se contentait de rétorquer sans plus de précision : « Je laisse à Edsel le soin de me trouver quelque chose à faire. »

A 63 ans, il se plaisait à laisser entendre qu'il s'intéressait de moins en moins aux affaires. Cependant personne ne le croyait. Une plaisanterie faisait fureur à Detroit dans les années vingt : si Edsel faisait remarquer qu'il allait faire beau le lendemain, il rapportait certainement l'opinion de son père.

Il n'est pas facile de grandir dans l'ombre d'un génie. Des personnalités plus fortes que la sienne s'étaient laissé écraser et avaient dû se soumettre aux volontés d'Henry Ford. Edsel avait capitulé une première fois en se dérobant à la conscription; il fit de même quand il fut question de diriger la société. « Je n'ai jamais mené, sur le plan des affaires, déclara-t-il en 1929 dans un article signé de son nom mais écrit par Samuel Crowther, une politique différente de celle de mon père. Je suis complètement d'accord avec lui et partage entièrement ses convictions. »

Quand on lui demanda de revoir cet article avant sa parution, il se contenta de modifier la première phrase : « A 36 ans, Edsel Ford est l'homme le plus riche du monde » par cette précision : « l'un des plus riches ». Pour affirmer son identité, il se satisfaisait de n'être que le fils de son père.

Il y a quelque chose de tragique dans cette soumission. Henry Ford était incapable de comprendre qu'elle était la conséquence de l'amour et de l'admiration sans bornes que lui portait Edsel. Plus encore, il refusait d'admettre qu'il en était responsable. Pour lui, il s'agissait d'une faiblesse de caractère innée et il considérait de son devoir, pour le bien du jeune homme et pour celui de la Ford Motor, de l' « endurcir » un peu.

On retrouve encore une fois l'influence de l'œuvre d'Emerson. Dans l'essai *Compensation* qu'il lisait et relisait sans cesse, l'industriel avait souligné un passage sur la nécessité, pour forger le caractère d'un homme, de « l'aiguillonner, de le piquer et de l'agresser durement. S'il se repose sur le coussin des privilèges, il s'endort. Quand on le bouscule, quand on le tourmente, quand il est vaincu, il a une chance d'apprendre quelque chose. »

Edsel avait effectivement été élevé sur un « coussin de privilèges ». Son père se plaignait de sa « douceur » à Evangeline Dahlinger. Il confia un jour à Harry Bennett qu'il se sentait responsable car il l'avait toujours surprotégé. « Le pauvre garçon me fait pitié, dit-il à Samuel Crowther. Il est d'une telle mollesse. Il a toujours besoin de se sentir entouré de bienveillance pour pouvoir travailler. Certains hommes sont ainsi. Il ne s'agit pas seulement d'incapacité dans la conduite des affaires mais d'une faiblesse de caractère, comme si leur charpente n'était pas assez solide pour les faire tenir debout. »

Pour endurcir Edsel, il le soumettait à une tension constante, reprenant d'une main ce qu'il avait donné de l'autre. Le jeune homme avait entrepris la construction de nouveaux fours à coke pour l'usine de Rouge River. Son père feignit d'approuver sa décision mais confia à Harry Bennett qu'il les ferait détruire dès qu'ils seraient achevés. Il tint sa promesse. Il aurait pu en discuter auparavant avec son fils ou donner un contrordre, mais il estimait qu'il appliquait ainsi une « thérapie ».

John R. Davis, un jeune employé du service des ventes, avait réussi à persuader Edsel de la nécessité de nouveaux bureaux. De retour d'un voyage, le grand patron s'aperçut qu'on avait commencé à construire un bâtiment.

« Que se passe-t-il ici ? » demanda-t-il à Edsel en désignant du doigt les ouvriers. Le jeune homme expliqua qu'on avait besoin de plus d'espace. « De l'espace pour qui ? » reprit Ford. Edsel, selon Davis, commit alors une erreur tactique. Il aurait pu convaincre l'industriel en lui disant l'exacte vérité, à savoir que les locaux devaient être consacrés en grande partie au service des ventes, mais il répondit qu'on y installerait d'abord la comptabilité, une activité que son père jugeait sans intérêt. Sans un mot, ce dernier quitta le bureau en entraînant Charles Sorensen à sa suite.

Le lendemain matin, Davis trouva les comptables en pleine effervescence. Leurs bureaux, situés au quatrième étage, avaient été vidés pendant la nuit jusqu'à la dernière chaise. Il ne restait même plus un téléphone. On apprit ensuite que le service avait été supprimé et tous les employés qui y travaillaient depuis des années licenciés.

Henry fit appeler son fils. « Edsel, lui dit-il avec un sourire narquois, si tu as vraiment besoin de plus de place, tu en trouveras au quatrième étage. »

Dans les semaines qui suivirent, le jeune homme réintégra discrètement les employés de la comptabilité et les plaça dans d'autres services. Son père n'y fit pas objection. Ce n'est qu'un exemple de la petite guerre que les deux hommes se livrèrent pendant des années. Et plus Edsel acceptait de se soumettre, plus Henry lui faisait durement sentir sa volonté.

16

Les temps difficiles

Eleanor était très aimée de ses beaux-parents. Parlant d'elle à Allan Benson en 1923, Henry Ford la compara à sa propre mère, ce qui était le plus grand hommage qu'il pouvait lui rendre. Ni lui ni Clara ne lui gardaient rancune de ne pas habiter avec son mari la maison familiale. Ils se voyaient fréquemment en compagnie d'Ernest et de Josephine Kanzler. Cette dernière, la sœur aînée d'Eleanor, était une jeune femme élégante et raffinée. Toutes deux avaient été élevées par leur oncle, Joseph Hudson. Quand elles furent mariées, elles habitèrent pratiquement porte à porte à Indian Village.

Ernest Kanzler, un jeune et brillant avocat d'origine assez modeste, avait fait ses études à Ann Arbor puis à Harvard. Il avait ensuite travaillé dans le plus grand cabinet de Detroit, chez Stevenson, Carpenter, Butzel et Backus. Elliott Stevenson avait représenté les frères Dodge et le *Chicago Tribune* dans les procès les ayant opposés à Henry Ford, et Kanzler avait été chargé de constituer les dossiers.

Le constructeur, qui connaissait le jeune avocat depuis longtemps, aimait le taquiner en reprenant dans les moindres détails les péripéties des procès. Kanzler était gêné. « Je vous en prie, Mr. Ford, disait-il, évitez de discuter de vos affaires avec moi. » A quoi son interlocuteur répliquait : « Vous devriez prendre mon parti. D'ailleurs, pourquoi avoir voulu devenir avocat? Ce sont tous des parasites. Venez donc à Highland Park et je vous donnerai du boulot. »

Ernest Kanzler refusa d'abord la proposition mais, avec la création de la nouvelle société de tracteurs, Henry Ford and Son, en août 1916, Henry renouvela son offre, et le jeune homme accepta la situation privilégiée qui lui était offerte. Il se révéla un excellent directeur et joua un rôle important dans la production des premiers tracteurs avant la fin de la Première Guerre mondiale. Une fois la paix revenue, il continua à travailler avec Edsel. C'était un cadre dynamique qui consacra tous ses efforts à relever les défis lancés à l'entreprise.

En 1919, la Ford Motor revint à une fabrication à grande échelle du Modèle T auquel on ajouta un démarreur électrique. La Cadillac construite par Leland en était déjà équipée. Henry Ford estimait qu'il s'agissait d'un luxe inutile. Cependant ce type de démarreur devint vite essentiel car il facilitait la conduite pour les femmes. Les publicitaires avaient essayé de convaincre la clientèle que le démarrage à la manivelle n'était pas un problème. « C'est plus un tour de main qu'une question de force », écrivait par exemple Miss Jean Lorimer dans un article intitulé « Toutes les femmes peuvent apprendre à conduire ». La Ford Motor publia une plaquette dans laquelle on expliquait que le Modèle T était aussi facile à manœuvrer qu'un cheval.

L'utilisation de la manivelle demandait cependant un certain effort, sans parler du danger des retours de manivelle. Leland avait adopté le démarreur automatique conçu par Charles F. Kettering après la mésaventure survenue à l'un de ses amis. Celui-ci voulut par galanterie aider une dame à faire démarrer sa voiture et se fractura le coude.

Avec le nouveau démarreur, le Modèle T devint encore plus populaire. Il s'en vendit 750 000 en 1919. Les constructeurs n'avaient alors aucun problème pour écouler leur production qui avait repris de plus belle après la guerre. Des centaines de milliers de personnes étaient sur liste d'attente. Le redémarrage économique intensifia encore la demande.

Le boom cessa brusquement pendant l'été 1920. Alarmé par l'inflation, le gouvernement réduisit le budget de 6 milliards de dollars. Le secteur de l'automobile est toujours touché l'un des premiers dans les périodes de récession. Les ménages songent d'abord à se priver de l'achat d'une nouvelle voiture. On découvrait que le marché de l'automobile dépendait des fluctuations de l'économie.

Ford était sans conteste le géant de cette industrie avec 40 % des ventes (en 1919, sur trois voitures achetées, une était un Modèle T). La General Motors regroupant Buick, Oldsmobile et Chevrolet venait en deuxième place. Quant aux frères Dodge, ils étaient ses principaux concurrents pour les voitures à prix modéré. Il existait d'autres entreprises indépendantes et relativement prospères, comme Hudson, Studebaker, Packard, Maxwell et Willys-Overland, mais le volume de toutes leurs ventes réunies était loin d'atteindre celui de Ford.

L'entreprise était cependant mal préparée à faire face à la dépression. Elle avait dû débourser 20 millions de dollars à la suite du jugement rendu au bénéfice des frères Dodge. L'usine de Rouge River avait coûté 60 millions. Il avait fallu encore ajouter 15 à 20 millions pour l'exploitation des mines de charbon et de fer achetées dans le nord du

Michigan. Toutes ces sorties de capital avaient contraint Henry à emprunter de l'argent et il se retrouvait avec 60 millions de dettes.

Pour lui, la solution était simple : baisser les prix. Elle lui avait déjà réussi. Il demanda à Edsel, à William Knudsen, à Sorensen et aux autres cadres d'étudier les possibilités de réduire les prix. Le résultat de leur travail ne le satisfit pas et il leur tendit une feuille de papier sur laquelle il avait griffonné ses propres calculs. « Messieurs, voici vos prix », dit-il. Tous se récrièrent : c'était vendre les voitures à perte. Il reprit sa liste et, d'autorité, baissa encore de 5 dollars le prix de deux modèles. C'est ainsi qu'un châssis de Modèle T adaptable sur un camion ou une fourgonnette tomba de 525 à 360 dollars, la voiture de tourisme de 550 à 395, et le haut de gamme de 995 à 795.

C'était la baisse la plus importante de l'histoire de l'industrie automobile américaine et Henry Ford eut la satisfaction de placer au moins un de ses concurrents dans de sérieuses difficultés. En 1920, la General Motors ne parvint pas à écouler ses stocks et son fondateur, William C. Durant, dut céder ses parts à la famille DuPont qui, à son tour, en fit hypothéquer une grande partie par J.P. Morgan Junior.

Ford ne pouvait cependant, à lui seul, conjurer la récession. La reprise des ventes ne dura guère et il se retrouva dans la même situation que les autres constructeurs. Il perdait en moyenne 20 dollars par voiture. Highland Park ferma le 24 décembre 1920 pour les fêtes de fin d'année. Le travail devait reprendre le 5 janvier mais les portes de l'usine restèrent closes.

Le commissaire aux comptes de la société, Louis H. Turrell, avait été chargé de mettre au point une baisse des coûts de production. Au mois d'octobre, il avait rappelé tous ses hommes de terrain pour faire un bilan général de l'ensemble de l'entreprise et évaluer les postes où des économies pouvaient être réalisées. Leur travail fut terminé pour Noël. Le 30 décembre, ils furent convoqués dans le bureau de leur chef pour s'entendre dire qu'on n'avait plus besoin de leurs services. Turrell lui-même fut licencié dès le lendemain.

La crise déclencha chez Henry Ford des réactions caractéristiques, notamment cette sorte d'humeur belliqueuse dont il avait fait preuve pendant son procès contre les frères Dodge. Menacé par la faillite, il trouva des cibles toutes prêtes dans les services administratifs, sa bête noire. Il réduisit son propre personnel de 1 074 à 528 employés, supprima le télégraphe, regroupa plusieurs autres services, impôts, vérifications, etc. Il vendit les bureaux, les machines à écrire, les placards et 60 appareils téléphoniques. « Peu de gens, dit-il, ont réellement besoin du téléphone dans une entreprise. » La liquidation du matériel alla jusqu'aux taille-crayons. Les employés furent informés qu'ils devaient désormais se munir d'un canif.

Ses difficultés suscitèrent un vaste mouvement de sympathie. Une certaine Mrs. Brown de Detroit, qui n'avait pas elle-même les moyens de s'offrir une voiture, lui proposa de lui prêter 100 dollars sur ses économies personnelles. Des gens modestes lui écrivirent des quatre coins du pays pour lui offrir leur aide.

Leurs inquiétudes étaient sans fondement. Ford affirma par la suite qu'il s'était refusé à recourir à Wall Street, mais il est certain qu'Edsel et Liebold conclurent des arrangements avec les banques. Il découvrit alors un autre moyen de payer ses dettes.

L'idée vint apparemment de Kanzler qui, lorsqu'il dirigeait l'usine de tracteurs, s'était aperçu qu'on pouvait économiser des millions de dollars en évitant de stocker à l'avance le matériel nécessaire à la fabrication. En outre, on gagnait aussi de l'espace. Les camions apportant les pièces étaient immédiatement utilisés pour la livraison des tracteurs. Ford lui demanda, en 1919, de réorganiser Highland Park selon ce schéma.

L'usine de Highland Park était encombrée de pièces détachées qu'on estima, après inventaire, à 88 millions de dollars. Kanzler imagina d'en faire des lots qu'on ajouta à chaque livraison de voitures aux agences Ford. Il fit en outre augmenter sensiblement le nombre de véhicules livrés à chaque fois.

Aux termes des contrats passés avec les concessionnaires Ford, ces derniers devaient payer dès réception de la marchandise. C'est ainsi que les quelque 6 000 revendeurs virent arriver par trains entiers beaucoup plus de voitures qu'ils n'en avaient demandé, accompagnées de pièces détachées qu'ils devaient également payer cash. En refusant, ils risquaient de perdre leur franchise. Or, diriger une agence Ford à l'époque valait de l'or, et la plupart acceptèrent ces conditions. Ils empruntèrent aux banques locales pour payer les factures.

A Highland Park, la Ford Motor avait en revanche décidé unilatéralement de porter de 60 à 90 jours le délai de paiement de ses propres fournisseurs. Autre avantage : le prix du matériel avait baissé. Le personnel fut temporairement réduit à sa plus simple expression. Au printemps 1921, Henry Ford put se vanter d'avoir payé toutes ses dettes et d'avoir de plus réalisé un bénéfice de 20 millions de dollars sans emprunter un sou aux banques. Les 6 000 concessionnaires comprirent alors qu'ils avaient emprunté à sa place.

En 1919, il fallait compter une moyenne de 15 ouvriers par jour pour fabriquer une Ford. Ce chiffre était tombé à 9 en février 1921.

L'embauche avait été réduite et les cadences augmentées. Cet accroissement de la productivité fut pour Ford un argument supplémentaire. « Si nous avions contracté des emprunts, dit-il, nous n'aurions pas été contraints de chercher de nouvelles méthodes pour diminuer les coûts de production. »

La réorganisation provoqua malheureusement le départ de cadres irremplaçables. C. Harold Wills avait été le premier à quitter la société au moment du rachat des parts des actionnaires minoritaires. Wills était considéré comme une sorte d'actionnaire et, à la suite d'un arrangement particulier, Henry lui reversait une partie de ses dividendes. Il quitta la Ford Motor avec 1 592 128 dollars, ce qui lui permit de financer la fabrication de la Wills-St. Clair, une voiture qui, par le perfectionnement de sa mécanique, dépassait de loin tout ce qui se faisait alors aux États-Unis.

Norval Hawkins, qui avait supervisé le marketing et la publicité pendant plus de dix ans, partit le mois suivant, à la suite de désaccords personnels avec Henry Ford et certains cadres. Son goût du travail administratif bien fait s'opposait aux méthodes anarchiques du patron. Ce dernier, plongé un jour dans une discussion technique avec Percival Perry, envoya un employé chercher une pièce de moteur. L'homme revint avec un formulaire : « Il faut d'abord signer ceci, monsieur. » Henry s'exécuta, obtint la pièce et entraîna Perry dans le bureau d'Hawkins à qui il demanda où étaient stockés les formulaires : « Tout est là ? » s'assura-t-il lorsqu'on lui en eut remis un paquet. Ayant reçu une réponse affirmative, il demanda un bidon d'essence, fit porter les papiers dans la cour et y mit le feu.

John R. Lee qui avait participé activement à l'organisation du Service Sociologique s'en alla lui aussi la même année.

Les démissions des années 1920 et 1921 furent encore plus lourdes de conséquences, notamment celle de Frank Klingensmith, l'ancien secrétaire particulier de Ford devenu directeur financier après le départ de Couzens. Pour sauver l'entreprise, il avait fermement soutenu la solution de l'emprunt auprès des banques. Ernest Liebold trouva l'explication : « Il est à moitié juif », dit-il. Selon Percival Perry, Henry aurait été jaloux des rapports d'amitié qu'entretenaient Klingensmith et Edsel. Le directeur financier avait considérablement aidé le jeune président à maîtriser les problèmes commerciaux.

La perte la plus grave fut sans conteste celle de William Knudsen, qui joua par la suite un rôle de premier plan dans le redressement de la General Motors au détriment de Ford. Il avait assuré le démarrage de l'usine de Rouge River grâce à la construction des croiseurs *Eagle*, mais sa principale réussite avait été l'installation d'une douzaine d'usines de montage à travers tout le pays. Il était en effet plus rentable d'assembler les voitures sur place. Les livraisons se faisaient par train, et un wagon ne pouvait contenir que trois ou quatre voitures, alors que ce même wagon pouvait transporter les pièces nécessaires à la fabrication d'une vingtaine de véhicules.

Charles Sorensen briguait ostensiblement le rôle de second, et la démission de Knudsen ne fut pas sans rapport avec la lutte pour le pouvoir entre les deux hommes. Henry Ford fournit quelques années plus tard une autre explication. « Cette affaire m'appartient, dit-il au journaliste Malcolm W. Bingay, je l'ai bâtie et tant que je vivrai, je la dirigerai à mon gré. » Il admit que Knudsen était « le meilleur chef de production des États-Unis » mais ajouta qu'il n'était pas « facile ». Dans l'une de ses soudaines crises d'humilité qui devinrent de plus en plus fréquentes vers la fin de ses jours, il reconnut qu'il avait laissé partir Knudsen parce que ce dernier était « trop bien pour lui ».

Henry Ford n'avait jamais aimé la contestation. Il allait avoir 60 ans et estimait que son pouvoir était suffisamment établi pour pouvoir éliminer totalement celle-ci. Personne ne devait se permettre de discuter ses ordres. Il n'y aurait plus jamais de James Couzens dans l'entreprise. Sorensen avait gagné la partie parce qu'il était docile, alors que Knudsen avait eu l'audace de suggérer qu'au bout de douze ans il était temps de songer à fabriquer un autre modèle de voiture. Le patron supportait de plus en plus mal les manifestations d'indépendance de ceux qui l'entouraient, même s'il s'agissait de ses anciens associés qui avaient prouvé leur fidélité en restant à ses côtés depuis le début. « On fait trop de sentiment dans les affaires, déclara-t-il un jour. Il n'est pas nécessaire qu'un patron aime ses employés ou que des employés aiment leur patron. »

Ce genre de réflexion cadrait mal avec les ambitions de celui qui, dix ans plus tôt, avait créé le Service Sociologique et le capitalisme à visage humain. Mais en dix ans le caractère de Ford avait radicalement changé. Avec l'épisode du « Bateau pour la paix », ses multiples procès, la crise de l'après-guerre, il avait vécu dans une tension continuelle. Le pouvoir, l'argent, le besoin de dominer l'avaient rendu d'une tyrannie presque infantile.

Samuel Marquis, l'homme qui le connaissait sans doute le mieux, ne le comprenait pas toujours très bien. « Il semble, disait-il, qu'il n'y ait jamais eu de juste milieu dans son comportement, qu'il n'ait pas été capable de donner une ligne directrice à ses actions. »

Le révérend n'eut guère la possibilité de se livrer à une étude plus approfondie du caractère de Ford. Sur 70 000 ouvriers, 20 000 seulement furent réembauchés en février 1921. Le Service Sociologique, jugé non productif, fut supprimé. Ses inspecteurs et Samuel Marquis n'étaient plus indispensables. « Une grande entreprise, expliqua Henry, ne peut se permettre d'avoir des buts humanitaires. »

Leland et Ford avaient travaillé ensemble en 1902, mais leurs carrières avaient pris rapidement des directions opposées. Leurs conceptions étaient différentes : Ford avait opté pour une voiture à la portée de tous tandis que Leland lançait des marques prestigieuses comme la Cadillac et, en septembre 1920, la Lincoln.

Le moment était mal choisi pour mettre sur le marché une voiture de luxe. La Lincoln Motor Company, qui avait eu, dès le début, des difficultés, sombra totalement et dut se déclarer en faillite en novembre 1921.

Henry Leland était unanimement respecté à Detroit. Quand il quitta Cadillac après son rachat par la General Motors, les actionnaires affluèrent pour investir dans sa nouvelle société. Après la faillite de celle-ci, Ford exprima comme tout le monde ses regrets et fit savoir qu'il était prêt à aider l'ingénieur qu'il considérait comme le plus grand constructeur automobile américain.

Clara était une amie de la femme de Wilfred, le fils de Leland. « Si Detroit ne bouge pas, déclara-t-elle à la radio, et laisse les Leland et ceux qui ont mis de l'argent dans leur affaire perdre toute leur fortune, sans lever le petit doigt, c'est qu'il y a quelque chose de pourri dans cette ville. » Edsel affirma de son côté que « ce serait une honte, une tache sur le nom de notre communauté ».

Le jeune Ford, passionné par les voitures de luxe, était un grand admirateur de Leland. Si son entreprise rachetait la Lincoln Motor, il aurait l'occasion de satisfaire son penchant en travaillant sur une voiture capable de hautes performances. La vente aux enchères eut lieu le 4 janvier 1922. La seule offre vint des Ford : 8 millions de dollars. Ce qui appartenait à Detroit restait à Detroit, et ce fut l'occasion d'une véritable fête. On hissa un immense portrait d'Henry sur la façade du bâtiment de la Lincoln Motor, et le *Detroit News* publia une caricature représentant un Modèle T poussant une Lincoln pour la sortir de l'ornière.

Il subsistait cependant un certain nombre d'ambiguïtés, notamment sur la date et les modalités de remboursement des investisseurs de la société qui venait de faire faillite. Leland avait près de 80 ans et tenait à sa réputation. « Je ne veux pas qu'après ma mort, dit-il, certains puissent dire qu'ils ont perdu de l'argent par ma faute. »

Selon lui, Ford s'était fermement engagé à rembourser tous les créanciers et actionnaires. Personne ne doutait à Detroit que le roi de l'automobile tiendrait sa promesse. Les déclarations publiques de Clara, d'Edsel et d'Henry lui-même entretenaient cette illusion.

Mais Ford ne faisait pas de philanthropie en affaires. Les Leland l'avaient contacté six mois avant leur faillite et, s'il l'avait voulu, il aurait pu à ce moment-là leur accorder un prêt ou leur proposer une association sous une forme quelconque. Il attendit au contraire que la société soit acculée au désastre et put ainsi acquérir pour 8 millions de dollars une entreprise dont les biens étaient évalués au double. Henry avait d'abord fait une offre de 5 millions de dollars que l'administrateur judiciaire rejeta.

La publicité qu'il avait faite autour de l'affaire découragea d'autres acheteurs qui étaient prêts à faire une offre supérieure. A de nombreux égards, cette opération rappelait celle de Muscle Shoals.

Six semaines après la vente aux enchères, il fêta le soixante-dix-neuvième anniversaire d'Henry Leland dans les locaux de la cantine de l'usine Lincoln et, en présence de tous les employés, il offrit à l'ancien propriétaire une chèque de 363 000 dollars. « Montrez-le leur, dit-il, afin qu'ils sachent qu'ils vont recevoir la même chose. » Edsel Ford expliqua par la suite que cette somme représentait la valeur au pair des actions B que Leland possédait dans l'ancienne compagnie Lincoln.

Au cours d'un déjeuner avec les Leland au printemps 1922, Henry raconta que Mrs. Ford lui avait demandé ce qu'il comptait faire avec les anciens actionnaires. « Savez-vous ce que je lui ai répondu ? dit-il. S'ils veulent venir à Dearborn, je leur donnerai un badge et ils se mettront au travail. » Henry Leland prit apparemment cette réflexion pour une plaisanterie. Lui-même et sa famille avaient cru fermement qu'ils pourraient, comme Ford le leur avait promis, continuer à diriger leur entreprise comme par le passé. Vingt-quatre heures ne s'étaient cependant pas écoulées après la réouverture de l'usine qu'une équipe de cadres dirigée par Sorensen et Kanzler se présenta à la Lincoln Motor.

Officiellement, cette délégation était censée étudier les techniques de production de la Lincoln Motor, leur qualité et leur précision, afin d'améliorer la production du Modèle T. Mais on s'aperçut rapidement qu'ils se comportaient davantage en professeurs qu'en élèves. Kanzler reconnut par la suite qu'ils avaient suivi les directives de Ford qui n'avait pas l'intention « de dépenser davantage d'argent pour cette entreprise ».

Edwin G. Pipp, l'ancien directeur du *Dearborn Independent,* avait prévu, dès janvier 1922, ce qu'il allait advenir de la Lincoln Motor. « Ce sera une usine Ford, écrivit-il. Pour l'instant, les bonnes intentions sont claires, mais elles ne compromettront en aucun cas les objectifs de réussite commerciale. »

Comme Samuel Marquis, le journaliste croyait encore en la sincérité et en l'idéalisme de son ancien patron, mais il avait eu trop souvent l'occasion de se rendre compte des limites de son altruisme. Les Leland n'échapperaient pas à l'engrenage de l'énorme machine industrielle que Ford avait créée. « Ils devront se conformer à ses méthodes, prédisait-il, au travail chronométré, aux contremaîtres poussant les ouvriers à augmenter les cadences. S'ils s'y opposent, on leur enverra de jeunes cadres qu'on placera là dans le but d'augmenter la production... Ce sera la fin des Leland. »

Cette analyse se vérifia en moins de six mois. Les anciens propriétaires supportèrent mal les interventions de la nouvelle équipe. Le comportement de Sorensen leur semblait particulièrement grossier. Ils écrivirent à Henry Ford en lui proposant de racheter leur entreprise au prix que celui-ci l'avait payée en y ajoutant les intérêts.

Après trois lettres restées sans réponse, Wilfred Leland décida de prendre les choses en main. Il se rendit à Fair Lane, écarta le garde stationnant devant le portail et alla débusquer Ford dans son repaire. « Je ne vendrai pas l'usine Lincoln, même si on me proposait 500 millions de dollars, lui déclara carrément celui-ci. J'avais un projet quand je l'ai achetée et je compte bien le réaliser. »

Il tint cependant compte des griefs concernant le comportement de ses employés et promit de se rendre à l'usine, le lendemain, en compagnie d'Edsel. Il tint parole, mais se présenta seul et écouta avec attention les doléances d'Henry Leland et de son fils. Il leur assura qu'il passerait désormais deux heures par jour à travailler avec eux. On ne le revit jamais. Deux semaines plus tard, le 10 juin, Liebold vint demander le départ de Wilfred Leland. Il était clair qu'il s'agissait d'une décision de Ford. Henry Leland démissionna et, dans la journée même, les deux hommes quittèrent l'usine qu'ils avaient fondée. Tous leurs effets personnels leur furent renvoyés.

On devait, tôt ou tard, en arriver là. L'alliance était impossible. Les Leland étaient trop exigeants, trop perfectionnistes et, à 80 ans, Henry Leland n'allait certainement pas accepter des changements dans son entreprise. Il avait conçu une voiture d'une rare précision mécanique, mais le style de la carrosserie était dépassé et ce fut l'une des raisons de son échec. Quand Edsel s'adressa à des carrossiers comme Brewster, les ventes de la Lincoln, sous sa nouvelle forme, reprirent.

Les Leland et leurs anciens actionnaires se lancèrent dans une série de poursuites judiciaires contre Ford, mais celui-ci tira chaque fois son épingle du jeu. Selon la loi, il n'avait fait de tort à personne. Il s'était même présenté en sauveur. Ses déclarations avaient été d'une haute tenue morale, conformes à sa réputation de toujours venir en aide aux plus faibles. Un journal de Detroit l'avait comparé au bon Samaritain. Cependant, quand cet écran de fumée se fut dissipé, il se retrouva maître du champ de bataille après avoir conclu, selon ses bonnes vieilles méthodes, un marché à son avantage.

La récession des années vingt frappa non seulement l'industrie automobile mais de nombreux autres secteurs de l'économie. Les marchands de tableaux new-yorkais, par exemple, connurent de sérieuses difficultés. Faisant preuve d'une solidarité inhabituelle dans cette profession, les plus connus se regroupèrent sous la direction de Joseph Duveen pour démarcher de nouveaux clients. Ils parvinrent à la conclusion qu'un seul acheteur potentiel avait surmonté la crise et était en mesure d'acquérir des œuvres d'art.

Henry Ford n'avait certes pas une réputation de collectionneur. A 57 ans, il ne possédait pas un seul tableau de valeur. C'est précisément sur ce fait que Duveen fonda toute son opération : rassembler et proposer un ensemble de chefs-d'œuvre qui représenterait une collection toute prête pour l'homme le plus riche des États-Unis. Il décida de réunir les « cent plus beaux tableaux du monde ».

D'âpres discussions eurent lieu entre les cinq principaux marchands de tableaux de New York : les frères Duveen, Knoedler's, Wildenstein, Seligman et Stevenson Scott. Ils finirent par tomber d'accord et firent exécuter à grands frais des reproductions en couleur accompagnées de notices. L'ensemble constituait trois magnifiques albums.

Joseph Duveen prit la tête de la délégation et obtint un rendez-vous avec Henry à Fair Lane. La vue des pièces aux murs recouverts d'acajou et entièrement nus les remplit d'espoir. Des touches de couleur s'imposaient. L'industriel fut ébloui quand ils lui présentèrent les albums. Joseph Duveen rapporte ainsi l'entrevue :

– Maman, appela Ford, viens voir les belles images que ces messieurs m'ont apportées.

– Mr. Ford, dit Duveen, nous avons en effet pensé qu'elles vous plairaient et que vous aimeriez les posséder.

– Mais, fit remarquer Henry, de si beaux livres, avec de si belles images en couleur, doivent coûter très cher.

– Il n'est pas question de vous les vendre, s'empressa d'expliquer Duveen. Nous les avons fait imprimer spécialement pour vous. C'est un cadeau.

– Maman, tu entends ça ? Ces messieurs veulent m'offrir les livres.

Il était manifestement gêné, dit que c'était très aimable de leur part, mais qu'il ne pouvait accepter un cadeau d'une telle valeur, venant de personnes qu'il ne connaissait pas.

Joseph Duveen en resta sans voix. Il avait fait des affaires avec les hommes les plus fortunés du monde – Henry Clay Frick, Andrew Mellon, « Bendor », le duc de Westminster – mais n'avait jamais rencontré pareille naïveté. Retrouvant ses esprits, il expliqua que les trois volumes étaient destinés à intéresser l'industriel à l'achat des tableaux.

– Mais, messieurs, rétorqua Henry, pourquoi posséder les originaux quand les reproductions sont déjà si belles ?

17

Adieu, ma belle

Edward S. Jordan, le fondateur de la Jordan Motor Car Company, se rendit un jour de l'été 1923 à San Francisco dans son autorail privé. En traversant la plaine du Wyoming, son attention fut soudain attirée par une belle jeune femme qui montait un cheval au galop. Athlétique et bronzée, la cavalière resta un instant au petit trot devant la fenêtre du compartiment. Quand elle tourna bride, Jordan demanda à son compagnon de voyage où ils se trouvaient. « Quelque part à l'ouest de Laramie », lui répondit-on.

C'est ainsi que jaillit dans l'esprit de l'entrepreneur l'idée d'une nouvelle méthode pour vendre des voitures. Depuis plusieurs mois, il proposait sans succès à la clientèle américaine la Playboy, son dernier modèle. Il composa immédiatement le texte d'une publicité qui parut quelques jours plus tard dans le *Saturday Evening Post* : « Quelque part, à l'ouest de Laramie, une belle fille sait bien de quoi je parle. La Playboy est faite pour elle, faite pour celle au visage doré par le soleil qui galope sur son cheval. La Playboy évoque irrésistiblement le rire, la joie, la légèreté, le souvenir d'anciennes amours, de selles et de cravaches. Prenez votre Playboy quand vous avez le cafard et partez vers la vraie vie comme la mince silhouette galopant au crépuscule vers l'horizon rouge du Wyoming. »

La voiture proposée par Jordan ne valait pas grand-chose, mais sa publicité l'auréolait de promesses d'escapades et de prouesses sexuelles. Il ne parlait pas à l'acheteur potentiel du nombre de chevaux ou de cylindres. La question n'était pas là mais « quelque part à l'ouest de Laramie ».

La fascination de l'évasion avait toujours été à la base du désir d'automobile mais la publicité mettait surtout l'accent sur le confort, la puissance, la fiabilité, la sécurité. Le succès du Modèle T était dû à ses qualités techniques et à son prix. Henry Ford estimait qu'il n'avait pas besoin de les vanter. Le rôle qu'il jouait lui-même, en doublant la paie des ouvriers, en défendant la cause de la paix, en se battant devant les tribunaux, en faisant du camping, suffisait à donner une image de marque à sa voiture.

Sous sa forme initiale, le Modèle T était vert avec une bande rouge, puis l'on s'aperçut à Highland Park que les nouvelles peintures à base de résine séchaient plus rapidement en noir, et l'on adopta définitivement cette couleur.

Cependant les temps changeaient. Jordan, qui regardait un jour passer les voitures à l'angle de la 5e Avenue et de la 42e Rue, fut frappé par l'une de ces illuminations qui semblent avoir jalonné sa carrière d'homme d'affaires. Devant ce défilé de véhicules uniformément noirs ou bleu foncé, il eut l'impression qu'ils étaient « en deuil ». Son expérience lui avait appris que « les hommes achètent une voiture mais que les femmes la choisissent » et qu'elles prêtent une attention particulière à sa couleur.

Il avait effectivement compris que l'automobile était devenue autre chose qu'un moyen de transport, de même qu'un manteau ne sert pas seulement à tenir chaud. Évidemment Henry Ford n'avait que mépris pour ce genre d'idées. Il ne tenait pas compte de la mode et le volume de ses ventes ne s'en ressentait pas pour autant. Une fois la crise d'après-guerre passée, il put fêter en 1923 son soixantième anniversaire en annonçant le chiffre record de 2 120 898 voitures vendues, soit 57 % de la production américaine et, grâce aux agences Ford à l'étranger, près de la moitié de la production mondiale.

C'était une réussite extraordinaire. Aucune autre société n'avait jamais réalisé – et ne réaliserait par la suite – un tel exploit. Les taxis de Hong Kong, les tracteurs de l'Ukraine, la plupart des voitures d'Amérique du Sud portaient le nom de Ford.

On fit cependant quelques concessions au goût de l'époque. Après le démarreur automatique, on adopta l'accélérateur au plancher. Le Modèle T fut la première automobile à être équipée du pneu « ballon » à basse pression conçu par Harvey Firestone, un ami d'Henry. Enfin, il fut également disponible avec une carrosserie entièrement fermée, à l'épreuve des intempéries.

Les techniques de peinture avaient fait de grands progrès. A partir de 1925, les acheteurs purent choisir, outre le noir, plusieurs autres couleurs : sable, bleu métallisé, bleu Niagara et gris clair. Cependant la forme restait la même. « On peut peindre une grange, fit un jour remarquer un concessionnaire Ford de New York, ce ne sera jamais un salon. » Edsel faisait de son mieux pour rechercher de nouvelles teintes mais la taille des roues, la suspension et surtout le bruit du moteur n'avaient pas changé depuis 1908.

Au début des années vingt, on était parvenu à fabriquer des véhicules à des prix abordables avec une meilleure suspension et un moteur moins bruyant. Hudson proposait, pour moins de 1 000 dollars, l'Oldsmobile et l'Essex, deux voitures de tourisme à six cylindres. Mais le Modèle T restait cependant le favori. On l'appelait « Lizzie » et il faisait l'objet de plaisanteries innombrables. « Pourquoi, demandait-on par exemple, peut-on le comparer à une *affinity*? » (un euphémisme par lequel on désignait à cette époque une maîtresse). Réponse : « Parce qu'on n'aime pas être vu avec lui en public. »

La possession d'une Ford marquait l'appartenance à une certaine classe sociale. Henry aimait dire qu'elle « pouvait vous emmener partout sauf dans la haute société ». Il tenait à l'aspect un peu fruste et paysan de sa voiture. Les acheteurs eux aussi y étaient certainement sensibles puisque, pendant trois années consécutives, de 1922 à 1925, les ventes dépassèrent les 2 millions de véhicules.

D'autres entreprises avaient cependant fait des progrès considérables au cours de cette même période. Le nombre des Chevrolet vendues par la General Motors avait augmenté de 220 %. En 1925, Ford n'occupait plus que 45 % du marché, puis 34 % en 1926, et cette proportion se réduisit encore par la suite.

Louis Chevrolet, un immigrant suisse, s'était fait un nom dans les courses automobiles. Il créa sa propre entreprise en 1911. Son commanditaire fut William C. Durant, le prestigieux fondateur de la General Motors. L'industriel avait coordonné la production des différentes entreprises de son groupe de façon à proposer des modèles convenant à l'ensemble du marché. La Chevrolet représentait le bas de gamme et commençait à concurrencer sérieusement la Ford. Durant avait par ailleurs recruté deux anciens cadres d'Henry : William Knudsen, qui prit ainsi sa revanche sur Sorensen en poussant la production à des niveaux jamais atteints chez son précédent patron, et Norval Hawkins, le directeur des ventes.

Le prix de la Chevrolet ne pouvait, au départ, se comparer à celui, extraordinairement bas du Modèle T, mais Ford sentit venir le danger et réduisit encore ses prix. Cependant la voiture mise au point par Knudsen présentait des avantages qui allaient compter de plus en plus dans les dix années suivantes. Outre les possibilités de crédit offertes par la General Motors – un système que Ford avait toujours refusé de pratiquer –, la Chevrolet avait une ligne plus élégante et plus racée, une carrosserie plus basse et une suspension plus douce convenant parfaitement aux routes modernes. De plus, chaque année sortaient de nouveaux modèles améliorés sur le plan de la forme comme sur celui de la mécanique.

Cette dernière initiative fut la pierre angulaire du développement spectaculaire de la General Motors. Dans la grisaille de l'hiver, les vitrines des concessionnaires annonçaient déjà le printemps avec les couleurs et les chromes du nouveau modèle. C'était un bain de jouvence pour les acheteurs d'aller examiner et admirer les voitures. Certains commerçants poussaient le sens de la mise en scène jusqu'à garder au contraire leurs rideaux fermés et des housses sur les voitures jusqu'à la dernière minute.

Le phénomène de la mode avait atteint le marché de l'automobile. Les modèles de l'année précédente perdaient automatiquement 30 % de leur valeur. Les modifications apportées étaient en fait minimes. Il s'agissait surtout, comme l'admettait Alfred P. Sloan, devenu président de la société en 1923, de créer « un certain sentiment de désaffection » vis-à-vis des anciennes voitures.

Henry Ford jugeait toutes ces considérations stupides et contraires à ses principes. « Nous ne pouvons concevoir, disait-il, que nous rendons service au consommateur si nous ne lui proposons pas quelque chose de durable... Nous voulons que celui qui achète une de nos voitures n'éprouve plus le besoin de s'en procurer une autre. »

Pourtant, en 1912, alors que le Modèle T n'avait que quatre ans d'existence, on avait déjà envisagé de le moderniser. En revenant d'un voyage en Europe avec Clara et Edsel, Henry Ford trouva une surprise préparée par ses lieutenants Wills, Sorensen et Martin. Le prototype à la suspension plus basse était exposé au milieu de l'usine de Highland Park, étincelant dans sa couleur rouge.

« Les mains dans les poches, raconte un témoin de la scène, Ford fit trois ou quatre fois le tour de la voiture en l'examinant attentivement. Le modèle comportait quatre portes et un toit plus bas. Finalement, il s'arrêta sur le côté gauche et arracha une des portes. Seigneur! Je me demande encore comment il y arriva. Puis il s'attaqua à l'autre porte et au pare-brise. Il bondit ensuite sur le siège arrière et commença à donner des coups contre le toit, y compris avec le talon d'une de ses chaussures. Bref, il fit tout son possible pour détériorer la voiture. »

Le Modèle T était son œuvre. Il avait fait de lui le plus grand constructeur du monde, lui avait apporté le plaisir, l'argent, le pouvoir. Rien de plus normal qu'il y fût attaché. Mais il avait fini par faire une véritable fixation sur son chef-d'œuvre.

En 1923, il laissa à contrecœur Edsel apporter quelques changements que ce dernier proposait depuis longtemps. Le radiateur fut agrandi et placé légèrement plus haut pour s'harmoniser avec les proportions de la voiture. Les réactions favorables des concessionnaires encouragèrent Edsel à poursuivre sa chirurgie esthétique. L'année suivante, il proposa d'abaisser le toit de dix centimètres mais Henry jugea la modification trop importante et refusa.

Ce fut à cette même époque qu'Edsel parvint à imposer les premières couleurs en option sur les modèles les plus chers. Mais on était encore loin des changements annuels apportés à la Chevrolet par la General Motors. Le moteur du Modèle T, avec ses quatre cylindres, était toujours le même. Non seulement il était bruyant, mais il était incapable de se maintenir longtemps à la vitesse que rendaient désormais possible les routes modernes. La transmission planétaire était complètement dépassée. Elle restait toujours une merveille de la technique mais, comparée à la simplicité du changement de vitesse avec embrayage, elle semblait complètement aberrante.

On trouve dans les archives de Ford à Dearborn, sous le n° 572, une collection de lettres émouvantes. A mesure que le Modèle T perdait du terrain devant les nouvelles créations de Chevrolet, d'Essex, des frères Dodge et surtout devant une Chrysler à six cylindres sortie en 1924, Henry Ford recevait de partout des conseils de gens bien intentionnés qui l'assuraient de leur amitié.

« Nous avons tous l'impression de vous connaître personnellement », lui écrivait par exemple un correspondant de Winnetka, Illinois. Un fabricant d'orgues de Saint Louis, Missouri, se plaignait d'entendre de tous côtés la même rengaine : « Ford se laisse distancer. Ford s'endort. »

Plus ou moins bien écrites, toutes les lettres reprenaient le même thème : la Ford n'était pas assez silencieuse, pas assez rapide, elle manquait de confort, son système de changement de vitesse devait être modernisé.

L'Américain moyen se rendait très bien compte de ce qui se passait. « Sous mes fenêtres, écrivait un certain Mr. O'Brien de Moline, Illinois, je peux voir une Ford, une Star, une Essex et, de l'autre côté de la rue une Cheverolet (sic) et une Pontiac. Les propriétaires de ces voitures ont revendu leur Ford cette année. Le seul a en posséder encore une s'apprête à acheter une Essex. » Mr. O'Brien avait posé la question à ses voisins. Ils n'avaient pas de problème avec leur Modèle T, ils le trouvaient économique, mais ils avaient envie de « quelque chose de nouveau ».

Henry Ford déjeunait régulièrement à midi. Les cadres de l'entreprise qui souhaitaient lui tenir compagnie se réunissaient à midi moins cinq dans la salle à manger qui leur était réservée et l'attendaient en discutant autour de la table couverte d'une nappe blanche. Charles Sorensen et Edsel assistaient toujours à ces repas où l'on parlait affaires. Henry avait horreur des réunions formelles et c'était pendant le déjeuner qu'on abordait les problèmes les plus importants. Dans les années vingt, rien n'était plus crucial que l'avenir du Modèle T.

Cependant, on abordait rarement le sujet. Sorensen était prudent – l'un des motifs de la démission de son rival Knudsen avait été de proposer des changements – et les autres suivaient son exemple. Edsel était le seul à se permettre de faire des suggestions sans toutefois aller trop loin. Un beau jour, après avoir étudié au préalable la question avec Sorensen et Martin, il évoqua le problème des freins hydrauliques. C'était une amélioration appréciable sur le plan de l'efficacité et de la sécurité et tous les constructeurs l'avaient adoptée. On pouvait aisément, fit valoir Edsel, l'adapter au Modèle T ou à une nouvelle voiture. Henry refusa de l'écouter en lui disant brutalement : « Ferme-la! » Puis il se leva et quitta la pièce. Sorensen et Martin, qui avaient assuré Edsel de leur soutien, ne prononcèrent pas un seul mot.

Les signes d'un conflit latent entre le père et le fils existaient depuis longtemps. On se souvient de la fameuse affaire des fours à coke, du licenciement des comptables et de la manière dont Henry contrecarrait toutes les décisions d'Edsel pour bien montrer qui était le patron. Leurs relations devenaient de plus en plus difficiles.

Pour Ford, le Modèle T était sa création, presque une partie de lui-même. Toute critique lui semblait une attaque personnelle. Edsel pour sa part pensait à l'avenir et, si toutefois il représentait quelque chose dans l'entreprise ainsi qu'aux yeux de son propre père, il estimait de son devoir de faire avancer les choses.

Les deux hommes, comme le font normalement un père et son fils, auraient pu discuter de la situation en prenant un verre ou en jouant au golf. Ils auraient en tout cas évité d'aborder le sujet devant des cadres ambitieux qui n'étaient, en définitive, que des employés. Mais ils étaient incapables d'avoir une conversation privée sur des problèmes qui leur tenaient à cœur, à tel point qu'Edsel avait besoin d'appuis extérieurs pour oser affronter son père.

Kanzler était consterné par le comportement tyrannique du vieillard et n'en faisait pas mystère. Il compatissait avec son beau-frère. Leurs épouses, Josephine et Eleanor, en éprouvaient elles aussi un certain ressentiment. Trente ans plus tard, Sorensen se souvenait encore dans quels termes les Kanzler avaient un jour parlé d'Henry et de son comportement avec Edsel. « Ma femme et moi, écrivit-il, avions été profondément choqués par leurs propos. »

Le problème se posait pour Kanzler en termes pratiques. Il fallait non seulement répondre aux exigences du marché en fabriquant une nouvelle voiture, mais encore doter l'entreprise de véritables structures de direction. C'était l'un des secrets de la réussite de la General Motors. Alfred Sloan dirigeait sa société sur la base d'un travail de recherche systématique, d'une planification rigoureuse et d'une définition précise des responsabilités au niveau des décisions, toutes choses dont la Ford Motor était dépourvue.

Dans ses heures de gloire, elle avait possédé des cadres exceptionnels. Les fonctions de Couzens, Wills, Knudsen, Klingensmith ou Marquis n'étaient pas définies par un organigramme. Ils constituaient cependant une équipe de direction brillante qu'Henry Ford avait réduite en pièces par son égoïsme, son inaptitude à accepter débats et critiques et son refus de partager le pouvoir.

Kanzler estimait qu'Edsel pouvait former le noyau d'une nouvelle structure qui sauverait l'entreprise du chaos. En 1923, Henry se laissa persuader de nommer Kanzler vice-président et membre du conseil d'administration. Il alla s'installer à Highland Park dans un bureau proche de celui d'Edsel. Henry accepta également que son propre bureau, qu'il n'occupait jamais, serve de salle de conférences.

Les deux beaux-frères espéraient ainsi qu'Edsel pourrait acquérir une certaine indépendance vis-à-vis de son père et mettre en pratique quelques-unes des méthodes de la General Motors.

Le vieil industriel voyait les choses de façon plus simpliste. Si le Modèle T se vendait mal, la responsabilité en incombait aux concessionnaires qui faisaient preuve de négligence et de paresse. Il trouva une solution drastique : installer de nouveaux vendeurs pour faire concurrence à ceux qui avaient perdu sa confiance. Entre 1923 et 1926, 1 300 agences supplémentaires vinrent s'ajouter aux 8 500 existant déjà.

Ceux qui s'étaient endettés pendant la crise de 1921 pour venir en aide à Ford trouvèrent le procédé parfaitement déloyal. Comme le dit George Carter de Petersburg, Virginie : « Nous avons emprunté jusqu'à la limite de notre crédit et stocké des voitures qui ne pouvaient pas se vendre. »

Concessionnaire exclusif de Ford pour sa ville, Carter avait fait construire un nouveau bâtiment et acheté du matériel pour découvrir par la suite que le responsable des ventes pour la région avait décidé de créer une « enceinte » d'agences autour de Petersburg. Il fut contraint de revendre la sienne à l'un des nouveaux venus. Le même scénario se répéta à travers tout le pays. De janvier 1925 à octobre 1926, 27 % des agences Ford changèrent de mains à San Francisco, 34 % à Seattle et 45 % à Salt Lake City.

La plupart des concessionnaires passèrent à la General Motors. Après avoir été les rois du commerce de voitures, ils étaient devenus l'objet de sarcasmes. Ils devaient s'efforcer de vendre non seulement une voiture démodée mais encore des engrais, et d'obtenir de chaque acheteur une souscription au *Dearborn Independent.* En général, ils payaient eux-mêmes l'abonnement et entassaient les journaux dans leur magasin.

Malgré les apparences, Ford ne pratiquait pas la politique de l'autruche. Dès le début des années vingt, il avait pensé à une sorte de complément du Modèle T. Ses ingénieurs avaient commencé à expérimenter un nouveau moteur de style révolutionnaire. La disposition des cylindres, placés traditionnellement côte à côte, affectait la forme d'un X. Pendant cinq ans, les principales ressources consacrées à la recherche furent affectées à la mise au point de ce nouveau moteur à huit cylindres. Trop lourd pour être adapté au Modèle T, il fut testé sur une Oldsmobile mais les essais sur route furent décevants. Les quatre cylindres supérieurs fonctionnèrent parfaitement mais les bougies de ceux qui étaient placés plus bas furent obstruées par la poussière et l'humidité. Les ingénieurs avaient mis en garde le constructeur contre cet inconvénient. De plus, il était évident qu'un moteur à six cylindres constituait une solution plus raisonnable et moins onéreuse.

Le six-cylindres rappelait à Henry Ford de mauvais souvenirs : le Modèle K qui avait été un motif de désaccord avec Malcomson. Il avait toujours maintenu que c'était un mauvais moteur et prétendait qu'avec son nouveau huit-cylindres il ferait une percée qui lui assurerait encore dix ans de succès. Dans les discussions, il répétait son argument favori : choisir l'innovation contre une solution peut-être plus sûre mais moins passionnante pour l'esprit.

Kanzler se décida finalement à poser ouvertement le problème en écrivant au constructeur un rapport de six pages pour exposer ses propres arguments en faveur d'un changement de stratégie dans la conduite des affaires.

« Mr. Ford, disait-il notamment, soyez assuré que je saisis parfaitement que l'entreprise est votre création, que vous vous êtes battu pour elle et que sa réussite, quel que soit celui qui la dirige, est le fruit de vos efforts... Grâce à vous, j'ai eu la possibilité d'exercer des fonctions importantes mais je n'en ai pas conçu pour autant une idée exagérée de moi-même. Ceux qui ont eu le privilège de suivre le développement du moteur X estiment que nous sommes encore capables de grandes choses dans l'avenir. Néanmoins, j'estime que nous devrions envisager la conception d'un moteur plus traditionnel qui nous permettrait de mener nos recherches jusqu'à la phase finale. »

Avec un luxe de précautions et un maximum de diplomatie, Kanzler entremêlait ses propositions de flatteries. Cependant le sens général du mémorandum était clair : la Ford Motor avait besoin de façon urgente de produire un moteur à six cylindres qui correspondrait à la demande du marché.

« Nous ne sommes pas allés de l'avant ces dernières années, poursuivait-il en effet, nous nous sommes tout juste maintenus à flot alors que nos concurrents ont fait de grands progrès... En théorie, sur le plan mécanique, on peut formuler certaines critiques contre le six-cylindres, mais tous ceux que j'ai essayés se sont révélés plus silencieux et plus puissants qu'un quatre-cylindres... Ce n'est pas seulement mon point de vue mais aussi celui des acheteurs qui l'ont prouvé en ouvrant leurs portefeuilles. »

Kanzler concluait son rapport en affirmant que « tous ceux qui occupaient des postes importants dans l'entreprise » partageaient son anxiété – ce qui sous-entendait qu'il avait préparé son argumentation avec Edsel. Il se permettait même une remarque sur le rôle qu'il jouait dans un débat qui aurait dû normalement se tenir entre le père et le fils : « L'une des difficultés avec vous, et dont vous n'avez peut-être pas conscience, c'est que la plupart des gens hésitent à vous dire franchement ce qu'ils pensent. »

On ne sera pas surpris en apprenant que Kanzler ne reçut jamais de réponse à son rapport de janvier 1926. Henry Ford s'était véritablement mis à le haïr. Il se moquait de lui avec Sorensen en disant qu'il « se blottissait dans le giron d'Edsel ». Pour lui comme pour Clara qui refusaient d'admettre que leur fils était capable d'idées personnelles, Kanzler constituait un bouc émissaire idéal. Mrs. Ford se plaignit à Sorensen de son influence sur Edsel. Elle éclata même en sanglots en l'accusant de « semer la discorde entre Edsel et ses parents ».

L'atmosphère devint irrespirable pour le vice-président. Il ne venait plus déjeuner à Dearborn s'il n'y était pas invité par Edsel, et on l'ignorait délibérément. Henry ne lui adressait plus la parole. Il fut licencié en août pendant qu'Edsel et sa femme se trouvaient en Europe pour acheter des œuvres d'art. Lui-même assura qu'il avait démissionné.

C'était pour le père et le fils une occasion rêvée d'avoir enfin une explication mais, encore une fois, Edsel n'osa s'y résoudre. En revanche, Eleanor alla voir son beau-père en pleurant et lui fit des reproches.

Kanzler ne fut pas réintégré dans ses fonctions et, vraisemblablement, il ne le souhaitait pas. Un mois après son départ, Henry Ford demanda à ses ingénieurs d'abandonner leurs essais sur le moteur X et de travailler sur une nouvelle formule.

Le Modèle T appartenait désormais au passé. La nouvelle fut annoncée le 26 mai 1927 au cours d'une cérémonie marquant la sortie du quinze millionième véhicule de la marque.

Le public qui s'était moqué de la petite « Lizzie » éprouva soudain une sorte de nostalgie. Sa disparition marquait la fin d'une époque. On oublia ses inconvénients. Elle allait rester gravée dans les mémoires comme le souvenir des premières amours, des baisers volés et des printemps ensoleillés. Jamais on n'avait éprouvé un tel attachement pour un objet usuel.

La disparition du Modèle T provoqua d'innombrables éloges funèbres. Celui de John Steinbeck en 1953, après la mort d'Henry Ford, aurait profondément touché le constructeur. Non seulement le romancier dotait la voiture d'une âme mais il imaginait encore sa réincarnation.

« Je sais naturellement, écrivit-il, que les choses continuent d'exister sous une certaine forme. La composition du métal peut être modifiée par les hauts fourneaux ou la rouille, ses atomes restent toujours quelque part et je me suis souvent demandé avec tristesse ce qu'il était advenu d'ELLE... Son essence intime a peut-être explosé avec gloire dans un obus ou une bombe. Peut-être gît-elle modestement sur les traverses des trains qui roulent au-dessus d'elle. A moins qu'elle ne subsiste dans la poutrelle d'un pont ou dans une minuscule pièce métallique de l'immeuble des Nations Unies à New York. Ou encore, tout simplement, au coin d'un champ, l'herbe et le colza sont plus hauts et plus verts qu'ailleurs, et, si vous creusez un peu, vous trouverez sous les racines la couleur rouge de la rouille. Et ce sera ELLE qui enrichit le sol et qui est retournée à sa mère, la terre. »

En ce qui concerne Detroit, l'arrêt de la chaîne de montage mit 60 000 ouvriers au chômage. Dans l'ensemble du pays, 23 usines de montage fermèrent leurs portes et les 10 000 concessionnaires durent survivre sur leurs stocks de voitures et de pièces détachées. Il fallut plus d'un an pour que l'entreprise retrouve son rythme de production antérieur et le même niveau d'emploi.

Cependant, le prestige du nom de Ford restait intact. Les ventes de Chevrolet dépassèrent les siennes en 1927 – ce qui était normal puisque le principal concurrent était momentanément hors-jeu – mais il est significatif que, en l'absence de toute récession, elles soient tombées pratiquement à un million de véhicules pour l'ensemble du pays. Ce fut une conséquence objective du retrait de Ford du marché. Quand les journaux annoncèrent en gros titres qu'un nouveau modèle allait être mis en vente, de nombreux acheteurs attendirent, pour acquérir une voiture, de voir ce que la Ford Motor allait leur proposer.

Six mois plus tard, le 2 décembre 1927, 100 000 visiteurs affluèrent dans le hall d'exposition de Detroit pour la présentation du nouveau Modèle A. A Cleveland, on dut faire appel à la police montée. A New York, l'excitation était à son comble. Comme ses concurrents le constructeur joua le jeu du changement et fit transporter les voitures recouvertes de bâches jusqu'aux agences. Cependant l'enthousiasme du public témoignait surtout de la confiance qu'il gardait dans les capacités du « mécanicien du peuple ».

Le Modèle A ne le déçut pas. Sa forme nous semble aujourd'hui trop trapue et l'on imagine mal l'engouement qu'il provoqua. En 1927, dans la gamme des voitures à prix modéré, il possédait toutes les innovations existant à cette époque. Son moteur – à quatre cylindres – particulièrement robuste et puissant permettait d'atteindre des vitesses supérieures à la plupart des six ou huit-cylindrées.

James Couzens, devenu multimillionnaire et sénateur, demanda comme une faveur de recevoir la première voiture livrée à Washington. Edsel y fit inscrire le n° 35 en souvenir du Modèle A initial que possédait Couzens, vingt-cinq ans plus tôt, quand il était comptable chez Ford. Dans ce moment de triomphe inespéré, on pouvait se permettre un peu de sentiment.

La reconversion n'avait pas été chose facile. La Ford Motor ne jouissait pas des mêmes possibilités que la General Motors ou Chrysler qui avaient investi massivement dans des laboratoires de recherche sophistiqués et des pistes d'essais.

En 1925, Henry avait chargé Albert Kahn de concevoir un nouveau bâtiment abritant les laboratoires de mécanique. Sur le plan architectural, le bâtiment était parfait : des lignes élégantes, une façade flanquée de piliers néo-classiques. L'intérieur reflétait malheureusement le désordre qui régnait dans l'esprit d'Henry Ford. Les équipes du *Dearborn Independent* et du *Ford News* ainsi que la station de radio locale en occupaient une partie. Benjamin Lovett y donnait ses cours de danse, et plusieurs laboratoires étaient consacrés à des projets plus ou moins farfelus, comme la fabrication d'un « extracteur » de jus de tomate car Henry s'intéressait de plus en plus à la diététique.

Cette prolifération de centres d'intérêts divergents, outre le refus du constructeur de déléguer ses pouvoirs, fut à l'origine des difficultés de la Ford Motor. La recherche technique était restée presque aussi rudimentaire que dans les premières années de Bagley Avenue, et Henry accordait sa confiance de préférence à des hommes qui possédaient le même caractère pragmatique que lui. Les tests du Modèle A, effectués sur route, à la grande fureur de la police locale, furent confiés à Ray Dahlinger. Selon un ingénieur exaspéré, les commentaires de ce dernier se bornaient à « sacrément bon » ou « sacrément mauvais ».

Le principal problème avec cette nouvelle voiture résidait dans un secteur qui était censé être la spécialité de Ford : la production. Charles Sorensen avait assuré son patron qu'il pouvait effectuer la transition en six mois. Le changement d'usine devait être un précieux atout. En transférant la fabrication de Highland Park à Rouge River, Ford réalisait son vieux rêve : le contrôle du processus complet de fabrication depuis l'arrivée du matériau brut jusqu'à la sortie du produit fini.

Mais Sorensen avait ses propres projets. Le transfert d'une usine à l'autre lui offrait l'occasion de s'assurer le contrôle total de la production. Il fit licencier tous les cadres qui lui semblaient des rivaux potentiels, privant ainsi l'entreprise de ses spécialistes au moment où elle en avait le plus besoin, comme l'avait fait Ford après son procès avec les frères Dodge. Plus d'une année s'écoula avant que l'usine ne tourne à plein rendement.

Le Modèle A était composé de près de 6 000 éléments, entièrement nouveaux pour la plupart. On dut modifier les 16 000 machines-outils existantes et en acheter 4 000 supplémentaires. Ce fut un vrai miracle que de parvenir à fabriquer les premières voitures pour la date de lancement prévue. Trois mois plus tard, le rythme était encore si lent que l'entreprise perdait 300 dollars par véhicule. En 1928, l'usine ne produisit que 633 594 voitures, soit à peine la moitié de sa capacité.

L'année précédente, Ford avait eu un déficit de 30 millions de dollars, alors que Chrysler avait distribué 10 millions de dividendes et General Motors réalisé 300 millions de bénéfices après impôts. En 1928, les pertes causées par le changement de modèle atteignirent environ 250 millions de dollars.

Une gestion correcte aurait pu éviter ce désastre. Ford avait perdu deux ans avant de se décider à abandonner le Modèle T. Six à neuf mois furent encore gaspillés pour la reconversion. Quand William Knudsen répliqua à l'apparition de la nouvelle Ford, fin 1929, avec une Chevrolet à six cylindres entièrement inédite, il réussit à opérer le changement en six semaines. C'était le fruit d'une planification et d'une méthode de gestion qui se situaient à des années-lumière des conceptions moyenâgeuses de Ford.

Une fois les difficultés aplanies, le succès du Modèle A fit remonter le chiffre des ventes à plus d'un million et demi en 1929, soit 34 % du marché américain. Elles dépassèrent alors celles de la Chevrolet, mais ce triomphe fut de courte durée. L'année suivante, Ford dut se contenter de la seconde place derrière un rival qui avait été bien près de fermer ses portes en 1922.

Henry était le seul à blâmer. Les tentatives d'Ernest Kanzler pour mettre en place un appareil de direction autour d'Edsel avaient représenté pour la société un espoir de se doter d'un semblant de structures nécessaires à une gestion moderne. En même temps il apportait au jeune président le soutien dont celui-ci avait besoin pour affirmer sa personnalité face à son père. Toutes ces chances disparurent avec son départ. Dans les années vingt, si Ford Motor créa une nouvelle voiture, General Motors mit sur pied quelque chose de beaucoup plus important : l'entreprise des temps modernes.

18

La dépression

Les Ford avaient toujours célébré Noël avec faste. Avec le temps, les fêtes organisées à Fair Lane à cette occasion devinrent de plus en plus brillantes. Il en allait de même chez Edsel et Eleanor. On dressait un immense arbre de Noël, on ornait les murs de feuillage et les invités en habit prenaient place autour de la table éclairée aux chandelles. Henry et Clara passèrent le 25 décembre 1930 chez leur fils et offrirent à leurs petits-enfants un superbe cadeau : une reproduction en parfait état de marche de la première Quadricycle. Edsel évoqua ses souvenirs d'enfance, et ses promenades en voiture avec ses parents sous les yeux éblouis des habitants de Detroit.

Ce fut une réception somptueuse. Les jeunes Ford avaient chef cuisinier, serveurs et maître d'hôtel. Dans cette ambiance, on pouvait difficilement imaginer que les États-Unis étaient frappés par la dépression la plus grave de toute leur histoire.

Dans l'année qui suivit le krach de 1929, plus de 5 000 banques fermèrent leurs portes et 6 millions de personnes perdirent leur emploi. Grâce au succès du Modèle A, Ford avait mieux supporté l'épreuve que la plupart des entreprises : 40 millions de bénéfices en 1930, soit cependant 10 millions de moins que l'année précédente.

Detroit connaissait une situation particulièrement dramatique. Les files d'attente s'étiraient devant les soupes populaires. On comptait 750 000 chômeurs dans le Michigan. Les salaires avaient été réduits de 40 %. Fin 1931, le nouveau maire déclara devant le conseil municipal que 4 000 enfants faisaient chaque jour la queue pour avoir du pain et que le nombre des suicides avait augmenté de 30 % par rapport aux cinq années précédentes. Selon un document des services de santé publié pendant l'été 1932, 18 % des enfants souffraient de troubles graves causés par la malnutrition. Avec la fermeture de 15 banques privées, leurs 30 000 clients avaient perdu toutes leurs économies.

La première réaction d'Henry Ford à la dépression fut d'augmenter les salaires. Il réaffirma sa théorie désormais bien connue : les financiers et les banquiers étaient les seuls responsables de ce genre de catastrophe, contrairement à ceux qui, comme lui, créaient des richesses. Il baissa le prix de vente de ses voitures et garantit à ses ouvriers non qualifiés un salaire minimal de 7 dollars par jour.

On ne tarda pas à le critiquer. Cette générosité n'était en effet qu'apparente, car elle avait des conséquences pour ceux qui travaillaient dans d'autres secteurs de l'industrie automobile. Pour maintenir les salaires à 7 dollars par jour, Ford élimina les fournisseurs qui demandaient des prix trop élevés et s'adressa à ceux qui, comme la Briggs Body, payaient des salaires de famine : 12 cents et demi par heure. Le carrossier Walter O'Briggs, qui travaillait pour Ford et Chrysler et devint en 1935 le président de l'équipe de base-ball des Detroit Tigers, était connu pour exploiter férocement ses ouvriers. Ces derniers n'étaient pas payés quand la chaîne de montage ne fonctionnait pas. Ils étaient par exemple contraints de rester dix heures à l'usine tout en ne recevant qu'un salaire équivalent à deux heures de travail. Ce scandale fut bientôt à l'origine de la plus grande grève qu'eût connue Detroit depuis cinquante ans.

Il faut reconnaître qu'Henry Ford se montra moins disposé que d'autres industriels à recourir à de telles mesures d'économie. Avec les bénéfices rapportés par le Modèle A, il fit de réels efforts pour alléger le poids de la récession. Pendant toute la crise, il utilisa une grande partie de sa fortune personnelle pour créer des emplois. Il embaucha des ouvriers pour réaliser son projet de reconstitution historique de Greenfield Village et pour construire le *Dearborn Inn*, destiné à héberger les voyageurs débarquant à l'aéroport Ford – le premier hôtel du genre aux États-Unis.

Il ne pouvait malheureusement s'agir que d'expédients. En 1931, les ventes de Ford tombèrent au même niveau que celles de ses concurrents. La Jordan Motor ainsi qu'une demi-douzaine de petites sociétés fermèrent leurs portes. La General Motors et la Nash MOTOR parvinrent à se maintenir, tandis que Chrysler augmentait ses ventes grâce à la sortie d'un nouveau modèle. La Ford Motor, quant à elle, était toujours confrontée au même problème en dépendant de la production d'un seul type de voiture. Il s'en vendit deux fois moins en 1931 que l'année précédente. La société atteignit la cote d'alarme avec un déficit de 37 millions de dollars. La clientèle traditionnelle à faibles revenus étant la plus atteinte par la crise, l'avenir se présentait sous de sombres auspices. En 1929, 650 000 fermiers avaient acheté une Ford contre 55 000 seulement en 1932.

L'entreprise dut réduire le salaire journalier à 6 dollars en 1931, puis à 4 dollars l'année suivante. Entre 1929 et 1932, le nombre d'ouvriers tomba de 101 069 à 56 277. Finalement, Henry Ford fut contraint de recourir à des méthodes peu reluisantes : si l'on possédait quelques centaines de dollars d'économies ou si l'on avait dans ses relations quelqu'un qui pouvait acheter une voiture, il était alors possible d'obtenir un emploi contre l'achat d'un modèle A. Pour maintenir ses ventes, le plus grand capitaliste du monde avait recours au troc.

« Lui qui pensait avoir une solution à la dépression, comment envisage-t-il maintenant les choses ? » demanda un journaliste à William Cameron, le porte-parole de Ford. « Je n'en sais rien, répondit celui-ci avec une sincérité inaccoutumée. Il en parle peu. Cela va si mal que je crois qu'il évite même d'y penser. »

Les habitants du village d'Inkster, un bidonville situé à l'ouest de Detroit, furent particulièrement touchés par la crise. La plupart étaient des Noirs qui avaient été employés comme fondeurs à l'usine de Rouge River. Ils étaient à présent au chômage et couverts de dettes. La malnutrition était générale et les enfants souffraient de rachitisme. La banque locale avait fermé ses portes. On avait coupé l'électricité. Il n'y avait plus d'argent pour s'assurer la protection de la police. Les Blancs ne se risquaient pas à Inkster et essayaient d'oublier jusqu'à son existence.

En novembre 1931, Henry décida de s'attaquer au problème. Depuis une dizaine d'années, il finançait des sortes de supermarchés pratiquant des prix de gros pour ses employés, et il installa un magasin du même type à Inkster. On pouvait y trouver de l'alimentation et des vêtements à des prix abordables. Il fit rouvrir l'école, distribua des semences pour les jardins, donna des machines à coudre aux femmes et organisa des cours de couture. En quelques mois, Inkster revint à la vie. Ses habitants, qui avaient contribué à cette renaissance par leurs propres efforts, retrouvèrent leur dignité.

On ne devait pas assister les gens mais leur donner les moyens de faire face eux-mêmes à la situation. Tel avait toujours été le principe de base de la philanthropie d'Henry Ford. Il offrit aux habitants d'Inkster des emplois dans son usine. Ceux-ci recevaient 1 dollar par jour, les 3 dollars restants étant versés à un fonds destiné à financer les services publics de la commune et à rembourser les dettes. Les employés de la voirie étaient également payés 1 dollar.

Cette initiative relevait du plus pur paternalisme, comme en témoigne la réflexion d'Ernest Liebold : « Le nègre ne possède pas les qualités intellectuelles nécessaires pour agir par lui-même. Il faut le guider et le surveiller. » Les chômeurs blancs dont les emplois étaient occupés par des Noirs recevant un salaire de 1 dollar par jour y virent à juste titre une marque d'exploitation accrue. On y trouvait aussi un certain relent d'antisémitisme puisque la création du supermarché porta préjudice aux petits commerçants, en majorité juifs. Cependant, dans la mesure où leurs clients purent payer leurs dettes, ceux-ci rentrèrent dans une partie de leurs fonds.

Le constructeur fit le nécessaire pour s'assurer une large publicité. A trois reprises, il acheta une page entière dans 200 journaux afin de faire connaître à ses concitoyens l'exemple d'Inkster et ses idées sur la façon de combattre les conséquences sociales et économiques de la crise. Il y suggérait la création de « jardins familiaux » et prêchait pour ses fameux villages industriels : « Un pied à la ville, un pied à la campagne, et l'Amérique sera sauvée. »

La Ford Motor n'avait pas fait de publicité pour ses voitures depuis quelque temps déjà. Peu d'entreprises pouvaient se permettre ce luxe et, à plus forte raison, de pleines pages de publicité à seule fin de disserter sur « l'état de la nation ». Dans l'esprit d'Henry, ses trois lettres ouvertes – rédigées évidemment par Cameron – devaient susciter un large débat public. Elles ne soulevèrent pourtant guère d'intérêt. Quand il avait annoncé, en novembre 1929, un salaire minimum de 7 dollars par jour, il avait provoqué un mouvement d'enthousiasme général et avait eu droit aux gros titres des journaux et à un concert d'éloges pratiquement unanime. Mais les Américains venaient de traverser trois années difficiles. Ils regardaient Henry Ford d'un autre œil et avec une certaine méfiance. Il avait tout de même près de 70 ans... Les remèdes de bonne femme qu'il proposait à la crise paraissaient naïfs et inadaptés. « Ford confesse son échec, nota le *Philadelphia Record.* Le fait que le plus grand industriel de tous les temps ne puisse donner un emploi à ses ouvriers et les utilise à balayer les arrière-cours et les rues d'une ville ou à faire du jardinage prouve la faillite de ses idées. »

Will Rogers, qui avait été l'hôte d'Henry à Dearborn et qui lui gardait sans doute une certaine reconnaissance, fit preuve de plus d'humour. Puisque « beaucoup de gens ne possèdent pas de jardin, écrivit-il, pourquoi Mr. Ford n'en installerait-il pas dans ses voitures ? Nous pourrions ainsi conduire et bêcher en même temps ».

Dans le *New York Times,* Anne O'Hare McCormick exprima encore mieux le sentiment général. Après avoir effectué un reportage à Detroit et à Dearborn au printemps 1932, elle décrivit la situation en termes sombres. La fabrication en série était peut-être un miracle en période de prospérité mais quand la production baissait elle ne fabriquait rien d'autre que de la pauvreté en série. La dépression avait tout remis en question. « Quelque chose est arrivé à Ford, notait la journaliste, et, à travers lui, à l'Amérique qu'il représente. »

William Knudsen sortit sa Chevrolet six-cylindres à la fin de l'année 1929. Quelques semaines plus tard, traversant les laboratoires de Dearborn, Henry s'arrêta près du bureau de l'ingénieur Fred Thoms. « Nous allons passer de quatre à huit, lui dit-il, puisque Chevrolet en est à six. Trouvez-moi tous les moteurs huit-cylindres que vous pourrez. »

Ce type de moteur n'avait rien de nouveau. Un V8 – V représentant la position selon laquelle étaient disposés les cylindres – avait été réalisé par Cadillac dès 1914. Cette société avait également produit un V12 et un V16 en 1930. C'étaient des moteurs de haut de gamme, sophistiqués et à des prix très élevés. Ford voulait faire la même chose mais vendre quatre fois moins cher. En décidant de produire au rythme de 40 unités à l'heure ou davantage, il affrontait des problèmes que personne n'avait encore abordés.

Fred Thoms rassembla tous les moteurs V8 qu'il put trouver et les aligna dans le laboratoire. Tous comprenaient deux ou trois parties. Après les avoir longuement testés et examinés, les ingénieurs de Ford mirent au point, en mai 1930, un prototype coulé en un seul bloc. Un second fut achevé en novembre. Pendant tout l'hiver, ils travaillèrent sous la direction du patron qui faisait rectifier chaque version, lui trouvant toujours quelque défaut. En un an, une trentaine de moteurs V8 furent ainsi conçus, fabriqués, testés et finalement rejetés. Selon Thoms « il était complètement fou ».

On aurait dit une réédition de l'affaire du moteur X. Rassembler huit cylindres en un seul bloc sans provoquer de fêlure ou d'explosion par suite de la tension défiait toutes les limites alors connues de la métallurgie. Ford avait envisagé une alternative puisqu'il avait passé commande de 600 pistons expérimentaux pour un six-cylindres. Cependant, après une longue réunion avec Edsel, la décision de fabriquer le V8 fut finalement prise.

C'était faire preuve d'une grande audace. Quatre mois plus tôt, on avait conçu une version améliorée du Modèle A, le Modèle B, à la carrosserie plus basse et aux lignes plus allongées qui devaient convenir au nouveau moteur. Selon les calculs de Sorensen, un investissement de 50 millions de dollars était nécessaire, mais Ford ne lésinait jamais quand il s'agissait d'améliorer la technique. « Nous avons trop d'argent en banque », disait-il et il donna le feu vert au chef de production qui commanda un fourneau mobile pouvant contenir deux tonnes de métal en fusion et se déplaçant le long de la chaîne de montage pour remplir les moules. Ce fut la merveille de Detroit. L'alliage devait être parfait et Sorensen reçut également carte blanche pour acquérir l'équipement électrique le plus perfectionné.

A une époque où la dépression devenait de plus en plus aiguë, tous ces investissements impressionnèrent davantage les consommateurs que les conseils de Ford de créer des coopératives et des jardins. Avant la présentation, le 31 mars 1932, de la nouvelle « V8 », 100 000 commandes avaient déja été passées et ce chiffre doubla dans les jours qui suivirent.

Le moteur d'origine était loin d'être parfait. L'inclinaison des cylindres posait des problèmes de lubrification et les pistons consommaient trop d'huile. Ce défaut fut corrigé après un an de production et la V8 connut la carrière la plus longue de toutes les Ford. Au début des années cinquante, son moteur était toujours le même que celui conçu vingt et un ans plus tôt sous la direction exigeante d'Henry.

Le constructeur n'avait rien perdu de son habileté. Sur le plan politique et social, il n'avait pu relever le défi de la dépression, mais il restait toujours un grand ingénieur. « J'ai retrouvé mon ancien dynamisme », disait-il aux journalistes en sautant des barrières et en montant quatre à quatre des escaliers pour prouver qu'il se sentait encore jeune bien qu'il approchât de 70 ans. Sa V8 à 460 dollars (650 dollars pour le modèle de luxe) fut un nouveau triomphe populaire. Les consommateurs à revenus moyens et surtout les jeunes pouvaient enfin s'offrir une voiture qui roulait vite.

Les gangsters trouvaient la V8 particulièrement bien adaptée à leur genre de travail. Grâce à ses reprises nerveuses, ils échappaient facilement à leurs poursuivants. « Salut, mon vieux! écrivit à Henry en 1934 John Dillinger, l'ennemi public nº 1, entre deux hold-up. Vous avez fabriqué une voiture magnifique. C'est un plaisir de la conduire. » Clyde Barrow, du fameux tandem Bonny and Clyde, apporta aussi son témoignage : « J'ai toujours volé exclusivement des Ford quand j'ai eu besoin de prendre la fuite. »

Ces hommages spontanés des héros populaires de l'époque constituaient une sorte de parodie des publicités traditionnelles, mais, quand Bonny et Clyde connurent une fin tragique et sanglante en 1934 sur les collines de pins du nord de la Louisiane, ils offrirent à Henry Ford un ultime « coup » publicitaire. Leur Desert Sand V8 Fordor, volée vingt-trois jours plus tôt à Topeka, Kansas, à 1 200 kilomètres de là, fut criblée de 107 balles. Lorsque les corps des bandits furent enlevés de la voiture, on fit appel au concessionnaire Ford local pour la dépanner. Le moteur se mit en marche au premier coup de démarreur.

19

Le protecteur des arts

Edsel, qui supportait de plus en plus mal les limitations que lui imposait son père au sein de la Ford Motor, éprouva le besoin de trouver d'autres centres d'intérêt et se tourna vers l'art. Eleanor et lui-même devinrent, au cours des années vingt et trente, deux des amateurs d'art les plus éclairés des États-Unis. Pendant les sombres moments de la dépression, Detroit – et l'Amérique – furent dotés, sous le patronage du jeune Ford, d'un chef-d'œuvre qui reste un témoignage frappant de cette époque tourmentée. Il constitue aussi un monument à la gloire d'un père génial et tyrannique.

Le docteur William Valentiner fut celui qui aida Edsel Ford à exprimer les aspects les plus subtils de son caractère et sa sensibilité. Cet Allemand aux yeux vifs, légèrement imbu de lui-même, arriva à Detroit en 1921 pour assurer la direction artistique du musée de la ville.

Detroit possédait son propre musée depuis 1885, mais le moins qu'on puisse dire est qu'il était laissé à l'abandon. Parmi d'authentiques œuvres d'art, on trouvait des collections de coquillages et d'œufs d'autruche légués par ses riches protecteurs d'où le mépris des esthètes de la ville comme Charles Lang Freer, le magnat des chemins de fer, qui avait légué son inestimable collection de tableaux de Whistler et d'art oriental à la Smithsonian Institution de Washington. Le président du comité municipal des arts, Ralph Booth, qui souhaitait donner au Detroit Institute of Arts une direction plus éclairée, fit appel à Valentiner.

Celui-ci comprit très vite le potentiel financier de la cité de l'automobile. Au début des années vingt, il était facile de trouver de l'argent. D'autre part, on achetait alors les tableaux à des prix incroyablement bas. Un Van Gogh coûtait 4 000 dollars, un Dufy moins de 100.

Valentiner rencontra d'abord Henry Ford lors d'un dîner offert en son honneur. « Il y avait plus d'une centaine d'invités, écrivit-il à l'un de ses amis, et parmi eux Ford et d'autres magnats de l'industrie assis à de petites tables éclairées par des bougies. » Il n'espérait pas grand-chose des rois de l'automobile, connaissant « leur manque de goût et de jugement en matière artistique », mais il fut agréablement surpris par Ford. Il flatta les tendances mystiques du constructeur, que beaucoup de gens ignoraient, en discutant avec lui des sympathies ou des antipathies spontanées qui peuvent naître entre des personnes qui se rencontrent pour la première fois. Henry avait son opinion sur le sujet et estimait que, dans l'avenir, la science « pourrait prouver que les pensées sont aussi de la matière ». Valentiner était du même avis. « Il est fort possible, dit-il, que les peintures continuent à nous parler de façon si vivante à travers les siècles parce que la pensée des artistes s'y est matérialisée. » Henry fut frappé par cette idée qu'il jugea « tout à fait plausible ».

Valentiner jeta vite son dévolu sur le fils Ford. Son expérience des familles fortunées lui avait appris que c'est en général la seconde génération qui manifeste un intérêt pour l'art. Une voyante lui avait d'ailleurs prédit qu'il obtiendrait « de grands succès » avec Edsel. Comme il avait entendu dire qu'il possédait une coupe persane ancienne, il demanda à la voir afin d'écrire un article à ce sujet. Pendant leur conversation, il essaya d'intéresser le jeune homme à ses projets de réorganisation du musée.

Edsel réagit favorablement et invita son visiteur à venir lui donner, ainsi qu'à Clara, des cours privés. Les Kanzler se joignirent à eux. Chaque soir, Valentiner apportait une peinture ou une sculpture et faisait un exposé. Son enseignement porta ses fruits. Alors qu'il se trouvait en Allemagne en avril 1926, il reçut une lettre de Clara et d'Edsel qui venaient de faire à Londres leur première acquisition : le diptyque de *l'Annonciation* de Fra Angelico.

L'existence d'Edsel prit dès lors une autre dimension. William Richards, un journaliste avec qui Henry Ford était en relation, fut frappé par ce changement en entendant un jour le jeune homme parler avec érudition et sensibilité de Benvenuto Cellini. Il fut l'une des rares personnalités non new-yorkaises à accorder son patronage au musée d'Art moderne de New York. Il orna son bureau de portraits de George Washington et d'Alexander Hamilton exécutés par des peintres de la première école américaine. Avec sa femme, il établit un programme systématique d'acquisitions pour eux-mêmes et pour le musée. En l'espace de quelques années, ils achetèrent quelques Holbein, un Pissarro, un Titien et un Pérugin. La plupart de leurs donations étaient anonymes, mais il est certain que le discernement et la générosité dont ils firent preuve contribuèrent fortement à élever le Detroit Institute au rang qu'il occupe aujourd'hui parmi les six principaux musées américains.

Le plus beau joyau de toutes ces œuvres d'art est cependant une création du Nouveau Monde. Tout commença par une rencontre entre Valentiner et la championne mondiale de tennis Helen Wills Moody.

La jeune femme s'était rendue à Detroit pour participer à un tournoi. Elle avait fait des études artistiques et connaissait la nouvelle réputation du Detroit Institute acquise sous la direction de Valentiner. Avec l'aide de la municipalité, celui-ci avait doté le musée d'œuvres de grands peintres modernes : le DIA [1] fut le premier musée américain à posséder un Matisse. Il avait également consacré une galerie à l'art indien à partir des trophées de guerre du général George Armstrong Custer.

Accompagnée de sa mère, Helen Wills se rendit un soir vers six heures à l'Institut et y fut accueillie par Valentiner qui leur fit visiter le musée. « Soudain, confesse-t-il dans son journal intime en juin 1929, le tennis me passionne davantage que l'art. D'une certaine façon, les femmes américaines aux proportions parfaites sont plus proches des modèles grecs classiques que leurs homologues européennes. »

Il passa ses vacances de l'hiver 1930 à San Francisco pour rejoindre la jeune femme et découvrit qu'entre deux matchs elle posait pour un peintre mexicain, Diego Rivera, qui exécutait des fresques pour la Bourse. Celui-ci avait représenté la jeune championne en « Esprit de la Californie », son corps nu recouvert de fleurs et de fruits. A ses côtés, des ouvriers symbolisaient l'énergie et la prospérité de la côte ouest. Helen Wills présenta Valentiner à l'artiste.

Le nom de Diego Rivera était déjà bien connu des milieux artistiques. Quelques semaines après sa rencontre avec Valentiner, il fit une exposition au musée d'Art moderne de New York. Sympathisant communiste, il avait participé à la révolution mexicaine. Le gouvernement soviétique l'avait officiellement invité en 1927 et il avait exécuté à Moscou des fresques commémorant le dixième anniversaire de la révolution d'Octobre. Son style de peinture était en soi une prise de position politique. A Mexico, l'une de ses œuvres les plus célèbres, réalisée sur les murs du ministère de l'Éducation nationale et intitulée *Le Dîner capitaliste*, représente Rockefeller, Morgan et Ford autour d'une table en train de manger.

Pour les ignorants, les créations de Rivera évoquaient celles d'un paysan qui aurait manié le pinceau pour la première fois. Elles avaient

1. Detroit Institute of Art.

quelque chose de caricatural. Il s'inspirait des formes primitives des objets rituels des Mayas, et ses personnages avaient un aspect déformé et lourd.

Le lien était cependant évident entre le primitivisme de sa peinture et le jugement qu'il portait sur la technologie moderne : les esclaves qui avaient construit les monuments mexicains étaient aussi chers à son cœur que les ouvriers des usines. Ami de Trotsky qu'il avait hébergé à Mexico, il se considérait comme un peintre du peuple. Sur le plan politique ou artistique, rien, a priori, ne pouvait lui attirer les faveurs des Nord-Américains. Cependant Valentiner pensa à lui pour l'un de ses projets.

Le directeur du musée réfléchissait depuis quelque temps à la façon dont il pourrait transformer la cour du Detroit Institute qui lui semblait trop austère avec ses colonnes, ses fontaines et ses plantes vertes en pot. Selon lui, le cœur du musée devait être plus vivant. Diego Rivera était tout désigné pour donner à l'ensemble plus d'éclat et d'authenticité et en faire un symbole à la fois de Detroit et de l'Amérique du Nord.

Valentiner ne pouvait toutefois engager le Mexicain sans savoir s'il pouvait le payer. Abandonnant Helen Wills et la Californie, il rentra en toute hâte à Detroit pour présenter son idée au comité municipal des arts : Diego Rivera pourrait peindre des fresques représentant le développement industriel de la ville sur les murs de la cour intérieure. Edsel Ford soutint sa proposition avec enthousiasme et versa immédiatement une contribution personnelle de 10 000 de dollars. Rivera accepta de venir à Detroit dès qu'il aurait un moment libre dans son emploi du temps. Il devait y rester un an.

A son arrivée, le 21 avril 1932, Edsel lui fit visiter les principales entreprises industrielles de la région : les centrales hydrauliques, les dépôts de chemins de fer, les mines de sel et les usines de produits chimiques de Wyandotte et, bien sûr, l'usine de Rouge River qui enflamma immédiatement l'imagination du peintre. Il était convaincu que les réalisations techniques américaines, les gratte-ciel, les ponts, les autoroutes et les voitures, représentaient les merveilles du monde moderne « sans comparaison avec tout ce que l'homme avait fait dans le passé ». Les ingénieurs étaient des artistes exprimant par leur génie la créativité des temps nouveaux. Les Américains n'avaient nulle raison de se sentir inférieurs et d'aller chercher leur inspiration en Europe. « Elle est là, déclara-t-il au *New York Herald Tribune*, dans la puissance, l'énergie, la tristesse, la gloire et la jeunesse de nos pays. »

Les cheminées géantes et les hauts fourneaux lui semblèrent l'équivalent moderne des pyramides, et il se mit aussitôt à faire des croquis. Initialement, William Valentiner avait décidé de commander deux fresques à l'artiste. L'une serait consacrée à l'industrie automobile tandis que l'autre évoquerait l'histoire de Detroit, de son peuplement et de sa croissance. Rivera estima qu'il pouvait tout exprimer à travers la grandiose réalisation de Ford : la perfection et la puissance terrifiante des machines et les milliers d'ouvriers qui s'activaient autour d'elles. Quel meilleur sujet pour un peintre que la plus grande usine du monde ?

Au bout d'un mois, il invita Valentiner et Edsel à examiner ses esquisses. Trois personnes l'avaient accompagné à Detroit : Lord et Lady Hastings, des aristocrates anglais amateurs d'art, et sa femme Frida Kahlo, déjà célèbre pour ses tableaux surréalistes. Si l'on en juge d'après ses photographies, Rivera n'était pas ce qu'on appelle un bel homme : il était corpulent, d'apparence négligée, avec des traits mous et enfantins et un énorme nez couvert de verrues. Mais le nombre de ses femmes et de ses maîtresses tend cependant à prouver qu'il était doué d'un profond magnétisme.

Lady Hastings avait préparé le dîner. Les deux couples occupaient des suites au Wardell, un hôtel situé en face du Detroit Institute. Tout le monde se réunit chez le peintre. Il connaissait mal l'anglais, parlait espagnol avec sa femme, italien avec Lady Hastings et français avec Valentiner. Edsel et lui se limitèrent sans doute à échanger des sourires, mais quand on en vint aux croquis, la barrière du langage disparut. Edsel Ford fut conquis. La puissance artistique du dessin s'alliait à une précision presque photographique. Henry Ford lui-même, une fois les peintures achevées, fut étonné du respect des proportions. Dès le lendemain, le comité des arts accepta le projet.

« Celui qui n'est pas avec le peuple est contre le peuple », disait Diego Rivera. Avec les affres de la dépression, on voyait les usines d'un autre œil. Elles aspiraient les ouvriers, les broyaient puis les rejetaient sans remords comme elles le faisaient de l'acier, du fer ou du caoutchouc. Rivera commença rageusement à transposer ses sentiments sur les murs du Detroit Institute. L'usine avait réduit les hommes en esclavage, et c'était cette histoire qu'il avait choisi de raconter. Les personnages de ses fresques n'avaient pas de visage, victimes anonymes d'un gigantesque processus mécanique dont les profits ne leur revenaient pas.

Mais il y avait aussi, dans cette sorte de chorégraphie de la chaîne de montage, un rythme auquel le peintre était sensible. Detroit avait été durement frappée par la crise mais la situation n'y était pas aussi dramatique que dans d'autres régions. Les ouvriers qui travaillaient encore chez Ford en 1932 représentaient une élite. Un nouveau héros collectif était né de l'union de l'homme et de la machine, « plus grand que tous les héros de légende ». Le travail en harmonie avec la machine en faisait des surhommes. Tout leur était possible. « Marx a élaboré la théorie, disait-il, Lénine l'a mise en pratique... et Henry Ford a ouvert la voie à un État socialiste. »

Le peintre ne parlait pas assez bien l'anglais pour exposer ses conceptions sociopolitiques à l'industriel. Frida Kahlo, qui montrait moins d'enthousiasme que son mari pour la cité de l'automobile, se plaisait à choquer la bourgeoisie locale. En prenant le thé avec les dames de Grosse Pointe, elle feignait de ne pas maîtriser la langue et employait volontairement des expressions grossières. Au cours d'un dîner à Fair Lane, Rivera sourit intérieurement en entendant sa femme demander innocemment : « Êtes-vous juif, Mr. Ford ? »

L'industriel ne lui en tint pas rigueur. Il aimait la compagnie des jolies femmes et Frida, toujours habillée à la mexicaine, était très attirante. Il l'invita à danser à l'une de ses soirées à l'ancienne et mit à sa disposition une Lincoln neuve avec chauffeur pour le reste de son séjour à Detroit. Rivera refusa. C'était, dit-il, « une voiture trop luxueuse pour des gens comme nous ». Par la suite, il accepta cependant une modeste Ford.

Le peintre utilisait, pour réaliser ses fresques, un procédé quasi scientifique. Selon la technique des peintres classiques italiens, il se servait d'une préparation de plâtre humide. Une fois les fresques sèches, rien ne pouvait les effacer.

Ce procédé nécessitait une équipe d'assistants qui préparaient les murs, mélangeaient le plâtre aux pigments et jaugeaient l'humidité de l'atmosphère pour déterminer le moment où Rivera pouvait se mettre à peindre. S'il voulait modifier quelque chose ou faisait une erreur, il fallait de nouveau préparer tout le panneau.

Il commençait à travailler en général vers minuit. Ses assistants ponçaient d'abord les pigments au travers de pochoirs de toile pour reporter les contours des dessins sur le plâtre mouillé. Puis Rivera, muni d'une brosse à long manche, peignait les noirs, les blancs et les ombres. Aux premières lueurs de l'aube, il passait aux autres couleurs. Edsel rapporte dans son journal qu'il assistait au moins une fois par semaine à l'exécution des fresques mais, selon des témoins, il venait presque chaque nuit. Il procura à Rivera le verre de qualité supérieure que le peintre utilisait pour donner plus de brillant à ses pigments. Il mit à la disposition de l'artiste un photographe travaillant chez Ford pour qu'il lui fournisse la documentation nécessaire sur l'usine de Rouge River et pour qu'il photographie chaque jour les progrès de la fresque.

Rivera confia à Valentiner qu'Edsel l'avait étonné car « il ne possédait aucune des caractéristiques des patrons capitalistes et montrait la même simplicité et la même franchise que ses ouvriers ». Il estimait aussi que c'était un véritable artiste puisqu'il concevait des modèles de voitures.

Le jeune président de la Ford Motor avait installé son atelier de dessin dans l'ancienne usine Ford. Son père n'intervenait plus dans son travail mais Edsel avait besoin d'espace pour exprimer plus librement ses idées. Rivera lui rendit visite un jour qu'il travaillait sur la maquette d'une nouvelle Lincoln aux lignes aérodynamiques. Les croquis s'étalaient sur trois tableaux noirs. Le peintre fit poser Edsel devant eux. Il l'avait déjà représenté sur ses fresques, ainsi que Valentiner. C'était la tradition de faire figurer les mécènes sur les œuvres qu'ils avaient financées. Ce jour-là, il exécuta un portrait où l'on peut voir le jeune homme debout devant ses croquis qui forment, à l'arrière-plan, une sorte de triptyque. Selon le style propre à Rivera, les traits du visage sont légèrement arrondis, ce qui fait ressortir la douceur et la vulnérabilité du caractère du modèle. On peut même déceler dans le regard comme une souffrance intérieure. Compas et instruments de travail sont étalés sur la table. Derrière Edsel, les esquisses de la voiture donnent l'impression de flotter dans l'espace comme des émanations de sa pensée.

La réalisation des fresques marqua une étape importante dans la carrière de Rivera. Il avait tout de suite senti qu'il fallait faire davantage que les deux grands panneaux représentant la chaîne de montage de la V8. Dans les régions sauvages du Michigan, on trouvait le minerai de fer et le bois. Le caoutchouc poussait dans les plantations qu'Henry possédait en Amazonie. Si l'on voulait vraiment exprimer tout le potentiel de l'usine, il fallait y intégrer ces différents éléments. La conception du peintre rejoignait curieusement celle de l'industriel qui ne s'était pas contenté de créer des usines mais avait aussi voulu se rendre maître des matières premières.

Outre l'espace entre les fresques et le plafond, deux murs étaient encore disponibles dans la cour intérieure. Rivera proposa à Valentiner d'y continuer son travail. Le moment était mal choisi pour collecter des fonds. Pour les notables de Detroit le musée représentait d'ailleurs l'une des premières cibles des mesures d'économie qui s'imposaient. On avait licencié une grande partie du personnel. Le directeur avait accepté de ne pas être payé pendant ses absences. A l'hôtel de ville, certains étaient même favorables à la fermeture pure et simple des galeries de Woodward Avenue et à la vente des collections.

On n'aurait jamais pu éviter cette solution si Edsel n'avait offert de payer pendant un an les salaires du personnel. Il donna également 4 000 dollars pour faire enlever les énormes moulures en plâtre qui cachaient partiellement les fresques. De plus, il dut payer deux fois, sur sa fortune personnelle, les honoraires du peintre, la banque dans laquelle il avait déposé les 10 000 dollars ayant fait faillite.

Valentiner attendit la dernière minute. Le 31 mai 1932, à la veille de son départ annuel pour l'Europe, on donna un dîner en son honneur. Il se rendit ensuite chez Mrs. William Clay, la mère d'Eleanor dont on fêtait l'anniversaire. Il savait que toute la famille serait rassemblée et trouva en effet les Ford et les Kanzler en train de jouer aux cartes. Il prit place à une table où se trouvaient Eleanor et sa sœur Josephine et commença à parler du travail de Rivera sans oser évoquer ce qu'il avait en tête, mais la jeune Mrs. Ford le devina fort bien. « Edsel, dit-elle à son mari, je trouve William très nerveux. J'ai l'impression qu'il a quelque chose à te dire. Allez donc discuter entre vous. »

Ce fut ainsi que Rivera décrocha sa commande et que le Detroit Institute fut doté d'une œuvre d'art exceptionnelle recouvrant chaque centimètre carré des murs de la cour intérieure. Au-dessus des panneaux représentant les ouvriers au travail, des personnages aux proportions impressionnantes, au sein d'une nature sauvage, tamisent entre leurs doigts énormes le sel, le sable et les roches. Ces géants, des Indiens, des Noirs, des Asiatiques et des Caucasiens, symbolisent les quatre races qui ont créé l'Amérique du Nord. Leurs traits lourds et impassibles évoquent étrangement les machines, et en retour les machines elles-mêmes semblent avoir un visage, comme des idoles de métal auxquelles les ouvriers font des sacrifices humains.

Henry Ford le fondateur, figure également dans les fresques, donnant un cours sur le moteur V8 à des apprentis. Sorensen est représenté avec un visage sévère, presque sinistre, surveillant la chaîne de montage et symbolisant l'autorité. Des hommes et des femmes en tenue de travail gris-bleu attendent leur paie devant un blindé ou traversent la passerelle de Miller Road pour rentrer chez eux. D'autres panneaux illustrent les aspects pacifiques ou destructeurs de la technologie : des avions de tourisme et des appareils militaires, la recherche médicale et la guerre chimique, tandis qu'un bébé sort d'une graine, comme une plante.

Quand les habitants de Detroit découvrirent cette explosion d'images extraordinaires, ils furent profondément choqués. Des rumeurs circulaient depuis longtemps sur les sommes fabuleuses payées à un artiste – et de plus un étranger – pour étaler ses couleurs criardes sur les murs d'un édifice respectable. Le jour de l'inauguration organisée pour les notables qui finançaient le DIA, la désapprobation fut générale. Tout en buvant leurs cocktails, les résidents de Grosse Pointe déploraient la perte de leur paisible cour avec ses fontaines et ses plantes vertes. Les fresques représentaient précisément la réalité qu'ils refusaient de voir. Pourquoi aller au musée si l'on y était confronté à la grisaille et à la laideur qu'on pouvait voir tous les jours à Wyandotte? Quelqu'un suggéra que le señor Rivera aurait pu choisir des sujets plus agréables : un concert, un festival en plein air, une exposition artistique. Le peintre répondit sans ménagements qu'une usine lui semblait plus digne d'intérêt que ce genre de manifestations.

Cette hostilité feutrée ne fut rien en comparaison de la tempête qui secoua la ville quand l'exposition fut ouverte au public. Grâce à de petits détails, une étoile rouge sur le gant d'un ouvrier, une boussole indiquant le nord-est, c'est-à-dire la direction de Moscou, les classes moyennes saisirent immédiatement le message. De façon moins directe, il se dégageait de l'ensemble un esprit de subversion. Ces travailleurs à la musculature puissante évoquaient une menace. Ils pouvaient aussi bien détruire que perpétuer le processus dans lequel ils étaient engagés. C'étaient eux qui maintenaient le monstre en vie et, dans ces années-là, on voyait déjà poindre les signes annonciateurs des futures organisations syndicales. Plus tard, les responsables syndicaux amèneront leurs nouvelles recrues pour qu'ils s'inspirent de ces peintures. Commanditées par un capitaliste, les fresques allaient devenir le moyen d'une prise de conscience pour le prolétariat.

On évita soigneusement de faire au peintre des critiques politiques. Il posait des problèmes sociaux trop aigus et le communisme n'était pas encore devenu la cible qu'il serait plus tard. Les objections furent surtout d'ordre moral et religieux. On jugea pornographiques les divinités de la terre aux poitrines opulentes. Sur le panneau représentant les utilisations pacifiques de la technologie, un médecin en blouse blanche vaccine un bébé. Il est entouré du cheval, de la vache et du mouton qui ont servi à tester le produit. Le groupe de la mère et de l'enfant évoque une nativité. Ce fut considéré comme un véritable blasphème.

Le révérend Higgens, un pasteur anglican, envoya une lettre ouverte de protestation aux journaux. D'autres hommes d'Église, des politiciens, des clubs féminins suivirent son exemple. L'indignation était générale. Le musée reçut en quelques jours 20 000 visiteurs. On n'avait jamais vu une telle affluence. Le verdict fut unanime : il fallait détruire les fresques.

Edsel Ford, qui présidait le comité des arts de la ville, resta inébranlable. Aidé par les employés du musée qui avaient organisé une campagne de soutien en faveur de Rivera, il maintint fermement sa position. Les fresques ne furent ni détruites ni voilées, comme certains le demandaient.

Le peintre se rendit ensuite à New York pour décorer le hall du Rockefeller Center qu'on venait de construire sur la Cinquième Avenue. Il discuta au préalable du thème de ses fresques avec ses commanditaires. L'œuvre était déjà fort avancée quand on apprit qu'elle comporterait un portrait de Lénine. L'opinion publique new-yorkaise réagit encore plus violemment que celle de Detroit. Le 9 mai 1933, les gardes du service de sécurité firent descendre Rivera de son échafaudage et l'expulsèrent du bâtiment avec toute son équipe. On recouvrit en toute hâte les peintures avec des bâches. Quelque temps plus tard, on les fit entièrement disparaître.

20

Les banques en vacances

Edsel et sa femme s'installèrent à Grosse Pointe en 1929. Henry leur avait revendu, trois ans plus tôt, le terrain qu'il possédait à Gaukler Point, sur les bords du lac Saint-Clair, et ils s'adressèrent à Albert Kahn pour concevoir les plans d'un manoir dans le style des Costwolds.

L'architecte s'était fait une réputation internationale en créant des usines strictement fonctionnelles et en utilisant du béton précontraint et de larges surfaces vitrées. En revanche, quand il s'agissait de construire des maisons particulières, ses conceptions n'avaient plus rien de moderne. Il visita la région des Costwolds et remarqua que la plupart des habitations étaient faites d'éléments ajoutés au cours des siècles à un corps de bâtiment principal. Le manoir traditionnel des Cotswolds est en général une construction plutôt sévère aux lignes sobres. Kahn réalisa un ensemble hétéroclite, avec des toits en cascade, des cheminées et des lucarnes.

Les propriétaires furent cependant enchantés de leur nouveau domaine qui ne manquait pas d'espace avec ses 36 hectares. Les enfants pouvaient y jouer en toute sécurité. Tous les amis du couple qui habitaient précédemment Indian Village vinrent bientôt les rejoindre à Grosse Pointe. C'était tout à fait le genre de personnes fortunées et influentes qu'Henry Ford avait toujours fuies. Phelps Newberry, le fils du sénateur qui avait combattu la candidature d'Henry, comptait parmi les plus proches relations d'Edsel.

Ernest et Josephine Kanzler, qui étaient non seulement parents mais amis intimes des jeunes Ford, habitaient aussi une maison sur les bords du lac. Kanzler, outre de multiples violons d'Ingres, était un passionné de tennis. Les deux couples firent construire un court fermé – le Tennis House – qui devint une sorte de petit club où ils se retrouvaient l'hiver avec leurs amis.

Après avoir quitté la Ford Motor, le beau-frère d'Edsel s'était lancé dans la haute finance. En 1926, l'économie américaine était en pleine expansion. Il créa une société d'investissements, la KFH, avec George Fink et Carlton Higbie. On pouvait faire, à cette époque, des affaires fructueuses en prêtant ou en empruntant de l'argent et en faisant des transactions boursières.

Les trois associés fondèrent ensuite une banque, la Guardian Detroit Company, avec pour objectif de gérer « toutes les opérations bancaires et les investissements pour les individus et les sociétés ». Dans les années vingt, il était courant de créer de nouvelles sociétés plutôt que des filiales. Ainsi naquirent bientôt la Guardian Trust Company, le Guardian Detroit Bank et l'Union Guardian Trust.

Avec la croissance du groupe, d'autres banques la rejoignirent ou furent absorbées, comme par exemple la German American Bank dont le président, John Gray, avait avancé le capital pour le démarrage de la Ford Motor en 1903. Le Guardian Group réunissait, en 1929, vingt-cinq banques et organismes de gestion. La liste de ses directeurs constituait le « who's who » de Grosse Pointe : Howard Bonbright, Ralph Booth, Roy Chapin, George Fink, Carlton Higbie, Alvan Macauley, Phelps Newberry, les Shelden et, bien sûr, Edsel Ford. Kanzler en était la cheville ouvrière. L'ex-avocat, l'ex-cadre de l'industrie automobile donna la pleine mesure de ses capacités. Il travaillait avec acharnement, savait prendre des décisions rapides et possédait un précieux atout : un beau-frère fortuné. Tout le monde savait qu'il avait l'argent des Ford derrière lui. En l'espace de deux ans, le Guardian Group était devenu le groupe financier le plus puissant du Michigan avec Kanzler pour président et Edsel pour principal actionnaire – il détenait 50 000 parts. La Ford Motor constituait leur plus gros client car Henry avait finalement accepté le système de la vente à crédit. Les deux sociétés créèrent même une association, l'Universal Credit Company, qui offrait ses services à la fois aux constructeurs et aux acheteurs. Pendant sa première année d'exercice, elle accorda plus de 400 000 prêts, ce qui, par contrecoup, augmenta le volume des ventes du Modèle A et rapporta de confortables bénéfices.

Le Guardian Group se spécialisa également dans les hypothèques pour la clientèle privée et les promoteurs immobiliers. Les directeurs firent construire le siège du groupe sur Griswold Street. On peut encore voir aujourd'hui ce gratte-ciel de 36 étages, témoignage d'une époque où gagner de l'argent était un jeu d'enfant. Quand il fut inauguré, fin mars 1929, le *Detroit News* le qualifia de « cathédrale de la finance ».

En se lançant dans les affaires, Edsel affirmait son indépendance. Non seulement, il exerçait une activité personnelle, mais encore il lançait une sorte de défi à son père – la seule façon dont il pouvait l'affronter. Il finançait et soutenait publiquement Kanzler qui avait eu l'audace de remettre en question les idées du constructeur. En devenant directeur et membre du conseil d'administration du groupe, il ne pouvait que s'attirer la réprobation d'Henry dont la méfiance à l'égard des banquiers, des bailleurs de fonds et des spéculateurs était légendaire.

Le krach de Wall Street, en octobre 1929, prouva cependant que le conservatisme financier de l'industriel ne manquait pas de sagesse. Comme d'autres entreprises qui avaient connu un développement spectaculaire au début des années vingt, le groupe Guardian connut vite de sérieuses difficultés. Son expansion avait été fondée sur le crédit. Or, les emprunts cessèrent. Les clients différèrent ou annulèrent le paiement de leurs dettes. Le groupe lui-même avait fait des emprunts massifs. L'argent ne rentrant plus, il ne pouvait faire face à ses engagements.

Le recouvrement du capital sur les biens hypothéqués ne représentait pas un remède, les valeurs de l'immobilier ayant considérablement baissé après le krach. Fin 1930, Kanzler se décida de faire appel à son beau-frère. Edsel transféra son propre capital déposé dans d'autres banques et versa également des fonds appartenant à la Ford Motor. Le procédé n'avait rien d'illégal et, entre décembre 1930 et janvier 1933, il fit ainsi 12 millions de dollars de dépôts. En 1932, le groupe avait déjà emprunté 15 millions à la RFC (Reconstruction Finance Corporation), un organisme créé par le président Hoover pour venir en aide aux banques.

Emprunter ne suffisait pas. Les actions du Guardian Group, cotées 350 dollars à Wall Street en 1929, tombèrent à 75 dollars en 1930. En octobre de cette même année, on élabora un plan pour les faire remonter. Il s'agissait d'acheter 60 000 actions afin d'en faire remonter le prix jusqu'à 100 dollars, et de les garder un an. Kanzler, Roy Chapin et 110 directeurs des sociétés qui composaient le groupe créèrent un comité pour monter cette opération. Ils encouragèrent les jeunes cadres des sociétés à faire de même et ceux-ci, flattés d'être mis dans la confidence, empruntèrent pour acheter des actions.

Ce fut un échec car il n'y eut pas de hausse des valeurs en Bourse. L'histoire financière des États-Unis dans cette période cruciale est faite d'une série de rêves avortés. La dépression semblait ne devoir jamais finir. Les journaux annonçaient périodiquement qu'on avait atteint le creux de la vague, mais le pire était toujours à venir.

Pour financer les activités boursières de ses directeurs et employés, le groupe dut puiser dans ses propres réserves. En 1932, la Guardian National Bank avait prêté à son personnel 3 481 000 dollars, soit 34 %

de son capital. Cette pratique d'autofinancement était parfaitement illégale et passible d'emprisonnement.

C'est alors que des inspecteurs fédéraux se rendirent dans le Michigan pour enquêter sur l'usage fait par le Guardian Group des fonds obtenus du RFC. Dans les années 1850, les banquiers du Michigan abusaient facilement les contrôleurs en transportant d'une banque à l'autre, avant leur arrivée, des caisses remplies de clous recouverts de quelques couches de pièces d'argent. En 1932, ce genre d'opération s'effectuait directement sur les livres de compte. Herbert Wilkin, l'administrateur-adjoint, fut condamné à 5 000 dollars d'amende pour falsification. Au cours du procès qui eut lieu à Flint, à une soixantaine de kilomètres de Detroit, on découvrit un trou de 600 000 dollars dans les comptes.

Edsel et Kanzler n'étaient vraisemblablement pas au courant de ces agissements. Rien ne permet, en tout cas, de l'affirmer. Ils ne s'occupaient pas des détails quotidiens mais il est certain que, dans des sociétés comme la leur, on faisait pression sur les employés pour rogner sur les dépenses. Après l'enquête des inspecteurs fédéraux, 33 membres du personnel furent accusés de fraude, mais seul Wilkin passa en jugement.

Pour maintenir la confiance des clients jusqu'à une reprise de l'économie, le groupe n'hésita pas à déclarer, entre 1930 et 1932, 9 millions de dividendes qui n'avaient aucun rapport avec la réalité. En janvier 1933, une importante compagnie d'assurances, qui avait prêté de l'argent à l'Union Guardian Trust Company pour des hypothèques immobilières, demanda de façon pressante à être remboursée. Manquant d'argent liquide, l'Union, l'un des plus faibles maillons du groupe, fut contrainte de demander un nouveau prêt de 50 millions de dollars au RFC. L'organisme en proposa 37 millions, à condition qu'Edsel Ford et les principaux déposants fournissent les 13 millions complémentaires. Ceux-ci y parvinrent et pensaient être tirés d'affaire quand, sans crier gare, de vieux antagonismes réapparurent. James Couzens, sénateur du Michigan, présidait un sous-comité du Sénat pour la Banque et la Monnaie. Il dénonça l'intervention du RFC. Il avait déjà contesté un prêt de 90 millions de dollars consenti à Charles Dawes, le président du RFC, pour sa propre banque, la Central Republic de Chicago. L'Union Guardian, dit-il, était « l'enfant chéri de Mr. Ford », et ce n'était pas aux contribuables à lui venir en aide.

Cette intervention, faite devant le Sénat en février 1933, attira l'attention d'Henry sur les problèmes du Guardian Group. Tant que son nom et sa réputation n'avaient pas été mis publiquement en cause, il ne s'en était pas préoccupé. La Ford Motor devait bien déposer son argent quelque part, et il valait mieux que ce fût dans la banque d'Edsel que dans le groupe des Detroit Bankers financé par ses rivaux, la General Motors et Chrysler. Les questions financières ne l'intéressaient pas. Il laissait ce soin à Edsel, Liebold et Craig, le trésorier général.

Ses différents projets l'absorbaient totalement : Inkster, Greenfield Village, sa compagnie aérienne – qu'il abandonna d'ailleurs en 1933 – et la V8. Selon son habitude, il travaillait du matin au soir, mettant la main à la pâte et dirigeant les recherches avec Fred Thoms et son équipe. Les problèmes bancaires constituaient le dernier de ses soucis et Edsel n'avait aucune raison de lui en parler.

L'éclat de Couzens changea la situation. Non seulement Edsel ne pouvait plus cacher les difficultés du Guardian Group, mais il était encore contraint de demander de l'aide à son père. Il vivait dans une tension permanente. Avec la chute des actions, il avait perdu 14 millions de dollars. William Valentiner estima que le total des pertes d'Edsel Ford s'élevait au moins à 20 millions, et il nota dans son journal qu'il était « plus déprimé que jamais ». Ses employés remarquaient sa mauvaise humeur et son changement de caractère.

Il était acculé. Comment parler à son père après s'être associé avec des personnes que celui-ci n'aimait pas, après avoir fait des affaires qui allaient à l'encontre de ses principes ? Les larmes aux yeux, il se confia à Liebold, et le secrétaire personnel d'Henry dit finalement à son patron avec une certaine brutalité : « Vous ne vous occupez guère de votre fils. »

Liebold lui-même était surchargé de travail. Outre ses nombreuses tâches, il s'occupait encore des deux banques de Dearborn que soutenait Ford et qui connaissaient aussi des problèmes pour faire face à leurs paiements. En revanche la situation financière de la société et celle d'Henry lui-même étaient saines. L'industriel s'en était toujours tenu à sa vieille politique : ne pas déposer la totalité de ses économies au même endroit et éviter comme la peste le marché des valeurs. La Ford Motor possédait 50 à 100 millions de dollars de réserves dans des organismes d'État et 100 à 250 millions dans différentes banques. Elle affronta la dépression dans une meilleure position que la plupart des autres entreprises. Si Henry y était disposé, il pouvait facilement venir en aide à son fils.

Il avait de nombreux griefs à son égard, à commencer par son installation à Grosse Pointe. Secrètement, il avait toujours espéré qu'il viendrait habiter près de Fair Lane. Il lui avait réservé un terrain qu'il finit par donner à Dahlinger en 1926. Il n'aimait ni Kanzler ni les autres amis d'Edsel et soupçonnait celui-ci de les favoriser dans les contrats passés avec la Ford Motor. De plus, c'était l'époque de la Prohibition et, à Grosse Pointe, on ne respectait guère la loi. Selon Harry Bennett, Henry soudoya un domestique pour savoir ce qui se passait chez son fils. En l'absence du maître et de la maîtresse de maison, Henry se rendit un jour à Gaukler Point et dit à Bennett qui l'accompagnait qu'il avait l'intention de casser toutes les bouteilles de whisky et de champagne stockées dans la maison. Bennett refusa de participer à l'opération mais constata qu'à sa sortie de la maison les vêtements du patron « sentaient l'alcool ».

Les difficultés du Guardian Group fournissaient à Henry une occasion rêvée d'humilier son fils. Il l'avait déjà fait pendant des années mais de façon presque inconsciente, sans intention délibérée. Garder Edsel sous sa coupe était pour lui une façon d'affirmer son pouvoir. Il justifiait son comportement par sa théorie bizarre de la « thérapie par la souffrance », mais il était clair qu'il préférait un fils faible à un fils fort et qu'il n'était pas non plus question pour lui de le laisser aller à la dérive.

On ne sut jamais ce qui se passa entre les deux hommes en février 1933. Ce fut certainement l'heure de la vérité mais ils n'en parlèrent jamais à quiconque. Henry donna immédiatement des instructions à J.B. Craig pour verser plusieurs millions de dollars sur le compte d'Edsel.

Venir à l'aide de Kanzler et de son empire bancaire était une autre affaire. Au cours de la deuxième semaine de février, Roy Chapin, secrétaire d'État au Commerce et membre du conseil d'administration du groupe – une pratique courante sous l'administration Hoover –, avait remis à Henry un message personnel du président. Celui-ci s'engageait, au nom du gouvernement, à faire tout ce qui était en son pouvoir pour sauver le Guardian Group de la faillite à condition que Ford se porte garant.

Le temps pressait. Hoover devait abandonner ses fonctions quinze jours plus tard pour céder la place à Franklin D. Roosevelt qui venait d'être élu. Ce dernier avait promis d'apporter des solutions radicales aux problèmes économiques et certains craignaient une nationalisation des banques. Mais, une fois réglés les problèmes de son fils, Henry ne se sentait plus concerné. De plus, l'intervention au Sénat de son ancien associé l'avait piqué au vif. « Je ne suis pas disposé, dit-il, à mettre de l'argent dans une banque pour empêcher Couzens de dire des bêtises... Si le Guardian Group doit s'écrouler, qu'il s'écroule ! »

Les principaux banquiers et industriels de Detroit se réunirent le 10 février 1933 à Griswold Street. Convoqués à la « cathédrale de la finance » par Alfred P. Leyburn, inspecteur national de la Banque de réserve fédérale du 4e district, ils devaient étudier les moyens de sortir de l'impasse le Guardian Group et, avec lui, tout le système bancaire de Detroit.

Les discussions se poursuivirent pendant trois jours. A une heure trente du matin le mardi 14 février, il fallut se rendre à l'évidence. C'était une défaite totale. Les banques avaient été fermées la veille, jour anniversaire de la naissance de Lincoln. Elles le restèrent. Le gouverneur du Michigan, William A. Comstock, fut contraint de signer une ordonnance décrétant un congé d'une semaine pour les 436 banques et organismes de crédit de l'État. C'était un procédé tout à fait inhabituel. Si, au bout de huit jours, aucune solution n'était trouvée, les établissements ne rouvriraient pas.

A Detroit, on se souvient encore avec horreur de cette période. Les habitants furent pris de panique. Ceux qui avaient eu la chance de retirer de l'argent avant la fermeture des banques se ruèrent sur les épiceries. Les dollars disparurent comme par enchantement. On les cachait soigneusement. Pour payer ses propres factures, la municipalité dut émettre pour 42 millions de papier-monnaie, l'équivalent des assignats de l'époque de la Révolution française. Cette situation dura quatre mois. Certaines entreprises avaient pris la précaution de placer une partie de leurs fonds dans d'autres villes. En février et mars 1933, les jours de paie, la route de Detroit à Chicago était encombrée de fourgons blindés escortés d'hommes armés. Ouvriers et employés se pressaient autour des véhicules pour essayer de toucher leurs salaires en dollars.

Le docteur Conrad Lam, alors jeune interne à l'hôpital Ford, entra un jour dans la salle d'opération où le chirurgien-chef venait de faire une incision à un malade. « Monsieur, lui dit-il, vous m'avez demandé de vous prévenir de l'arrivée du fourgon blindé. » Le praticien enleva aussitôt son masque et sortit. Ce fut ainsi que Conrad Lam effectua sa première opération de la vésicule biliaire.

Après cette catastrophe bancaire, la cité de l'automobile perdit tout espoir de devenir la capitale financière du Middle West. Pendant un certain temps, elle avait été bien près de supplanter Chicago, mais on s'aperçut que toute son économie reposait sur la base fragile d'une seule industrie. Les magnats qui s'étaient querellés pendant trois jours sans parvenir à trouver une solution étaient préoccupés par leurs intérêts personnels et incapables de comprendre que des sacrifices ponctuels sont indispensables pour assurer la réputation d'un marché monétaire.

Detroit ne guérit jamais de cette crise. Aujourd'hui encore, on ressent, au cœur même de la ville, un curieux sentiment d'abandon. Des terrains abandonnés servent de parkings ou sont envahis par les herbes folles. Ces espaces déserts entre de hauts murs rappellent une ville anglaise après le Blitz.

A son arrivée à Detroit en 1932, Frida Kahlo fut abasourdie par l'aspect délabré de la cité de l'automobile qu'elle imaginait grouillante d'animation. Elle la compara à « une petite bourgade minable » et cette image reste encore valable. Son aspect inachevé date des années vingt, quand les spéculateurs immobiliers achetèrent des terrains en comptant sur le boom économique qui cessa aussi vite qu'il avait commencé. On avait investi, en 1926, 183 millions de dollars dans la construction. Après la catastrophe bancaire de 1933, ce chiffre tomba à 4 millions.

L'establishment financier de la ville s'apitoya sur son sort et refusa de s'attribuer la responsabilité de la débâcle. A Grosse Pointe, on parle encore de l'époque où « tout le monde avait perdu son argent ». En réalité, les détenteurs de comptes bancaires rentrèrent intégralement dans leurs fonds. Les propriétaires des banques et les actionnaires furent en revanche obligés par la loi de rembourser leurs clients sur leurs réserves personnelles.

Ils cherchèrent un bouc émissaire et se retournèrent presque tous contre James Couzens. Deux ans et demi plus tard, alors que le sénateur dînait au Detroit Club, ses voisins de table changèrent ostensiblement de place. Griswold Street le considérait comme un traître. Ancien maire de la ville, il était censé défendre ses intérêts à Washington envers et contre tous. Charles Dawes, par exemple, avait abandonné ses fonctions de président du RFC, et Chicago avait ainsi pu recevoir l'aide du RFC et sauver la Central Republic Bank. Couzens, au contraire, avait donné à ses concitoyens un coup de poignard dans le dos.

La réputation d'Henry Ford et de son fils demeura intacte. On les considéra même comme des héros quand, le 24 février, ils offrirent de racheter non seulement le Guardian Group mais toutes les banques de la ville. Ils proposèrent de créer deux nouveaux établissements « avec des hommes qui jouiraient de la confiance du public » et firent une offre de 8 250 000 dollars. La presse locale les couvrit d'éloges et 3 000 personnes se rassemblèrent devant l'Hôtel de Ville pour les acclamer.

Cette proposition était typiquement dans le style de l'opération de Muscle Shoals. Elle équivalait à se rendre maître à bas prix de tout le système bancaire de Detroit. D'autre part, les Ford avaient attribué le fiasco à une « mauvaise gestion », ce qui était particulièrement mal venu, Edsel faisant partie du Guardian Group. Évidemment la General Motors et Chrysler avaient aussi leurs plans. Avec l'aide du RFC, la General Motors fonda son propre réseau, la National Bank of Detroit, qui devint le plus puissant et le mieux organisé de la ville. Il ne resta plus à Henry Ford qu'à créer sa banque personnelle, la Manufacturers National Bank of Detroit, qui ouvrit ses portes en août 1933.

Les relations d'affaires d'Edsel et de Kanzler se détériorèrent. C'était le prix à payer pour avoir sollicité l'aide de son père. Ford retira sa participation à l'Universal Credit Company qui fut vendue au Commercial Investment Trust de New York avec lequel l'industriel traita exclusivement par la suite. Aucune entreprise de construction automobile ne pouvait survivre à cette époque sans accepter des paiements échelonnés mais désormais le nom du constructeur n'était plus associé à un organisme de crédit.

La fermeture des banques de Detroit, en février 1933, mit en lumière l'influence exercée par la cité de l'automobile sur l'ensemble de l'économie américaine. En l'espace d'une dizaine de jours, une réaction en chaîne se produisit dans tout le pays. Le 4 mars, il ne restait plus qu'une poignée d'établissements bancaires en activité. Pour faire face à cette crise d'ampleur nationale, le président Franklin D. Roosevelt fut contraint de décréter la fermeture générale.

Un système qui pouvait ainsi s'effondrer du jour au lendemain prouvait la faiblesse de ses structures. Les dominos étaient tombés les uns après les autres à partir du Guardian Building de Griswold Street. L'incursion d'Edsel Ford dans le monde de la haute finance se terminait d'une façon qu'il aurait difficilement pu imaginer quand il avait commencé à travailler avec Kanzler.

Sur le plan personnel, ce fut encore plus grave. Henry fêta son soixante-dixième anniversaire au mois de juillet 1933. Il était convenu qu'il laisserait à cette occasion les rênes de la Ford Motor à son fils. Après le fiasco du Guardian Group, il n'en fut plus question.

21

La passerelle

Le 7 mars 1932, trois semaines avant la présentation de la nouvelle V8, 3 000 manifestants brandissant des drapeaux rouges marchèrent sur l'usine Ford. Ils revendiquaient une journée de travail de six heures, l'assistance médicale, la suppression de certaines méthodes allant de l'augmentation des cadences à la discrimination dans l'embauche et aux licenciements abusifs. Ils voulaient aussi obtenir le droit de former des syndicats. La manifestation était organisée par la section locale du Parti communiste qui s'était renforcé pendant la crise économique. Dans leur majorité, les 3 000 ouvriers étaient des chômeurs dont les familles mouraient de faim et qui avaient touché le fond du désespoir.

Des démonstrations semblables avaient déjà eu lieu à Detroit devant d'autres usines. La Ford Motor elle-même en avait fait l'expérience. Cependant, les organisateurs de cette « Marche de la faim » n'avaient pas sollicité d'autorisation préalable. La police de Detroit resta vigilante et se contenta de suivre le cortège. A Dearborn, on décida de réagir plus rigoureusement.

La ville dépendait presque entièrement de l'usine. Ford payait 62 % des impôts locaux et la police y était une sorte de section du « Service Department » chargé de la sécurité dans l'entreprise. Elle était dirigée par Carl Brooks qui, avant sa venue à Dearborn, avait été à la tête des services de sécurité de Highland Park. C'était sa seule qualification pour le poste qu'il occupait. Il travaillait directement sous les ordres de Bennett, chef du Service Department.

Avec quarante policiers armés, Brooks attendit les manifestants à l'entrée de la ville et leur ordonna de se disperser. Devant leur refus, les policiers reçurent l'ordre de lancer des bombes lacrymogènes. Les marcheurs se séparèrent en petits groupes et continuèrent leur progression par les rues secondaires et à travers champs. Frappés à coups de matraque par les policiers, ils ripostèrent avec tout ce qui leur tombait sous la main : pierres, morceaux de mâchefer, pieux arrachés aux

Ci-dessus : Henry Ford à dix-sept ans (1880), jeune apprenti à la Dry Dock Company de Detroit.

A gauche : Clara Bryant Ford en avril 1888, peu avant son mariage et son vingt-deuxième anniversaire.

Henry Ford (au dernier rang, troisième à partir de la droite) avec ses collègues de travail de l'Edison Illuminating Company, de Detroit (v. 1892).

En service :
premier portrait officiel
d'Henry Ford (1904).

Le père et le fils : Henry et Edsel dans une Ford modèle F (v. 1905).

Highland Park : l'atelier des machines.

La première chaîne : le montage des magnétos dans l'usine de Highland Park (1913).

Le modèle T,
la première voiture populaire.

Highland Park, 1913 : une journée de production.

Un cours d'anglais à Highland Park, en 1915.

Henry Ford II inaugure le premier haut fourneau de l'usine de Rouge River (mai 1902).

The Ford International Weekly

THE DEARBORN INDEPENDENT

$1.50 — Dearborn, Michigan, August 6, 1921 — Ten Cents

And Now Leprosy Is Yielding to Science

Years of experimenting brings a remedy

Fountain Lake, the Home of John Muir

A story of naturalist's wilderness abode

Fighting the Devil in Modern Babylon

First of a series of articles on New York by Rev. Dr. John Roach Straton

Jewish Jazz—Moron Music—Becomes Our National Music

Story of "Popular Song" Control in the United States

The Chief Justices of the Supreme Court

Only ten men have held this post since the tribunal was first organized

Teaching the Deaf to Hear With Their Eyes

How Chicago is educating afflicted children

Many By-Products From Sweet Potatoes

Recent discoveries prove great possibilities

Un numéro du *Dearborn Independent,* l' « hebdomadaire International Ford ». Au sommaire, entre autres articles : « La lutte contre le démon dans la Babylone moderne ». « Le jazz juif — musique de crétins — devient notre musique nationale ».

A la dure… Henry Ford (ci-dessous).
A gauche, avec les Vagabonds :
Thomas Edison (à gauche),
John Burroughs et Ford
(sur la roue du moulin),
et Harvey Firestone (à droite).

Ci-dessus : une page d'un des carnets de notes de Henry Ford : « Pas d'actionnaires. L'argent est la *cause* de tous les *maux*. Sauf si l'on s'en sert à bon aissian *(sic)* ».

Henry Ford II.

Benson (à gauche), Henry II
et des plants de pomme de terre.

Henry Ford et ses petits-fils à l'œuvre à Fair Lane.

Henry et Clara Ford, vers 1940.

Henry et Edsel à côté du premier établi de Henry, en 1928 (ci-dessus).
Le père et le fils présentent le modèle A, en 1928 (ci-dessous).

L'usine de Rouge River, en 1927.

William Knudsen. Charles Sorensen. Ernest Kanzler.

Les modèles passent, les hommes demeurent : Henry I et II devant la Quadricycle, en 1945.

Henry II en compagnie de Harry Bennett.

John Bugas.

William Clay (à gauche),
Benson et Henry Ford II
au volant d'une réussite
(la millionième Ford, assemblée en 1949).

L'Edsel : un des plus grands échecs de l'histoire de l'automobile.

Les « enfants prodiges » au premier rang d'un groupe de cadres supérieurs de Ford. De gauche à droite : Arjay Miller, Jack Reith, George Moore, James Wright, Tex Thornton, Wilbur Andreson, Charles Bosworth, Ben Mills, Edward Lundy, Robert McNamara. Jack Davis est au second rang, entre Wright et Thornton.

Robert McNamara et Henry Ford II (novembre 1960).

barrières. Tous les journalistes confirmèrent qu'ils n'avaient pas d'armes.

Les pompiers de Dearborn étaient postés sur Miller Road avec leurs lances à incendie mais ils furent débordés par la foule. De l'autre côté de la route, du haut de la passerelle qui conduisait des parkings à l'usine, les hommes du service de sécurité de Ford entrèrent en action avec leur propre matériel et arrosèrent les manifestants d'eau glacée.

Harry Bennett décida d'intervenir. Quoi qu'on ait pu lui reprocher, il ne manquait pas de courage. Il sortit au milieu des manifestants massés devant le portail et demanda à discuter avec les leaders. Il s'adressa à Joseph York, un jeune homme de 19 ans, organisateur de la Ligue des jeunesses communistes. La foule s'attaqua alors à Bennett à coups de pierres qui l'atteignirent à la tête. Il s'agrippa à York et les deux hommes roulèrent sur le sol en luttant corps à corps. En se relevant, York fut tué net par une rafale de mitrailleuse. Trois autres manifestants trouvèrent également la mort. On compta une vingtaine de blessés, dont cinq grièvement.

Les policiers de Dearborn et les membres du Service Department se jetèrent sur les photographes afin de saisir les films et photos de la scène. Un journaliste du *New York Times* se vit arracher des mains son appareil. Le lendemain, le massacre faisait la une des principaux journaux du pays qui condamnèrent unanimement les agissements des forces de l'ordre.

L'enterrement de Joseph York et des trois autres victimes eut lieu quatre jours plus tard. Quinze mille personnes défilèrent derrière les cercueils drapés de rouge. La plupart portaient des brassards et des drapeaux rouges. Au cimetière, on chanta l'*Internationale*.

La Marche de la faim de 1932 porta un coup sévère à la réputation d'Henry Ford, l'ami des ouvriers. Les Américains étaient venus demander de l'aide dans leurs pantalons élimés, leurs chaussures trouées et leurs ceintures serrées sur des ventres vides, écrivit John Dos Passos, et « ils n'avaient trouvé que des mitrailleuses ». Le pamphlétaire Robert L. Cruden nota de son côté : « La légende des salaires élevés, des bonnes conditions de travail et des ouvriers contents de leur sort a volé en éclats sous les balles qui ont tué quatre chômeurs. »

A la fin du mois de mars 1932, certains ouvriers qui se présentaient au pointage en quittant le travail constatèrent la disparition de leur carte. On les envoya au service du personnel où ils reçurent une feuille rose : leur avis de licenciement. Ils avaient assisté à l'enterrement des victimes, et le bruit courut vite que des photographes de la Ford Motor s'étaient mêlés aux journalistes pour identifier les ouvriers.

Dans les archives de Dearborn, on trouve certains dossiers sous la rubrique « Relations travail-ES » (ES signifiant espionnage). Les agents, qu'on appelait des « spotters », travaillaient sur la chaîne de montage et faisaient des rapports sur les autres ouvriers. En voici un exemple :

11 h 03 : tous les hommes de l'atelier sont allés se nettoyer les mains à l'huile pour la pause-déjeuner qui a lieu à 11 h 15.

11 h 09 : j'ai vu le n° E-4282 quitter son travail pour aller acheter deux sandwiches à la saucisse.

Le n° E-3349 a perdu aujourd'hui le temps suivant aux toilettes :

8 h 12 à 8 h 29 : 17 minutes
9 h 09 à 9 h 21 : 12 minutes
9 h 57 à 10 h 16 : 19 minutes
10 h 52 à 11 h 02 : 10 minutes
1 h 15 à 1 h 27 : 12 minutes
2 h 07 à 2 h 20 : 13 minutes
83 minutes volées

Le rapport sur le n° J-6347, autrement dit Frank Conner du 10, Highland Avenue, montre que ce dernier était particulièrement surveillé :

« *A 7 h 45 environ, sur le terrain d'aviation, le n° J-6347, au cours d'une discussion sur les capitalistes, a fait remarquer au n° J-6993 en présence du n° J-5990 que Mr. Ford était un enfant de p... Ci-joint les témoignages des n° J-6993 et J-5990.* »

Cette habitude d'espionner les ouvriers remontait à la Première Guerre mondiale. La plupart des rapports de cette époque évoquent les possibilités de sabotage ou de sympathie pour l'ennemi. Cependant, on y trouve surtout des notes sur le temps passé au travail, la discipline ou les tentatives d'organisation syndicale. Pendant que le Service Sociologique s'employait à faire de la Ford Motor un modèle de relations humaines, l'esprit de Big Brother régnait sur Highland Park. On surveillait les ouvriers jusque dans leurs activités extérieures. Des agents étaient infiltrés dans le Parti communiste, comme en témoigne le « Rapport sur la réunion conjointe de la section anglaise n° 1 et de la section russe n° 2 », rédigé par un certain « détective n° 15 » :

« *19 h 30. Je suis entré dans le Fraternity Hall de la 140e Rue. 61 membres étaient présents. Le camarade Green a été élu président provisoire. Schachinger, Johnson, Elbaum, Bolt, Weiss, Rushton et moi-même avons été désignés comme membres de la commission... (Weiss et Rushton travaillent à la Ford Motor de Highland Park).* »

Tandis que ses « camarades » le ramenaient chez lui en voiture, le détective nº 15 voulut faire étalage de ses opinions de gauche et fut sur le point d'être démasqué. Peu lui importait, dit-il, d'être licencié car il avait souscrit pour 500 dollars en bons d'armement. Weiss et Rushton furent scandalisés. « Comment ? s'exclamèrent-ils, tu investis ton argent dans une initiative capitaliste ? » Il parvint à rassurer ses frères d'armes et à les convaincre de sa bonne foi et put se féliciter de sa performance puisque Rushton lui révéla que 90 % des outilleurs de la Ford Motor étaient « des socialistes et des bolchéviques convaincus ».

Il s'agissait, de toute évidence, d'une surestimation. Dans les premières années du syndicalisme, la majorité des ouvriers étaient au contraire anticommunistes, mais les espions avaient tout intérêt à gonfler les chiffres pour montrer aux patrons qu'ils faisaient du bon travail. Les militants avaient aussi leurs propres raisons pour faire la même chose.

Dans *Voyage au bout de la nuit* [1], Céline décrit une scène d'embauche chez Ford. On faisait déshabiller les nouvelles recrues comme pour les dépouiller de toute identité. « Ils s'épiaient entre eux, écrit-il, comme des bêtes sans confiance, souvent battues. De leur masse montait l'odeur d'entrejambes urineux comme à l'hôpital. Quand ils vous parlaient on évitait leur bouche à cause que le dedans des pauvres sent déjà la mort. »

Céline était un aigri antisémite et un fasciste. Il n'est pas toujours facile de faire la part de la réalité et de l'imaginaire dans ses écrits autobiographiques. Après la Première Guerre mondiale, il vécut un certain temps à Detroit et travailla chez Ford. Il raconte notamment qu'il fréquentait un bordel des bas quartiers et qu'il y laissait la plus grande partie de sa paie. Quant à sa description de la chaîne de montage et de son effet traumatisant sur les ouvriers, elle correspond fidèlement à la réalité :

« Tout tremblait dans l'immense édifice et soi-même des pieds aux oreilles possédé par le tremblement, il en venait des vitres et du plancher et de la ferraille, des secousses, vibré de haut en bas. On en devenait machine aussi soi-même à force et de toute sa viande encore tremblotante dans ce bruit de rage énorme qui vous prenait le dedans et le tour de la tête et plus bas vous agitant les tripes et remontait aux yeux par petits coups précipités, infinis, inlassables. »

Ce vacarme résonnait comme un écho dans le corps de l'écrivain quand il retrouvait la liberté en sortant de l'usine. Il continuait de l'entendre même en pleine nuit. Rien ne pouvait l'en débarrasser. Il découvrit que ce n'était pas la « honte » mais ce bruit infernal qui

1. Gallimard, Paris, 1932.

donnait à ses camarades de travail cet aspect brisé qui l'avait tellement frappé au premier abord. « On cède au bruit comme on cède à la guerre, écrit-il encore... On est devenu salement vieux d'un seul coup. Il faut abolir la vie du dehors, en faire aussi d'elle de l'acier, quelque chose d'utile. »

Charlie Chaplin décrivit lui aussi le travail à la chaîne dans son film *Les Temps modernes.* Invité par Henry et Edsel, il visita Highland Park en 1920 et se documenta vraisemblablement aussi dans d'autres usines. Quand le vagabond se réfugie dans les toilettes, son patron apparaît sur un écran de télévision et lui ordonne de cesser de tirer au flanc et d'aller reprendre son travail.

De nombreux écrivains ont stigmatisé les effets catastrophiques de la chaîne de montage sur les ouvriers. Dans *Le Meilleur des mondes,* Aldous Huxley a imaginé une religion ayant pour dieu « Notre Ford » et pour symbole un T, celui de la fameuse voiture.

Upton Sinclair, qui avait été, comme John Reed, un admirateur de l'industriel à l'époque des « Cinq dollars par jour », se retourna contre son idole avec toute l'amertume d'un adepte déçu. Après la Marche de la faim, il déclara qu'on pouvait dire avec raison que les voitures produites par Ford étaient en couleur : elles portaient des traces de sang.

Les conditions de travail n'étaient certes pas meilleures à la General Motors ou chez Chrysler. Elles étaient peut-être même pires. Henry Ford représentait cependant la cible idéale pour les détracteurs d'un système économique qui avait clairement prouvé ses insuffisances en 1929 et dans les années suivantes. Ce n'était que justice. Il avait inventé la chaîne de montage. Et n'avait-il pas promis, autrefois, de donner à ses ouvriers des conditions de travail humaines ?

Le révérend Samuel Marquis qui resta dans l'entreprise jusqu'en 1921 fut, en quelque sorte, la « conscience » de la Ford Motor. Il avait profondément adhéré aux conceptions idéalistes d'Henry et essaya de les faire respecter. Après son départ, les considérations morales s'effacèrent devant la recherche de l'efficacité et du profit.

Il est facile de se rendre compte, rétrospectivement, que le Service Sociologique ne pouvait survivre sous sa forme initiale. Il devait son existence au monopole exercé par Ford sur le système de la chaîne de montage. Ce fut pour le constructeur une période privilégiée qui lui donna une place unique dans la compétition. L'instauration de la participation aux bénéfices fut une conséquence directe des profits énormes que lui procura cet avantage temporaire.

Lorsque les autres entreprises découvrirent le secret – Henry, il faut le reconnaître à sa décharge, n'essaya jamais de cacher ou de faire breveter ses innovations – une paie de 5 dollars par jour constitua la norme dans toutes les usines de construction automobile. D'autre part, avec l'inflation, le pouvoir d'achat baissa pendant la Première Guerre mondiale.

En 1919, le salaire minimal était de 6 dollars, aussi bien chez Ford que chez ses concurrents. Il n'était plus question de partage des bénéfices. Dans les bonnes années, on distribuait des primes. Le Service Sociologique poursuivait ses enquêtes dans les foyers des ouvriers mais s'occupait surtout de l'absentéisme et, parfois, des conditions dramatiques dans lesquelles vivaient certaines familles. La réforme des mentalités et du comportement n'était plus à l'ordre du jour. L'industriel avait renoncé à créer le royaume d'Utopie.

Ses usines restaient cependant des modèles sur le plan des conditions de travail. Elles étaient propres, claires, bien aérées, et leurs standards de sécurité supérieurs à ceux des autres entreprises. Ford avait toujours été obsédé par la netteté et l'ordre. Cinq mille personnes étaient affectées à l'entretien quotidien. On vidait les poubelles toutes les deux heures. On lavait les baies vitrées une fois par semaine. Chaque mois on repeignait les murs dans des couleurs qui, selon les tests effectués, convenaient le mieux au travail : gris-bleu et jaune pâle.

On installa dès 1918 un système d'aspiration spécial qui éliminait la poussière provenant des particules de fer. Ce fut certainement le premier dans le monde entier. On mit au point également certaines méthodes de climatisation avec ventilateurs qui furent par la suite adoptées dans toute l'industrie. Des diététiciens déterminaient avec les fournisseurs le nombre de calories (entre 800 et 900) que devaient contenir les rations alimentaires des ouvriers. La température de l'eau potable était régulièrement contrôlée. Pendant l'été, les ouvriers recevaient des comprimés de sel. On stérilisait chaque jour les téléphones, les lunettes de protection et les masques respiratoires. Périodiquement, on désinfectait aussi les vestiaires.

En dépit de ces remarquables conditions de travail, il régnait dans l'usine une ambiance sinistre. Les ouvriers se parlaient à voix basse, craignant toujours d'être entendus par les espions. Ils souffraient de maux d'estomac causés par la tension qu'ils subissaient continuellement.

Ford se vantait d'entretenir parmi ses cadres un sentiment d'insécurité. Cet état d'esprit avait gagné l'usine tout entière et les ouvriers ne savaient jamais si, à la fin de la journée, ils ne rentreraient pas chez eux avec une feuille rose de licenciement.

On était là pour travailler. Dans ses Mémoires, Walter Cunningham, qui avait été employé chez Ford dans les années vingt, note les réactions du personnel aux tests d'association d'idées. « Chien » suscitait en général la réponse « chat », et « craie » celle de « fromage », mais, invariablement, « Ford » était assimilé à « travail ».

Le grand patron n'éprouvait nullement le besoin de se justifier. Ses initiatives avaient toujours été dictées par le besoin d'accroître la productivité. Dans les premières années, les ouvriers se sentirent motivés et manifestèrent même de l'enthousiasme. Ils se rassemblaient devant le tableau d'affichage et étudiaient les graphiques en décidant de faire encore mieux la semaine suivante.

Cette belle spontanéité disparut rapidement et le travail devint aussi pénible et monotone que partout ailleurs. Les ouvriers supportaient directement les conséquences de la décision prise par Ford de réduire le prix de vente du Modèle T. Augmenter les cadences était la seule façon de faire des économies. Sorensen augmenta le rythme de production, et tous ceux qui se trouvaient sous ses ordres lui emboîtèrent le pas.

Le travail, aussi dur qu'il fût, aurait été supportable sans l'arbitraire et l'injustice. Et sans l'hypocrisie. Quand Ford, en 1926 introduisit la semaine de travail de 5 jours, elle avait été présentée comme une réforme, une réponse au besoin des ouvriers de jouir de plus de temps libre avec un jour de congé supplémentaire par semaine qui leur permettait, en outre, de faire des achats et de donner une nouvelle impulsion au commerce. Tels furent les arguments présentés par Cameron.

La réalité était bien différente. Cette prétendue réduction du temps de travail, la première dans l'histoire de l'industrie, équivalait à une réduction des salaires puisque les ouvriers n'étaient plus payés que 5 jours par semaine. C'était la seule alternative au chômage. Par un coup de génie, Ford réussit à faire interpréter cet expédient comme un geste de générosité.

Cependant, avec la chute des ventes du Modèle T, les périodes de chômage devinrent de plus en plus fréquentes et de plus en plus longues. Le même phénomène se reproduisait chaque année. « Cela commençait en juin ou juillet, rapporte un ancien employé. Les chefs renvoyaient les ouvriers chez eux en leur disant d'attendre qu'on les rappelle... C'était le contremaître qui décidait. Si vous lui plaisiez, si vous le flattiez pour gagner ses faveurs ou si vous étiez un de ces salauds qui travaillaient comme des fous et voulaient toujours en faire davantage, vous aviez une chance d'être repris pour quelques semaines de plus que votre voisin. En novembre et en décembre, on revenait traîner autour de l'usine pour chercher de l'embauche. Les chefs avaient encore le dernier mot. Des années de travail dans l'entreprise ne signifiaient rien. »

Les ouvriers n'avaient aucune garantie. Certains qui gagnaient 8 ou 10 dollars par jour avant la période de chômage technique étaient repris au salaire de base. Les plus âgés n'avaient pas la moindre chance et au moment de l'embauche les magasins de Detroit et de Dearborn vendaient davantage de teinture noire pour les cheveux. C'était l'incertitude la plus complète. On demandait par exemple aux ouvriers de se présenter devant l'usine de Miller Road pour une journée de travail et ils devaient ensuite attendre plusieurs jours avant de savoir s'ils seraient recrutés de façon permanente. Ils allaient s'asseoir avec leurs gamelles dans le café situé de l'autre côté de la rue. « Si j'avais été à leur place, dit un jour Harry Bennett, j'aurais eu moi-même de la sympathie pour le syndicat. »

Les ouvriers américains étaient moins bien organisés que ceux de France ou d'Angleterre. En 1926, année de la grève générale anglaise, on comptait à peine 4 millions et demi de syndicalistes aux États-Unis, soit une proportion de 22 %. Le nombre des adhésions était en baisse constante.

Soutenu par le gouvernement et les tribunaux, le patronat s'efforçait par tous les moyens de faire barrage aux syndicats. Des industriels réunis en 1921 à Chicago avaient lancé le « Plan américain » et menaient campagne pour refuser l'embauche aux ouvriers syndiqués. Jusqu'à la dépression, ils y réussirent efficacement.

Henry Ford avait refusé de se joindre à eux. Il n'aimait pas les associations. De plus, il pouvait se vanter d'avoir joué un rôle dissuasif en augmentant les salaires. Les ouvriers de l'automobile de Detroit étaient les mieux payés du monde.

De plus, les dirigeants syndicaux avaient mal servi leur propre cause. Ils pratiquaient les vieilles méthodes d'organisation corporatives et artisanales et témoignaient un certain mépris pour les travailleurs des grandes industries moins qualifiés mais mieux payés. L'American Federation of Labor (AFL) avait essayé de s'implanter dans les usines mais ses tentatives échouèrent. Elle ne prit aucune part à la Marche de la faim de 1932 ni aux arrêts de travail spontanés déclenchés par les ouvriers à l'usine de Briggs Body en 1933 pour protester contre les bas salaires et les conditions de travail.

Après la venue au pouvoir de Roosevelt, l'AFL tenta de se réorganiser dans la région de Detroit. Les effets de la dépression avaient donné une nouvelle vigueur au militantisme. Des grèves furent menées à Flint, dans les usines Fisher Body et Buick. A Detroit, la Hudson

Motor fut la principale cible. Le problème de Ford était, de l'avis général, plus difficile à résoudre, et les dirigeants syndicaux préférèrent s'attaquer d'abord à des entreprises moins puissantes.

L'administration Roosevelt s'inquiéta de cette menace qui planait sur l'industrie automobile. Le président proposa aux dirigeants de l'AFL de s'entretenir confidentiellement avec lui à la Maison-Blanche. Flattés par cette invitation, ils acceptèrent de demander à leurs adhérents de cesser les grèves. Ils obtinrent en échange la création de l'Automobile Labor Board, un organisme censé défendre leurs intérêts et permettre aux syndicats de s'implanter dans les usines grâce à un système accordant aux ouvriers le droit d'élire des délégués.

Ce système complexe, basé sur la représentation proportionnelle des différents corps de métiers, favorisa les patrons qui créèrent ainsi leurs « syndicats d'entreprise ». Ce fut pour l'AFL un marché de dupes. En 1935, les désaccords avec les organisations corporatistes éclatèrent au grand jour. A Atlantic City, John L. Lewis, leader charismatique des mineurs, frappa au visage le dirigeant du syndicat des menuisiers. Cette même année, la création du Congress of Industrial Organizations (CIO) marqua une nouvelle étape dans l'organisation syndicale. En avril 1936, les représentants des travailleurs de l'automobile réunis à South Bend, Indiana, décidèrent de s'affilier au CIO. L'United Auto Workers Union était née.

Ses dirigeants poursuivirent la même statégie en décidant de garder la Ford Motor « pour la fin ». Ils commencèrent à mener une série de grèves sur le tas à la General Motors qu'ils estimaient plus vulnérable et, en février 1937, ils atteignirent rapidement leurs objectifs. La General Motors reconnut l'UAW et accepta des négociations pour une augmentation des salaires et la reconnaissance des droits liés à l'ancienneté, moyen d'éliminer l'arbitraire dans les mises au chômage et l'embauche; elle promit également d'entreprendre une étude de l'accélération des cadences pour empêcher les abus. Chrysler fut leur seconde cible et ne résista pas longtemps. Le 8 avril 1937, le président de la société conclut avec l'UAW un accord pratiquement identique. Ford restait seul en lice.

Le syndicat ne perdit pas de temps. Début mai 1937, il demanda au conseil municipal de Dearborn l'autorisation de distribuer des tracts devant l'usine de Rouge River, le 26 du même mois. Cette requête entrait dans le cadre de la légalité aux termes d'une loi adoptée en 1935. Les autorités de la ville n'avaient donc pas le choix. Cependant, chez Ford, le Service Department nota soigneusement cette date sur son calendrier.

Le 26 mai, au petit matin, les manifestants se rassemblèrent sur Miller Road à l'une des extrémités de la passerelle. Ils remarquèrent immédiatement le nombre impressionnant de grosses voitures noires en stationnement. On ne pouvait se tromper sur la qualité de leurs occupants : des hommes de main dont un champion local de boxe, deux lutteurs professionnels et des gangsters notoires.

La distribution des tracts avait été prévue pour le début de l'après-midi, au moment du changement d'équipe. Journalistes et photographes étaient sur place mais personne ne se doutait de ce qui allait se passer.

Les manifestants étaient conduits par Richard Merriweather, Ralph Dunham, Richard Frankensteen et Walter Reuther. Embauché dix ans plus tôt chez Ford, ce dernier avait été vite licencié pour ses activités syndicales. Son nom fut mis sur la liste noire des différentes entreprises de Detroit. Il avait donc quitté le pays pour trouver finalement du travail en Union soviétique dans une filiale de Ford à Gorki. De retour à Detroit, il utilisa un faux nom pour obtenir un emploi.

Il avait pris une part active aux actions menées par l'UAW au début de l'année et ce jour-là, en s'avançant sur la passerelle, il paraissait s'attendre à une nouvelle victoire.

Un photographe a saisi sur le vif l'instant où les quatre militants observent les gangsters recrutés par Ford qui s'approchent d'eux. Les syndicalistes ont le sourire aux lèvres. Reuther semble particulièrement désinvolte, les mains sur les hanches, une chaîne de montre barrant la veste de son costume noir.

Quelques secondes plus tard, il recevait un coup sur la nuque et s'effondrait. Ses agresseurs le relevèrent en le bourrant de coups de poing. Huit fois de suite, il fut ainsi jeté à terre, piétiné et frappé sur le corps et le visage. Frankensteen subit un autre genre de traitement. On lui releva son manteau par-dessus la tête, comme une camisole de force et on le frappa sauvagement. Il en fut de même pour Dunham qui dut être hospitalisé dix jours. Quant à Merriweather, il eut la colonne vertébrale brisée.

Une fois leur besogne terminée, les gangsters traînèrent les quatre hommes en sang et à demi inconscients jusqu'au bout de la passerelle et les jetèrent sur les escaliers qui menaient au parking.

22

Le mauvais ange

Dans la bataille de la passerelle, la Ford Motor avait employé la violence de façon délibérée. La Marche de la faim de 1932 s'était certes terminée par un bain de sang mais il n'avait pas été prémédité. L'ordre de tirer sur la foule n'avait pas été donné, semble-t-il, aux membres du service d'ordre. Il est clair en revanche que l'agression de mai 1937 contre Walter Reuther et ses camarades relevait d'une ligne de conduite mise au point par Henry Ford lui-même avec le Service Department.

Quelques semaines plus tôt, il avait convoqué Edsel et Sorensen dans son bureau pour leur expliquer la politique qu'il comptait mener après la reconnaissance de l'UAW par la General Motors et Chrysler. Le vieil homme était inflexible. Ses concurrents pouvaient agir à leur guise mais, pour sa part, il ne négocierait avec aucun syndicat. Il ordonna aux deux hommes de suivre son exemple et leur interdit de discuter des relations dans l'entreprise avec qui que ce soit et en particulier avec la presse.

« Si les choses tournent mal, dit-il, nous quitterons l'usine. J'ai désigné quelqu'un pour s'occuper des syndicalistes. J'ai besoin d'un homme fort, agressif et qui sache se défendre dans une discussion. Je l'ai trouvé. » Charles Sorensen ne fut pas particulièrement surpris d'apprendre par la suite que l'homme en question était Harry Bennett qui dirigeait les assassins et les espions du Service Department. Edsel pour sa part en fut atterré.

On raconte qu'Harry Bennett aurait fait la connaissance de Ford à la suite d'une série de coïncidences. Quelques mois avant l'entrée en guerre des États-Unis, alors qu'il était dans la marine, son bateau fit escale à New York. Pris dans une bagarre de rue, il échappa à l'arrestation grâce à l'intervention d'un journaliste du *New York Times*, Arthur Brisbane. Celui-ci témoigna que Bennett n'avait rien à se reprocher et n'avait fait que porter secours à un ami.

Brisbane se rendait précisément à un rendez-vous avec Henry Ford. Il demanda au marin de l'accompagner. L'industriel se montra plus intéressé par l'incident qui venait de se produire que par l'interview. La combativité du jeune homme l'impressionna et il lui offrit immédiatement du travail. « Savez-vous vous servir d'une arme ? » lui demanda-t-il.

Si l'anecdote est authentique, on comprend mal que le premier poste officiel de Bennett ait été au service photographique de la Ford Motor. Il est souvent difficile de démêler le vrai du faux dans tout ce que l'on a pu dire sur la personnalité et sur la carrière de l'ancien marin. Lui-même et ses détracteurs laissaient entendre qu'il avait eu une jeunesse difficile. Il était né en fait dans la paisible ville universitaire d'Ann Arbor où son père adoptif était professeur. Il avait fréquenté l'académie des Beaux-Arts. Il prétendait avoir travaillé dans les services secrets, saboté des sous-marins, reçu un coup de sabre au bras et une balle dans le côté.

Une chose est certaine en tout cas : il ne connaissait rien aux voitures et n'était ni mécanicien, ni ingénieur, ni comptable, ni avocat. Pour certains, ce manque d'expérience explique précisément qu'il soit parvenu à occuper un poste important. Les journalistes ont souvent fait remarquer que, chez Ford, les fonctions étaient mal définies. Le patron ne croyait pas aux titres, et il était difficile de savoir ce que faisait exactement tel ou tel cadre. Si l'on demandait à quelqu'un en quoi consistait son travail, il ne répondait jamais qu'il était « directeur des ventes » ou « ingénieur en chef ».

On a par la suite comparé l'influence néfaste de Bennett à une excroissance monstrueuse, une sorte de cancer qui se serait étendu sur toute l'entreprise et aurait fini par la contrôler au moyen de la violence et de la corruption. Il ne faut pourtant pas oublier que le personnage détenait tous ses pouvoirs d'Henry Ford et que c'était d'autre part une conséquence logique et inévitable de l'évolution de la Ford Motor, dans les années trente.

Tout avait commencé avec le départ de John Dodge et de James Couzens qui ne s'étaient pas laissé intimider par le grand patron. Celui-ci avait ensuite éliminé Wills, Knudsen, Klingensmith, Marquis, Lee et d'autres cadres qui avaient joué un rôle de premier plan dans le développement de l'entreprise. A l'exception de Wills, aucun n'en avait été actionnaire, mais ils avaient tous apporté une contribution exceptionnelle.

Edsel avait représenté à un certain moment un recours. Une structure de direction cohérente aurait pu se créer autour de lui. Mais le départ de Kanzler et surtout le fiasco du Guardian Group avaient mis un terme à tous ses espoirs. Il ne restait donc plus que Sorensen pour faire fonctionner l'usine, et Harry Bennett, l'homme lige qui faisait les quatre volontés de Mr. Ford.

Quand il avait engagé l'ancien marin, l'industriel lui avait donné un conseil : « Harry, n'essayez jamais de deviner ce que je pense. » Bennett demanda si son patron entendait par là qu'il ne devait pas chercher à le comprendre. « C'est à peu près ça », répondit Ford. Quelques jours plus tard, ayant posé la même question il reçut la même réponse et en conclut qu'il y avait toujours une raison aux décisions de Ford et qu'il devait exécuter ses ordres à la lettre et sans soulever de problèmes. Il s'y appliqua avec une loyauté exemplaire, se soumettant totalement à l'égocentrisme et au caractère de plus en plus fantasque du constructeur. S'il n'avait pas existé, Ford l'aurait inventé.

Harry Bennett aimait porter des nœuds papillons. Il expliquait que ce n'était pas par élégance mais par précaution. Dans une bagarre, une cravate ordinaire pouvait servir à vous étrangler. Lorsqu'il sera à la retraite, il s'habillera avec négligence – un survêtement orange et des pantoufles – mais, quand il travaillait chez Ford, il imitait son patron et était toujours vêtu de costumes impeccables. D'aspect plutôt engageant, avec des cheveux roux bien coiffés et des yeux bleus, c'était un homme de petite taille en excellente forme physique car il avait longtemps pratiqué la boxe dans la marine. Il savait manier la plaisanterie et même ceux qui avaient de bonnes raisons de ne pas l'aimer reconnaissaient qu'il pouvait être d'excellente compagnie.

Ces qualités favorisèrent une rapide promotion. Il fut nommé chef du Service Department au début des années vingt après avoir suggéré que les ouvriers seraient plus efficaces s'ils ne passaient pas leur temps à s'espionner mutuellement. Après avoir réorganisé le service, il constitua une petite armée privée composée d'anciens boxeurs, de footballeurs à la retraite et de voyous. Il s'entoura également d'hommes de main qui lui étaient entièrement dévoués et à qui il pouvait demander n'importe quoi.

Henry Ford alla un jour inspecter la Foire de l'État du Michigan qui avait lieu chaque année et fut mécontent de voir le stand Ford déborder de voitures et de tracteurs. « De mon temps, les foires n'étaient pas comme ça », remarqua-t-il. Le lendemain, Bennett ramena son patron au stand Ford, où Henry découvrit un petit champ de blé, un carré de soja, quelques vaches et moutons, le tout surveillé par de vieux paysans mâchonnant des brins de paille. Henry félicita chaudement son employé.

Il suffisait à Ford de dire : « Pouvez-vous vous occuper de telle ou telle chose ? » pour que le problème soit immédiatement résolu, qu'il s'agisse d'éloigner de jeunes domestiques ou de soudoyer un jury, comme le fit Bennett pendant le procès Sapiro.

Après l'arrêt de la production du Modèle T, l'industriel cessa de se rendre quotidiennement à Highland Park. Bennett prit l'habitude d'aller lui rendre visite à Dearborn chaque matin. Pendant vingt ans, les deux hommes ne se quittèrent pratiquement plus.

L'ancien marin avait un langage rude et ses manières ne l'étaient pas moins. Il s'exerçait au tir au pistolet dans son bureau sur une cible fixée contre des étagères métalliques.

Il se vantait d'avoir, d'un coup de pistolet, fait sauter un cigare de la bouche de quelqu'un qui avait eu le manque de courtoisie de fumer en sa présence. Le prince Louis-Ferdinand de Hohenzollern, petit-fils du Kaiser, qui travailla chez Ford dans les années trente, vit de ses propres yeux un homme sortir du bureau de Bennett avec un trou dans son chapeau : il avait oublié de se découvrir.

Le chef du Service Department élevait des tigres et des lions comme animaux de compagnie dans sa propriété de Dearborn. A l'occasion, il les amenait à l'usine en les tenant en laisse. Pour plaisanter, il les installait parfois sur le siège arrière d'une voiture où les bêtes s'endormaient. On raconte à Dearborn qu'un lion se réveilla un jour et posa affectueusement la patte sur l'épaule du conducteur qui ne s'était pas aperçu de sa présence avant de démarrer. L'homme prit la fuite et l'animal se mit à errer dans les rues de la ville. Il arriva jusqu'au poste de police où l'officier de service prit l'affaire en main. Le rapport officiel indiqua que le lion « s'était pendu » – le seul cas de suicide léonin connu au monde.

Henry Ford adorait ce genre d'anecdotes. L'attirance de Bennett pour le danger s'accordait avec le caractère violent du constructeur. Harry Bennett était le fils fort et courageux qu'Edsel n'était pas – de plus il était toujours d'accord avec le patron et ne montrait aucune velléité d'indépendance. Il était le bouffon d'Henry et flattait son sentiment d'omnipotence. Avec Bennett rien n'était impossible. « Si Mr. Ford me demandait d'obscurcir le soleil, dit-il un jour à un journaliste, ce serait sans doute difficile mais je peux vous assurer que vous verriez cent mille enfants de p... arriver à l'usine avec des lunettes noires. » Le patron trouva la plaisanterie excellente.

La cité de l'automobile était devenue, pendant la dépression, le centre d'un commerce florissant, celui de l'alcool. C'était un produit pour lequel la demande ne manquait pas malgré les difficultés économiques. Chicago devait à la Prohibition sa réputation de capitale du gangstérisme, mais c'était à Detroit qu'on se procurait la marchandise. Le Canada était tout proche et l'on pouvait s'y rendre facilement en voiture, en bateau ou en train. De l'autre côté de la rivière Rouge, on apercevait les bâtiments de la distillerie Hiram Walker qui atteignit des records de ventes spectaculaires pendant la Prohibition. Sa production augmenta alors de 25 % (plus de 4 millions de litres en 1928) et les autorités canadiennes percevaient des taxes sur chaque bouteille exportée.

Henry Ford avait toujours été un partisan convaincu de la tempérance, par réaction, peut-être, contre son père qui aurait été alcoolique. C'était aussi l'un des principes puritains dont il avait été imprégné dès son enfance. Le Michigan fut le premier État qui institua la Prohibition en mai 1918 à la suite d'un référendum, un an avant l'ensemble des États-Unis.

Sur le plan de la production, le fait d'avoir rendu illégal un plaisir considéré généralement comme inoffensif eut de graves conséquences. Les brasseurs, les distillateurs et leurs actionnaires virent leurs 2 milliards de dollars de chiffre d'affaires annuel passer directement dans les mains des escrocs et des assassins. Cette situation est à l'origine du rôle que le crime organisé joue encore dans l'Amérique d'aujourd'hui.

A Detroit, les gangs se développèrent avec une vigueur particulière. Ils s'organisèrent sur des bases ethniques. La Black Hand (Main noire) était composée de Siciliens et de Napolitains, les précurseurs de la Mafia – le commerce des fruits et légumes était contrôlé depuis longtemps par les Italiens. Les Noirs et les Polonais formèrent également leurs propres organisations.

Le commerce de l'alcool, qui se faisait parfois avec les familles les plus respectables de la ville, fut bientôt considéré comme une occasion de « s'élever socialement » par les fils d'immigrés juifs des quartiers ouest et nord-ouest de la ville, en particulier ceux qui faisaient partie de la congrégation du rabbin Leo Franklin de la synagogue Beth El.

Les gangs juifs s'étaient d'abord formés pour protéger les commerçants du quartier contre les voyous de Highland Park et de Hamtramck, mais la Prohibition et la facilité avec laquelle on pouvait se procurer de l'alcool de l'autre côté de la rivière leur fournirent une trop belle occasion de gagner de l'argent. Les gardes-côtes et les douaniers canadiens refusaient de coopérer avec la police américaine et se laissaient corrompre aisément.

Harry Fleisher, Irving Milberg et Harry Altman créèrent bientôt, avec d'autres comparses, leur propre distillerie à Oakland Street, près de Woodward Avenue : la Sugar House. Ils s'associèrent avec Sammy « Purple » Cohen et les frères Bernstein, Abe, Isadore et Ray. Le gang

Purple finit par dominer le milieu de Detroit, et devint le fournisseur attitré de whisky canadien – l'Old Log Cabin – d'Al Capone à Chicago. L'arraisonnement d'une cargaison de leur whisky par Buggs Moran provoqua le fameux massacre de la Saint-Valentin à Chicago où les frères O'Banion et d'autres membres du gang Moran trouvèrent la mort en 1929.

Henry Ford était à la fois fasciné et terrifié par les conséquences de la Prohibition. Habillés de façon voyante, les gangsters se pavanaient dans les restaurants et les tribunes des matchs de base-ball comme s'ils étaient les maîtres de la ville. Jerry Buckley, un journaliste de radio très populaire qui avait travaillé chez Ford, fut abattu à la mitrailleuse dans le hall de l'hôtel La Salle pour avoir dénoncé publiquement certains trafiquants.

Ford ne voyait pas le lien entre la Prohibition et l'anarchie qu'elle entraînait, et il en rejetait la responsabilité sur ceux qui ne respectaient pas la loi et favorisaient le trafic de l'alcool. Il menaça de fermer son usine si l'on abolissait la Prohibition et proposa d'adapter les anciennes distilleries afin de produire un alcool dénaturé, « un meilleur carburant que l'essence ». La contrebande se faisait en grande partie au moyen des voitures qu'il fabriquait, mais il ne fit jamais de commentaires à ce sujet.

Il était inquiet. La Prohibition avait entraîné le développement du gangstérisme et d'autres formes de criminalité comme le kidnapping qui devint une véritable épidémie. Il en discutait souvent avec Harry Bennett. Sa propre sécurité lui importait peu – il se déplaçait sans escorte –, mais il était terrifié en pensant à ses petits-enfants. Convaincu qu'on projetait de les enlever, il demanda à Bennett d'entrer en relations avec la pègre de Detroit et d'autres grandes villes afin d'obtenir d'éventuels renseignements.

Ses soupçons étaient fondés. En mars 1924, la police de Detroit arrêta deux racketteurs qui avaient menacé de crever les yeux des enfants d'Edsel si celui-ci ne leur donnait pas d'argent, et il y avait eu au moins une autre tentative de kidnapping. L'anxiété d'Henry tourna à l'obsession : il était convaincu que son fils était incapable d'assurer la protection de sa famille.

Edsel avait cependant pris d'importantes mesures de sécurité à Indian Village et à Grosse Pointe. Les gardiens et les chauffeurs étaient armés et autorisés par la police à brûler les feux rouges s'ils estimaient que leurs passagers couraient un danger. Ils patrouillaient en permanence autour de la maison de Gaukler Point et dans les environs. Quand un membre de la famille sortait en promenade, on le surveillait avec des jumelles.

Toutes ces précautions ne semblaient pas suffisantes à Henry. Il envoya deux hommes de main de Bennett, Frank Holland et Jim Brady, pour servir de gardes du corps supplémentaires. C'était en outre un bon moyen pour obtenir des renseignements détaillés sur les moindres mouvements de son fils. Le pire cependant fut qu'il permit à Bennett d'entretenir des liens avec la pègre et l'on assista à l'un des phénomènes les plus incroyables de l'histoire de l'industrie moderne : l'établissement de relations quotidiennes entre la Ford Motor et les professionnels du crime.

Dans son autobiographie, Bennett accuse Henry Ford d'avoir eu « un intérêt morbide pour la criminalité et les criminels ». Ses initiatives pour la réinsertion des anciens détenus n'auraient pas eu d'autre raison. Il éprouvait, dit-il, un plaisir particulier à écouter le récit de leurs aventures.

Ce genre de réflexion est davantage révélateur de la personnalité de Bennett que de celle de son patron à qui on ne peut dénier, malgré certains aspects déplaisants, un réel idéalisme. En fait, les conversations avec les condamnés se limitaient en général à une remarque d'Henry : « Je suppose que c'est à cause d'une femme que vous en êtes arrivé là », avant même que l'ancien détenu ait eu la possibilité de placer un mot. Nous ne possédons aucun témoignage prouvant que Ford ait connu des professionnels du crime, et il est certain que ce genre d'individus ne faisait pas partie de ses amis.

On ne peut en dire autant de Bennett. Il aimait la compagnie des escrocs, des racketteurs et des assassins dont il gagnait la sympathie avec l'argent et l'influence que lui assurait son poste à la Ford Motor. Il était très lié avec Chester LaMare, un Sicilien qui dirigeait une bande rivale du gang Purple et qui réussit, à la suite d'une série d'embuscades et d'exécutions sanglantes, à devenir le grand patron du crime organisé à Detroit. Selon la police fédérale, le trafic de l'alcool rapporta à LaMare, en 1928, 215 millions de dollars. Bennett lui offrit une agence automobile, la Crescent Motor Sales Company, dont les locaux devinrent le quartier général de son gang. Il lui donna également l'exclusivité de la fourniture de fruits à la cantine de l'usine. Ce fut une initiative particulièrement impudente puisqu'à l'époque c'était la famille de Leo Schaefer, un magistrat, qui était chargée de l'approvisionnement des plateaux de déjeuner des ouvriers.

Joe Tocco, un autre gangster italien, fréquentait également Bennett qu'il appelait respectueusement « patron », et à qui il montra comment il s'y était pris pour dynamiter un restaurant dont le propriétaire refusait de se soumettre au racket. Le chef du Service Department invita même un autre membre notoire de la pègre, Leonard Cellura, à déjeuner à Dearborn en compagnie du gouverneur du Michigan. Il fit engager comme conseiller juridique de la société Lou Colombo, un avoué qui représentait les intérêts de la Main noire et de la Mafia. Tout en poursuivant ses enquêtes dans les milieux criminels, selon les consignes de Ford, il prit contact avec la Murder Incorporated et fit de deux de ses membres, Joe Adonis et Tony d'Anna, des concessionnaires Ford sur la côte est.

Il dirigeait son empire à partir des bâtiments administratifs de Schaefer Road qui dominaient l'usine de Rouge River. Son bureau se trouvait à la cave, à côté du garage, afin qu'on puisse entrer et sortir sans être vu. La porte s'ouvrait au moyen de boutons placés sous sa table et sous la table de son secrétaire. Des vigiles armés éloignaient les passants qui s'attardaient à l'angle de la rue. Nul n'aurait pu imaginer que c'était là le centre nerveux d'une des principales entreprises industrielles du pays. Bennett avait réussi à établir entre la Ford Motor et les gangsters d'origine italienne un réseau qui allait lui servir à exercer une répression féroce contre les syndicats.

Un journaliste du *Detroit Times* avait formellement reconnu l'un de ces gangsters parmi les hommes de main qui attendaient Walter Reuther et ses compagnons sur la passerelle, le 26 mai 1937. C'était un suspect qu'il avait vu, quelques jours plus tôt, dans les locaux de la police où on l'interrogeait pour sa participation à un hold-up. Il l'aborda et l'homme reconnut sans hésitation ce qu'il faisait là. « Nous avons été engagés, dit-il, pour nous occuper de ces syndicalistes qui distribuent des tracts. » Il précisa que la Ford Motor avait recruté quatre personnes par manifestant.

Harry Bennett se contenta de rire de ces allégations et soutint que Reuther et ses camarades avaient été frappés par des ouvriers qui exprimaient ainsi le sentiment d'hostilité général contre les agitateurs des syndicats.

On a souvent comparé le règne de Bennett chez Ford aux régimes politiques des potentats de la Renaissance comme les Sforza ou les Borgia. Il n'avait effectivement rien à leur envier sur le plan de la violence. Cependant, il savait être aimable et faire preuve d'hospitalité. Anne Morrow Lindbergh, dont le mari avait été engagé chez Ford comme conseiller pour l'aéronautique, fut invitée dans le ranch de Bennett à Ann Arbor où celui-ci organisait des rodéos. Elle fut charmée par son hôte, « un petit homme trapu qui donnait une impression de jeunesse et de force », et étonnée par le faste avec lequel il recevait. Des rangées de faux arbres illuminés conduisaient à travers champs à un chalet construit en métal mais donnant l'illusion d'une cabane en rondins. Bennett portait un costume de cow-boy et régala l'assemblée par des chansons. Mrs. Lindbergh en resta perplexe et se demanda si cet homme à la réputation douteuse n'éprouvait pas la « nostalgie de ne pas avoir été troubadour ».

Bennett savait se faire apprécier. Il possédait son propre code de l'honneur. Quand, à l'usine, il présidait le conseil de discipline, il convoquait les parents des jeunes ouvriers pour leur faire part de ses décisions. Il recrutait des étudiants comme gardiens de nuit ou comme chauffeurs et payait leur inscription à l'université. Il s'occupait particulièrement des footballeurs. L'équipe de l'université du Michigan était engagée chez Ford pendant les vacances d'été pour des travaux peu pénibles et passait le plus clair de son temps à s'entraîner sous la direction d'Harry Kipke, un ami de Bennett. Vers la fin des années trente, les sportifs universitaires remportèrent de grands succès. Les ouvriers avaient cependant de bonnes raisons de ne pas s'en réjouir. « Des hommes mariés et chargés de famille, rapporte un syndicaliste, étaient mis au chômage pour laisser la place à des étudiants payés à ne rien faire. » Ce genre de pratiques poussa de nombreux travailleurs à adhérer à l'UAW.

Bennett cependant savait comment s'y prendre avec les syndicats. La bataille de la passerelle ne fut que le premier épisode d'une longue guerre. Il organisa ses troupes de choc en gangs pratiquement permanents, leur donnant le nom d'équipes extérieures. Recrutés parmi la pègre, leurs membres étaient chargés d'identifier et de neutraliser les syndicalistes. Le témoignage d'un de ces nervis devant un tribunal de l'État en 1939 donne une idée précise des méthodes employées.

« Fats » Perry opérait à Dallas où se trouvait une usine Ford. Les membres de l'équipe championne de traction à la corde de l'usine furent détachés de leurs postes habituels pour former une « équipe extérieure ». Les hommes portaient des pistolets, des nerfs de bœuf, des matraques de caoutchouc appelées « persuaders » et d'autres armes dont certaines étaient fabriquées à l'usine même. Perry estimait que sa bande avait participé à une trentaine d'agressions contre les leaders syndicalistes pendant l'été 1937, notamment contre W.J. Houston, un avoué représentant les syndicats. Celui-ci avait été jeté à terre et frappé sauvagement à coups de pied à la tête, à l'aine, aux bras et aux jambes. Ses assaillants lui avaient sauté sur le ventre et il avait perdu connaissance. Après ce passage à tabac musclé, il alla s'installer dans une autre ville.

Perry participa également à la dispersion d'un meeting tenu dans un parc de Dallas. Les syndicalistes devaient projeter un film qu'ils avaient réalisé. La réunion était organisée par les ouvriers du textile et le Parti socialiste. L'équipe extérieure de Ford envahit le parc, détruisit les appareils de projection et la pellicule et kidnappa le projectionniste, qu'on amena quelques heures plus tard dans les locaux d'un journal. Il était nu, il portait des traces de coups et son corps était couvert de goudron et de plumes. L'équipe extérieure avait reçu l'assistance de la police montée de Dallas qui assurait la protection du parc. La police de la ville collaborait d'ailleurs avec les services de sécurité de Ford et leur transmettait des renseignements.

Les choses se passèrent différemment, tout au moins au début, avec les forces de l'ordre de Kansas City. Au cours du printemps et de l'été 1937, l'UAW fit de nets progrès aux usines locales de General Motors et de Ford. La police ne s'était pas montrée trop agressive avec les piquets de grève. Comme à Detroit, la General Motors capitula rapidement et signa des accords avec l'UAW. Mais en octobre, la Ford annonça qu'elle n'accepterait aucun compromis et qu'elle était prête à fermer l'usine de Kansas City et à la transférer à Omaha.

Adopter cette solution équivalait à perdre 2 500 emplois. L'administrateur de Kansas City, H.F. McElroy, réagit immédiatement en télégraphiant à Harry Bennett. Il se rendit ensuite à Dearborn pour négocier avec Henry Ford qui accepta de rouvrir l'usine si les autorités lui garantissaient que « les hommes qui voulaient travailler n'en seraient pas empêchés ». En d'autres termes, la police devait prêter main forte aux briseurs de grève. Peu de temps avant Noël, un shérif du comté de Jackson, qui n'était pas partie prenante dans cet accord, arrêta une équipe extérieure de Ford, soit 28 hommes avec 12 fusils, 14 revolvers et quantité d'autres armes. Ils ne furent pas inculpés et on les relâcha sans caution.

Le dirigeant de l'UAW envoya un télégramme de protestation aux autorités de Kansas City. « On arrête un gréviste pris avec une fronde, déclarait-il, mais des gangsters transportant un véritable arsenal sont relâchés jusqu'à ce qu'on se décide à les inculper... Le corps brisé de la justice est pendu à la croix qui surplombe l'hôtel de ville. »

Cette indignation semble aujourd'hui amplement justifiée. Les tentatives d'intimidation, le chantage pratiqué contre une ville tout entière paraissent invraisemblables dans une démocratie du XXe siècle. Cependant, les prises de position de Ford rencontrèrent certains échos favorables. Dans un sondage réalisé par la Curtis Publishing Company le mois même où eut lieu la bataille de la passerelle, la Ford Motor venait en tête avec 51 % de réponses positives estimant que les ouvriers y étaient mieux traités que dans les autres entreprises. La Bell

Telephone n'obtenait que 14,1 % et la General Motors, qui avait reconnu l'UAW trois mois plus tôt, 6,3 % seulement. La légende des « Cinq dollars par jour » avait la vie dure.

« Nous ne nous associons pas aux persécutions menées contre Henry Ford, pouvait-on lire dans un éditorial publié simultanément par de nombreux journaux de villes de moyenne importance. Elles devraient plutôt s'adresser à ceux qui n'ont pas fait autant de bien que lui aux ouvriers. Il a créé de plus en plus d'emplois, au lieu de thésauriser ses capitaux. » L'Américain moyen partageait les sentiments de Ford selon lequel les dirigeants syndicaux manipulaient les ouvriers. « Les syndicats font partie du système d'exploitation, déclara-t-il en 1923 au *Christian Science Monitor*. Les travailleurs et les dirigeants eux-mêmes ne s'en rendent pas compte, mais ils ne sont que des outils entre les mains des exploiteurs. »

Il classait Walter Reuther et Richard Frankensteen dans la même catégorie que Wall Street, les Juifs et ses autres épouvantails et notait dans son carnet personnel : « Les guerres, les syndicats, les grèves font partie d'une conspiration ourdie par les militaristes et les bâtards. »

En 1938, Henry Ford avait soixante-quinze ans, et dans un certain sens on peut dire qu'il ne vivait plus avec son siècle. L'influence d'Harry Bennett sur le vieillard provenait en grande partie de ce qu'il lui donnait l'impression de n'avoir rien perdu de ses capacités physiques et mentales. Cependant, parmi ceux qui soutenaient la guerre menée par l'industriel contre les syndicats, on trouve un certain nombre de personnalités et notamment Edgar Hoover, le directeur du FBI. « Cher Harry, écrivait ce dernier à Bennett en 1943, soyez assuré que j'apprécie grandement votre coopération. »

En parcourant les archives du FBI, grâce à la possibilité offerte par le Freedom of Information Act, on s'aperçoit que Bennett collabora étroitement avec ce service dans les années trente et quarante, ce qui explique d'ailleurs qu'il put, pendant si longtemps, enfreindre la loi. Ses premiers contacts eurent lieu à Detroit avec l'agence locale du FBI. Il rencontra Hoover pour la première fois en janvier 1939 et reçut de ce dernier des photographies dédicacées pour commémorer cette entrevue.

De la part du FBI, il y avait eu d'abord une certaine méfiance envers Bennett. Celui-ci avait en effet envoyé au FBI des preuves de corruption, sans gravité il est vrai, de certains agents proches du gouverneur du Michigan. « Bennett ne fait pas partie de nos amis », avait noté Hoover au bas du rapport, le 1er novembre 1935. Comme les informations ne cessaient d'affluer et que Bennett payait de sa personne, le directeur du FBI changea peu à peu d'avis. « En de nombreuses occasions, écrivit-il dans un rapport daté du 30 mars 1939, quand des crimes graves ont eu lieu à Detroit et ailleurs dans l'État du Michigan, il a participé personnellement aux enquêtes et nous a apporté une aide considérable. »

En 1939, John Bugas, chef du FBI à Detroit, qualifiait Bennett de « grand ami de notre bureau » et lui rendait visite régulièrement pour échanger des informations. Apparemment séduit, il le décrivait à Hoover comme « l'une des meilleures sources de renseignements sur pratiquement tous les sujets concernant la région ». En consultant un autre rapport fait en octobre de la même année, on apprend que Bennett permit au FBI de prendre connaissance de ses propres dossiers concernant les leaders syndicaux de Detroit : « Notre bureau a contacté la Ford Motor Company, ces dernières semaines, pour obtenir les données contenues dans leurs archives sur les activités communistes. Nous avons pu ainsi nous procurer des informations importantes. »

La confiance accordée par le FBI à Bennett ne fut pas remise en cause quand on apprit qu'il avait payé un dollar par tête à Gerald L.K. Smith, un fasciste notoire, pour se procurer les noms d'« agents communistes ».

Les petits-enfants Ford avaient depuis longtemps passé l'âge de jouer avec les caisses enregistreuses de la cantine de l'usine. A présent, ils venaient parfois travailler quelques semaines à l'usine. Benson Ford demanda un jour à Bennett s'il avait écouté les dernières émissions de propagande de l'UAW. « Vous devriez le faire de temps en temps », dit-il.

Le syndicat avait installé une petite station de radio dans un immeuble du centre de Detroit mais l'émetteur n'était pas très puissant. « Comment diable avez-vous pu les capter ? » demanda Bennett. « C'est facile, répondit le jeune garçon, il suffit de pousser le bouton du sélecteur de l'autoradio de n'importe quelle Ford. »

Le dispositif avait été réglé, de toute évidence, au moment de l'installation par un sympathisant des syndicalistes. C'était une façon plus élégante d'exprimer les revendications de la base que celle des ouvriers de la chaîne de montage qui introduisaient des rats morts derrière les panneaux des portes des voitures.

La véritable bataille se déroula cependant devant les tribunaux quand le syndicat, par l'intermédiaire du National Labor Relations Board, porta plainte contre Ford. Ses dossiers, fondés largement sur la bataille de la passerelle, les activités des équipes extérieures et la confession de Fats Perry, étaient inattaquables. A court terme, la Ford Motor allait devoir accepter un compromis. Bennett se prépara à cette échéance et montra qu'il pouvait être aussi efficace dans la manipulation que dans la violence.

Il profita des dissensions existant parmi les syndicalistes. Les responsables étaient en effet divisés sur la tactique à suivre. Des rivalités personnelles opposaient les jeunes loups de l'UAW, comme Frankensteen et Walter Reuther – qui était devenu président de la section ouest de Detroit –, au dirigeant Homer Martin, de tendance plus modérée.

Harry Bennett invita ce dernier à déjeuner avec Henry Ford qui se montra attentif et conciliant. On lui fit ensuite visiter l'usine. Il y pénétrait pour la première fois et fut impressionné par la propreté et la clarté des locaux. Rien de ce qu'il y vit ne correspondait à la propagande des syndicalistes qui présentait l'entreprise comme un enfer. Tout en restant prudent, il se laissa cependant convaincre d'entamer des négociations secrètes. C'était un ancien prédicateur et il espérait sans doute que l'intérêt humanitaire de Ford pour ses ouvriers pouvait être ravivé. Il savait d'autre part qu'Edsel ne partageait pas les opinions intransigeantes de son père.

Fin décembre 1938, on apprit que la Ford Motor et l'UAW avaient conclu, par l'intermédiaire de Martin, un accord provisoire dont les détails ne furent pas rendus publics mais qui impliquait le retrait de toutes les poursuites judiciaires engagées par le syndicat. Le dirigeant était tombé dans le piège tendu par Bennett.

Une grande agitation s'empara des militants. La victoire qui leur semblait toute proche leur échappait. Martin n'avait rien obtenu en échange de sa capitulation et tout dépendait de nouveau du bon vouloir de Ford et de Bennett.

Reuther dénonça la trahison du dirigeant de l'UAW et, en l'espace de quelques mois, le syndicat se désintégra. Les adhérents les plus radicaux restèrent affiliés à la CIO tandis que Martin et ses partisans faisaient alliance avec l'AFL qui représentait les syndicats des artisans. Il fallut plus d'un an pour que la scission soit condamnée, et Bennett mit cette période à profit pour mieux circonvenir Martin.

Comme il savait que le dirigeant de l'UAW-AFL avait des difficultés financières, il lui offrit un crédit chez Ford et une maison entièrement meublée à Detroit. Non seulement Martin eut la stupidité d'accepter, mais encore il écrivit à Bennett une lettre de remerciements. Les agressions des nervis contre l'UAW-CIO redoublèrent tandis que la Ford Motor finançait les campagnes de recrutement du l'UAW-AFL.

Bennett savait pourtant qu'il ne pourrait éternellement empêcher la reconnaissance de l'existence d'un syndicat dans l'entreprise, mais il espérait bien que ce serait l'UAW-AFL, dont le leader lui avait envoyé une lettre de remerciements qu'il gardait précieusement dans sa poche.

Les choses ne tournèrent pas exactement comme il l'avait prévu. Une décision de la Cour suprême prise en février 1941 approuva la demande des syndicats d'engager des poursuites judiciaires contre Ford. Fort de l'appui de la loi, l'UAW-CIO recrutait ouvertement et distribuait ses tracts devant l'usine. Les ouvriers arboraient leurs insignes.

Le 1er avril 1941, 1 500 tôliers de l'atelier de laminage cessèrent le travail à la suite d'un incident. Toute l'usine suivit bientôt leur exemple et, en début d'après-midi, Walter Reuther décréta officiellement la grève. On installa des mitrailleuses devant les portes. Bennett ne pouvait se permettre de les utiliser mais il s'était préparé à la situation en organisant des équipes de briseurs de grève composées en majorité de Noirs. Ces derniers occupèrent l'usine contre le paiement d'un salaire à plein temps. La stratégie du chef du Service Department échoua pourtant de façon lamentable. Ses troupes se saoulèrent et organisèrent des courses de voitures neuves à travers les locaux. Ils utilisèrent comme matelas les plans des futurs modèles trouvés dans l'atelier de dessin.

Bennett télégraphia à la Maison-Blanche et au gouverneur du Michigan, Van Wagoner, pour demander de l'aide. On ne le prit pas au sérieux. « Il est étrange, écrivit le *Louisville Courier Journal*, que Mr. Ford, qui a défié le gouvernement plus qu'aucun autre industriel, lui fasse maintenant appel... Il a bien cherché ce qui lui arrive. »

Quand la crise éclata, Edsel passait des vacances en Floride. Il revint de toute urgence à Dearborn mais son père lui demanda de rester en dehors de l'affaire et de laisser Bennett s'en occuper. Au troisième jour de grève, ce dernier refusait toujours d'engager des négociations. Finalement, Edsel réussit à convaincre Henry Ford qu'il n'y avait aucune autre solution.

Le travail reprit contre la promesse d'organiser des élections pour déterminer la représentativité des différents syndicats. Malgré tous les efforts d'Harry Bennett pour recruter en faveur de l'AFL, le vote du 21 mai 1941 donna une majorité écrasante à la CIO : 69,9 % des voix, soit 51 868 ouvriers sur 78 000, contre 27,4 % à l'AFL.

Henry Ford, à soixante-dix huit ans, prenait durement contact avec la réalité. Il avait sérieusement espéré que les travailleurs lui témoigneraient leur confiance et leur gratitude en votant pour sa proposition d'exclure les syndicats de l'entreprise. Il pourrait ainsi en toute légalité continuer à se comporter en autocrate débonnaire. Il n'obtint que 2,7 %

des voix et ce fut, selon Charles Sorensen, « la plus grande déception de toute sa carrière ».

Les termes des accords furent rendus publics au mois de juin et provoquèrent la fureur des grands capitaines d'industrie. Tous crièrent à la capitulation. On n'avait jamais vu une telle générosité de la part du patronat. Tous les emplois – mis à part certaines catégories comme les contremaîtres – étaient réservés aux membres de l'UAW. On paya des indemnités aux 4 000 ouvriers licenciés pendant le conflit. Les revendications concernant l'ancienneté et les cadences furent presque en totalité satisfaites. Les membres du Service Department devaient désormais porter des uniformes, des casquettes ou des badges pour être aisément identifiés.

Les salaires furent considérablement augmentés pour atteindre les niveaux les plus hauts pratiqués alors. La Ford Motor accepta de déduire de la paie des ouvriers le montant des adhésions et des cotisations mensuelles syndicales. Ce système n'était pratiqué dans aucune entreprise automobile. En l'espace de quelques semaines, d'ennemi mortel de l'UAW, Ford Motor devint son comptable et son collecteur de fonds. L'accord de juin 1941 allait servir de modèle à tous les contrats passés après guerre dans l'industrie automobile américaine.

Henry Ford n'avait pas participé aux négociations et sa première réaction fut de rejeter tout en bloc quand Bennett lui fit part des résultats le 18 juin. Ce soir-là, quand il rentra chez lui, Clara, qui avait suivi de près les conflits syndicaux, lui demanda des détails. Elle savait qu'Edsel était favorable à un accord et qu'il supportait mal l'influence de Bennett sur son père. Elle estimait qu'il y avait eu assez de violence et de sang, que la partie était perdue d'avance. Elle menaça Henry de le quitter s'il s'opposait au résultat des négociations. Il n'avait donc pas le choix. « Il ne faut jamais sous-estimer le pouvoir d'une femme », dira-t-il plus tard.

La réalité n'était évidemment pas aussi simple. Si Ford n'avait pas modifié sa politique d'emploi, le gouvernement lui aurait certainement retiré ses contrats militaires. Plusieurs milliers d'ouvriers avaient porté plainte pour licenciements abusifs. Ils auraient reçu satisfaction devant les tribunaux. Plus Ford tardait à résoudre le problème, plus la somme qu'il devrait payer serait élevée. Il lui fallait se résigner : l'Amérique changeait. Il téléphona à Bennett et, par l'un de ces revirements qui étaient bien dans son caractère, lui donna le feu vert. Pour la première fois depuis l'époque des « Cinq dollars par jour », la Ford Motor était de nouveau à l'avant-garde de la politique des relations dans l'entreprise.

Edsel, qui avait dépassé la quarantaine, éprouvait toujours les mêmes difficultés à affronter directement son père. Henry Ford apprit, par les médecins de l'hôpital Ford, que son fils était de plus en plus nerveux et épuisé. Quand il rentrait chez lui à la fin de sa journée de travail, il se jetait sur son lit et sanglotait.

En 1939, John R. Davis, directeur des ventes depuis deux ans, vint un jour se plaindre à Edsel du comportement d'Harry Mack, l'un des hommes de Bennett, qui avait interrompu une réunion au Dearborn Country Club en y faisant irruption avec une groupe de compagnons ivres. Henry Ford avait construit cet établissement pour prouver que le golf, le tennis et les clubs de luxe n'étaient pas l'apanage du seul quartier de Grosse Pointe. Cependant, à la différence des autres clubs huppés de la région, il y était interdit de fumer et de boire de l'alcool. Mack en avait donc fait apporter par le Service Department. A la suite de la bagarre qui s'ensuivit, il fut blessé et hospitalisé.

Edsel jubilait. Ce personnage était l'un des plus antipathiques de la coterie de Bennett. Mack distribuait les voitures offertes par ce dernier à ses complices et camouflait leur disparition en faisant passer leur prix sur les dépenses de transport et d'entretien. Les comptables contestaient régulièrement cette pratique mais Bennett l'approuvait. Introduire de l'alcool au Dearborn Country Club constituait une faute grave. Convaincu que son père entrerait dans une violente colère, Edsel demanda à Davis de licencier Mack en lui disant qu'il en prenait l'entière responsabilité.

Il n'avait cependant pas pris toute la mesure de son adversaire. Bennett convoqua Davis dans son bureau en présence d'Henry Ford et l'accusa d'avoir lui-même introduit de l'alcool au club. Quand le directeur des ventes rétorqua que c'était faux, il menaça de le frapper. Sur ce, Ford alla trouver son fils en lui disant : « Ce Davis est un menteur. »

A la différence d'autres cadres qui avaient été témoins des humiliations subies par Edsel et avaient pris leurs distances, Davis lui était toujours resté fidèle. Edsel se fit un point d'honneur de le défendre. Il valait mille fois Harry Mack, dit-il à son père. En tant que président de la société, il avait écouté les différentes opinions et pris une décision. « Si Davis s'en va, déclara-t-il, je partirai avec lui. » Henry lui lança un regard dur et répondit simplement : « Ôte cet homme de ma vue. »

23

Le cœur brisé

Quand Edsel Ford essaya de raconter à Davis l'entrevue qu'il venait d'avoir avec son père, il trouva difficilement ses mots. Il était au bord des larmes : « Je ne peux rien pour vous, dit-il. C'est le jour le plus triste de ma vie. Vous n'avez fait qu'exécuter mes ordres. »

Et pourtant Jack Davis ne fut pas licencié. Henry ne l'avait pas explicitement exigé. Tout simplement, il ne voulait plus le voir. Edsel l'envoya en Californie pour superviser le marché de la côte ouest, de la même façon qu'il avait réparti les comptables, expulsés jadis du quatrième étage, dans différents services. C'était la règle du jeu.

Son père devenait vieux et il était normal qu'il assumât certaines des activités. Il voyageait souvent, faisait des déclarations publiques. Mais, de temps en temps, il arrivait encore au vieux tyran de taper du poing sur la table. Il fallait alors recourir au rituel de l'apaisement.

L'hiver, Henry organisait des soirées de patinage sur son lac de Fair Lane. C'était un véritable enchantement. On disposait les voitures en demi-cercle sur la glace et leurs phares éclairaient les patineurs. Le patron était d'excellente humeur. Il mangeait sa soupe aux huîtres fumante en riant et en plaisantant avec sa famille. Puis, quelques jours plus tard, au cours d'un bal à l'ancienne, il s'apercevait qu'Edsel et ses amis de Grosse Pointe sentaient l'alcool. Il demandait alors au chef d'orchestre, Benjamin Lovett, d'accélérer le tempo. Ensuite, selon Bennett, il se vantait « de les avoir fait danser jusqu'à l'épuisement au point qu'ils sentaient la sueur ».

Il continuait à espionner son fils comme si, dira John Dahlinger plus tard, Edsel travaillait pour quelqu'un d'autre. Pour échapper à cette surveillance, Edsel passait le plus clair de son temps à l'usine de Briggs Body, dans l'atelier où il avait travaillé à la conception du modèle T. Il était très ami avec Walter Briggs et Howard Bonbright, le directeur financier. Il trouvait là le calme nécessaire pour étudier les plans de la Lincoln. « Mon père a fabriqué la voiture la plus populaire du monde, disait-il. J'aimerais fabriquer la meilleure. »

Il engagea John Tjaarda, un dessinateur qui avait travaillé sur quelques-unes des plus belles Duesenberg et Packard. Lincoln présenta en 1935 la Zephyr, qualifiée par le Museum of Modern Art de « première voiture aérodynamique réussie en Amérique ». Vint ensuite, en 1939, la Lincoln Continental. Longue et basse, la roue de secours encastrée à l'arrière, c'était vraiment la voiture classique de l'âge de l'automobile classique et la meilleure réalisation d'Edsel. Elle possédait un moteur silencieux à douze cylindres. Henry Ford ne fut guère impressionné. Les voitures « qui avaient plus de bougies d'allumage qu'une vache de mamelles » ne l'intéressaient pas.

Les dix dernières années que Ford passa à la tête de sa société coïncidèrent avec la présidence de Roosevelt dont le constructeur se montra au début un fervent partisan. Il fit même insérer, dans ses pages de publicité, des messages personnels – écrits par William Cameron – saluant la venue au pouvoir de Roosevelt comme « un grand événement... un tournant dans la vie de l'Amérique », qui pouvait maintenant faire face à l'avenir.

L'idée d'un président populaire qui s'attaquerait à l'establishment lui plaisait, mais il comprit vite qu'aux yeux de Roosevelt il était lui-même l'un des piliers de cet establishment. Le National Industrial Recovery Act (NIRA) marqua le début d'une politique d'intervention du gouvernement dans la gestion des grandes entreprises industrielles, qui a duré jusqu'à nos jours. Quand la loi fut adoptée, Ford eut ce commentaire acerbe : « J'ai toujours cru que pour diriger correctement les affaires, il fallait s'y connaître. »

Roosevelt, conscient de l'importance de Ford pour le succès du New Deal, l'invita dès 1933 à la Maison-Blanche. Henry se montra peu enthousiaste. Il se méfiait des initiatives prises par le président dans le secteur industriel. Il fallut cinq ans pour mettre au point une entrevue. Quand ils se rencontrèrent finalement en mai 1938, ils avaient déjà abattu leurs cartes. Ford avait refusé de collaborer avec le NIRA et avait soutenu la candidature d'Alfred Landon en 1936. Ses ouvriers recevaient, avec leur fiche de paie, des tracts les mettant en garde contre le danger de voter pour Roosevelt.

Craignant le compte rendu de l'entrevue que l'équipe du président ne manquerait pas de distribuer à la presse, il demanda à deux journalistes de Detroit, J. G. Hayden, correspondant du *Detroit News*, et Clifford Prevost du *Free Press*, de l'attendre à sa sortie de la Maison-Blanche. Il voulait être certain de pouvoir faire connaître sa propre version de l'entretien.

Cette réunion en soi ne semble pas avoir eu de grandes répercussions.

On comprend même difficilement pourquoi les deux hommes éprouvèrent le besoin de se rencontrer. Ford reprit son thème habituel des fermes, des villes et des villages industriels. Roosevelt essaya sans succès d'obtenir de son interlocuteur l'approbation de sa politique industrielle.

William Cameron, le porte-parole de Ford, n'ouvrit pas la bouche pendant le voyage de Washington à New York où son patron avait rendez-vous. Celui-ci donna des détails de première main aux deux journalistes qui l'accompagnaient dans son autorail privé, le Fair Lane. Pendant près de quatre heures, il leur dicta ses impressions et ses souvenirs.

Ils ne comprirent pas un traître mot de ce qu'il disait. Il avait en effet tendance à sauter d'une idée à l'autre sans logique apparente et, ce jour-là, il se montra particulièrement brillant dans ce genre d'exercice. Hayden et Prevost arrivèrent à New York avec des carnets bourrés de notes sans avoir la moindre idée de ce qu'elles signifiaient. A la gare, Henry qui avait près de soixante-quinze ans, avisa une volée d'escaliers, les escalada et les redescendit en courant : « Je n'ai pas encore pris d'exercice aujourd'hui », expliqua-t-il.

Clifford Prevost prit congé pour aller téléphoner son article qui devait paraître le lendemain matin. Jay Hayden était moins pressé, le *Detroit News* étant un journal du soir. Cameron le prit à part et lui proposa de l'aider à rédiger ses notes. Il donna à chaque phrase une interprétation que le journaliste trouva sans rapport avec les propos de Ford.

La version de Cameron avait au moins l'intérêt d'être compréhensible. Les deux articles parurent donc le lendemain. Le nom de Cameron n'était évidemment pas mentionné dans celui de Hayden. Ses déclarations avaient été mises entre guillemets et attribuées à son patron. Ford entra dans une violente colère quand il lut l'article de Prevost, et lui interdit désormais l'accès de ses usines sous prétexte qu'il avait déformé ses propos. Comme preuve, il brandit le *Detroit News* en s'écriant : « Hayden, lui, m'a cité correctement. »

Ford fêta son soixante-quinzième anniversaire avec tous les habitants de Dearborn. Il avait offert à la ville un terrain le long de la rivière Rouge pour qu'il soit aménagé en parc municipal, à condition d'y interdire les boissons alcoolisées. La communauté reconnaissante l'avait baptisé Ford Field. Henry, en costume blanc et chapeau de paille, reçut de la main du vice-consul allemand la grand-croix de l'Aigle, la plus haute distinction décernée par Hitler aux étrangers. Le constructeur fut très étonné de l'indignation soulevée par cette cérémonie. « Cette décoration, dit-il, m'a été offerte par le peuple allemand qui, dans son ensemble n'approuve pas ses dirigeants et leur politique antisémite... Ceux qui me connaissent depuis longtemps savent que tout ce qui fomente la haine me fait horreur. »

En réalité, bien qu'Henry Ford ait continué à soutenir la cause pacifiste dans les années vingt et trente, ses positions étaient souvent teintées de germanophilie. A la demande de Clara, il avait soutenu la campagne pour le « réarmement moral » du groupe d'Oxford dirigé par Frank Buchman ainsi que celle d'« America First » menée par Lindbergh qui fut lui-même décoré par Goering en 1938.

Après l'invasion de la Pologne et le déclenchement de la guerre en septembre 1939, il s'était opposé aux ventes d'armes à la Grande-Bretagne et à la France afin que les États-Unis « ne soient pas directement engagés dans le conflit ». Les informations publiées par les journaux lui semblaient relever de l'intoxication et, en privé, il se montrait toujours aussi antisémite. « On n'a pas tiré un seul coup de feu, dit-il un jour au jeune John Dykema qu'il rencontrait souvent au Huron Mountain Club. Toute cette histoire a été inventée par les banquiers juifs. »

Tant que l'Amérique était en sécurité, ce qui se passait ailleurs lui importait peu, mais, avec l'avance des nazis en Europe, Washington se lança en 1940 dans des préparatifs militaires. Henry déclara alors, le 28 mai, que la Ford Motor était prête à produire « 1 000 avions par jour sans l'aide du gouvernement ». C'était tout simplement ridicule. Aucune entreprise ne pouvait atteindre un tel record en un an. La presse venait d'annoncer la nomination de Knudsen, le président de la General Motors, au poste de commissaire à l'industrie. Henry en ressentit sans doute une certaine irritation, ce qui peut expliquer cette déclaration fracassante. Il accepta pourtant qu'Edsel se rende à Washington pour discuter de la fabrication d'avions chasseurs. Knudsen approuva la proposition de ce dernier de commencer par fabriquer des moteurs d'avions. La bataille d'Angleterre faisait rage et le gouvernement britannique avait demandé aux États-Unis de l'aider à produire rapidement 6 000 moteurs Rolls-Royce Merlin pour ses Spitfire.

C'était alors le nec plus ultra sur le plan technique. Edsel et Sorensen se passionnèrent immédiatement pour le projet. Outre son intérêt financier, c'était une occasion de prouver les qualités performantes de la Ford Motor. Henry accepta de rendre la décision publique.

Lord Beaverbrook, le ministre britannique chargé de la production militaire, salua alors le marché passé avec Ford comme une étape importante dans l'effort de guerre de son pays. Quelques heures plus tard, Edsel téléphonait à Knudsen pour l'informer que le contrat était annulé.

– Bill, dit-il, nous ne pouvons pas fabriquer ces moteurs pour les Anglais.

– Et pourquoi?

– Père s'y oppose.

– Mais vous êtes le président de la compagnie.

– Je sais, mais Père refuse. Vous le connaissez.

Knudsen prit l'avion pour Detroit.

– Mr. Ford, dit-il en entrant dans la bureau d'Edsel où l'attendaient Henry et Sorensen, cette affaire de moteurs est bien ennuyeuse.

– Quels moteurs? demanda innocemment le constructeur.

– Ces moteurs pour les Anglais. Edsel m'a dit que vous ne vouliez plus les fabriquer.

– C'est exact.

– Cela va faire du bruit.

– Peu m'importe, rétorqua Ford, qui expliqua qu'il ne voulait pas signer de contrat directement avec les Britanniques, fournir du matériel à un pays en guerre étant contraire à ses principes.

Cet argument aurait eu plus de poids si les filiales de la Ford Motor en Angleterre et en Allemagne n'avaient pas fabriqué à ce moment précis des voitures, des camions et des armes évidemment utilisés à des fins militaires. Comme la General Motors et d'autres multinationales, la Ford Motor jouait sur les deux tableaux. Mais la logique et Ford ne faisaient pas bon ménage, et Knudsen était bien placé pour le savoir. Il utilisa alors un argument qui malheureusement lui enleva sa dernière chance de convaincre l'industriel.

– Vous avez donné votre parole, dit-il. J'en ai informé le président et il en est très heureux.

– Annulez ce contrat, s'écria Henry rendu furieux par l'allusion à Roosevelt. Donnez-le à qui vous voudrez.

Selon Sorensen, Knudsen sortit de la réunion « blanc de rage ». Il avait voulu faire preuve de bonne volonté et d'impartialité en favorisant la Ford Motor, et c'était aussi le premier acte important de sa carrière politique.

Edsel était encore plus embarrassé. Trois jours plus tard, il dut démentir publiquement ce qu'il avait lui-même annoncé. La volte-face d'Henry pouvait effectivement se comprendre par ses principes isolationnistes, mais c'était difficile à expliquer au public. Il n'avait pas d'autre raison à donner que la mauvaise volonté de son père. Le président de la compagnie, âgé de quarante-sept ans, s'y soumettait encore.

Le visage d'Edsel commença bientôt à porter les traces de cette tension perpétuelle. Il se maintenait en forme en pratiquant régulièrement le tennis et la voile et se montrait toujours souriant et calme. Au début de l'année 1942, cependant, son entourage s'aperçut qu'il était épuisé. Il s'enfermait souvent dans sa salle de repos où il disposait d'un divan en demandant à ne pas être dérangé.

Il fut opéré d'un ulcère à l'estomac au mois de janvier 1942 mais son état de santé continua à empirer. Il se faisait apporter régulièrement du lait de la cantine de l'usine. Le lait ne fit qu'aggraver le problème. En effet, il provenait des fermes d'Henry où l'on ne pratiquait ni la pasteurisation ni la stérilisation. Son père aimait le goût du lait frais qui lui rappelait son enfance. Les étables et les laiteries étaient d'une propreté irréprochable et tout danger de tuberculose était écarté. Mais d'autres bactéries, moins dangereuses il est vrai, y proliféraient. Edsel fut victime d'une grave attaque de fièvre de Malte avec frissons, douleurs articulaires et température élevée la nuit. On ne connaissait pas encore à cette époque les antibiotiques. Les médecins prescrivirent donc du repos, mais Edsel ne pouvait se permettre de cesser son travail.

Après la General Motors et la Curtiss-Wright, la Ford venait au troisième rang pour les contrats militaires. Detroit se vantait d'être « l'arsenal de la démocratie ». Ford fabriquait des Jeeps, des voitures blindées, des camions pour le transports des troupes et des tanks. La construction de l'usine d'aviation de Willow Run augmenta encore le prestige de la société. Ses bâtiments s'étendaient sur 1 600 mètres. Le planning prévoyait la production de bombardiers Liberator B-24 qui partiraient directement pour le front au rythme d'un par heure.

Willow [1] Run tirait son nom d'un cours d'eau bordé de saules qui serpentait à travers la propriété d'Henry Ford située dans les environs d'Ann Arbor. Les champs entourant le ranch tout proche d'Harry Bennett avaient été consacrés à la culture du soja dans les années trente.

La Consolidated Aircraft Corporation de San Diego avait conçu le prototype du B-24 mais elle était incapable de fabriquer les appareils en grande quantité. L'U.S. Air Force proposa donc le contrat à Ford à la fin de l'année 1940. L'usine allait être équipée de la première chaîne de montage intégrée au monde pour la construction aéronautique. C'était le plus grand défi auquel se trouvait confrontée la compagnie depuis la transformation du modèle A. Ce fut à Edsel et Sorensen que revint la tâche de transformer le rêve de Willow Run en réalité. Henry avait près

1. Willow : saule.

de quatre-vingts ans. Victime d'une première crise cardiaque sans gravité, en 1938, il resta très diminué après celle qui le frappa en 1941. Malgré des troubles de la mémoire, des difficultés d'élocution et un ralentissement de la motricité, il se refusait à admettre qu'il était malade et à abandonner le contrôle de la société. Edsel était encore, pour lui, l'un de ses lieutenants, au même titre que Sorensen ou Bennett.

Willow Run fut à la fois la plus importante et la dernière création d'Albert Kahn qui devait disparaître en 1942. Il conçut sur 28 hectares un bâtiment en forme de L, ce qui n'était guère logique pour l'installation d'une chaîne de montage, d'autant que l'espace ne manquait pas. Mais, pour édifier l'usine d'un seul tenant, il aurait fallu sortir du comté de Washtenaw, où les fermiers, conservateurs, soutenaient les Républicains, et empiéter sur celui de Wayne, dont les habitants étaient plutôt favorables aux Démocrates. Les impôts y étaient en outre plus élevés. Avec l'âge et la maladie, la méfiance d'Henry envers le président avait tourné à la paranoïa. De plus, Bennett entretenait des relations amicales avec Earl Mishner, représentant du comté de Washtenaw au Congrès et farouche adversaire de F. D. Roosevelt.

D'autre part, l'industriel se refusa à détourner le cours d'eau de Willow Run et le fit recouvrir à grands frais de béton. La rivière coulait ainsi sous les bâtiments. Après la construction de l'usine, les oiseaux continuèrent à faire leurs nids dans les poutrelles comme si les saules n'avaient pas disparu. Ils gazouillaient allègrement, indifférents aux avions qu'on construisait au-dessous d'eux, et s'ébattaient dans les grandes fontaines rondes où se lavaient les ouvriers.

Toute l'Amérique se passionna pour Willow Run. Après les victoires des Japonais, dans les premiers mois de 1942, le pays guettait le moindre signe d'espoir. L'usine de bombardiers de Ford représentait une sorte de compensation, une preuve qu'en dépit des apparences les États-Unis n'avaient rien perdu de leur puissance. Une fois de plus, Ford symbolisait le génie industriel de son pays. Comme le montraient tous les reportages, Edsel et Sorensen avaient été les véritables maîtres d'œuvre, mais la participation, aussi minime fût-elle, d'Henry redonnait de l'optimisme à ses concitoyens.

Paradoxalement, malgré – ou à cause de – toutes ses erreurs, il était devenu une sorte de héros national. C'était aussi l'idée qu'il se faisait de lui-même. Le General Motors produisait cependant trois fois plus de matériel militaire que la Ford, et Chrysler avait construit près de Chicago une usine d'aviation encore plus importante que Willow Run.

Mais le grand constructeur avait marqué un dernier point. « Dans l'avenir, écrivit le *Detroit Free Press*, on pourra dire que l'ombre des bombardiers de Willow Run a annoncé, au printemps 1942, le déclin des ennemis de l'humanité. » Charles Sorensen déclara que la production serait d'un avion par heure avant la fin de l'été. « Si les Allemands et les Japonais voyaient ça, dit-il, ils se feraient sauter la cervelle. »

Sorensen était coutumier des promesses non tenues. La reconversion d'une chaîne de production automobile en chaîne de production aéronautique se révéla plus complexe et plus longue que prévue. Fin septembre 1942, Willow Run n'avait fabriqué que deux appareils, dont l'un avait été d'ailleurs assemblé par la Douglas Aircraft Company à Tulsa. « On ne peut s'attendre à ce que des forgerons fabriquent des montres du jour au lendemain », fit remarquer J. H. Kindelberger, le président de la North American Aviation. Il avait toujours critiqué la décision gouvernementale de signer des contrats avec les compagnies automobiles pour la production d'avions.

Fin 1942, l'usine avait fabriqué en tout et pour tout 56 B-24. On était loin des prévisions de Sorensen. Quand le public connut la vérité, la réprobation fut unanime. Un programme radiodiffusé, « The March of Time », critiqua la mauvaise gestion de Willow Run et l'immoralité régnant à Detroit qui ralentissaient, jusqu'à un point dangereux, l'effort de guerre américain. Le magazine *Life,* enquêtant sur les conditions de travail, découvrit que les ouvriers dépensaient la plus grande partie de leurs salaires en frais de déplacement : l'essence était rationnée et coûtait très cher, et il fallait deux heures pour faire l'aller et retour entre Detroit et l'usine. Selon le *New York Times*, la Ford Motor perdait plus d'ouvriers qualifiés qu'elle n'en embauchait.

Edsel fut très affecté par toutes ces critiques. Quant à son père, il vivait dans un autre monde. Il ne fit pas partie du comité d'accueil quand le président Roosevelt visita l'usine en décembre. Harry Bennett l'envoya chercher en toute hâte et on le trouva en train d'examiner une nouvelle machine-outil. Il consentit cependant à s'asseoir entre les Roosevelt pour faire le tour de l'usine en limousine, mais ne desserra par les dents.

Ses facultés intellectuelles s'affaiblissaient visiblement. Le moment de la passation des pouvoirs approchait. Le prince héritier allait enfin être couronné et tous les employés attendaient l'événement avec impatience.

Quand il avait souffert pour la première fois de l'estomac, à la fin des années trente, Edsel avait subi, à l'hôpital Ford, une série d'examens. Les préparations au baryum qu'il dut ingurgiter et les lavements lui causèrent un tel dégoût et une telle humiliation qu'il négligea pendant longtemps de faire de nouvelles analyses. Le docteur John Mateer, le gastro-entérologue de l'hôpital Ford, lui écrivit en novembre 1940 pour lui demander de venir le voir le plus rapidement possible en lui promettant que, cette fois-ci « il n'aurait pas à avaler de tubes ». Edsel attendit encore plus d'un an, et les chirurgiens découvrirent finalement qu'il était atteint d'un cancer. Si le mal avait été dépisté plus tôt, il aurait certainement pu être enrayé. En effectuant l'ablation de la moitié de l'estomac, en janvier 1942, on découvrit des métastases au foie.

On cacha la réalité au malade. Il fut de nouveau hospitalisé en novembre de la même année pour une attaque de fièvre de Malte. Il se débattait à cette époque avec les problèmes posés par Willow Run, et notamment par une enquête du sénateur Truman qui présidait la commission chargée de la défense nationale.

Sorensen était frappé par l'indifférence d'Henry Ford qui ne prenait pas au sérieux la maladie de son fils. Il répétait que celui-ci n'avait « rien de grave » et qu'il devait simplement changer sa manière de vivre, ne pas boire tant de cocktails et ne pas mener, comme son entourage, une vie dissolue. « Sa santé ne dépend que de lui-même », dit-il à Sorensen. Son fils devait, selon lui, apprendre à manger « correctement ». Ce conseil était plutôt mal venu puisque le lait non stérilisé consommé dans la famille était à l'origine des premiers troubles d'Edsel.

Celui-ci continuait, malgré ses graves ennuis de santé, à travailler avec acharnement. « J'ai passé toute la journée d'hier à Willow Run, écrivait-il pendant l'hiver 1943 à ses parents qui se trouvaient alors en Georgie. Nous avons discuté de la main-d'œuvre et des moyens de diminuer l'absentéisme qui en ce moment atteint quotidiennement 10 %. »

Ses relations avec Bennett étaient toujours aussi mauvaises. Un nouveau conflit, semblable à celui qui s'était produit à propos de Jack Davis, éclata en février 1943. A. M. Wibel avait été engagé chez Ford comme mécanicien en 1912. C'était un homme d'une rare intégrité. Il s'était élevé dans la hiérarchie au rang de directeur et de vice-président et dirigeait le service des ventes. Son prédécesseur, Fred H. Diehl, avait démissionné après s'être vainement opposé aux contrats passés par Bennett avec des gangsters notoires comme LaMare. Pendant plus de dix ans, Wibel avait lutté contre la corruption dans un service particulièrement vulnérable, même dans les entreprises les mieux gérées.

Au cours de l'hiver 1942-1943, il refusa de signer un marché conclu par Bennett. Edsel conseilla à ce dernier de « ne pas fourrer son nez dans les ventes et de se cantonner dans son rôle de chargé de relations avec le personnel et les syndicats ». L'homme de confiance d'Henry Ford en référa immédiatement à son patron.

Le 15 avril 1943, alors que Sorensen s'apprêtait à partir en vacances en Floride, il reçut un appel téléphonique d'Henry lui demandant de convoquer immédiatement Edsel afin de le faire « changer d'attitude ». Il énuméra ses doléances, de l'amitié de son fils pour Kanzler jusqu'à ses désaccords avec Bennett. Sorensen nota tout scrupuleusement, de A à Z. Quand il montra cette liste de griefs à Edsel, le lendemain matin, celui-ci éclata en sanglots. « Ce que j'ai de mieux à faire est de démissionner, dit-il, ma santé ne me permet pas d'en supporter davantage. »

Ce genre de scène avait déjà eu lieu. Le chef de production s'assit sur le divan au côté de son président. « Si vous partez, lui dit-il, je partirai aussi. J'en ai assez de toutes ces démissions. » Les deux hommes n'avaient jamais été très intimes. Sorensen éprouvait un certain mépris pour la faiblesse de caractère d'Edsel. Il se sentait cependant menacé par l'importance prise par Bennett et par les caprices du patron. Il estima qu'il fallait d'abord régler le problème de Wibel. Le maintien des contrats avec le ministère de la Guerre dépendait de la confiance de Washington où l'on appréciait l'honnêteté et les compétences du chef du service des ventes. Il soutint donc Wibel contre Bennett et partit tranquillement en vacances. Cinq jours après son arrivée à Miami, Henry Ford lui téléphona pour lui ordonner de licencier Wibel. Quand Sorensen revint à Detroit, il trouva Edsel alité.

La famille Ford observe aujourd'hui la plus grande réserve sur ce pénible chapitre de son histoire. Les deux fils d'Edsel qui sont encore vivants n'étaient pas à Detroit lors de ces événements. William Clay poursuivait ses études à Yale. Henry Ford II qui suivait une formation dans la marine, à Chicago, se souvient cependant que son père était triste et déprimé et qu'il avait parlé à plusieurs reprises de quitter la société, de s'éloigner définitivement de tout ce chaos. Il était déjà trop tard.

Pendant des mois, Eleanor avait essayé de convaincre son mari de rester plus souvent chez lui et de profiter un peu de l'existence, mais à présent il n'avait plus aucune énergie. Il restait couché dans la chambre du premier étage de Gaukler Point. Un médecin et des infirmières résidaient en permanence chez lui. On devait lui administrer continuellement de la morphine pour atténuer la douleur. Sa mère lui rendait visite une ou deux fois par semaine. Ernest Kanzler lui téléphonait souvent de Washington, mais les conversations le fatiguaient.

La maladie suivait inexorablement son cours et, vers la fin, il devint pratiquement inconscient. De l'avis de tous les médecins, une hospitalisation n'aurait servi à rien. Le 18 mai 1943, on annonça à Henry Ford que son fils était à l'agonie et il refusa d'y croire. Il était encore convaincu qu'on pouvait le sauver.

Edsel mourut huit jours plus tard à une heure dix du matin. Il allait avoir cinquante ans. Le médecin qui le veillait alla informer Eleanor de la triste nouvelle.

La cause immédiate du décès fut difficile à déterminer parmi toutes les maladies dont il avait souffert : cancer de l'estomac et du foie, fièvre de Malte, ulcères. Ses amis intimes, qui connaissaient les tortures morales qui lui avaient été infligées tout au long de sa vie, n'hésitèrent pas. Edsel Bryant Ford était mort de chagrin, le cœur brisé.

CINQUIÈME PARTIE

Henry II

24

Le jeune Henry

Eleanor Ford n'avait jamais laissé paraître, sauf devant de rares personnes, ce qu'elle pensait du comportement de son beau-père envers Edsel. Elle n'en parlait même pas à ses enfants. Ce sujet lui était trop pénible. Henry Ford II, Benson, Josephine et William Clay ne le surent que beaucoup plus tard par certains commentaires.

Elle se confiait en revanche aux Kanzler, qui partageaient son ressentiment, et à ses amis intimes. Avec ses beaux-parents, elle se montra toujours d'une gentillesse et d'une réserve parfaites, comme en témoigne la lettre de condoléances qu'elle leur écrivit après la mort de son mari :

« Dimanche soir. Chers Mr. et Mrs. Ford, ces derniers temps, j'ai du mal à m'endormir le soir, aussi j'en profite pour vous envoyer ces quelques lignes pour vous remercier de m'avoir donné le meilleur mari qui ait jamais existé et le meilleur père pour mes enfants... Je me rends parfaitement compte qu'il est devenu ce qu'il a été grâce à l'éducation que vous lui avez donnée... »

Il est significatif qu'après trente ans de mariage Eleanor ne pouvait se résoudre à appeler ses beaux-parents par leur prénom et encore moins Père ou Mère. Significatif aussi qu'elle n'ait pas fait enterrer Edsel dans le cimetière des Ford, à Dearborn, mais dans celui de Woodlawn, à Detroit, près du caveau de la famille Hudson.

Elle était éperdue de chagrin. Pour que la maison de Gaukler Point lui paraisse moins vide, William Clay, son plus jeune fils, passa les vacances de l'été 1943 auprès d'elle. Il se souvient encore comment elle éclatait brusquement en sanglots et parlait fréquemment de se suicider. La moindre chose la bouleversait, et le moment le plus critique fut lorsqu'on souleva le problème de la succession d'Edsel à la présidence de la société et qu'Henry voulut donner le poste à Harry Bennett.

Un journaliste avait demandé à Ford, au début de la guerre, quel était selon lui l'homme le plus remarquable qu'il ait jamais rencontré.

L'industriel désigna du pouce Bennett, assis à côté de lui dans la voiture. Son interlocuteur se demanda s'il avait bien compris. Ce personnage de petite taille, au nœud papillon, et aux manières brusques, possédait sans doute un certain charme mais ne pouvait se comparer aux présidents et autres capitaines d'industrie auxquels Ford s'était frotté pendant sa carrière.

Et pourtant, celui qui avait idolâtré Thomas Edison et John Burroughs portait maintenant aux nues Harry Bennett. Comme un miroir fidèle, celui-ci lui renvoyait sa propre image, et Henry savait que, plus que Sorensen, il exécuterait toutes ses volontés.

C'en était trop pour Eleanor. Edsel s'était épuisé à combattre Bennett. Il était plus facile en effet, pour elle et son mari, d'en faire un bouc émissaire que de se retourner contre celui qui inspirait ses actions. En le nommant président de la Ford Motor, Henry réduisait à néant tout ce qu'avait représenté la vie d'Edsel. Le ressentiment d'Eleanor éclata alors au grand jour.

« Mrs. Ford m'a appelé, nota Charles Sorensen dans son journal le 31 mai 1943, pour me demander à quel propos Mrs. Edsel et Mr. Ford s'étaient querellés. » Il ne s'étend pas davantage sur le sujet. Dans un passage de ses mémoires qui fut supprimé lors de la deuxième édition, Bennett rapportait que « lorsque Edsel mourut, sa femme dit dans une explosion de rage à Mr. Ford qu'il avait tué son fils » et que « cela porta un coup terrible à l'industriel ». Henry avait manifesté cependant peu d'émotion à l'enterrement d'Edsel. « On ne peut rien y faire, avait-il déclaré, simplement travailler dur. Toujours plus dur. »

Selon William Clay, sa mère téléphona à plusieurs reprises pour exprimer sa colère et Ford, pour la première fois de sa vie, se mit à s'interroger sur son comportement à l'égard de son fils.

« Il ne pouvait s'empêcher d'en parler, écrit Bennett. Il abordait sans arrêt le sujet et, après quelques instants de discussion, il s'écriait : " Cela suffit, nous ne reviendrons plus sur ce sujet. ". Mais il y revenait sans cesse. »

– Harry, demanda-t-il un jour, pensez-vous vraiment que je me sois montré cruel envers Edsel ?

– Eh bien, répondit Bennett en essayant d'éluder la question, si vous m'aviez traité de cette façon, je n'aurais pas parlé de cruauté.

– Pourquoi ne répondez-vous pas clairement ?

– Cruel, non, mais certainement injuste. Si j'avais été à sa place, je serais devenu fou furieux.

– C'était exactement ce que je voulais, répliqua Henry. Le rendre fou furieux.

Six jours après la mort d'Edsel, le 1er juin 1943, Ford convoqua ses deux petits-fils. Henry II, qui avait alors vingt-cinq ans, et Benson, qui en avait vingt-trois détenaient désormais la part de leur père, soit 41,9% des actions. On prit la décision, inédite dans l'histoire de la compagnie, de faire entrer au conseil d'administration un nombre important de cadres ne faisant pas partie de la famille, Sorensen y étant, après le licenciement de Wibel, le seul étranger. Le bureau se composait de B. J. Craig, le trésorier – un ami d'Edsel –, Mead L. Bricker – un fidèle de Sorensen –, et Ray S. Rausch qui faisait partie de l'équipe de Bennett. Ce dernier fut également désigné mais son influence était contrebalancée par celle de Mrs. Edsel Ford. Le nouveau bureau se réunit immédiatement pour procéder à l'élection du président. Henry II et William Clay votèrent à la place de leur mère par procuration, et c'est ainsi que ni Bennett ni aucun autre cadre qui aurait interrompu la succession familiale ne fut élu. Ce fut Henry Ford, le patriarche, qui devint président de la société.

On s'inquiéta sérieusement à Washington du vide laissé par la mort d'Edsel. Les défaillances de la production et de la gestion de Willow Run avaient déjà provoqué un certain nombre de rumeurs et l'on envisageait des solutions, soit une association avec Studebaker, soit, plus radicalement, un contrôle direct du gouvernement. La confiance dont jouissait Edsel et ses relations amicales avec Roosevelt avaient retardé la décision. D'autre part, Sorensen et Wibel étaient très estimés dans les milieux officiels.

Le 18 juin, moins d'un mois après la disparition d'Edsel, Bennett se fit nommer « assistant » de Sorensen pour les questions administratives. Ray Rausch de son côté reçut des pouvoirs étendus dans le domaine de la production qui avait été jusque-là l'apanage de Sorensen.

Il devenait impossible de laisser la direction d'une entreprise représentant l'un des éléments majeurs de l'effort de guerre américain entre les mains d'un vieillard sénile et d'une bande de voyous et de semi-criminels. Ernest Kanzler qui travaillait à Washington sous les ordres de Knudsen avait des relations à un haut niveau. Ce fut une chance pour la famille Ford. A l'occasion des funérailles d'Edsel, il avait discuté avec Eleanor. Il l'invita un mois plus tard à Hot Springs et lui proposa une solution. Henry Ford II allait avoir vingt-six ans; il pouvait quitter la marine pour s'occuper de la gestion de l'entreprise.

Le jeune homme venait de terminer ses études à l'École navale des Grands Lacs avec le grade d'enseigne de vaisseau et espérait rejoindre la flotte américaine en Méditerranée sous la direction de l'amiral Hewitt. Il n'avait aucune intention de retourner à la vie civile. Le refus de son père d'être incorporé dans l'armée pendant la Première Guerre mondiale avait profondément marqué la famille.

Il lui était cependant difficile de se dérober à ses devoirs nationaux et familiaux. La situation se dégradait rapidement à Willow Run. En août 1943, Frank Knox, le secrétaire d'État à la Marine, signa une autorisation spéciale permettant à l'enseigne de vaisseau Ford de quitter l'armée.

En octobre 1924, le prince de Galles avait fait une séjour à Detroit. Edsel et sa femme l'avaient reçu à Indian Village. Henry II et Benson, âgés respectivement de sept ans et cinq ans, étaient remplis d'excitation car leur mère leur avait promis que, s'ils étaient sages, le prince viendrait les voir dans la nursery.

On circulait très mal, ce jour-là, dans les rues de Detroit et l'invité arriva avec une heure et demie de retard. Irritée par cette attente, Mrs. William Clay, la mère d'Eleanor, alla rejoindre ses petits-enfants dans la nursery, sans savoir que c'était la première visite prévue.

Son Altesse royale entra et tendit la main au jeune Henry II.

– Comment allez-vous? demanda-t-il.

– Très bien, répondit l'enfant. Il vient de vomir, ajouta-t-il en désignant son frère, et grand-mère est cachée derrière les rideaux.

Henry II avait eu son franc-parler depuis son plus jeune âge. Il sut en faire preuve pour sauver l'entreprise familiale du chaos dans lequel l'avait plongée son grand-père. Il n'était cependant guère préparé à cette tâche.

D'un naturel plutôt indolent, on raconte que, pendant ses années d'études à Yale, il avait payé l'agence Rosenberg, spécialisée dans ce genre de pratique, pour lui rédiger un mémoire sur le romancier Thomas Hardy, et qu'il avait laissé la facture à l'intérieur de son travail. Il dément aujourd'hui formellement cette anecdote, en disant qu'il n'était pas idiot à ce point-là. Il lui arriva même de faire de l'humour à ce propos. « Celui-là non plus, je ne l'ai pas écrit », déclara-t-il en 1969 avant de lire un discours devant la Yale Political Union.

Il quitta l'université à vingt-trois ans sans avoir obtenu son diplôme. Comme son grand-père, il provoquait chez ses contemporains les réactions les plus diverses. Ses amis le trouvaient chaleureux, sincère et fidèle. Ceux qui ne l'aimaient pas en parlaient comme d'un ours mal léché et d'un parfait tyran.

Certains de ses anciens condisciples à la Detroit University School ont gardé le souvenir d'un gros garçon plutôt arrogant, trop conscient du nom qu'il portait. John Dahlinger, le fils d'Evangeline qu'Henry amenait souvent à Fair Lane pour jouer avec ses petits-enfants, parle d'eux comme de « sales gamins ». Leur principale occupation, dit-il, consistait à saccager leurs jouets, et particulièrement les voitures offertes par leur grand-père. Il est vrai qu'il avait toutes les raisons de ne pas être objectif.

D'autres camarades d'école d'Henry II sont plus nuancés. Il savait, disent-ils, « reconnaître ses erreurs et n'était pas rancunier » confirme l'un deux, Donald Thurber, dans une interview. Tout le monde cependant « y compris les professeurs, tout en essayant de se comporter normalement avec lui, n'oubliait jamais qui il était. Les garçons imitaient en cela leurs parents, flattés que leur fils fréquente la même école que lui. Les professeurs ne le réprimandaient jamais et ne le traitaient pas sur le même pied que les autres ».

Henry II fréquenta ensuite l'internat Hotchkiss qui préparait les jeunes gens des familles aisées à l'entrée dans les grandes universités de l'Ivy League. Il y passa quatre années agréables mais fut loin d'être un élève brillant. Au moment des vacances, il recevait régulièrement un télégramme de son père l'informant qu'un chauffeur viendrait le chercher pour le conduire au Ritz Carlton.

Un garçon élevé dans ces conditions ne peut manquer d'avoir une vision du monde assez particulière. Quand il voyageait en Europe, il disposait de milliers de dollars d'argent de poche. Il n'avait pas conscience d'être un enfant gâté. Aujourd'hui encore, il dit qu'il « ne comprend pas le sens de cette expression », ce qui est normal puisqu'il n'avait aucun élément de comparaison.

A vingt et un ans, il prit de longues vacances d'été avec deux de ses amis de Grosse Pointe, George « Bud » Fink et Jerry DuCharme. Ils arrivèrent à Vienne à bord de leur Lincoln Zephyr en 1938, quelques semaines après l'annexion de l'Autriche par Hitler. « Je sais ce que vous désirez, dit à Henry II le directeur de l'hôtel où ils étaient descendus, mais je vous en prie, n'allez pas chercher de femmes en ville. Depuis l'arrivée des nazis, elles ont toutes la syphilis. »

Les jeunes gens tinrent compte de l'avertissement mais en revanche menèrent joyeuse vie quand ils se retrouvèrent à Paris. Leur odyssée se termina dans le Sud de la France. Au cours d'un dîner, Henry II quitta la table en emportant une bouteille de champagne. Ses compagnons s'inquiétèrent de son absence prolongée et partirent à sa recherche. Ils le trouvèrent dans les toilettes des hommes, buvant une coupe de Dom Pérignon en compagnie de la jeune femme préposée à l'entretien. Il n'approuvait pas cette habitude française et estimait qu'il s'agissait d'une occupation peu respectable pour une femme.

On trouve, dans les archives de Dearborn, une anecdote moins plaisante. Traversant en voiture la petite ville d'Oxford, Connecticut, en novembre 1937, Henry II, alors étudiant à Yale, renversa une fillette qui descendait d'un car de ramassage scolaire. L'enfant fut blessée et la famille demanda devant le tribunal 25 000 dollars de dommages et intérêts. On fit peu de publicité à cette affaire. Henry Ford II reconnaît aujourd'hui que ce fut pour lui dramatique et qu'il était entièrement responsable.

La correspondance d'Edsel renferme une série de lettres des directeurs, proviseurs et médecins qui s'occupèrent de ses enfants. Edsel lui-même se faisait peu d'illusions au sujet de son fils aîné. Quand l'université de Yale l'informa en 1939 qu'il avait obtenu de bons résultats, il répondit : « Il est grand temps, car il ne lui reste que quelques mois pour terminer ses études. »

Les parents comptaient sur le mariage pour assagir leur fils. Ils virent donc d'un œil favorable ses relations avec une jeune fille de Long Island qu'il avait connue peu de temps après son entrée à l'université. Anne McDonnell appartenait à une famille riche. Ses parents possédaient une résidence de cinquante pièces à Southampton entourée d'un parc qui s'étendait jusqu'à l'Atlantique. Ils passaient l'été à Long Island où ils disposaient de seize domestiques, un pour chaque membre de la famille. Ils étaient également propriétaires d'un immeuble de trois étages sur la Cinquième Avenue. Agent de change à Wall Street, James Francis McDonnell n'avait jamais été effleuré par le moindre scandale. Un seul problème : ils étaient catholiques et mirent une condition au mariage. Henry II devait se convertir.

Ils avaient de grandes ambitions pour leurs deux filles. A cette même époque, John Fitzgerald Kennedy courtisait Charlotte, la sœur d'Anne. Des années plus tard, le sénateur se trouva par hasard dans un ascenseur avec Mrs. McDonnell. « Vous souvenez-vous, lui demanda-t-il, que j'ai failli épouser votre fille ? – Parfaitement, répondit-elle, et je suis bien aise que vous ne l'ayez pas fait. »

Edsel et Eleanor n'avaient pour leur part aucun préjugé. Ils souhaitaient simplement que leur fils soit, comme eux, heureux en ménage. Henry Ford, au contraire, vouait Rome aux gémonies. Protestant d'origine irlandaise et paysanne, il avait toujours eu mauvaise opinion des fermiers catholiques. De plus, la future belle-famille de son petit-fils s'était enrichie à Wall Street. Ce mariage lui déplut et il se montra très irrité quand Henry Ford II fut initié au catholicisme par monseigneur Fulton J. Sheen et baptisé la veille de son mariage, le 12 juillet 1940. Le pape Pie XII envoya aux jeunes époux un télégramme de félicitations et sa bénédiction personnelle.

L'industriel fit cependant bonne figure au « mariage de l'année ». Il s'entretint courtoisement avec Fulton Sheen et fut séduit par Anne.

Blonde, élégante et pleine de charme, elle représentait le type même de la jeune fille de bonne famille de la côte est. Il prit plaisir à danser avec elle.

Peu de temps après, un chroniqueur de radio, Walter Winchell, déclara qu'Henry Ford pourrait éventuellement rejoindre la communauté catholique. Ce dernier entra dans une violente colère. Il s'agissait en fait d'une vieille plaisanterie. « C'est d'accord, disait-il souvent quand une discussion avec un prêtre durait trop longtemps, vous avez la meilleure religion du monde. » Il changeait ensuite rapidement de sujet de conversation. C'est ce qu'il avait fait avec Fulton Sheen, que cette réflexion avait évidemment intéressé. Ford, pour donner une preuve éclatante de ses véritables sentiments, renouvela son appartenance à la franc-maçonnerie. Il suivit l'ensemble du rituel jusqu'au trente-troisième degré, le rang le plus élevé. « Je vais maintenant m'occuper de Winchell », fit-il remarquer à l'issue de la dernière cérémonie.

Cette manifestation de dépit assez infantile ne troubla guère Henry II, mais elle laissait mal augurer des possibles relations de travail entre le petit-fils et son grand-père. Avec l'âge, celui-ci se montrait de plus en plus lunatique. Le jeune homme qui, on l'a vu, n'avait pas de qualités exceptionnelles, allait devoir trouver en lui suffisamment de ressources et de courage pour réussir là où son père avait échoué.

Harry Bennett, de son côté, n'avait nullement l'intention de laisser entre d'autres mains que les siennes les rênes de la compagnie. Il avait toujours affirmé que son ambition se limitait à servir fidèlement son patron et que le départ de celui-ci marquerait la fin de sa propre carrière à la Ford Motor. Les faits contredisent ses déclarations. L'homme qui se vantait d'avoir dans la poche la moitié des politiciens du Michigan et la plupart des gens du « milieu » de Detroit avait des projets à long terme.

En moins d'un an, il parvint à se débarrasser de Sorensen. Malgré toute sa prudence, le directeur de la production, qui connaissait bien le caractère d'Henry Ford, fut, dans une certaine mesure, l'artisan de sa propre perte. Avec la création de Willow Run que les Américains considéraient comme la huitième merveille du monde, il n'échappa pas à la publicité. *Time* et *Newsweek* lui consacrèrent des articles dithyrambiques. Pendant l'été 1942, il devint une célébrité nationale, ce qui déplut à son patron.

D'autre part, Sorensen se fâcha avec Clara Ford qui, avec la maladie de son mari, jouait un rôle de plus en plus important dans la lutte pour le pouvoir. Après la mort d'Edsel, elle avait, tout comme sa belle-fille, estimé qu'Henry II représentait l'avenir de l'entreprise et les deux femmes avaient formé une alliance qui allait se révéler décisive. Clara pensait que le directeur de production avait des ambitions personnelles et qu'il se faisait de la publicité aux dépens de son petit-fils. Elle n'avait sans doute pas tort, bien que Sorensen le nie énergiquement dans ses Mémoires. Bennett lui faisant de son côté une guerre sans merci, il n'avait aucune chance. Henry, complètement subjugué, prenait pour parole d'Évangile tout ce que lui disait son homme de confiance et se sentait atteint personnellement par la moindre critique adressée à celui-ci.

Sorensen présenta officiellement sa démission puis, début 1944, fit un jour irruption dans le laboratoire d'Henry à Dearborn. Il annonça qu'il partait le lendemain pour la Floride et ne reviendrait pas. L'industriel l'écouta sans broncher. « Je suppose, dit-il, qu'il y a dans la vie autre chose que le travail. » Puis il l'accompagna jusqu'à sa voiture et lui serra la main. Ils ne se revirent jamais.

Ce fut ainsi que se termina une collaboration de quarante ans qui avait eu pour fruits, en temps de guerre comme en temps de paix, les plus grandes réalisations de l'industrie américaine. Après le départ du directeur de production, les agents du Service Department se rendirent chez lui pour récupérer sa voiture, qui appartenait à la compagnie.

Henry Ford II prit ses fonctions le 10 août 1943. Il observa d'abord la plus grande réserve. Tout en sachant que Bennett n'avait aucune sympathie pour lui, il ne se doutait pas des manœuvres de ce dernier pour l'exclure de la succession familiale. Son grand-père se méfiait de lui. Non seulement il ne lui pardonnait pas d'être lié à une famille catholique, mais le soupçonnait également d'être influencé par Mc Donnell et de vouloir faire passer la Ford Motor sous contrôle gouvernemental.

Cette attitude n'était pas nouvelle. En 1941, Henry II et Benson étaient venus travailler à l'usine et Edsel s'était plaint à Sorensen : son père ne supportait pas la présence des deux garçons et voulait les envoyer en Californie. Ils avaient fait quelques remarques imprudentes sur Harry Bennett et ceux qu'ils appelaient ses « voyous ». L'incident fut clos, mais les jeunes gens continuèrent à critiquer ouvertement la situation et notamment ses répercussions sur la santé de leur père. Benson fit un éclat devant Sorensen en accusant Henry Ford d'être responsable de la maladie d'Edsel. A Grosse Pointe, c'était d'ailleurs l'opinion générale. Après la mort de son père, il refusa ostensiblement d'assister aux réunions si Bennett y participait.

Objectivement, Henry Ford devenait sénile. Il lui arrivait fréquemment de dire à Bennett, après le départ de Sorensen : « Allons donc voir Charlie. » Il passait le plus clair de son temps à Greenfield Village, parmi les vestiges du passé, et aimait par-dessus tout se retrouver parmi les enfants de l'école locale. Cependant ses vieux démons l'habitaient toujours et Bennett suivait fidèlement les directives qu'il lui télégraphiait. Ray Dahlinger lui fournissait aussi des informations et lui raconta un jour que le jeune Henry II avait déclaré : « C'est grand-père qui a tué mon père. »

« Ernie Kanzler est derrière tout ça, s'exclama Henry, c'est lui qui en a parlé aux garçons! » Dans son esprit, Kanzler n'avait jamais cessé ses intrigues et il pervertissait maintenant la nouvelle génération. Il décida d'en finir une fois pour toutes avec lui et convoqua à Willow Run I.A. Capizzi, choisi par Bennett pour succéder à Louis Colombo comme conseiller juridique de la société.

Quand Nevins et Hill commencèrent à écrire l'histoire officielle de la Ford Motor, ils eurent un entretien avec Capizzi. L'avoué leur affirma que Bennett et Sorensen participaient tous deux à la réunion et que leur rivalité était évidente. On peut donc la situer fin 1943.

« Mr. Ford est inquiet, confia Bennett à Capizzi. Il pense qu'Henry Ford II pourrait être influencé par Kanzler pour le fonctionnement de l'entreprise. Il veut donc trouver un moyen pour que la direction soit assurée jusqu'à ce que ses petits-enfants soient en âge de l'assurer eux-mêmes. » Capizzi proposa la création d'un conseil d'administration qui entrerait en fonction après la mort d'Henry Ford. Il suffisait d'ajouter un codicille au testament. Bennett établit la liste : lui-même, Capizzi, Sorensen, Liebold, Frank Campsall, Edsel Ruddiman, Charles Lindbergh et Roy Bryant, le frère de Clara.

Certaines ambiguïtés subsistent au sujet de ce document. Selon Bennett, Henry Ford aurait remplacé le nom de Liebold par celui de Carl Hood, le directeur administratif de Greenfield Village. Quant à Ruddiman, il était mort en 1943. D'autre part, John Bugas, l'agent du FBI qui vit le codicille en 1944, ne se souvient pas d'y avoir vu figurer le nom de Lindbergh.

Quoi qu'il en soit, l'objectif était clair. Le conseil d'administration dirigerait la Ford Motor pendant les dix ans qui suivraient la mort d'Henry. Bennett, qui en était le secrétaire, aurait en Capizzi et Campsall deux alliés sûrs. Selon la première version des Mémoires de Bennett, Henry Ford aurait même suggéré que le conseil garde ses pouvoirs jusqu'à ce que William Clay, le plus jeune de ses petits-enfants, soit en âge de prendre la direction de l'entreprise.

On peut voir aujourd'hui, au douzième étage du Ford World Headquarters où se trouvent les bureaux du président et des vice-présidents, deux tableaux représentant Henry Ier et Henry II, et s'imaginer que la passation des pouvoirs se fit sans heurts et dans une chaude ambiance familiale. Il semble difficile de croire qu'en 1943 le grand patron complotait afin d'éliminer son petit-fils et homonyme de la succession. Sa préférence pour William Clay, qui avait alors dix-huit ans, ne tenait qu'à un seul fait : il avait été moins influencé que ses frères par les rumeurs qui avaient couru sur les causes de la mort de leur père.

Cette affaire du codicille est l'un des multiples incidents qu'Henry Ford II semble avoir effacés de sa mémoire. Il se refuse, en tout cas, à en parler. John Bugas en revanche se souvient très bien de la première réaction du jeune homme. Il lui déclara qu'il allait quitter la société, revendre ses parts et demander à tous les concessionnaires de cesser de travailler pour la Ford Motor.

En 1943, une enquête avait révélé des malversations de plus d'un million de dollars par an dans le service des pièces détachées. Cet argent servait à Bennett pour payer ses hommes de main. Pour s'en faire un allié, ce dernier proposa à Bugas un emploi avec un salaire double de celui qu'il touchait au FBI.

Cependant l'ancien agent du FBI décida de prendre le parti d'Henry II. Il était de neuf ans son aîné et tenta de lui faire entendre raison. Il ne fallait pas, lui dit-il, prendre de décision radicale. Il parlerait personnellement à Bennett. Celui-ci manifesta une grande inquiétude quand il apprit qu'Henry II avait découvert son complot. « Revenez demain, dit-il à Bugas, et nous réglerons cette affaire. » Le jour suivant, il lui montra en effet le codicille puis le posa sur le sol et y mit le feu avec une allumette. Il ramassa ensuite les cendres et les enferma dans une enveloppe en demandant à Bugas de la porter à Henry.

Capizzi, en apprenant cet étrange comportement et la triste fin du document juridique qu'il avait élaboré, demanda à Bennett à quel jeu il jouait. « De toute façon, lui répondit celui-ci, c'était mauvais... Mr. Ford l'avait gardé longtemps sur lui. Il avait fait de nombreuses ratures et même ajouté des versets de la Bible. »

Henry II n'avait jamais eu le moindre soupçon avant cette affaire. Il était convaincu qu'il succéderait sans problème à son grand-père quand celui-ci mourrait ou prendrait sa retraite. Quand il eut pris conscience du danger que représentait Bennett, il comprit qu'il devait se battre.

Le 10 avril 1944, il fut nommé vice-président du conseil d'administration, ce qui lui donnait, dans ce domaine, une position supérieure à celle de Bennett. Il pouvait compter John Bugas et Mead Bricker, assistant à la production du temps de Sorensen, parmi ses véritables alliés. Ils se réunissaient tous les trois au Detroit Club pour discuter de la stratégie à suivre, loin des oreilles des espions de Bennett. Au cours d'un voyage sur la côte ouest, Henry II s'adjoignit une nouvelle recrue. Le geste avait également un aspect symbolique. « Prends Jack Davis », lui avait dit sa mère en se souvenant de l'ami d'Edsel qui s'était retiré en Californie après le conflit avec Bennett.

L'ancien directeur des ventes refusa d'abord de retourner à Dearborn. La vie qu'il menait en Californie lui plaisait et il doutait que le jeune Ford pût le protéger plus efficacement que ne l'avait fait son père. Henry II insista. « Si vous acceptez, dit-il, j'accepterai aussi... Nous partagerons le même destin. » Davis ne pouvait pas refuser. Edsel lui avait déclaré la même chose mais, dira-t-il plus tard, « Henry possédait l'énergie qui manquait à son père. Nous avions soutenu Edsel sans qu'il nous le demande. Henry, lui, nous le demandait. »

Le retour de Davis constitua un avertissement sans équivoque pour la faction de Bennett, une déclaration de guerre. Les inquiétudes des partisans de l'ancien régime furent vite justifiées, car les licenciements commencèrent. Quand le chef du Service Department, avec qui le jeune vice-président entretenait des relations de cordialité toutes formelles, demandait la raison du renvoi de tel ou tel employé, ce dernier lui répondait : « Il me paraissait louche. »

Le grand patron ne pouvait plus être d'aucun secours. Il s'abîmait dans des rêveries interminables. Clara avait donné ordre au standardiste de Fair Lane de répondre qu'il était absent quand Bennett téléphonait. L'homme à tout faire d'Henry Ford prétendit par la suite que la femme de l'industriel se vengeait ainsi des services qu'il avait rendus à son mari à propos de ses petites amies et notamment de la mémorable Wantatja. Mrs. Ford avait des raisons plus sérieuses. Elle avait décidé avec sa belle-fille qu'il était temps que les femmes de la famille prennent position. Henry II ne serait pas en sécurité tant qu'il n'aurait pas succédé officiellement à son grand-père.

« Il a tué mon mari, il ne tuera pas mon fils », tel est le sentiment le plus fréquemment attribué à Eleanor à cette époque. Nevins et Hill rapportent qu'elle menaçait de vendre ses parts si son fils n'était pas nommé président. On avait atteint le point de rupture mais Clara, semble-t-il, parvint à convaincre le vieil autocrate de suivre les désirs de la famille et d'abandonner le pouvoir.

Henry II fut convoqué le 20 septembre 1945 dans le grand salon de Fair Lane. Son grand-père le pria de s'asseoir et l'informa de sa décision. Le jeune homme, malgré sa victoire, ne se montra guère aimable au cours de l'entretien. De son propre aveu, il accepta « à condition d'avoir les mains libres pour procéder à tous les changements qui lui conviendraient ».

Il se rendit ensuite à l'immeuble de Schaefer Road qui abritait les services administratifs et demanda au secrétaire particulier d'Henry Ford de rédiger la lettre de démission de son grand-père. Il convoqua les membres du conseil d'administration pcur le lendemain. Il ne fut pas surpris quand Bennett lui téléphona peu après pour le féliciter. « Je viens d'apprendre une excellente nouvelle, lui dit ce dernier. Je venais juste de parler à votre grand-père pour lui demander de vous nommer président. »

Le chef du Service Department se montra moins diplomate le lendemain. Il se leva brusquement quand le trésorier B. J. Craig commença à lire la lettre de démission d'Henry Ford et voulut quitter la salle. On le persuada de rester jusqu'à la fin de la séance du conseil d'administration.

Le dernier acte du drame restait à jouer. Henry II descendit au sous-sol pour informer Bennett qu'il n'avait plus besoin de ses services. Il ne se souvient plus très bien aujourd'hui des détails de la scène, sauf « qu'il avait peut-être un peu peur en y allant. » Bennett rapporte pour sa part que le nouveau président « fut d'une courtoisie terrifiante... Sapristi, on lui aurait donné le bon Dieu sans confession! » Ce qui ne l'empêcha pas de lui décocher la flèche du Parthe : « Vous voilà maintenant à la tête d'une entreprise d'un milliard de dollars dans laquelle vous n'avez strictement jamais rien fait. »

Il passa l'après-midi à brûler ses dossiers. Henry II, qui appréhendait la réaction de son grand-père, se rendit le soir même à Fair Lane pour l'informer de sa décision. Le vieillard ne manifesta aucun intérêt pour celui qu'il avait jadis considéré comme « l'homme le plus remarquable » et qu'on venait de licencier. « Eh bien, murmura-t-il simplement, Harry retourne maintenant d'où il est venu. »

25

Les « Whiz Kids »

La société qu'Henry Ford II prit en main en septembre 1945 était selon Jack Davis « complètement morte ». Le déclin de la Ford Motor remontait effectivement aux années trente. Pour concurrencer la Buick et la Pontiac de la General Motors, Edsel avait conçu un certain nombre de modèles classiques pour Lincoln et dessiné également les plans de la Mercury, une version améliorée de la Ford. Ces voitures s'étaient mal vendues et l'entreprise, avec 19 % de la production nationale avant guerre, ne venait qu'au troisième rang, après Chevrolet et Chrysler.

Elle n'était cependant pas au bord de la faillite comme le prétendront ensuite les détracteurs de Bennett. Les 5 milliards deux cent soixante millions de dollars de contrats militaires octroyés par le gouvernement lui permettaient de survivre, mais, dans le domaine de la direction, de la gestion financière et de la technique, elle manquait d'éléments valables.

C'était une entreprise familiale et tout son avenir reposait entre les mains d'Henry II. En octobre 1945, *Life* envoya à Detroit le journaliste Gilbert Burck pour évaluer l'envergure du nouveau président qui allait jouer un rôle déterminant dans le démarrage de la production d'après guerre. Le reporter fut séduit par la franchise et la simplicité de ce jeune homme de vingt-huit ans, tout en admettant « qu'il pourrait devenir aussi intolérant que son grand-père quand il aurait acquis plus d'expérience et de confiance en lui ».

L'article attira l'attention d'Arjay Miller, un jeune officier qui venait de quitter l'US Air Force et qui cherchait un emploi. Ce n'était pas un militaire de carrière. Avant d'être appelé sous les drapeaux, il avait été chargé de cours de commerce à l'université de Californie de Los Angeles. Il faisait partie d'un groupe de dix officiers s'intéressant à la planification et aux questions financières qui avaient décidé de former une équipe susceptible d'être recrutée par une entreprise après la guerre.

Ils envoyèrent à une centaine de sociétés une brochure exposant leurs connaissances techniques acquises dans l'armée et l'application qu'on pourrait en faire dans l'industrie. Ils possédaient tous une expérience considérable pour avoir servi dans l'Office of Statistical Control, le pivot administratif de l'US Air Force. Former des centaines de pilotes et produire massivement des avions n'était pas chose facile, mais encore fallait-il les envoyer sur un atoll du Pacifique ou sur une base d'Extrême-Orient en calculant au plus juste l'essence nécessaire, les munitions et l'ensemble du matériel, ce qui impliquait une analyse rigoureuse des prix et une gestion qui ne l'était pas moins. L'Office of Statistical Control put ainsi établir que, pour transporter de San Francisco en Australie 100 000 tonnes d'équipement, on avait besoin de 10 022 appareils et 120 765 hommes d'équipage. Pour exécuter cette même tâche, on pouvait utiliser 44 bateaux et 3 200 marins. Les guerres modernes sont gagnées ou perdues sur la base de ce genre de données.

L'Office of Statistical Control était dirigé en 1945 par l'un des plus jeunes colonels de l'US Air Force, Charles Bates (« Tex ») Thornton, âgé de trente-deux ans. C'est lui qui avait eu l'idée de former une équipe d'anciens officiers. Elle comprenait Robert S. McNamara, J. Ed Dundy, Francis C. Reith et d'autres hommes s'occupant d'affaires et de questions juridiques ou ayant des responsabilités dans le gouvernement. Ils avaient entre vingt-six et trente-quatre ans. Selon eux, ils correspondaient exactement aux besoins de la Ford Motor. Thornton télégraphia à Henry II : « Nous avons une question d'importance concernant la gestion à discuter avec vous. » Le ton était à la limite de l'arrogance mais l'équipe avait déjà reçu une offre de l'Allegheny Corporation à laquelle elle devait répondre dans un délai de huit jours.

Le président de la Ford ne perdit pas de temps. Il téléphona à Thornton pour l'inviter à Detroit avec ses compagnons. Les dix hommes se préparèrent au voyage, à l'exception de McNamara qui avait été sollicité par Harvard pour être professeur à plein temps et qui estimait que l'aventure était un mirage. Sa femme était atteinte de poliomyélite et hospitalisée pour de longs mois. Thornton lui conseilla d'accepter en lui faisant valoir que son salaire ne suffirait pas à couvrir les frais médicaux. McNamara se laissa alors convaincre. Il était en garnison à la base de Wright Field à Dayton, Ohio, et décida de se rendre à Detroit en voiture avec le capitaine Charles Bosworth.

Le groupe fut très impressionné par sa rencontre avec Henry II. Ce dernier ne pouvait se comparer à eux sur le plan intellectuel mais décida pourtant de les affronter seul contre dix. Bosworth se souvient que, lorsqu'il commença à parler, chacun se sentit un peu moins sûr de soi. Ils pensaient être courtisés et se retrouvaient en train de vendre leurs talents. Il lui trouva « quelque chose d'héroïque... et une grande sincérité ».

On sentait planer une sorte de danger. Personne ne savait si Bennett, licencié depuis peu, n'allait pas chercher à revenir. Henry Ford était à Fair Lane, sérieusement affaibli, mais il fallait encore compter avec lui. La situation comportait une part de défi qui plut aux officiers.

Ils dînèrent avec John Bugas dans une salle à manger privée de l'Athletic Club. Henry II lui avait demandé de se faire une opinion sur ses éventuelles recrues. Les invités en furent choqués, pensant que Bugas s'interposait entre eux et le président pour préserver les relations privilégiées qui étaient nées lors du conflit avec Bennett.

En fait, l'ex-agent du FBI les recommanda chaudement. Il n'émit qu'une seule réserve : les salaires demandés par Thornton, entre 8 000 et 15 000 dollars, lui semblaient exagérés. Henry II ne partageait pas son avis. Ernest Kanzler l'avait mis en contact avec Robert A. Lovett, le sous-secrétaire d'État à l'Aviation dont dépendaient Thornton et son équipe, qui lui avait dit le plus grand bien des jeunes gens.

Grâce à la prudence de son fondateur, la société possédait en banque, le 30 juin 1945, 697 millions de dollars. Le grand patron avait toujours donné de hauts salaires aux cadres dont il appréciait les compétences. Son petit-fils a d'ailleurs poursuivi la même politique. Les cadres moyens ne sont pas plus favorisés chez Ford que dans les autres entreprises, mais, si l'on est proche du sommet, on peut s'enrichir rapidement.

Les dix hommes quittèrent Dearborn le lendemain après avoir fait la tournée complète de l'usine. Ils admirèrent l'ensemble des installations et jugèrent, au premier regard, qu'ils étaient capables de résoudre les problèmes existants. Bosworth ramena McNamara à Dayton. Ce dernier, ayant perdu son calme et sa froideur habituels, était excité comme un gamin et la conversation roula sur Ford pendant tout le voyage.

Toute l'équipe devait se retourner à Schaefer Road le 1er février. Elle fut sur place la veille. Très vite, on surnomma les jeunes gens les « Whiz Kids » [1].

La renaissance spectaculaire de la Ford Moror dans les années qui suivirent la Seconde Guerre mondiale fut unanimement attribuée aux « Whiz Kids ».

1. Whiz : mot d'argot américain signifiant intelligent, expert.

Cependant le véritable sauveur de l'entreprise ne faisait pas partie de la fameuse équipe. Ernest R. Breech était un comptable de la vieille école. Il travaillait depuis plus de vingt ans dans l'industrie automobile quand il fut engagé chez Ford, en 1946. Il était né à Lebanon, Missouri, où son père exerçait le métier de forgeron. La petite agglomération ne comptait pas moins de neuf églises et la famille Breech, des baptistes, était réputée pour sa piété. Ernest avait toujours fait régulièrement sa prière et restait, disait-il, quotidiennement en contact avec Dieu.

Il avait convaincu son père de transformer sa forge en agence Dodge et fait ses études secondaires grâce à l'argent qu'il gagnait lui-même, ayant en effet installé un pressing dans le sous-sol d'un immeuble. Pendant ses vacances, il faisait du porte-à-porte pour vendre des livres. Il passait ses soirées à étudier la comptabilité.

En 1925 – il avait alors vingt-huit ans –, il fut engagé par un entrepreneur de Chicago, John Hertz, qui possédait une compagnie de taxis et une agence de location de voitures. Ses deux entreprises, la Yellow Cab et la Driv-Ur-Self System, furent rachetées cette année-là par la General Motors, et Breech suivit le mouvement.

Ernie Breech avait une passion pour les chiffres. Il s'était spécialisé dans l'analyse des prix, qu'on pratiquait encore peu à cette époque. Ses compétences furent très appréciées à la General Motors qui s'était lancée dans un programme ambitieux de rachat d'autres firmes. Il devint l'homme indispensable pour l'assainissement des finances du groupe. C'est ainsi qu'on l'envoya chez Frigidaire, puis chez Bendix, le fabricant d'avions. Cette société enregistrait, en 1937, un déficit mensuel de 250 000 dollars. Après le passage de Breech, elle faisait deux ans plus tard un bénéfice annuel de 5 millions de dollars. La guerre ouvrait à l'industrie aéronautique des perspectives intéressantes, et la General Motors comptait bien en tirer profit. Le 24 février 1942, Breech fut élu président de la Bendix Aviation Corporation. Kanzler faisait partie du conseil d'administration.

William Gossett, un avoué new-yorkais, conseiller juridique chez Bendix, se souvient d'avoir discuté avec Kanzler de la carrière de Breech. Logiquement, après ses succès dans la compagnie d'aviation, il aurait dû devenir président de la General Motors, mais ce poste avait déjà été attribué à Charles Wilson – qui devint célèbre pour sa déclaration devant la commission des Forces armées du Sénat : « J'ai toujours pensé que ce qui était bon pour les États-Unis l'était pour la General Motors et vice versa. »

« Ils vont le regretter, confia Gossett à Kanzler. Breech est plus compétent que Wilson. Il sera vite sollicité par une autre entreprise. »

Breech ne cherchait pas vraiment un autre emploi. Quand son secrétaire particulier l'informa qu'Henry II le demandait au téléphone, il pensa que la Ford voulait conclure une affaire quelconque avec Bendix. Il ne s'était jamais livré à une étude précise de cette entreprise et partageait le sentiment de la General Motors à propos de son concurrent de Dearborn : un mélange de mépris et de pitié. Il refusa le poste que lui proposait Henry II mais offrit de lui apporter ses conseils. Il approchait de la cinquantaine et le jeune président de la Ford n'avait que vingt-huit ans. « Il n'a qu'un an de plus que notre fils », fit-il remarquer à sa femme.

Quand il eut pris connaissance des livres comptables, il fut immédiatement intéressé. La situation était catastrophique mais c'était exactement le type de gageure qu'il avait relevé pendant toute sa carrière. Il accepta de commencer son travail en juillet 1946. « J'ai prié avant de prendre une décision », dit-il quand on lui demanda la raison de son changement d'attitude.

L'explication était également d'un autre ordre. Au cours des négociations, la question de sa participation au capital fut soulevée. La Ford Motor était restée pendant vingt-cinq ans une entreprise familiale, mais Henry II était réaliste et voulait la ramener au sein de la corporation des grands constructeurs. Il examina sérieusement la proposition de Breech. Les deux hommes parvinrent à un accord.

La société voulait étendre ses activités à la fabrication des autobus, dont la General Motors possédait pratiquement le monopole. Henry II avait également des projets pour la vente des tracteurs. Il avait mis fin à la collaboration établie par son grand-père avec Harry Ferguson, le constructeur de matériel agricole.

Deux nouvelles sociétés furent créées en 1946 : la Michigan Motors, qui avait l'exclusivité de la vente des autobus Ford, et la Dearborn Motors qui jouait le même rôle pour les tracteurs. La production des autobus tourna court mais la compagnie fabriquait déjà des tracteurs. En janvier 1947, la Dearborn Motors commença à les écouler. Les actionnaires firent des bénéfices considérables. Ernest Breech détenait 20 % des parts et Jack Davis, inspirateur de l'opération, 12 %. Quatre cadres que Breech avait amenés avec lui reçurent 10 % chacun; il s'agissait de William Gossett qui fut chargé de créer un service juridique chez Ford, de Lewis D. Crusoe, un comptable, et de deux ingénieurs, Harold T. Youngren et Delmar S. Harder.

Le reste du capital de la Dearborn Motors fut partagé entre John Bugas, Mead Bricker, Kanzler et Montgomery Ward, ancien directeur des ventes au ministère de la Guerre et recommandé par Lovett, à raison de 6 % par actionnaire. Herman L. Moekle, un vieux comptable qui avait échappé aux griffes de Bennett, se vit attribuer 4 %.

A son arrivée chez Ford, Breech trouva la situation encore plus mauvaise qu'il ne l'avait estimé au premier abord. L'ingénieur en chef, dira-t-il plus tard, « n'avait pas plus de notions de la conception d'une voiture qu'un aveugle des couleurs... Les comptes étaient gérés comme ceux d'une épicerie de village. » Henry Ford II confia au magazine *Look* en 1953 qu'« un certain service évaluait les prix en pesant les piles de factures sur une balance ».

Il ne faut certes pas prendre de telles anecdotes au pied de la lettre. Comme Davis, Henry II et Breech avaient de bonnes raisons d'exagérer l'état désastreux de la société qu'ils avaient redressée en si peu de temps. En ce qui concerne le « pesage » des factures, la chose paraît cependant vraisemblable. Le service de comptabilité était réduit au minimum. On classait les factures par catégories, pièces pour moteurs, pour châssis, etc. et on les pesait effectivement quand on devait faire des bordereaux et des étiquettes. Avec un petit échantillon et un calcul ingénieux, on arrivait à un résultat assez précis. Ce système symbolisait bien la conception d'Henry Ier qui se contentait de comparer ses relevés bancaires à la fin de chaque mois et de considérer que tout allait bien si les derniers chiffres étaient supérieurs aux précédents.

Ernie Breech en resta ébahi. « Comment pouvez-vous savoir, demanda-t-il à B.J. Craig, si un volant vous revient à 1 dollar ou à 1 dollar 50 ? – Quelle importance, répondit le trésorier, si nous faisons des bénéfices ! »

Breech, dans son contrat négocié par Gossett, avait exigé des pouvoirs correspondant à son titre de vice-président. Les avocats de la famille s'inquiétèrent. L'un d'eux reprocha à Henry II d'avoir « abdiqué » en attribuant ce poste à Breech. « Tu ne lui as pas donné le pouvoir, dit Kanzler à qui il rapportait cette réflexion. C'est à toi de le lui faire comprendre. »

Ce ne fut cependant pas nécessaire car, dès les premiers mois de leur association, un accord total régna entre eux. « Il en savait beaucoup plus que moi, dit aujourd'hui le président de la Ford, et prenait les décisions les plus importantes... J'ai beaucoup appris avec lui. »

Breech, généralement péremptoire et sûr de lui, se montrait toujours déférent avec son patron. Il ne le contredisait jamais en public. Cette entente parfaite étonnait. Leurs deux bureaux étaient en fait reliés par une salle de repos commune et ils s'y isolaient pour se concerter à l'insu de leurs collaborateurs.

Henry II n'avait pas connu la Ford Motor dans ses jours de gloire. Quand il commença à prendre conscience de ce que représentait son nom, l'histoire de la famille était déjà un tissu d'incohérence, d'incompétence et de corruption. La General Motors occupait alors la première place dans l'industrie automobile, il l'admirait et comptait sur l'expérience de Breech pour donner la même envergure à sa propre entreprise.

L'ancien président de Bendix et les anciens cadres de la GM, Crusoe, Youngren et Hender, appliquèrent les techniques modernes de gestion avec une administration décentralisée, des organigrammes précis et une évaluation rigoureuse des coûts de production permettant de déterminer dans quels secteurs on faisait ou non des bénéfices. On mit également l'accent sur la circulation de l'information entre les différents services. Les responsables tinrent à cet effet des réunions régulières, pratique absolument inédite chez Ford. Enfin, on s'efforça d'éliminer le « complexe de la peur » entretenu par le Service Department. Les jeunes cadres suivirent des cours sur les relations humaines où on leur enseignait que l'autorité et le sourire pouvaient fort bien aller de pair. On surnomma bien vite cette formation accélérée l'« école de charme ».

Une organisation, aussi parfaite fût-elle, ne suffisait pas si le produit fini n'était pas bon. La vocation de la Ford Motor était d'abord de vendre des voitures. Dès son arrivée dans l'entreprise, Breech organisa des réunions de planification de la production et étudia de près les caractéristiques des véhicules fabriqués après guerre. Il parvint vite à la conclusion qu'ils étaient dépassés sur le plan de la technologie. Les moteurs V8 présentaient encore des problèmes de refroidissement. Rien ou presque n'avait été fait dans le domaine de la transmission automatique, et l'on n'avait pas amélioré la suspension. Les principales modifications avaient surtout été d'ordre esthétique.

Quand Breech suggéra, en septembre 1947, la fabrication d'une voiture entièrement nouvelle, tous les cadres furent du même avis : il fallait inévitablement compter avec un délai de trois ans. En rentrant chez lui, ce soir-là, au volant de sa vieille Lincoln, il se sentait particulièrement déprimé et, comme chaque fois qu'il ne pouvait résoudre un problème, il pria : « Seigneur, montre-nous la voie! » Il arriva le lendemain à l'usine avec la réponse : il fallait tout reprendre depuis le début. « J'ai eu, dit-il, une vision. Remettons-nous tous sur la ligne de départ. »

Selon lui, il ne servait à rien de continuer à « traficoter » la vieille Ford, en perdant ainsi du temps et de l'argent. Pourquoi ne réaliserait-on pas les mêmes prodiges de production accélérée qu'on avait pu accomplir pendant la guerre?

Toutes les sociétés de construction automobile connurent de sérieuses difficultés en 1947 et 1948, mais la Ford Motor fut capable l'année suivante de mettre sur le marché la première voiture à prix modéré de conception entièrement nouvelle. Outre sa ligne aérodynamique – on avait supprimé le marchepied – et sa légèreté, elle comportait les dernières innovations techniques avec, en option, une vitesse surmultipliée. Elle fut inaugurée au Waldorf Astoria et reçut un accueil qui rappela celui du Modèle A. La foule se pressait dans la grande salle de bal de style baroque et les carnets de commandes furent vite remplis. En 1947 et 1948, la Ford Motor avait vendu environ 500 000 voitures : Ce chiffre passa à 800 000 en 1949 et, avec les Mercury et les Lincoln, dépassa le million pour la première fois depuis 1930. Les bénéfices suivirent une progression encore plus spectaculaire : 2 000 dollars en 1946, 64,8 millions en 1947 et près du triple en 1949.

Le succès de la Ford 49 confirma la réussite d'Ernest Breech. Il avait décidé de s'entourer de sa propre équipe et n'était pas disposé à laisser les Whiz Kids fonctionner comme une unité indépendante. Thornton qui, selon Davis, « se voyait pratiquement président dès le premier jour », quitta la société pour travailler chez Hughes Aircraft et créa par la suite son propre groupe, les Litton Industries. George Moore et Wilbur Anderson s'en allèrent à peu près à la même époque.

Breech répartit les sept jeunes Turcs restants à différents postes sous sa direction, celle de Crusoe et des autres. Ils se révélèrent de remarquables cadres et collaborèrent efficacement avec leurs supérieurs plus âgés. Quand ces derniers parviendraient à l'âge de la retraite, la Ford Motor serait assurée d'avoir en Miller, McNamara, Lundy et Reith une équipe dirigeante capable de prendre la relève.

Les uns et les autres furent également très utiles à Henry II. Breech avait très vite compris qu'il devait jouer auprès de son patron un rôle de mentor. On l'avait recruté pour sauver l'entreprise mais aussi pour apprendre à son jeune patron à la diriger. « Quand je devais faire un briefing, raconte Arjay Miller, je préférais, si c'était possible, leur parler séparément. Breech était un vrai pro. On pouvait aller directement au but avec lui. Ce qui n'était pas le cas avec Henry, dans les premiers temps. »

Le jeune président était avide d'apprendre. « Il ne cherchait pas à cacher son ignorance, rapporte Miller. Il connaissait ses lacunes et n'hésitait jamais à poser des questions. »

La nouvelle équipe de direction s'entassa dans les locaux administratifs de Schaefer Road, des bureaux étroits, séparés par des cloisons vitrées, vestiges de l'époque où Henry Ford avait l'habitude de se promener dans les couloirs pour surveiller ses employés et s'assurer qu'ils travaillaient et ne fumaient pas.

Quand des difficultés imprévues surgissaient, chacun mettait la main à la pâte : Jack Davis pour les ventes et la diffusion, Crusoe ou l'un des « Whiz Kids » pour les finances, et Del Harder pour la fabrication. Toujours aimable et souriant, ce dernier était unanimement respecté et on l'écoutait avec attention.

Il y avait tant de choses à faire, tant de défis à relever. Tout le monde voulait qu'Henry II soit à la hauteur de sa tâche. Le jeune président, de son côté, ressentait le besoin de trouver son propre terrain d'action et d'apporter à l'entreprise sa contribution personnelle. La gestion du potentiel humain, *l'engineering humain* lui en fournit l'occasion.

L'expression avait été employée pour la première fois par Walter Reuther. Avec la fin de la guerre, l'industrie de l'automobile faisait face à de nouveaux problèmes dans le monde du travail. Les revendications avaient brusquement explosé; les ouvriers exigeaient des augmentations de salaires, déclenchaient des grèves et les dirigeants syndicaux critiquaient violemment le patronat.

« Il est temps, déclara Walter Reuther le 19 octobre 1945, que les patrons comprennent que *l'engineering humain* est aussi important que la technologie. »

Henry II fut très frappé par cette déclaration qui définissait exactement ce qu'il essayait de faire à la Ford Motor. « Il voulait, selon moi, dit Arjay Miller, rivaliser avec son grand-père mais savait qu'il ne pouvait rien apporter de nouveau dans le domaine de la mécanique. »

John Bugas, qui était resté le n° 2 jusqu'à l'arrivée de Breech, était toujours prêt à seconder le jeune président dans ses efforts. Après la réorganisation, il dirigeait le service des relations avec le personnel. Henry II recruta un autre conseiller en la personne d'Earl Newsom, un publiciste new-yorkais.

Newsom fut, dans les années trente, un pionnier des « public relations ». Il travailla dans l'industrie pétrolière et s'employa à convaincre ses compatriotes de la supériorité du mazout sur le charbon comme combustible et de son absence de danger.

Fin 1945, l'UAW réclama des augmentations de salaires. La tension montait à Detroit et la General Motors avait déjà cédé devant les exigences des syndicats. Au lieu de suivre le chemin de la facilité, Henry II rédigea, avec l'aide de Newsom, une réponse aux dirigeants syndicaux. Il leur fit remarquer que, depuis l'accord intervenu en 1941, la société avait dû faire face à 773 arrêts de travail. Comme préalable à toute négociation, dit-il, « l'UAW devait garantir à la compagnie le même degré de sécurité que celle-ci lui avait accordé ».

C'était, malgré la modération des termes employés, une façon assez abrupte d'engager des pourparlers et l'UAW réagit immédiatement. « Il y a un moyen très simple d'éviter les arrêts de travail, déclara Dick Leonard, responsable de l'UAW chez Ford, c'est de ne pas les provoquer. »

Cet argument manquait de poids. Avec le licenciement de Bennett et d'environ un millier de ses hommes de main, la Ford Motor avait tourné une nouvelle page. Henry II avait dirigé personnellement ce « grand nettoyage de printemps ». Il se différenciait nettement des autres patrons qui continuaient à livrer des combats d'arrière-garde.

Le 9 janvier 1946, il prononça un discours à Detroit devant les membres de la Société des ingénieurs de l'automobile. Le public comprenait 4 000 personnes, et c'était la première apparition en public du jeune homme depuis sa nomination à la présidence de la société. Il aborda d'emblée le problème qui faisait l'objet de toutes les préoccupations. « Je ne vois pas de raison, dit-il, pour ne pas apporter à l'établissement d'un accord syndical la même bonne volonté et la même efficacité dont font preuve deux sociétés dans leurs accords commerciaux. » Pour l'époque, c'était un langage nouveau et une façon constructive d'aborder les problèmes. « En ce qui concerne les syndicats, dit-il encore, la Ford Motor n'a pas l'intention de les " briser " ni de revenir en arrière. »

La préparation de son discours l'avait rempli d'anxiété. Il savait fort bien ce que l'on pensait de lui dans la capitale de l'automobile. « Il ressemble physiquement à son grand-père, avait écrit le *Time*. Il a la même silhouette mince, les mêmes yeux perçants, mais rien ne montre jusqu'à présent qu'il en a le génie. »

Avant de rédiger le discours définitif, Earl Newsom et ses assistants avaient dû préparer dix-huit projets. Harry II lisait le texte mais butait à chaque fois sur un mot qu'on devait modifier. Dans la famille, on n'avait jamais eu de talents d'orateur. Le responsable des « public relations » rencontra Anne Ford la veille de la conférence et lui demanda si elle irait à Detroit pour écouter son mari. « Ce n'est vraiment pas la peine, lui répondit-elle. Il m'a tenue éveillée toute la nuit pour me réciter son discours. Nous le connaissons tous deux par cœur. »

Pourtant, devant son auditoire, Henry II se montra détendu et s'exprima avec clarté et précision. Les journaux lui consacrèrent leurs éditoriaux et reproduirent de larges extraits de son discours. La Maison-Blanche elle-même réagit favorablement. Sa photo fit la couverture de *Time*. Du jour au lendemain, il avait acquis une envergure nationale.

L'UAW entama quelques jours plus tard des négociations avec la Ford Motor et établit un nouveau type de relations. « Quand le syndicat voulait parler argent, dit Victor Reuther, le frère de Walter, il serrait la vis à la General Motors. Pour les questions de principes comme le droit à la retraite ou les allocations chômage, il s'adressait à Ford. »

Douglas Fraser, responsable de l'UAW chez Ford à la fin des années soixante-dix, déclare de son côté : « Nous savions que la politique de l'entreprise était désormais menée par un homme sensible aux problèmes humains et décidé à innover. »

Depuis 1945, la compagnie a eu toutes les raisons de se féliciter de l'ouverture d'esprit de son président et de son attitude vis-à-vis des syndicats, bien qu'elle ait dû faire face à des grèves – la plus dure fut celle de 1967. Chrysler au contraire perdit en 1950 un million de dollars en refusant de signer un accord sur le droit à la retraite. Les ouvriers cessèrent le travail et Keller, le président, dut démissionner. La Ford en profita pour prendre la deuxième place dans l'industrie automobile. Elle l'a gardée jusqu'à nos jours.

Henry II n'était pas particulièrement doué sur le plan financier – son jeune frère Benson se révéla un homme d'affaires plus dynamique. Il ne prétendait à aucune connaissance technique particulière mais donna sa véritable mesure dans le domaine de l'*engineering humain*, perpétuant ainsi la tradition qui avait été toujours associée au nom de Ford.

Quand on lui demande s'il avait le sentiment d'assurer la continuité familiale, il manifeste une certaine gêne. En prenant la direction de la société, il avait, dit-il, un travail à faire et il le fit le mieux possible. Selon sa conception de la vie – celle du moins qu'il veut bien exprimer –, il faut prendre les choses telles qu'elles se présentent. Il a peu d'intérêt pour les grands tableaux historiques ou les explications psychologiques. Il réplique de façon un peu sèche si l'on suggère qu'en sauvant la société du désastre, il voulait, en fait, l'emporter sur son grand-père ou gagner les batailles que son père avait perdues.

Ceux qui ont travaillé avec lui se souviennent au contraire que tout son comportement indiquait qu'il avait besoin de prouver quelque chose, bien qu'il s'efforçât de le cacher. Ce besoin se manifestait parfois de façon inopinée. William Gossett, qui s'occupa du procès Ford-Ferguson au moment de la séparation des deux sociétés, avait alors suggéré que les conseils de Sorensen pourraient être utiles. Il organisa une rencontre avec l'ancien chef de production qui promit d'apporter son aide. « J'y réfléchirai », répondit Henry II sans amabilité. Pendant la conversation, il s'était montré cassant et désinvolte. Il expliqua par la suite son comportement à Gossett : Sorensen avait été le complice d'Henry Ford qui avait fait de la vie de son père un enfer.

John Bugas était devenu le confident d'Henry II et sa veuve raconte les soirées qu'ils passaient ensemble, dans les années soixante-dix, à discuter tout en buvant du vin rouge et à évoquer leurs souvenirs : les batailles contre Bennett, les risques, les dangers, l'époque où ils allaient travailler avec un revolver dans la poche par crainte des représailles des membres licenciés du Service Department. « Henry, dit un jour Bugas, pourquoi avez-vous fait tout cela ? Pourquoi ne pas avoir tout simplement profité de la vie ? » L'homme répondit avec véhémence : « Mon grand-père a tué mon père. Je sais bien qu'il est mort d'un cancer, mais mon grand-père a été responsable de sa maladie. Je n'ai jamais oublié mon père. »

26

La flamme qui s'éteint

Henry Ford ne se croyait pas immortel mais, au fond de lui-même, il espérait bien devenir centenaire. Vers la cinquantaine, la diététique et la culture physique devinrent chez lui une véritable obsession. « Je fais prendre de l'exercice à mes yeux, dit-il à Ralph Waldo Trine en 1928. Savez-vous qu'on peut entraîner ses yeux comme n'importe quelle partie de son corps ? » Au grand mécontentement du docteur Mateer et des autres médecins de l'hôpital Ford, il s'était mis entre les mains d'un chiropracteur de Mack Avenue, Lawson B. Coulter, qui lui faisait quotidiennement des massages. Il s'intéressa subitement aux tableaux du Titien lorsqu'il apprit que le peintre réalisait encore des chefs-d'œuvre à l'âge de quatre-vingt-dix-neuf ans.

Malgré les deux crises cardiaques dont il avait été victime au début des années quarante, il était resté lucide et plein d'allant. Cependant, plus le temps passait, plus il avait tendance à se replier sur lui-même pendant des périodes qui duraient parfois plusieurs jours d'affilée.

Les Ford avaient pris l'habitude de passer leurs vacances d'été au Huron Mountain Club, sur les rives du lac Supérieur. La plupart des membres de la haute société du Middle West y possédaient des chalets et celui d'Henry était un véritable palais. Il y avait fait installer six salles de bains. Clara et lui-même se rendaient par bateau jusqu'à Marquette. Chaque bateau de la flottille personnelle du constructeur comprenait quatre cabines luxueuses, et la table du capitaine était renommée. Harry Bennett, pour sa part, y emmenait souvent en croisière les clients qu'il voulait appâter.

Vers la fin de la Seconde Guerre mondiale, Clara invita Mrs. Renville Wheat, qui faisait également partie du Huron Mountain Club, à se joindre aux Ford pour le retour à Detroit. Ravie d'échapper avec ses enfants à un voyage qui, par la route, durait deux jours, celle-ci accepta avec empressement.

Henry Ford n'était pas dans ses meilleurs jours. Sa femme fut d'une amabilité parfaite avec ses invités, mais lui-même se montra d'humeur morose. A la fin de la traversée, Mrs. Wheat réalisa qu'il n'avait pas prononcé une seule phrase cohérente.

Harry Bennett explique ces moments de dépression par la mort d'Edsel. « Après cela, dit-il, il n'était plus antisémite ou anticatholique ou anti quoi que ce soit. Il n'était qu'un vieil homme fatigué qui avait besoin qu'on le laisse tranquille. »

Le vieil homme trouvait un réconfort dans sa croyance en la réincarnation. « Harry, disait-il souvent, je suis sûr qu'Edsel n'est pas mort. »

Il passait de longues périodes à Greenfield Village. L'école, reproduction de celle de son enfance, s'était agrandie et chaque matin, il se rendait à la chapelle Martha-Mary – nommée ainsi en souvenir de sa mère et de celle de Clara – pour y écouter les écoliers chanter des cantiques. Il avait toujours sur lui une guimbarde et aimait s'asseoir sous un arbre avec les enfants pour leur jouer des airs d'autrefois.

Il demanda au peintre Irving Bacon d'exécuter une série de tableaux représentant des scènes de son enfance – son père quand il lui avait fait découvrir le nid des moineaux, sa mère debout sur le seuil de la maison natale. Il choisit dans son entourage les modèles qui lui semblaient des réincarnations des personnages : John Dahlinger, par exemple, qui, de l'avis général, ressemblait beaucoup à l'enfant qu'il avait été, et Dorothy Richardson, une nièce de Clara. Il était convaincu que sa mère revivait dans la jeune fille et il offrit à celle-ci un ouvrage sur la réincarnation. Il l'emmenait faire des promenades en voiture à travers la campagne et lui apprit à conduire. Il réalisa même un film où elle tenait le rôle de Mary Litogot.

Bacon, dont l'atelier était toujours installé dans les laboratoires techniques de l'usine, commençait à se rendre compte que le mécénat touchait à sa fin. Depuis qu'Henry II avait pris la direction de l'entreprise, les ingénieurs occupaient en effet de plus en plus l'espace qui leur était normalement réservé. En rendant un jour visite au peintre pour examiner l'un des tableaux qu'il lui avait commandés, le vieil industriel remarqua les tables à dessin. « Que font donc tous ces gens ? » demanda-t-il. On lui expliqua qu'ils concevaient des maquettes. Clara l'entraîna rapidement pendant qu'il grommelait avec mépris : « Faire des voitures avec des crayons! »

L'aînée de ses arrière-petits-enfants, Charlotte, la fille d'Henry II née en 1941, et sa sœur Anne, de deux ans sa cadette, se souviennent d'une veille de Noël pendant des vacances passées à Fair Lane. On fit monter les deux fillettes, emmitouflées dans des couvertures, dans un traîneau conduit par un renne. Il faisait nuit noire et, à travers bois, on les conduisit jusqu'à une cabane située au milieu d'une clairière. La porte s'ouvrit et le Père Noël apparut. Ses moustaches et sa barbe blanche étaient authentiques. Depuis les années trente, Henry faisait jouer ce rôle à l'un des ouvriers agricoles qui travaillaient sur son domaine.

A certaines occasions, comme par exemple la sortie d'un nouveau modèle, le fondateur de l'entreprise apparaissait encore en public. Physiquement, il avait considérablement changé. Son visage, autrefois si mince, était bouffi sous l'effet des médicaments. Son regard avait perdu sa vivacité légendaire.

En 1946, il passa, comme à son habitude, l'hiver en Georgie. John Burroughs lui avait fait observer autrefois que l'estuaire du fleuve Savannah était un endroit idéal pour observer les oiseaux. Henry avait immédiatement décidé d'acheter un terrain près de Ways et s'y était fait construire une résidence, Richmond Hill.

C'était une région marécageuse qu'il fallut aménager, mais Henry s'y livra à des expériences agricoles avec la même passion qu'il avait montrée à Dearborn. Il créa même deux écoles pour les enfants des ouvriers qui travaillaient sur le domaine. En effet, la ségrégation régnait encore en Georgie, mais il veilla à faire dispenser le même enseignement dans les deux établissements. Quand ses petits-enfants séjournaient à Richmond Hill, il les envoyait à l'école des Noirs. « Il est temps, disait-il, qu'ils apprennent quelque chose, et ce n'est pas avec ces fils de putes de Grosse Pointe qu'ils peuvent le faire! »

Depuis le départ d'Harry Bennett, les Dahlinger restaient pratiquement les seuls amis du vieux couple. Ils s'occupaient de tous les détails du voyage annuel en Georgie et c'était Ray qui servait de chauffeur.

Les Ford revinrent à Dearborn le 6 avril 1947, le dimanche de Pâques. Des pluies abondantes tombaient sur le Michigan depuis plusieurs jours et la rivière Rouge menaçait de déborder. Le lendemain, à l'aube, l'un des ingénieurs chargé de la centrale électrique qui alimentait Fair Lane vint informer Rosa Buhler, la Femme de chambre de Clara, que la centrale était inondée.

La domestique se rendit jusqu'à la chambre à coucher de ses patrons. Ils étaient déjà réveillés. Elle leur apprit la nouvelle mais Henry ne semblait pas entendre ce qu'elle disait. « Que se passe-t-il, Callie? » ne cessait-il de répéter. Rosa suggéra alors que le couple pourrait aller prendre le petit déjeuner à l'auberge de Dearborn. Henry trouva l'idée ridicule. « Ma très chère, dit-il en éclatant de rire, nous avons des cheminées. Faisons donc comme en Ecosse et en Irlande! »

Rosa alluma alors des feux dans toutes les cheminées de la maison. Henry demanda ensuite à son chauffeur, Rankin, de le conduire à Dearborn pour constater les dégâts causés par l'inondation. Ils se rendirent à Greenfield Village d'où l'industriel téléphona à New York pour parler à son petit-fils Benson, puis il décida d'aller rendre visite à Henry II qu'il n'avait pas vu depuis plusieurs mois. Les routes étant impraticables, il se fit alors conduire au cimetière de Joy Road pour se recueillir sur les tombes de son père et de sa mère.

A son retour à Fair Lane, le feu ronflait dans toutes les cheminées et on avait allumé des bougies. Il demanda une tasse de lait, s'informa des progrès des réparations à la centrale électrique et décida d'aller se coucher tôt. « J'ai envie de bien dormir cette nuit », dit-il.

Un peu plus tard, Clara alla réveiller sa gouvernante. Son mari lui semblait aller très mal et les deux femmes s'installèrent à son chevet. Le téléphone ne fonctionnait plus. Le chauffeur sortit pour appeler d'une cabine le docteur Mateer qui habitait Grosse Pointe.

Le malade manifesta l'intention de se lever. Sa femme l'aida mais il était incapable de tenir sur ses jambes. Elle le remit au lit, l'adossa à ses oreillers et quitta la chambre un instant pour se préparer à accueillir le médecin. Pendant qu'elle s'habillait, Rosa l'appela. « Venez vite, dit-elle, je ne sais pas ce qui se passe. Son visage a changé d'expression et il a un regard bizarre... Je crois que Monsieur est en train de nous quitter. »

Il était déjà mort quand le docteur arriva aux environs de minuit. Henry II et sa femme, qui se trouvaient alors à New York, prirent immédiatement le train mais quelqu'un les avait déjà précédés à Fair Lane : Evangeline qui avait été prévenue par Clara.

Le corps fut exposé dans la salle de bal à colonnes de Greenfield Village. Selon le *Detroit Free Press*, 100 000 personnes défilèrent pendant toute la journée du 9 avril pour rendre un dernier hommage à Henry Ford.

C'étaient pour la plupart des gens modestes venus des environs, des ouvriers accompagnés de leurs enfants. Certains pleuraient. La plupart connaissaient l'industriel. Les Américains aiment retrouver chez leurs grands hommes des qualités de simplicité et d'authenticité, a dit Tocqueville. Cela fait partie de leur conception de la démocratie. Ford, malgré sa réussite, n'avait jamais donné à ses compatriotes l'impression de leur être supérieur.

Irving Bacon vint jeter un dernier regard à son modèle. « Il ne ressemblait plus à l'homme que j'avais connu, dit-il. Ses cheveux gris acier avaient blanchi. Son visage s'était empâté et son nez était devenu informe. » Quant à Breech et à son équipe, ils ne manifestèrent pas une grande émotion. Seul Gossett pensa à mettre une cravate noire.

Les articles nécrologiques furent en général élogieuse. Mis à part le

P.M. de New York qui compara l'esprit de Ford à « une jungle de peur, d'ignorance et de préjugés sociaux », la plupart des journalistes évoquèrent les aspects les plus positifs de la vie de l'industriel. Les articles publiés après la mort de Rockefeller, de Vanderbilt, de J.P. Morgan ou d'autres hommes d'affaires de l'époque furent beaucoup plus critiques. Comme il l'avait toujours dit lui-même, il avait vraiment créé quelque chose. Il n'avait pas spéculé, n'avait pas accaparé une invention ou un marché. Il avait fabriqué la première voiture populaire. A moins d'être juif, ami d'Edsel ou d'avoir été victime de ses nervis, personne n'avait rien à reprocher à Henry Ford.

Plus de 20 000 personnes se rassemblèrent le lendemain à Detroit devant la cathédrale Saint-Paul pour assister aux obsèques. L'office funèbre débuta à deux heures et demie de l'après-midi et toute la ville observa une minute de silence. La circulation s'arrêta pendant que les églises sonnaient le glas.

Henry, pendant les deux dernières années de sa vie, n'avait pas beaucoup compté dans son entreprise ou même dans sa famille, mais le peuple n'a pas la mémoire courte. L'hôtel de ville de Detroit fut drapé de noir et un immense portrait du constructeur dressé contre la façade. Tous les bureaux fermèrent à midi. On décréta à Dearborn une journée de deuil. Les journaux avaient indiqué l'itinéraire que devait suivre le cortège funèbre, et la foule s'était alignée le long de la route. De nombreuses personnes portaient des vêtements noirs.

Le jour de sa mort, on avait trouvé dans ses poches un peigne, un petit canif et une guimbarde, tout le bric-à-brac d'un gamin. Quand ses avocats firent l'inventaire de ses biens, ils découvrirent qu'il possédait sur un compte bancaire personnel 26 millions et demi de dollars. En recherchant s'il avait des débiteurs, il s'aperçurent qu'on lui devait en tout et pour tout 20 dollars, représentant le prix d'une livraison de fourrage.

Henry Ford ne s'était jamais particulièrement préoccupé de ce que deviendrait son entreprise après sa mort. C'était sa création, il en tirait du plaisir sans se soucier de la préserver pour les générations futures. Après la loi votée en 1916 sur les frais de succession, les Américains fortunés créèrent des fondations philanthropiques qui permettaient à leur argent de rester entre les mains de la famille. Henry estimait que ce genre de pratique manquait de dignité. En ce qui le concernait, il n'avait jamais accepté la charité. L'idée que sa fortune pourrait servir à faire l'aumône lui semblait la pire des choses.

« Faire de la charité une profession ou un commerce m'irrite, dit-il à Samuel Crowther en 1922. Dès que l'esprit d'entraide devient systématique et organisé, il perd de sa chaleur humaine. Il blesse plus qu'il ne secourt. »

Il changea cependant d'opinion en 1935. Au cours de sa campagne pour les élections de l'année suivante, Roosevelt déclara qu'il fallait s'attaquer à la « concentration injuste des richesses et du pouvoir. » Au mois d'août, on institua un impôt de 50 % sur les fortunes dépassant 4 millions de dollars et de 70 % sur celles supérieures à 50 millions de dollars. Les frais de succession furent également augmentés.

La menace qui pesait en fait sur l'entreprise depuis 1916 prit soudain une tournure dramatique. La mort d'Henry ou d'Edsel compromettrait sérieusement le contrôle exercé par la famille sur la compagnie. Si tous deux venaient à disparaître, elle le perdrait complètement puisque leurs héritiers seraient obligés de vendre la majorité de leurs actions pour payer les impôts. L'industriel demanda à son fils de consulter les conseillers juridiques de la Ford Motor qui mirent rapidement au point un plan pour échapper au fisc.

La première étape consista à diviser le capital en deux parties : la catégorie A représentant 95 % des actions et la catégorie B les 5 % restants. Ces actions ne pouvaient être mises à la disposition du public du vivant d'Henry, d'Edsel et de Clara. Seuls les détenteurs de la deuxième catégorie avaient le droit de vote.

Dans un second temps, on créa, le 15 janvier 1936, la Fondation Ford destinée à « recevoir et administrer des fonds à but scientifique, éducatif et charitable ». Les donations aux œuvres de bienfaisance étaient exonérées d'impôts. Henry et Edsel établirent des testaments par lesquels ils léguaient leurs actions de la catégorie A au nouvel organisme et répartissaient celles de la catégorie B entre les membres de leur famille. Les deux parties du capital furent divisées selon les proportions existant depuis le départ de Couzens et des frères Dodge, soit 55 % pour Henry, 42 % pour Edsel et 3 % pour Clara.

Si ces dispositions n'avaient pas été prises, la mort du fondateur et de son fils, à quelques années d'intervalle, aurait entraîné la disparition de la Ford Motor en tant qu'entreprise familiale. D'autre part, grâce à la donation faite à la fondation, elle échappa à 321 millions de dollars d'impôts.

Selon le témoignage de Jack Davis, Henry souffrit d'une légère dépression peu de temps avant sa mort. Il ne quittait plus son lit et semblait avoir perdu tout intérêt pour l'existence. Ses médecins pensèrent qu'un contact avec l'extérieur lui serait bénéfique et, connaissant le plaisir qu'il prenait généralement à exprimer ses opinions, ils demandèrent à un journaliste de venir l'interviewer. A la première question concernant la possibilité de voir un jour la Ford Motor cesser d'être une entreprise familiale, le malade retrouva toute son énergie. Il se dressa sur ses oreillers. « Je préférerais, s'écria-t-il, démolir mon usine pierre par pierre plutôt que de voir ces spéculateurs juifs investir dans ma société. » Le docteur estima que l'entretien avait assez duré et demanda au journaliste de se retirer.

Avant même de prendre la succession de son grand-père, Henry II avait compris que si l'entreprise voulait concurrencer la General Motors, ou tout simplement survivre à long terme, elle devrait s'ouvrir aux investisseurs. Il en avait discuté avec Breech et ses assistants. Les grandes entreprises familiales étaient des vestiges du passé. La décision était prise, mais il restait à trouver le moment opportun.

La Fondation Ford apporta la solution. Elle constituait le plus grand organisme philanthropique du pays et occupait la première place devant Rockefeller et Carnegie – une baleine au milieu d'un banc de thons, selon l'expression de Dwight McDonald dans le *New Yorker*. En 1955, elle possédait 3 089 908 actions de catégorie A de la Ford Motor, représentant, selon la cote de 1947, 417 millions de dollars. La compagnie ayant considérablement prospéré depuis cette époque, on peut estimer que la Fondation valait plus d'un milliard de dollars.

Avec un budget équivalent à celui d'un petit État américain, elle n'avait cependant aucun contrôle sur cette immense fortune et dépendait entièrement d'une entreprise dans laquelle elle n'avait pas son mot à dire. Si la Ford Motor le décidait, elle pouvait s'approprier les bénéfices annuels de la Fondation. D'un façon générale, elle était totalement à la merci d'une firme appartenant à un secteur, celui de l'automobile, qui connaissait des difficultés cycliques.

Les administrateurs de la Fondation ne trouvaient pas cette situation satisfaisante. Ils estimaient qu'ils avaient le devoir d'échapper à leur dépendance vis-à-vis de la Ford Motor. En novembre 1955, ils firent savoir qu'ils se préparaient à vendre une partie des actions de la société et décidèrent d'en mettre 7 millions à la disposition du public.

Après la mort d'Henry Ford, ses héritiers ne possédaient plus que les 5 % du capital de la catégorie B et les 7 % de la catégorie A qu'ils n'avaient pas abandonnés. Avec l'offre faite par la Fondation, tout acheteur d'une action devenait également détenteur d'une voix. Avec une proportion de 12 %, la famille perdait le contrôle de la société.

Du point de vue des Ford, 51 % aurait représenté la solution idéale, mais c'était évidemment hors de question. En revanche, avec 40 %, il leur suffisait de racheter 11 % des actions pour être en sécurité. En étudiant les réglementations de la Bourse de New York, l'attention des avocats de la famille Ford fut attirée par un texte permettant la négociation de 60 % du capital d'une entreprise. Ils proposèrent l'interprétation suivante : remplacer le terme de *capital* par celui de *contrôle*. On accorderait aux membres de la famille Ford quatre voix par dollar investi alors que les autres actionnaires ne disposeraient que d'une seule voix – soit 40 % des votes pour 12 % des actions. Soucieuse de se réserver la proposition la plus importante qui lui ait jamais été faite, la Bourse accepta cet arrangement.

La distinction entre les deux catégories fut maintenue : les actions A pour le public et les actions B pour la famille. Elles avaient la même valeur et rapportaient les mêmes dividendes. Au moment du vote cependant, les opérations se faisaient séparément et les voix de la catégorie A ne comptaient que pour 60 %.

Joseph C. O'Mahoney, président de la sous-commission du Sénat sur les monopoles, critiqua sévèrement ce procédé. « Les petits actionnaires, dit-il, ont abandonné leur indépendance financière au bénéfice du grand capital. »

Dès que la Fondation Ford annonça sa décision le 7 novembre 1955, on put constater que les petits actionnaires en question étaient trop heureux d'abandonner cette indépendance. Ils mouraient d'impatience. Les standards téléphoniques furent surchargés d'appels. Les 700 assureurs recrutés à travers tout le pays pour recevoir les souscriptions furent débordés. Quand les actions furent mises en vente le 17 janvier 1956, ce fut un véritable délire. Des gens du peuple qui n'avaient jamais effectué d'opérations en Bourse de leur vie voulaient posséder un petit morceau de Ford. Ils avaient le sentiment de participer à l'une des entreprises qui avaient fait de l'Amérique un grand pays, d'assurer l'avenir de leurs enfants et de leurs petits-enfants. A la fin de la journée, la cote des actions était passée de 64,50 dollars à 70,50, et la Fondation Ford avait gagné 640 millions de dollars.

Neuf ans après la mort d'Henry Ford, cette ruée nationale pour acheter les actions de sa société constitua le plus grand hommage rendu à son nom, le plus sincère aussi puisqu'il s'exprimait en termes d'argent. Quant à la façon dont ses descendants avaient réussi à conserver le contrôle de leur entreprise, elle aurait certainement obtenu son approbation.

27

Le nouveau Mr. Ford

Dès la première réception qu'elle donna, Anne McDonnell Ford se fit une réputation bien établie dans la cité de l'automobile. Avant de commencer à dîner, elle ferma les yeux, baissa la tête et récita à haute voix le bénédicité.

Ses invités furent surtout frappés par l'attitude de son mari qui se joignit à elle avec toute la dévotion requise. Le nouveau président de la Ford Motor n'avait pas seulement des mentors dans l'entreprise. Un autre maître à penser l'attendait à la maison. Anne prenait la religion au sérieux et Henry II, pour lui être agréable, fit de même.

Il avait perdu l'insouciance de sa jeunesse. Il se rendait tous les dimanches à la cathédrale Saint-Paul sur les bords du lac. Sa femme, pour sa part, assistait quotidiennement à la messe de six heures. Pendant les quarante jours du carême, il l'accompagnait régulièrement. Elle dut subir une opération et fut hospitalisée pendant un certain temps. Il décida alors de se rendre chaque matin à la messe.

L'intervention chirurgicale elle-même dura plus de trois heures et il en attendit l'issue avec anxiété en marchant de long en large et en refusant obstinément de s'asseoir. Il déclara ensuite à sa femme qu'il s'était ainsi imposé une pénitence qu'il avait offerte à Dieu pour sa guérison.

Ils formaient ce qu'on appelle un beau couple. Anne était une jeune femme élégante qui avait hérité de sa mère son goût pour les vêtements de luxe – elle pouvait reconnaître au premier regard la griffe d'un grand couturier. Comme son mari, elle avait été habituée dès l'enfance à ce qui se faisait de mieux. Elle aimait particulièrement les meubles français. Ils s'installèrent à Grosse Pointe en 1943, sur Provencal Road, une avenue privée dont l'entrée était protégée par des gardiens en uniforme dans leurs guérites. Quand Henry II eut pris les rênes de la Ford Motor, ils déménagèrent pour occuper une résidence princière sur les bords du lac, comme il convenait à un baron de l'automobile et à son épouse. Anne rechercha dans les salles des ventes de New York et d'Europe les pièces les plus rares. Avant chaque acquisition, elle demandait l'avis de Paul Grigaut, le conservateur du musée de Detroit pour l'art européen qui, comme l'avait fait Valentiner, servait de conseiller bénévole aux gens fortunés dont le patronage pouvait, à l'occasion, lui être utile. « Les bronzes, disait-il, sont très importants dans une maison. »

Anne constitua ainsi une remarquable collection : un bureau ayant appartenu à Marie-Antoinette, des rafraîchissoirs de Catherine II de Russie et des tapis tels qu'on peut en trouver à Versailles.

Elle s'y connaissait parfaitement en matière esthétique et fit partager ses goûts à son mari. Henry II, malgré l'influence d'Edsel et d'Eleanor, n'était pas particulièrement amateur d'art. Anne l'entraîna à sa suite dans les galeries et l'aida à se former un jugement. Ils achetèrent ensemble le *Paysan en blouse bleue* de Cézanne, plusieurs Van Gogh, un Gauguin et un Renoir.

Certaines mauvaises langues prétendaient qu'Anne avait du goût et qu'Henry avait le carnet de chèques. Ce dernier apprit cependant très vite à savoir ce qui lui plaisait. Sa femme voulut faire un jour l'acquisition d'un Holbein que son cousin Bob Tannahill lui avait recommandé. C'était, selon lui, le plus beau tableau du peintre existant en dehors d'un musée. Anne le fit amener à Detroit pour le soumettre à l'appréciation de son mari. « Je le trouve détestable », dit celui-ci et le Holbein retourna immédiatement à New York. En fait, il appréciait particulièrement les Impressionnistes et fit une sélection mûrement réfléchie de leurs meilleures toiles, avec une préférence marquée pour les nus.

Henry II prit également une part active aux œuvres de bienfaisance. Les collectes de fonds organisées à Detroit par différents organismes lui semblaient manquer d'efficacité. Il proposa à la Croix-Rouge, à la Société américaine contre le cancer et au Community Fund d'unir leurs efforts. La création de l'United Foundation eut lieu en 1949. C'est sur ce modèle que fonctionnent de nos jours la plupart des sociétés de bienfaisance des grandes villes américaines.

Mrs. Henry Ford II de son côté ne restait pas inactive et rivalisait d'ardeur avec son mari. Ses journées étaient remplies par de multiples activités : la messe, le décorateur, le coiffeur, les galas au profit d'œuvres de bienfaisance sans parler des innombrables petits déjeuners, dîners et thés à but philanthropique. Faire le bien pouvait représenter à Detroit un emploi à plein temps. Dans l'est du pays, on était moins soucieux de ses devoirs civiques, mais dans le Middle West, la femme d'un grand constructeur automobile se devait de travailler autant que son mari. Anne se pliait à ces obligations sans rechigner.

Son plus grand succès consista à réunir suffisamment de fonds pour la venue à Detroit du Metropolitan Opera. Personne ne pouvait être sûr que le public serait assez nombreux pour couvrir les frais de la visite, mais Anne se lança dans la bataille avec énergie, assistée de deux membres des relations publiques de la Ford Motor. Le temple maçonnique où se produisit la troupe du Met et qui contenait 4 600 places afficha complet à chaque représentation. Cet événement devint une tradition annuelle et l'occasion d'une semaine entière de brillantes réceptions données par Mr. et Mrs. Henry Ford II.

Le mari et la femme eurent l'occasion de travailler ensemble sur un problème d'ordre philanthropique au début des années cinquante. La Fondation Ford faisait alors l'objet de certaines critiques. Pour se différencier d'autres organismes du même genre aux objectifs purement scientifiques, la Fondation Ford avait décidé de s'intéresser au développement économique, à l'éducation, à la promotion de la paix et de la démocratie. Ses premiers projets concernèrent l'agriculture en Inde et au Pakistan, l'aide aux personnes déplacées, la réalisation de programmes éducatifs pour la télévision. Ces projets n'avaient rien de particulièrement subversif, mais c'était une époque difficile pour les fondations. Alger Hiss venait d'être condamné pour ses activités communistes, qu'il aurait exercées tout en travaillant pour la Fondation Carnegie pour la paix internationale. La guerre froide battait son plein. En novembre 1952, le Congrès créa une commission présidée par le républicain Edward Eugene Cox, de Georgie, pour vérifier si « les fondations avaient utilisé leurs ressources dans le but d'affaiblir, de miner ou de discréditer le système américain de la libre entreprise... tout en prônant les vertus de l'État socialiste ».

Un certain nombre de journaux de droite et de chroniqueurs estimèrent que cette description s'appliquait précisément à la Fondation Ford qui gaspillait sa fortune en dehors des États-Unis. Ils prirent pour cibles de leurs accusations les « philanthropoïdes » professionnels choisis par Henry II : Paul G. Hoffman, ancien administrateur du plan Marshall, et Robert Hutchins qui avait été chancelier de l'université de Chicago. Tous deux étaient les membres les plus actifs du conseil d'administration qui, en janvier 1951, s'était attaqué à la tâche de répartir les finances de la Fondation.

Leurs bureaux étaient installés à Pasadena. Fin 1952, Anne et Henry se rendirent donc en Californie pour rencontrer Hoffman et Hutchins. Le problème commençait à avoir des répercussions sur le plan commercial. Des tracts circulaient : « Êtes-vous propriétaire d'une Ford, d'une Mercury ou d'une Lincoln ? Dans ce cas, vous soutenez involontairement le communisme car les bénéfices de la Ford Motor sont dilapidés par les hommes de gauche de la Fondation. »

W. « Ping » Ferry, qui appartenait au service des relations publiques d'Henry II, assurait la liaison entre ce dernier et la Fondation. Sachant que Mrs. Ford pouvait se montrer d'une grande froideur quand elle était mécontente de quelque chose, il appréhendait fortement la réunion. Selon lui, avant d'entreprendre le voyage, « le prêtre de sa paroisse ou une autre personne lui avait donné les pires informations sur la fondation » et particulièrement sur Hoffman et Hutchins, considérés comme des sympathisants communistes.

Elle accueillit cependant ce dernier avec son plus charmant sourire en se disant enchantée « de rencontrer quelqu'un qui s'y connaissait en matière d'enseignement ». Elle espérait, ajouta-t-elle, que, grâce à lui, la Fondation s'intéresserait à un problème qui lui tenait particulièrement à cœur : l'enseignement catholique à Detroit.

Avant l'arrivée des Ford, Ping Ferry avait fait son possible pour convaincre Hutchins de se montrer aimable avec Anne. Mais l'ancien chancelier de l'université de Chicago n'était pas un homme de compromis. Il avait ses propres idées sur la question et il fit à la jeune femme un exposé sur les faiblesses du système qu'elle préconisait. Ce n'était pas l'affaire de la Fondation de le cautionner. Anne Ford était riche. Elle pouvait s'en occuper elle-même. Pour faire bonne mesure, il se lança ensuite dans une apologie du contrôle des naissances. Ce fut le coup de grâce pour Robert et Paul.

En février 1953, Paul Hoffman présenta sa démission et Robert Hutchins trouva un poste dans un organisme de bienfaisance qui ne portait pas le nom de Ford. Le siège de la Fondation fut transféré à New York et Henry II, qui en présidait le conseil d'administration, y nomma des hommes moins contestés. Cependant, en dépit des pressions de l'opinion publique qui provoquèrent une nouvelle enquête du Congrès dirigée cette fois-ci uniquement contre la Fondation Ford pour « ses activités de propagande antiaméricaines et subversives », il refusa fermement de désapprouver la politique qu'Hoffman et Hutchins avaient menée en son nom.

Ses propres sentiments patriotiques pouvaient difficilement être mis en cause. En 1953, le président Eisenhower lui demanda de faire partie de la délégation américaine aux Nations Unies pour la session annuelle. C'était non seulement l'un des plus jeunes et des plus brillants hommes d'affaires du pays, mais encore un supporter généreux du parti républicain. Le matin de Thanksgiving, le chef de la mission soviétique, sachant que ses adversaires se préoccupaient surtout, ce jour-là, de leur fête traditionnelle, lança une violente attaque contre l'impérialisme américain symbolisé par Henry Ford II.

Celui-ci n'était pas prévu sur la liste des interventions mais il était évident qu'il était le seul à pouvoir répondre. On l'aida à jeter sur le papier quelques lignes directrices et, pendant une dizaine de minutes, il fit, de l'avis de tous, un discours à la fois précis et brillant. Après son triomphe, il se précipita dans la rue à la recherche d'un taxi. « Je dois aller chez ma belle-mère, dit-il. J'ai déjà une heure de retard pour le déjeuner. »

Tout le monde reconnaissait à Henry Ford II de la spontanéité, du charme et une grande modestie. Sa femme et lui-même donnèrent, dans les années cinquante, le meilleur exemple de la façon dont on pouvait utiliser un héritage : faire fructifier sa fortune et en jouir tout en restant sensible aux problèmes de ses semblables et en remplissant son devoir envers eux. On comparait Henry Ford II à son grand-père. Comme lui, il ne donnait pas l'impression d'être supérieur au commun des mortels par ses qualités intellectuelles. Mais on le trouvait aussi plus réfléchi, plus pondéré et moins excentrique. Sous sa direction, la Ford Motor n'avait jamais été aussi prospère depuis trente ans et donnait des inquiétudes à Chevrolet, sa rivale. Désormais, quand on se référait à Henry Ford, il ne s'agissait plus du fondateur de la société mais de son petit-fils.

Après la Seconde Guerre mondiale, la renaissance de l'entreprise fut, sans conteste, l'œuvre de la nouvelle génération. On commença à considérer la famille comme l'une des principales « dynasties » américaines, l'égale des Vanderbilt et des Rockefeller. En 1953, pour le cinquantième anniversaire de la création de la société, Newsom axa toute sa publicité sur ce thème. Les trois frères, Henry, Benson et William Clay, assis côte à côte à l'avant d'une voiture, firent la couverture du magazine *Time*. Des photos de groupe représentant les hommes et les femmes de la famille furent également publiées par *Life*.

Outre leurs postes d'administrateurs et de vice-présidents, les jeunes frères d'Henry II remplissaient d'autres fonctions dans l'entreprise. Depuis 1948, Benson était chargé de la division Mercury. Après le cinquantième anniversaire, on confia à William Clay l'exécution des plans pour une nouvelle voiture de luxe, la Continental Mark II. On espérait qu'elle aurait le même succès que la Lincoln Continental conçue par Edsel en 1939, concurrencerait la Cadillac et deviendrait l'équivalent américain de la Rolls-Royce.

William Clay était particulièrement dynamique. De petite taille, toujours très élégant, il ressemblait de façon frappante à son père. C'était un grand sportif, champion amateur de tennis et de golf. Dans le domaine de la création, il maintenait la tradition instituée par Edsel. Il s'entoura d'une équipe de 165 spécialistes pour travailler sur le projet.

La disparition de la division Continental coïncida cependant à peu près avec le lancement de la nouvelle voiture en 1955, quelques mois avant que l'entreprise devienne publique. Ernest Breech, qui était à l'origine de l'idée, savait pertinemment qu'il s'agissait d'une opération de prestige dont le but n'était pas de faire des bénéfices. Mais il estima qu'il ne pouvait se permettre de présenter aux nouveaux actionnaires un état financier de la société faisant apparaître des pertes dans un secteur quelconque et proposa à Henry II de regrouper les divisions Continental et Lincoln.

En cessant d'être une entreprise familiale, la Ford Motor dut procéder ainsi à un certain nombre de changements. Benson accepta sans protester d'abandonner la direction de Mercury en 1956 et de se consacrer à des tâches moins importantes dans le domaine des ventes. Au cours de la même année, William Clay s'effaça de lui-même en prenant une part moins active à la gestion quotidienne de l'entreprise.

Henry II aurait dû, en principe, imiter ses frères. Il avait sauvé la société du désastre et créé une équipe d'administrateurs hautement qualifiés. Il pouvait, sans la moindre inquiétude, leur déléguer ses responsabilités.

Il n'y songea cependant pas un seul instant. Pour lui, comme d'ailleurs pour son entourage, le nouveau Mr. Ford était fait pour diriger personnellement le nouveau trust. Pendant dix ans, ses conseillers l'avaient préparé à cette tâche. Il approchait de la quarantaine, il réussissait dans un travail qu'il aimait et 40 % des voix des actionnaires appartenaient à la famille Ford.

Henry II avait toujours eu deux objectifs depuis qu'il avait pris les rênes de l'entreprise en 1945 : moderniser celle-ci et se montrer digne du nom qu'il portait. Le succès de la mise sur la marché des actions de la Ford Motor fut non seulement un hommage rendu à la mémoire de son grand-père mais encore une sorte de vote de confiance du public à son égard. Sa destinée était toute tracée. Il avait été pendant longtemps le prince héritier. Il était temps à présent de revendiquer son royaume.

La petite Anne Ford eut douze ans en janvier 1956. Quand elle voyageait à l'étranger, il lui semblait normal de monter à bord de l'avion avant les autres passagers et de recevoir à son arrivée un bouquet de roses. Avec ses parents et sa sœur Charlotte, elle se rendait en Europe à bord d'un Stratocruiser. Une limousine attendait la famille sur la piste d'atterrissage. Quoi de plus naturel pour la fillette d'être traitée comme une princesse puisque c'était ainsi qu'on la considérait chez elle!

Mr. et Mrs. Henry Ford et leurs enfants étaient en effet à Grosse Pointe l'équivalent d'une famille royale. Les autres résidents comme les Newberry, les Joy, les Shelden ou les Ferry avaient certes, eux aussi, toujours vécu sur un grand pied. Cependant dans les années cinquante, peu de familles continuaient à vivre ainsi, et les anciennes résidences commençaient à être détruites et remplacées par des immeubles. Grosse Pointe devenait peu à peu la banlieue de Detroit.

Par l'éducation qu'ils recevaient, les enfants avaient très tôt pris conscience de leur propre importance. Anne McDonnell Ford n'avait, par exemple, jamais fait son lit de sa vie. C'était, dit-elle un jour à ses filles, le travail d'une domestique. Après cette réflexion, Charlotte, qui avait de la volonté, s'était mise à faire son lit chaque matin.

D'autres interdictions étaient cependant plus difficiles à contourner. Edsel Bryant Ford II vint au monde en 1947 et Charlotte se souvient « comme si c'était hier » du retour de sa mère et de son petit frère de l'hôpital. Elle était pleine d'excitation et pensait qu'on la laisserait s'occuper du bébé, le tenir dans ses bras, lui donner parfois le biberon, mais la nurse, Letty, ne lui permettait pas de s'en approcher.

Elle prit sa revanche le Noël suivant en demandant comme cadeau un uniforme complet de nurse. Sa mère le fit confectionner par la couturière qui travaillait à plein temps à la maison. Quelques jours plus tard, elle remarqua des traces d'encre bleue sur les bas blancs du déguisement de Charlotte qu'elle avait eu quelques difficultés à se procurer à l'hôpital Ford. « Ce n'est pas de l'encre, dit la fillette en souriant innocemment. Ce sont les varices de Letty. »

Quand Edsel Ford II fut en âge de fréquenter l'école, il eut comme meilleur ami Billy Chapin, le fils de Roy Chapin Jr de l'American Motors. Le jeune garçon passait souvent la nuit chez les Ford. Edsel, raconte-t-il aujourd'hui, avait une gouvernante française, « Mademoiselle », qui assistait à tous ses repas et s'assurait qu'il ne se couchait pas trop tard. Elle lui apprenait les bonnes manières et le français. Il put ainsi parler avec le pape dans cette langue quand il se rendit au Vatican avec ses parents.

Les amis qu'Anne et Charlotte recevaient à la maison étaient toujours surpris de constater combien Henry II correspondait peu à l'idée qu'ils se faisaient d'un monsieur important ayant sa photo dans les journaux. Il lui arrivait souvent de descendre de sa chambre en pyjama pour partager une bière avec eux. « Daddy, suppliaient les jeunes filles, gênées, retourne donc au lit. »

Les Ford jugeaient plus sage de laisser leurs filles inviter leurs amis à la maison plutôt que de les voir sortir. Le maître d'hôtel était toujours prêt à servir de la bière, du Coca-Cola et des sandwiches et, pendant les vacances, on organisait des barbecues. La spécialité d'Henry II était une sauce pour laquelle il utilisait une bonne livre de beurre.

Les parents étaient souvent absents – trop souvent peut-être – mais lorsque la famille était réunie, on était sûr de ne pas s'ennuyer. Billy Chapin se souvient d'un mercredi soir où, dans la cuisine, Henry II commença à lancer par jeu des morceaux de gâteau sur Charlotte et Edsel. Il s'ensuivit une véritable bataille de pâtisserie qui finit étalée sur les murs, le buffet et jusqu'au plafond. Gertrude, la cuisinière, n'était pas à la maison ce soir-là. Redoutant sa colère, Henry II partit travailler très tôt le lendemain matin.

On était cependant plus sérieux les jours de visite de Mrs. Eleanor. Le gardien avertissait par téléphone de son arrivée pour laisser au maître d'hôtel le temps d'enfiler ses gants blancs. Toute la famille s'alignait dans le hall pour accueillir Grand-Maman. La réunion était soigneusement planifiée. De même, quand les Ford se rendaient chez elle, ils ne le faisaient jamais à l'improviste. Il fallait prendre rendez-vous. Cependant, ses petits-enfants étaient toujours ravis d'être en sa compagnie. Après le thé, elle jouait avec eux à cache-cache autour de la maison.

Mrs. Eleanor tenait parfaitement le rôle de la Reine mère. Son genre de vie correspondait davantage au style de Grosse Pointe que celui d'autres dames âgées, comme par exemple la veuve d'Horace Dodge dont le yacht de 70 mètres de long se profilait sur les eaux du lac. Peu importait que les fortunes fussent anciennes ou récentes, on n'appréciait guère l'étalage du luxe.

Tout le monde la tenait pour une « vraie lady ». Après la mort de son mari, elle avait été très courtisée mais le scandale ne l'avait jamais effleurée. Elle subventionnait le musée, l'institution d'enseignement Merrill-Palmer, la poterie Pewabic, l'Artists' Market qui offrait aux jeunes talents la possibilité d'exposer, et son ancien cercle d'étudiantes, Tau Beta. D'une générosité remarquable, elle exigeait l'anonymat le plus strict au sujet de ses donations. Souriante, courtoise et ponctuelle, elle prenait plaisir à assister aux réceptions, à danser et à se montrer aimable avec tous.

Elle n'avait aucun goût pour l'ostentation, mis à part une curieuse limousine, une Lincoln 1953, que son fils avait fait dessiner spécialement pour elle. La voiture était munie de marchepieds et d'un toit élevé afin qu'elle pût y monter sans baisser la tête. Quand ses petits-enfants apercevaient la voiture garée devant le salon de coiffure ou une quelconque boutique, ils sautaient de leurs bicyclettes pour rejoindre leur grand-mère.

Les frères Ford, qui ne se fréquentaient guère pendant l'année, se réunissaient tous chez elle les soirs de Noël et de Thanksgiving. Elle tenait à ce que tout le monde soit en tenue de soirée. Les petits-enfants dînaient séparément et on leur projetait ensuite l'un des derniers films dans le salon de musique.

Certains imaginaient que ces réunions familiales offraient aux Ford l'occasion de comploter et de définir la stratégie de l'entreprise. Le mythe était entretenu par la rébellion d'Eleanor après la mort d'Edsel. On pensait qu'elle se comportait en chef de tribu et qu'Henry II lui demandait son accord pour toutes les décisions concernant l'entreprise. Ce n'était que pure invention. Elle n'avait aucun intérêt pour les affaires.

Le 21 décembre 1959 fut un grand jour pour Mrs. et Mr. Henry Ford II qui présidèrent la réception marquant les débuts de leur fille aînée dans le monde. On prépara l'événement pendant un an. Le Country Club de Grosse Pointe avait offert ses locaux. Jacques Frank, un décorateur parisien qui avait travaillé pour les Rothschild en semblable occasion, y réalisa une reproduction assez bien imitée du Petit Trianon. Les murs furent recouverts de 2 millions de feuilles de magnolia, patiemment collées une à une pour simuler des écailles de poisson, et l'on édifia une arche de verdure sur le parking en signe de bienvenue.

Le service de sécurité comptait seize personnes, plus un plombier et un électricien, tous en smoking. Un coiffeur déambulait dans les couloirs pour venir en aide aux dames éprouvant le besoin de rafraîchir leur coiffure d'un nuage de laque.

« On avait l'impression d'entrer dans un conte de fées », raconte Lloyd Semple, le cavalier d'Anne, la jeune sœur de Charlotte, qui, avec une douzaine d'autres jeunes gens, introduisait les invités. Comme s'ils venaient de recevoir la Légion d'honneur, ils portaient autour du cou un médaillon d'émail rouge et blanc accroché à un ruban.

Lord Charles Spencer-Churchill, Gary Cooper et son épouse, les DuPont, les Kanzler et les présidents de la General Motors et de Chrysler assistèrent à la soirée. Nat King Cole en fut la principale attraction. On avait fait venir de New York l'orchestre Meyer Davis qui avait composé spécialement, en l'honneur de l'héroïne, une chanson intitulée « Charlotte ».

Les journalistes ne trouvèrent pas de mots pour décrire toute cette splendeur et se rabattirent sur les chiffres : 1 270 invités, 5 000 sandwiches, 2 160 œufs brouillés, 50 kilos de viande de bœuf hachée pour le breakfast du lendemain et 480 bouteilles de Dom Pérignon 49. Cholly Knickerbocker, le chroniqueur du groupe Hearst, qualifia l'événement de « réception du siècle ».

Henry II ouvrit le bal avec sa fille tandis que l'orchestre jouait « The Most Beautiful Girl in the World ». On dansa jusqu'à six heures et demie du matin. De temps en temps, le président de la Ford Motor bondissait sur scène et se joignait aux chanteurs pour entonner « Hey-Ba-Ba-Re-Bop » ou « When the Saints Go Marching In », son air préféré. On estime qu'il dépensa 250 000 dollars pour cette fête dont on se souvient encore avec nostalgie sur les bords du lac Saint-Clair.

Toute la presse américaine parla des débuts de Charlotte. Dans le monde des affaires, les Ford étaient la première famille du pays, l'équivalent pour le Middle West des Kennedy : un couple élégant et dynamique, de beaux enfants bien élevés.

Malgré les apparences, tout n'allait pas pour le mieux entre les trois frères. Ce n'était pas un hasard si les réunions chez leur mère étaient pour eux la seule occasion de se rencontrer. Les dissensions étaient apparues ouvertement quand ils avaient commencé à travailler ensemble. William Clay s'était alors aperçu qu'Henry entendait diriger l'entreprise à sa façon. Ils eurent une violente discussion au moment de la suppression de la division Continental, mais Henry soutint les arguments de Breech. William Clay s'était totalement investi dans le projet, et il se jura de ne plus renouveler cette erreur.

Son alcoolisme aggravait encore les choses. A l'époque même où il avait des problèmes dans l'entreprise, il s'était rompu un tendon d'Achille. Grand sportif, il supporta très mal ce handicap. Quand l'accident se produisit une seconde fois, il commença à s'adonner à la boisson. Il n'avait jamais été très matinal et il arrivait de plus en plus tard au bureau. Il s'absentait parfois pendant plusieurs semaines. Si on avait des difficultés à garer sa voiture, disait-on à Dearborn en plaisantant, on était pratiquement sûr de trouver une place sur le parking de W.C. Ford.

Benson s'accommodait mieux de l'autoritarisme d'Henry. Aimable et de caractère facile, il était estimé de tous. Sa sociabilité convenait parfaitement à la tâche qu'on lui avait confiée : assurer la liaison avec les concessionnaires de la Lincoln-Mercury. Il se souvenait toujours du nom de ses interlocuteurs, de celui de leur femme, de l'école que fréquentaient leurs enfants. Il aimait voyager, il aimait boire, et il était au mieux de sa forme un verre de bourbon à la main et faisant des plaisanteries. Les représentants de la compagnie aimaient rencontrer des membres de la famille Ford. Ils pouvaient se faire valoir par la suite en laissant échapper : « Benson Ford me disait l'autre jour... »

Edith, son épouse, n'appréciait guère le rôle qu'il jouait. C'était la fille d'un vice-président de Cadillac, Lynn McNaughton, qui s'était taillé une place dans la haute société de Grosse Pointe. On disait qu'Edith avait fait un beau mariage mais ses parents n'avaient aucune raison de se sentir redevables en quoi que ce fût aux Ford. La jeune femme pouvait se montrer susceptible. Elle avait déjà prouvé son indépendance en quittant Benson pendant un mois, peu de temps après leur mariage. Elle estimait que son beau-frère Henry ne se comportait pas de façon loyale avec son mari.

Publiquement, elle ne faisait pas étalage de ses sentiments. Dans la famille Ford, les tensions se manifestent rarement au grand jour. Edsel Ford lui-même, ballotté toute sa vie entre les marques d'amour et d'hostilité que lui prodiguait son père, avait toujours sauvé les apparences. Il avait appris à ses enfants à se protéger sous une sorte de carapace. Les relations étaient codées : on manifestait ses désaccords par le silence ou en changeant de sujet de conversation.

Henry Ford II, qui à certains égards était bizarrement timide, ne se sentait pas vraiment détendu avant d'avoir pris quelques verres d'alcool. James Francis McDonnell, son beau-père, trouvait que, pour un homme aussi jeune, c'était une habitude dangereuse et il avait mis sa fille en garde en lui disant de « faire attention ».

Il régnait chez les Ford une ambiance qui n'encourageait pas à la sobriété. Mrs. Eleanor elle-même appréciait les cocktails. Ses petits-enfants ont gardé de merveilleux souvenirs des Noëls passés chez elle mais ils affirment que leurs parents rentraient toujours ivres à la maison. « Je pense, estime Charlotte Ford, que c'était pour eux une façon de s'amuser en famille sans qu'on le sache à l'extérieur. »

On peut considérer l'alcoolisme comme une maladie familiale. Certaines recherches récentes tendent à prouver qu'il s'agit parfois d'un déséquilibre biochimique héréditaire. De même que le métabolisme du diabétique ne supporte pas le sucre, celui de l'alcoolique ne supporte pas l'alcool bien que cela s'exprime parfois de manière inattendue. Les jeunes alcooliques peuvent parfois en boire des quantités considérables sans ressentir d'effets nocifs. William Clay, qui fit une cure de désintoxication à la fin des années soixante et est aujourd'hui membre des Alcooliques anonymes, raconte que pendant ses années d'université à Yale il pouvait boire jusqu'à quatorze verres de Martini et continuer alors que tous ses camarades avaient déjà roulé sous la table. Selon les collègues et les amis d'Henry II, celui-ci pouvait passer une nuit entière à boire et se présenter en pleine forme à un meeting à 8 heures du matin. Son frère Benson mourut alcoolique. Quant à ses neveux Alfred et Benson junior, ils subirent tous deux des cures de désintoxication.

Ces grands buveurs étaient cependant tous les descendants d'un fanatique de la tempérance, Henry Ier. Ce dernier manifestait pourtant un étrange intérêt pour l'alcool et le testait sur son propre organisme. Grace Prunk, une nièce de Clara, se souvient d'oncle Henry sortant de son atelier et venant se mettre à table, la mine défaite. « Cela me rend malade, disait-il. Pour moi, c'est du poison. » Il s'était volontairement enivré et, à sa grande satisfaction, en avait conclu que l'organisme humain ne supportait pas l'alcool. En fait, il ne s'agissait peut-être que de son propre organisme et ce fut sans doute le cas des autres membres de la famille.

Quand il était ivre, Henry II devenait un autre homme. Quelques verres le rendaient gai et ses invités passaient avec lui de mémorables soirées comme celle où il entraîna un orchestre de danse dans une piscine. Les musiciens, tout habillés, y jouèrent « When the Saints Go Marching In » sans manquer un seul accord. Cependant, quand il avait trop bu, il pouvait devenir extrêmement désagréable. Comme quelqu'un le félicitait du succès remporté par sa femme à l'occasion de la venue à Detroit du Metropolitan Opera en exprimant le vœu que l'événement pourrait se reproduire l'année suivante, il rétorqua : « J'espère bien que non. Ce foutu opéra est en train de f... en l'air ma vie sexuelle. »

Anne McDonnell Ford supportait très mal ce genre de comportement. Plutôt que d'en rire, comme le fera la deuxième femme du constructeur, ou, comme la troisième, d'aller se coucher en le laissant s'enivrer seul, elle entrait dans une grande colère quand il se rendait ridicule. L'air furieux, elle s'avançait vers lui d'un pas décidé. « Il est temps de rentrer », disait-elle en le poussant jusqu'à la porte. Elle n'hésitait pas à l'arracher des bras d'une partenaire qu'il serrait de trop près en dansant. A la surprise générale, il la suivait sans protester. « En voilà une qui sait s'y prendre avec lui », pensait-on. En réalité, tout le monde se trompait.

La plus jeune des filles Ford, Anne, fit son entrée dans le monde en 1961 et, à cette occasion, son père se montra particulièrement détestable. La décoration avait été de nouveau confiée à Jacques Frank, qui avait fait venir par camions frigorifiques de Long Island 50 000 roses blanches et rouges. La famille s'était installée dans une nouvelle résidence plus spacieuse, 457 Lakeshore Road, et la réception se déroula dans le jardin. Pendant un jour et une nuit, les membres de l'équipe de football de l'université du Michigan plantèrent les fleurs selon les instructions de Frank.

On avait engagé de nouveau Meyer Davis et son orchestre avec Ella Fitzgerald comme vedette. Malheureusement, le thème général des festivités, « Venise » se révéla particulièrement mal choisi. Le Michigan jouit toujours, pendant l'été, d'un temps ensoleillé. Exceptionnellement, ce soir-là, la pluie commença à tomber dès l'arrivée des premiers invités et ne cessa pas jusqu'à l'aube.

Après la réception, chacun reconnut que le mauvais temps n'avait pas facilité les choses mais qu'il n'expliquait pas tout et notamment la nervosité des membres de la famille Ford. « Henry s'est montré odieux cette nuit-là », se souvient un des amis de Mrs. Eleanor. Son entourage avait déjà remarqué que, depuis qu'il avait atteint la quarantaine les mauvais côtés de son caractère se manifestaient de façon de plus en plus fréquente. La vie conjugale commençait peut-être à lui peser. Quoi qu'il en soit, il avait manifestement des problèmes et cherchait un refuge dans l'alcool. Cette nuit-là, complètement ivre, il avait bondi sur la scène avant la prestation d'Ella Fitzgerald et hurlé en direction de l'assistance pour essayer d'obtenir le silence : « Je ne connais pas la moitié d'entre vous mais, bon Dieu, je vous demande de fermer votre gueule ! »

C'est à peine si sa femme avait ébauché un sourire pendant toute la soirée. Quant à sa fille, la petite Anne, elle avait semblé complètement indifférente à cette fête donnée en son honneur. Manifestement, il se passait quelque chose chez les Ford.

28

Le diplômé

Après la guerre de Corée, les États-Unis se lancèrent dans une véritable orgie de consommation : disques, téléviseurs, lave-vaisselle... Pour la première fois de son histoire, l'industrie automobile dépassa le cap des 7 millions de voitures vendues. En 1955, 7 169 908 personnes firent l'acquisition d'un véhicule neuf.

Depuis longtemps, la voiture représentait autre chose qu'un simple moyen de transport. Dans un monde de plus en plus dominé par l'individualisme, elle était devenue l'expression du moi, la marque d'un statut social, un symbole de rêve et d'évasion. Si l'on manquait de personnalité, on pouvait au moins exhiber une belle voiture. La General Motors avait remporté, en 1953, un immense succès avec la Corvette, un coupé sport à deux places. Ford répliqua l'année suivante avec la Thunderbird. Un certain penchant à l'excès avait gagné aussi l'autre côté de l'Atlantique. Lady Docker, l'épouse d'un fabricant d'armes de Birmingham, était devenue célèbre en Angleterre grâce à sa Daimler dont toutes les parties métalliques, du pare-chocs avant au tuyau d'échappement, étaient en plaqué or. Une galaxie de 7 000 étoiles du même métal ornait la carrosserie.

Après avoir ravi la seconde place à Chrysler, Ford prit pour cible la General Motors qui avait également connu une expansion fulgurante dans les années d'après-guerre. La compétition se révélait inégale avec le géant de l'automobile mais Henry II et Ernest Breech pouvaient cependant s'estimer satisfaits. La société n'avait jamais vendu autant de voitures depuis les jours fastes du Modèle T. En 1954, elle occupait 30,83 % du marché.

Pour un constructeur, la proportion des ventes ne reflète qu'un aspect de la réalité. Si l'on écoule 2 millions de voitures bon marché ou 2 millions de voitures de luxe, les statistiques restent les mêmes mais les bénéfices sont différents. D'un cas à l'autre, ils peuvent être de neuf à dix fois inférieurs. On a souvent reproché aux entreprises de Detroit leur incapacité à produire, après la Seconde Guerre mondiale, une gamme de petites voitures économiques. Mais il est vrai que, sauf en cas de crise du pétrole, les Américains n'apprécient guère les véhicules à faible consommation d'essence. Quant aux actionnaires, ils s'intéressent avant tout aux bénéfices. Chrysler ne gagna pas d'argent avec sa Omni-Horizon produite dans les années soixante-dix. Quant à la Ford Escort, qui est de toutes les voitures de la société celle qui se vend le mieux à l'heure actuelle – 400 000 en 1985 dans ses différentes versions –, on s'aperçut, au bout de cinq ans, qu'elle était une source de déficit.

Dès 1950, Henry II et Ernest Breech avaient dû faire face à ce genre de problèmes. Depuis plusieurs années, ils s'efforçaient de concurrencer Chevrolet. Leurs agents se procuraient les prototypes de la saison suivante et l'on démontait pièce par pièce les quelque 13 000 éléments d'un véhicule pour les tester et les comparer à leurs équivalents chez Ford. Les deux sociétés se retrouvèrent au coude à coude en 1954. Chevrolet gagna de peu la partie avec 1 417 453 véhicules contre 1 400 440 pour son rival, qui l'accusa d'ailleurs d'avoir gonflé les chiffres en faisant figurer dans les statistiques des voitures invendues.

Pontiac, Buick, Oldsmobile et Cadillac, les quatre partenaires de Chevrolet dans le groupe de la General Motors, tout en vendant moins de voitures de luxe, faisaient davantage de bénéfices. Ford, pour sa part, ne pouvait compter que sur les Lincoln et les Mercury qui n'avaient jamais été de grands succès. Chargé d'étudier la question en 1952, Jack Davis estima que l'unique solution consistait à fabriquer une nouvelle voiture dans la gamme des prix moyens. Il transmit son rapport à Benson Ford qui dirigeait la division Lincoln-Mercury. Richard Krafve, le directeur général adjoint, forma un groupe d'études qui soumit ses propositions en septembre 1954. Le nouveau véhicule serait fabriqué par la division Lincoln-Mercury et vendu par ses concessionnaires.

C'était un projet simple et évident, qui fournissait en outre toutes les garanties de sécurité. Il ne plut cependant pas à Lewis Crusoe, le numéro 3 de la société après Henry II et Breech, qui avait des vues plus ambitieuses. Il jouissait de pouvoirs étendus dans la marche quotidienne des affaires et, sous des dehors affables, cachait une grande habileté tactique. Il avait ainsi joué le rôle principal dans le départ de Tex Thornton. Chef de division à la General Motors pendant quinze ans, c'était un fervent adepte des méthodes de cette compagnie et il les avait appliquées à Dearborn. Selon lui, Ford avait non seulement besoin d'une nouvelle voiture mais d'une nouvelle division, d'une nouvelle marque et d'un nouveau réseau de concessionnaires. Il constitua sa propre équipe de travail dont il confia la direction à son protégé, Francis C. Jack Reith.

Ce dernier, qui avait fait partie des Whiz Kids, était, en 1955, l'enfant chéri de la Ford Motor. Il revenait d'Europe où il avait réalisé une belle performance. La filiale française avait toujours été le canard boiteux des succursales étrangères. Elle végétait dans l'ombre des grands constructeurs comme Citroën, Peugeot et Renault, et dans celle de la filiale anglaise qui détenait 60 % de son capital. Créée après la Seconde Guerre mondiale dans le but de produire la Vedette – à l'origine une petite voiture destinée au marché américain mais qu'on avait renoncé à fabriquer aux États-Unis –, elle menaça rapidement de faire faillite. En octobre 1952, il fut question de nommer un administrateur judiciaire et l'on envoya Jack Reith à Poissy pour tenter de sauver la situation.

Avec une rapidité remarquable, il réussit non seulement à améliorer la Vedette en tant que produit, mais encore à réorganiser financièrement l'entreprise et à la rentabiliser. Il négocia ensuite avec Simca et lui céda l'usine en échange de 15,2 % des actions de cette société qui furent revendues par la suite à Chrysler avec de confortables bénéfices. Il semblait tout désigné, à son retour, pour mettre sur pied le nouveau projet ambitieux et risqué de Crusoe.

Le 15 avril 1955, il exposa en termes clairs et frappants sa conception de l'entrée de Ford sur le marché des voitures à prix moyen devant le conseil d'administration. La société, expliqua-t-il, réalisait 43,1 % de ses ventes dans le secteur des véhicules populaires et bon marché, mais 13,6 % seulement avec la Lincoln et la Mercury qui coûtaient respectivement 3 100 et 2 400 dollars. Dans cet intervalle de 700 dollars, le General Motors proposait trois modèles aux acheteurs et Chrysler en offrait deux. Ford devait donc se fixer le même objectif et lancer pour cela une marque entièrement nouvelle.

Les administrateurs – Henry II et ses frères, les cadres supérieurs comme Breech, Davis et Crusoe, un représentant de la Fondation Ford et Jim Webber, cousin de Mrs. Eleanor et président de la J. L. Hudson Company – approuvèrent cette proposition à l'unanimité. Reith et Crusoe avaient su préparer le terrain en s'entretenant personnellement avec chaque membre avant la réunion. Reith particulièrement avait su dire à Henry II et à Breech ce qu'ils souhaitaient entendre : la société avait atteint un degré d'organisation suffisant pour se permettre de créer une division supplémentaire. Ce fut ainsi qu'on décida de fabriquer la Edsel.

En 1964, Ford devait lancer la Mustang qui, après le Modèle T, représenta le plus grand succès de toute l'histoire de la société. Tous les cadres, Lee Iacocca en tête, s'en attribuèrent le mérite. En ce qui concerne la Edsel, ils firent preuve de plus de modestie. Ernest Breech lui-même, en rédigeant ses souvenirs, prétendit qu'il s'opposa à la proposition de Reith.

Le procès-verbal de la réunion montre au contraire qu'il vota pour le projet, comme l'aurait d'ailleurs fait tout homme d'affaires averti. Le moment était particulièrement bien choisi car l'industrie automobile américaine était plus florissante que jamais. Les chiffres des ventes étaient exceptionnellement élevés. Il était pratiquement impossible de garder une voiture en stock. Les perspectives semblaient infinies.

Au cours de la restructuration qui précéda la création de la nouvelle division E, Reith fut paradoxalement le seul à faire preuve de prudence en évitant de s'en approprier la direction. Grâce au soutien de Crusoe, il venait d'être promu vice-président et chargé de la division Mercury, autonome depuis peu. Si la nouvelle voiture se révélait être une réussite, il pourrait facilement s'en attribuer le crédit. En cas d'échec, il aurait pris ses distances. Par une ironie du sort fréquente dans le domaine des affaires, on confia cette responsabilité à Richard E. Krafve qui avait étudié le premier projet de Davis et s'était opposé à la conception d'une unité indépendante et onéreuse.

On installa d'abord les bureaux dans une série de baraquements en bois qui avaient abrité auparavant la division Continental de William Clay. Ils étaient situés entre Fair Lane et le Ford World Headquarters alors en cours de construction. Achevé en 1956, cet immeuble impressionnant devait immédiatement être baptisé « la Maison de verre ». Tout en constituant son équipe, Krafve se préoccupa en priorité de trouver une marque pour la nouvelle voiture de la division E. Le nom devait à la fois susciter l'intérêt du public et, se différencier des labels Ford, Mercury et Lincoln tout en restant apparenté à la grande famille automobile.

La tâche de concilier ces différentes exigences fut confiée à David Wallace, un sociologue diplômé de l'université de Columbia. Ce dernier, après des expériences amères dans le monde dur et cruel de l'industrie, devait par la suite revenir à l'ambiance plus paisible des études. Il était cependant parfaitement qualifié pour mener une enquête et analyser les réactions du public. Ford venait d'envisager plus de 5 000 possibilités avant de trouver le nom de la Thunderbird – sa réussite la plus récente et la plus spectaculaire sur le plan du label. Wallace, pour sa part, plutôt que de se lancer dans d'interminables questionnaires auprès des passants, préféra chercher l'inspiration auprès d'une poétesse de Brooklyn, Marianne Moore, qui faisait fureur dans les milieux littéraires. Il lui écrivit dans des termes dithyrambiques pour lui demander sa collaboration et elle répondit immédiatement, promettant de consacrer « toute son énergie et son imagination » à cette recherche et refusant d'être rémunérée. En l'espace d'un mois, elle fit parvenir six lettres à Wallace avec des suggestions plus originales les unes que les autres. Malheureusement pour Wallace, ses patrons ne partageaient par son enthousiasme pour les idées de la poétesse.

Au cours de l'année 1955, la division E constitua une liste de 2 500 noms proposés par les membres du personnel, leurs familles, et pratiquement tous les gens qu'ils rencontraient. C'était devenu le principal sujet de conversation dans les bars de Detroit. Une agence de publicité de Chicago, Foote, Cone and Belding, rassembla de son côté 18 000 suggestions. Après avoir procédé à une sélection, David Wallace organisait chaque jour une projection après le déjeuner. Les noms apparaissaient sur l'écran en lettres capitales de 15 centimètres de hauteur. Chaque séance durait une demi-heure. Quand une proposition suscitait l'intérêt d'un des assistants, celui-ci criait « stop ». On rallumait alors la lumière et la discussion commençait.

Wallace commença à concevoir quelques soupçons quand il s'aperçut que personne ne soufflait mot pendant plusieurs projections. Pour tester les réactions de son public, il inséra un carton portant les lettres B-U-I-C-K qui passa totalement inaperçu. Il comprit alors que les cadres de la division E profitaient de l'occasion pour faire la sieste.

Par élimination, les 18 000 propositions furent réduites à 6 000, puis à 400 et l'on parvint à établir une liste définitive de 16 noms. Le comité directeur de Ford se réunit le 8 novembre 1956 pour prendre une décision. Quatre suggestions – Corsair, Citation, Ranger et Pacer – avaient, selon les enquêtes effectuées par Wallace, recueilli les suffrages du public. Emmett Judge, chargé du planning, s'efforça de mettre en valeur les aspects positifs des différentes formules et de minimiser leurs faiblesses. Corsair, affirma-t-il en conclusion, venait en tête des sondages.

Les membres du comité directeur ne semblaient guère impressionnés. De toute évidence, aucune de ces propositions qui avaient demandé une année entière de recherches et d'analyses ne leur convenait. Ernie Breech qui présidait la réunion en l'absence d'Henry II regarda longuement les assistants les uns après les autres et déclara que si c'était la meilleure des sélections possibles, il devait reconnaître qu'elle ne lui plaisait pas. « Pourquoi, dit-il, ne pas l'appeler tout simplement Edsel ? »

Dès l'été 1955, en apprenant la création de la division E, un certain nombre de journaux avaient spontanément proposé ce nom. Richard

Krafve trouvait l'idée excellente mais, en haut lieu, on l'informa clairement qu'elle déplaisait à la famille. Henry II donna des ordres formels : il ne fallait même pas songer à utiliser le nom de son père. Charlie Moore, vice-président chargé des relations publiques, se rendit au 1100, Lakeshore Road pour porter la nouvelle à Mrs. Eleanor. Elle lui claqua la porte au nez.

Ernie Breech dut déployer des trésors d'éloquence et de persuasion pour convaincre Henry II. Il n'hésita pas à faire une entorse à la vérité en prétendant qu'« Edsel » avait été sélectionné parmi 18 000 suggestions et avait soulevé l'enthousiasme du comité directeur.

Cette décision constitue un exemple frappant de l'isolement dans lequel vivait Detroit. Pour la cité de l'automobile, Edsel évoquait la Lincoln Continental, le musée, il était le symbole du charme, du style, des sentiments humanitaires, du désir de progrès. Pour le reste du pays, c'était seulement un nom bizarre. David Wallace fit réaliser une enquête pour connaître les associations d'idées qu'il suscitait chez l'homme de la rue. La plupart des personnes interrogées répondirent par « Schmedsel », « Pretzel », « Weasel ». Dans 40 % des cas, on demanda simplement : « Quoi ? ».

Quand Krafve informa ses lieutenants de la division E du nom choisi par Breech pour la nouvelle voiture, son responsable des relations publiques, Gayle Warnock, répliqua simplement en déposant un rapport, qu'il avait dactylographié lui-même, d'un geste accusateur sur le bureau de son patron. Il consistait en une seule phrase : « Nous venons de perdre 200 000 ventes. »

George W. Walker, responsable du « stylisme » des projets chez Ford, s'inspirait des méthodes d'Harley Earl, le célèbre ingénieur de la General Motors qui avait introduit la technique des maquettes d'argile modelées sur structure en bois. Cette innovation fut à l'origine d'un nouveau style d'automobiles aux lignes souples, aérodynamiques, évoquant celles d'un fuselage d'avion.

Les réalisations de Walker pouvaient soutenir la comparaison avec celles d'Earl. Il avait dessiné les plans de la Ford 49, et son atelier avait également conçu ceux de la Thunderbird. Dans l'entreprise, on l'avait surnommé le « Cellini du chrome ». Il confia le projet de la Edsel à l'un de ses meilleurs assistants, Roy Brown.

Tous les éléments paraissaient donc réunis pour parvenir à un résultat qui sortirait de l'ordinaire et ce fut effectivement le cas. Les rares personnes admises à pénétrer dans le Ford Design Center – au-delà des gardiens, des mots de passe et des portes fermées à clé – ont gardé le souvenir de la première maquette de Brown. Celui-ci avait exécuté des photographies de l'avant de toutes les voitures fabriquées par les constructeurs de Detroit. Après en avoir réduit la configuration à l'essentiel, il démontra, à l'aide de ses esquisses, qu'elle affectait toujours une forme horizontale et proposa de créer quelque chose de complètement différent : une structure verticale et effilée, en lame de couteau. Avec les clapets de ventilation dissimulés sous les pare-chocs, cette première version frappait par son originalité et l'on y vit l'incarnation de la voiture de l'avenir.

Il fallut cependant accepter un certain nombre de compromis. Les ingénieurs firent observer que des problèmes de ventilation du moteur surgiraient inévitablement. On modifia donc l'avant du véhicule en lui donnant un aspect ovoïde – ce qui, par la suite, le fit comparer à un collier de cheval ou à un siège de toilettes. Ce fut ensuite au tour des comptables d'analyser les coûts de production de toutes les courbes imaginées par Brown. « Enlevez un dollar par-ci, disaient-ils. Enlevez un dollar par-là. »

Brown était un dessinateur et manquait de combativité pour défendre ses propres conceptions. Toutes les corrections proposées étaient d'ailleurs justifiées. Cependant le processus d'élaboration de la nouvelle voiture au cours de l'hiver 1955-1956 offre un exemple classique de la façon dont on pouvait, à Detroit, partir d'une bonne idée pour aboutir à un désastre.

Au fur et à mesure des modifications qu'on lui apportait, la Edsel était régulièrement présentée à Henry II, à Breech et aux autres cadres de la Ford qui l'accueillaient chaque fois par des exclamations émerveillées. Brown avait choisi pour sa maquette une couleur turquoise éblouissante qui, alliée aux chromes, était du plus bel effet. Au moment de son lancement, les journalistes spécialisés ne tarirent pas d'éloges. Ce ne fut que plus tard qu'on commença à s'apercevoir de ses défauts et à se moquer de sa calandre en forme d'œuf.

La voiture en effet n'avait rien de révolutionnaire sur le plan mécanique. On avait créé une nouvelle division, un nouveau nom, un nouveau réseau de concessionnaires, on lui avait donné une forme originale, un changement de vitesses inédit en remplaçant le levier traditionnel par des boutons placés au centre du volant, mais ce n'était rien d'autre qu'une Ford ou une Mercury classique. Elle fut fabriquée en quatre versions : la Edsel Ranger, la Edsel Pacer, la Edsel Corsair et la Edsel Citation. Sur ce plan-là, les enquêtes menées par Wallace pendant une année entière avaient porté leurs fruits.

Il flottait sur toute l'entreprise comme un parfum d'abus de confiance. Gayle Warnock et le service des relations publiques avaient fondé pendant deux ans leur campagne de publicité sur de prétendues fuites. Les médias avaient mordu à l'hameçon. On allait découvrir, écrivait *Life* en septembre 1957, « la première voiture de conception entièrement nouvelle produite par un grand constructeur américain depuis près de vingt ans ». *Time* alla encore plus loin dans la surenchère en révélant qu'elle était « le résultat de dix années de planning ».

Tout cela était parfaitement ridicule. Peut-être avait-on pensé chez Ford à produire, dès 1947, une voiture dans la gamme des prix moyens, mais le véritable planning n'avait commencé qu'en 1954 avec l'étude réalisée par Krafve. La société jouait finalement le même jeu que la General Motors qui, pour les besoins de la compétition, prétendait offrir chaque année un véhicule « nouveau ».

Toutes ces considérations auraient été sans importance si la Edsel avait satisfait les exigences du public. Malheureusement, la rapidité avec laquelle on était passé de la conception à la mise sur le marché avait nui à la qualité du produit.

Chez Ford même, la fabrication posait des problèmes. Après de multiples manœuvres, Krafve réussit à obtenir pour sa division l'utilisation d'une ancienne chaîne de montage délaissée. Cependant, pour la première année de production qui devait être déterminante, la plupart des Edsel furent assemblées sur les chaînes des Ford et des Mercury. Toutes les heures, on faisait passer sur la chaîne un châssis d'Edsel à la place des châssis standard. C'était une source de récriminations pour les ouvriers qui devaient modifier leur routine et qui, de plus, ne disposaient que de cinquante-neuf secondes – contre les soixante habituelles – pour effectuer chaque opération. Ford et Mercury avaient en effet refusé de diminuer leur rendement de 60 voitures par heure. Venant ainsi en surnombre, le montage de la Edsel entraînait une accélération des cadences, d'où une tension accrue.

Les directeurs et les vérificateurs ne manifestaient pas plus d'intérêt que les monteurs. La division Edsel devait payer Ford et Mercury comme s'il se fût agi de fournisseurs étrangers à la maison. S'il avait travaillé avec une entreprise extérieure, Krafve aurait pu refuser d'acquitter les factures quand il n'était pas satisfait de la qualité, par exemple dans le cas de freins défectueux. Au sein d'une même entreprise, il n'avait d'autres recours que de se plaindre.

Il demanda à Robert McNamara l'autorisation de placer ses propres vérificateurs sur les chaînes des Ford et des Mercury qui montaient les Edsel, mais les chefs des deux divisions défendirent âprement leur territoire. McNamara trouva un compromis en instituant un système de points : 20 pour un élément oublié, 0,1 pour une éraflure, etc. Si, sur un échantillon de 6 voitures, on parvenait à un total de plus de 35 points par unité, le lot tout entier devait être retenu et les réparations effectuées aux frais de l'atelier responsable. Ford et Mercury en vinrent à considérer leur hôte exigeant et indésirable comme un véritable fléau. « On en arrivait parfois à se demander, raconte un des employés de la division E, si on travaillait tous pour la même société. »

Sur les chaînes de montage, les réactions au système de points institué par McNamara furent en effet significatives. Pour assurer les livraisons, on s'efforça d'abord de maintenir la moyenne exigée de 35, mais on cessa vite de se tracasser. Certaines Edsel parvenaient chez les concessionnaires avec des défauts de fabrication totalisant plus de 70 points, accompagnées des instructions pour effectuer les réparations.

Dans un but publicitaire, Gayle Warnock avait prévu de prêter 75 Edsel aux journalistes spécialisés invités pour le lancement. Ceux-ci devaient conduire les voitures de Dearborn jusqu'à leurs agences locales. Pour s'assurer d'une qualité parfaite, on créa une unité spéciale chargée de tester les 75 véhicules. Les préparatifs exigèrent deux mois de travail. Pour obtenir 68 voitures en parfait état, on dut utiliser les pièces détachées des 7 autres. Les réparations coûtèrent en moyenne 10 000 dollars par unité, soit plus de deux fois le prix d'une Edsel haut de gamme.

Personne ne soupçonna ce genre de problèmes quand, fin août 1957, les 68 Edsel vert et turquoise à deux portes furent présentées aux concessionnaires et aux journalistes sur la piste d'essais de Dearborn. A la fin de la démonstration, les chauffeurs en blouse blanche sautèrent de leurs véhicules et claquèrent triomphalement les portes d'un même geste.

Le 4 septembre, une émission télévisée animée par Bing Crosby, avec Frank Sinatra comme principal invité, permit au grand public de faire connaissance avec la Edsel. Ce fut également un événement historique dans le show-business puisqu'il marquait le passage, relativement tardif, du crooner de la radio à la télévision. La voiture servit également de thème pour l'annonce d'un nouveau feuilleton, *Wagon Train*. D'une façon générale, on augurait bien du succès qu'allait remporter la nouvelle marque.

La situation économique s'était malheureusement détériorée au cours des deux années précédentes. L'Américain moyen ne montrait plus le même intérêt pour les voitures à prix moyen. Les ventes s'étaient effondrées. En août 1957, l'*Automotive News* notait que les stocks de véhicules invendus atteignaient presque le niveau historique de la Grande Dépression. L'époque portait d'ailleurs à la morosité. Les Soviétiques annoncèrent le 27 août qu'ils possédaient un missile pouvant atteindre les États-Unis. Deux mois plus tard, ils lançaient le Spoutnik.

Une seule voiture se vendit bien cette année-là : la Rambler, produite par American Motors (100 000 la première année et le double l'année suivante). C'était un petit véhicule économique et son succès permit à son créateur, George Romney, de devenir gouverneur du Michigan et d'être même considéré comme un éventuel candidat à la présidence. Le succès de la Rambler prouva, du point de vue de Ford, que la récession ne constituait pas une explication suffisante à l'échec de la Edsel. Si on leur offrait une voiture correcte, les consommateurs l'achèteraient. En 1955, Reith prévoyait, dans son planning financier, que la Edsel occuperait 3 % du marché. Krafve se bornait plus modestement à 1,2 %. En définitive, on dut se contenter de 0,83 %.

Dans les années soixante, lorsque McNamara arriva à Washington, ses adversaires politiques prenaient un malin plaisir à associer son nom à la triste aventure de la Edsel. Les gens de la Ford Motor qui connaissaient le fond de l'histoire savaient cependant que c'était injustifié. Comme vice-président du groupe et responsable des voitures et des camions, il avait été effectivement chargé de sauver la voiture du désastre et de réparer les dégâts quand la chose s'avéra impossible. Mais tout le monde savait que ce n'était pas le genre de voiture qu'il aimait. Pendant les quinze années qu'il passa à Detroit, il ne changea jamais d'opinion et persista, en bon puritain qu'il était, à considérer une automobile comme le moyen de se rendre d'un point à un autre. Les chromes et les capots en aileron de requin n'étaient pas son fort.

Le véritable triomphe qui le propulsa en 1961 dans l'administration Kennedy allait être la Ford Falcon, une voiture familiale, solide et sans prétention. Économique et fiable, elle fut conçue en 1957 et lancée en 1959.

Après le départ de Tex Thornton, McNamara devint, en 1948, le chef de file des Whiz Kids. C'était, de toute l'équipe, le plus brillant et le plus dynamique, dans un style différent toutefois de celui de Reith. Il ne pratiquait pas la politique des couloirs mais savait toujours parvenir à ses fins grâce à sa force de caractère et son intelligence. « Même si vous étiez convaincu qu'il avait tort, dit un de ses subordonnés, il finissait par vous imposer sa volonté. »

Le projet de création de la division E présenté par Reith en 1955 avait été un défi ouvert lancé à McNamara et.à ses ambitions. Si la Ford Motor parvenait, avec les quatre modèles de la Edsel et la production des Mercury et des Lincoln, à s'imposer sur le marché, Reith pouvait prétendre à la succession d'Ernest Breech. Ce dernier approchait de la soixantaine, et l'on commençait à s'apercevoir qu'Henry II s'entendait de moins en moins bien avec lui.

Quand on souleva le problème de la réorganisation de l'entreprise, McNamara ne s'y opposa pas ouvertement. « Laissez-moi en dehors de tout ça, dit-il simplement en baissant la tête. Ne comptez pas sur moi. »

Il comprenait parfaitement la nécessité de lancer un nouveau modèle dans la gamme des prix moyens, mais il estimait qu'on pouvait y parvenir sans courir le risque d'une restructuration. Il proposa en revanche d'améliorer le haut de gamme des Ford. « Laissez-moi y mettre 15 dollars de plus et l'allonger un peu et vous verrez. » Le résultat fut la Fairlane 1957, mise sur le marché dès fin 1956. Avec son autoradio, sa montre de bord électrique, ses vitres teintées et sa peinture à deux tons, c'était la voiture la plus luxueusement équipée que Ford eût jamais proposée au public, au prix record de 2 556 dollars. Ce fut la solution miracle qu'Henry II et Ernest Breech cherchaient depuis 1945. La division Ford, sous la direction de McNamara, avait enfin réussi à battre Chevrolet : 1 493 617 Fords vendues contre 1 456 288 Chevrolet.

Ce succès fit perdre de vue les répercussions qu'il pouvait avoir sur les ventes de la Edsel. Chevrolet et Chrysler au contraire en tirèrent les leçons qui s'imposaient et lancèrent respectivement une Chevy et une Plymouth, destinées à concurrencer la Fairlane sur le plan des équipements et du prix. De plus, en période de récession, il fallait aussi compter avec le marché de la voiture d'occasion. Alors que le premier prix d'une Edsel neuve était de 2 519 dollars, on pouvait se procurer une Fairlane de l'année précédente pour 1 876 dollars seulement.

En présentant leur nouvelle Edsel en août 1957, un mois avant le début de la saison traditionnelle, Krafve et ses lieutenants avaient espéré en tirer un avantage sur leurs concurrents. Ils attribuèrent d'abord le mauvais chiffre des ventes à l'obligation dans laquelle se trouvaient chaque année les concessionnaires de se débarrasser de leurs stocks en baissant les prix. Malheureusement, la situation ne s'améliora pas par la suite.

Les vices de fabrication n'étaient évidemment pas faits pour arranger les choses. Lorsque l'échec de la voiture se confirma, ce fut une avalanche de plaisanteries. Les spécialistes du marketing firent des efforts désespérés pour attirer la clientèle. Ils imaginèrent par exemple d'installer un poney dans chaque agence pour inciter les éventuels acheteurs et leur famille à venir essayer la voiture. C'était ajouter le ridicule à la catastrophe. Ford dut engager des dépenses considérables pour réparer les véhicules défectueux dans les anciens ateliers de la division Continental. On modifia même l'avant de la Edsel pour redonner à sa calandre en collier de cheval une forme plus traditionnelle.

Sous sa nouvelle forme, le modèle sortit de l'usine à l'automne 1959, mais Henry II fut néanmoins contraint d'annoncer l'arrêt de la fabrication. La division E et son réseau de concessionnaires disparurent également. Le plan de Reith pour établir des structures identiques à celles de la General Motors avait totalement échoué.

L'entreprise abordait les années soixante dépourvue de toute stratégie. Depuis 1955, elle s'était fixé comme objectif d'égaler la General Motors. Peut-être lui fallait-il admettre désormais qu'elle ne pouvait la battre sur son propre terrain.

D'autre part, les relations entre Henry II et Ernie Breech s'étaient modifiées. L'élève se sentait à présent supérieur au maître. Auparavant, les deux hommes travaillaient la main dans la main, comme s'il existait entre eux une sorte d'osmose. Personne à Dearborn ne pouvait se risquer à jouer l'un contre l'autre. Quand un désaccord surgissait, ils trouvaient rapidement un terrain d'entente. Henry II estime aujourd'hui qu'il a été plus proche de Breech que de tout autre cadre de l'entreprise. C'était pour lui davantage qu'un ami, « pas exactement un père, dit-il, mais presque... »

Mais le fils avait grandi. Au cours des réunions, il contredisait de plus en plus souvent Ernie. Quand ce dernier s'opposait à un projet, on parvenait toujours à le faire accepter en s'adressant directement à Henry.

« Au début, se souvient l'un des cadres de Ford, il gardait encore quelque chose du petit garçon qu'il avait été. Dans les discussions, il cédait toujours. Il était hésitant et d'une courtoisie exagérée. Mais, avec les succès obtenus par la société, il prit davantage d'assurance et une plus grande conscience de son importance. »

L'entreprise commença à se structurer davantage. L'esprit d'équipe qui régnait dans les anciens locaux de Schaefer Road où l'on se promenait en bras de chemise et où, à la moindre occasion, on sortait de son bureau, disparut. Avec l'installation, en 1956, dans le nouveau World Headquarters, la hiérarchie reprit ses droits. Au onzième étage, les cadres avaient droit à un palmier en pot et à une reproduction d'un tableau de Monet. Au douzième, on avait un salon avec canapé. Les secrétaires personnels et les assistants se virent conférer plus de pouvoirs. A moins d'avoir un rendez-vous, personne ne quittait plus son bureau.

Ce changement de cadre eut des répercussions également au niveau de la direction. Henry et Ernie ne partageaient plus la même salle de repos et ne présidaient plus ensemble des déjeuners comme ils le faisaient à Schaefer Road. Dans la nouvelle salle à manger du dernier étage, avec sa terrasse paysagée, ils prenaient souvent leurs repas à des tables différentes.

Il n'existait évidemment pas de règles dans ce domaine mais, en observant la façon dont les gens se regroupaient, on pouvait voir se former les clans. La guérilla d'entreprise se mène de façon sournoise, comme dans la vie conjugale quand les choses commencent à mal tourner.

L'atelier de conception constitue l'observatoire idéal dans une société de construction automobile quand on veut savoir d'où souffle le vent. « Enlevez-moi cette garniture », demande le directeur général. Un jour ou deux plus tard, le président passe à son tour et ordonne : « Remettez-la. » C'est ainsi que quelques centimètres de chrome en plus ou en moins permettent de se faire une idée de ce qui se passe au sommet.

Vers la fin des années cinquante, Henry Ford II et Ernest Breech se livraient régulièrement à ce petit jeu qui, selon ce qui se raconte dans l'entreprise, aurait pris fin le jour où le président déclara sur un ton amical : « Ernie, j'ai enfin mon diplôme. » Ils décidèrent d'un commun accord qu'il était temps pour Henry de jouer un rôle plus important. Arjay Miller, dans une interview accordée à l'auteur de cet ouvrage, raconte que Breech déclara : « J'avais pour tâche d'éduquer Henry. Ce fut un bon élève. »

D'autres se souviennent cependant que le coup de grâce fut porté de façon plus brutale au cours d'une réunion des cadres supérieurs à l'hôtel Greenbrier en Virginie. Ce genre de séminaire avait lieu régulièrement depuis la fin de la guerre. Les directeurs des entreprises Ford à l'étranger y étaient également convoqués. On les amenait de Dearborn par trains spéciaux – un rouge et un bleu – avec bar, salon, wagon-restaurant et soute à bagages pour les clubs de golf.

Tout le monde, y compris Ernest Breech, devait soumettre son rapport à Henry Ford deux jours avant la réunion. Ce fut à l'une de ces occasions que celui-ci, après avoir écouté toutes les interventions, exposa ses propres perspectives pour l'avenir. Elles différaient sensiblement de celles de Breech.

Quand il eut terminé, un silence pénible plana sur l'assistance. Il était évident que les deux hommes ne s'étaient pas concertés et que le discours du patron représentait un manifeste personnel. On ne pouvait rien reprocher à son contenu, mais c'était, de toute évidence, un camouflet infligé à son ange gardien. Alan Gornick qui assistait à la réunion raconte qu'« Ernie devint tout pâle et s'éclipsa dès la fin de la conférence ».

Breech présenta sa démission de président du conseil d'administration de la Ford Motor en juillet 1960.

Il est difficile de comprendre le fonctionnement de la hiérarchie dans les grandes entreprises américaines. Les titres ne correspondent pas toujours à l'importance des fonctions. Dans un certain sens, les choses se passent un peu comme au Kremlin où l'on ne sait jamais où se situe la réalité du pouvoir. Celui qui occupe le poste le plus élevé peut être effectivement le grand patron mais peut tout aussi bien ne rien représenter.

Chez Ford, le titre de président avait toujours revêtu une certaine ambiguïté. Après John Gray, il avait été attribué à Henry Ford, de 1906 à 1919, puis à Edsel. Pour ce dernier, ce ne fut qu'une longue et cruelle plaisanterie dont il souffrit pendant plus de vingt ans. Henry II se battit âprement pour donner un contenu réel à la position qu'avait occupée son père. Quand la société s'ouvrit aux investisseurs en 1956, Ernest Breech devint président du conseil d'administration et, à ce titre, présenta désormais le rapport annuel devant les actionnaires.

Henry II devait rester assis sans prononcer un mot à côté de son lieutenant, ce qui visiblement l'irritait. Pendant les trois premières années, la déclaration aux actionnaires fut précédée d'une note banale du secrétaire général de la société. Par la suite, celle-ci fut remplacée par une lettre personnelle du président qui signait : « Cordialement vôtre, Henry Ford II ». Après la démission de Breech, il assuma les deux fonctions pendant quelques mois. Finalement, le 9 novembre 1960, il désigna son numéro 2, McNamara, qui reçut le titre de président.

Ce dernier était alors âgé de quarante-trois ans. Son intelligence et son ardeur au travail lui avaient valu une rapide promotion. Quand on l'avait nommé vice-président du groupe et responsable de l'ensemble des divisions, il avait choisi comme assistant Paul Lorenz qui travaillait alors avec Jack Reith.

« Combien de personnes aurons-nous dans notre équipe ? » demanda Lorenz qui dirigeait auparavant 75 employés. « Quatre, lui répondit son nouveau patron. Vous, moi et nos deux secrétaires. »

Totalement dénué du sens de l'humour, c'était un homme sérieux et doué d'un solide bon sens. Quand il voyageait, il faisait lui-même ses réservations auprès des compagnies aériennes et choisissait son itinéraire. Se rendant un jour en Suisse pour y passer des vacances, il fut très irrité d'être accueilli à l'aéroport par le directeur local de Ford qui lui proposa une voiture pour son usage personnel. L'argent de la société n'était pas fait pour être dilapidé en promenades et en excursions.

Il ne s'agissait pas pour McNamara de faire étalage d'une quelconque austérité. Quand le Suisse lui eut indiqué le parking de l'agence Hertz, il fut abasourdi de le voir monter dans un break Opel – un véhicule fabriqué par la General Motors. De retour à Dearborn, une semaine plus tard, il possédait non seulement des informations de première main sur la concurrence en Europe mais encore un certain nombre d'idées pour la fabrication d'une version break de sa chère Falcon.

Avec McNamara, la Ford Motor aurait pu acquérir un nouveau style. A l'occasion du lancement de la Edsel, en 1957, par exemple, on invita les femmes des concessionnaires à un défilé de mode. Mais quand Marg McNamara, l'épouse du président, avait la responsabilité de ce genre de réception, elle les emmenait visiter le cyclotron de l'université du Michigan.

Dans la course à la production, McNamara trouva le moyen de rattraper Chevrolet, de pénétrer le marché des voitures de luxe à prix moyen et de concurrencer les importations avec sa petite Falcon. Grâce à lui, tout paraissait possible. Cependant, son passage à la présidence de la Ford Motor fut de courte durée. Cette promotion coïncida en effet avec l'élection à la présidence, le 9 novembre 1960, de John Fitzgerald Kennedy qui lui proposa immédiatement le poste de secrétaire au Trésor. McNamara n'était pas un politicien et ses sympathies se portaient plutôt vers le parti républicain, qu'il finançait largement en plaidant toutefois en faveur de positions plus modérées. Il refusa d'abord l'offre de Kennedy puis accepta finalement le secrétariat à la Défense. Le 3 janvier 1961, il partit pour Washington.

Dans la « Maison de verre », on poussa un soupir de soulagement. C'était un patron exigeant. On pouvait travailler pour lui comme un esclave pendant des semaines, éplucher des centaines de statistiques et, lorsqu'on lui présentait un rapport, s'entendre rétorquer, sans qu'il eût pris apparemment le temps de réfléchir : « Vous avez tort. » Il énumérait alors ses raisons les unes après les autres en comptant sur ses doigts, et l'on devait se plier sans discussion à son verdict. On peut penser qu'il avait une piètre opinion de ses anciens collaborateurs. Il ne demanda en effet à aucun d'entre eux de faire partie de son équipe au Pentagone.

Peut-être s'agissait-il tout simplement de réalisme. Il avait dû renoncer à un milion de dollars en actions à option en entrant au gouvernement, et il supposait sans doute que peu de cadres étaient disposés à faire le même sacrifice. En tout état de cause, c'était un homme singulier. Charlie Bosworth, un de ses vieux amis et un collègue de travail, fut stupéfait par son comportement au moment des funérailles de Jack Reith. On avait trouvé ce dernier mort, une balle dans la poitrine, sans que l'on puisse déterminer s'il s'agissait d'un suicide ou d'un accident.

Reith avait un tempérament anxieux. Personne ne lui avait jamais reproché l'échec de la division E mais, par la suite, il n'avait guère connu de succès dans les fonctions qu'il avait lui-même choisi d'occuper à la division Mercury. Quand Crusoe, son protecteur, prit sa retraite en 1957 après une crise cardiaque, il accepta le poste que lui offrait l'Avco Corporation de l'Ohio.

Il n'y retrouva pas l'ambiance qui régnait chez Ford et eut également des problèmes dans sa vie privée. Sa mort affecta profondément ses amis qui allèrent lui rendre un dernier hommage à Cincinnati. C'était la première disparition d'un membre de l'équipe des Whiz Kids. Alors que tout le monde était rassemblé dans l'église, en proie à une grande tristesse, Charlie Bosworth remarqua que McNamara avait passé une grande partie du service religieux à consulter ses notes. Il avait un rapport à présenter le lendemain.

Le départ de McNamara était lourd de signification pour l'entreprise. Pour la seconde fois en un an, elle allait à la dérive. Fin 1959, après le fiasco du projet Edsel, McNamara avait été le seul capable de doter la Ford Motor d'une nouvelle stratégie.

Henry II n'avait jamais eu l'intention de diriger sa société en monarque absolu. Tous les efforts qu'il avait déployés entre 1945 et 1960 pour la doter de nouvelles structures allaient à l'encontre de cette conception. Il était d'ailleurs bien placé, à la fois de par son expérience familiale et de par l'histoire de l'entreprise, pour être conscient des ravages que peut entraîner une direction autocratique. S'il avait voulu un président à ses ordres, il n'aurait pas choisi McNamara. Mais après le départ de ce dernier, personne ne pouvait occuper le poste qu'il laissait vacant. Y avait-il vraiment une alternative au pouvoir personnel ?

SIXIÈME PARTIE

HENRY et LEE

29

La Mustang

Le 15 octobre 1924, Nicola Iacocca, propriétaire de l'Orpheum Wiener House à Allentown, Pennsylvanie, fêta la naissance de son premier enfant. En souvenir d'un voyage à Venise, les parents, originaires d'Italie, donnèrent à leur fils le nom de Lido.

Après avoir vendu des hot-dogs, Nicola Iacocca s'était lancé dans la location de voitures. Il acheta la franchise pour l'agence U-Drive-It d'Allentown. Les Modèles T et A constituaient l'essentiel de son écurie.

Lido était un jeune garçon sérieux et studieux, « un peu timide, un peu trop réservé pour son âge », rapporte un de ses professeurs. Il passait son temps libre à étudier sans s'accorder aucune distraction. Son père était lui-même un rude travailleur. Il faisait partie de cette première génération d'immigrants italiens qui avaient été attirés par le rêve américain et s'y étaient lancés avec enthousiasme sans en comprendre peut-être toutes les subtilités.

Allentown est une petite ville triste et grise située sur une colline dont les maisons et les rues rappellent celles d'un village minier. A la fin du XIXe siècle, ses usines de tissage ainsi que les aciéries de Bethlehem, la ville voisine, attirèrent de nombreux Italiens. Les mœurs y étaient plutôt rudes. En 1978, un journaliste de Detroit, Kirk Cheyfitz, fit une enquête sur la jeunesse de Lee Iacocca. Il découvrit que son père n'était pas d'un caractère facile. Dans les journaux locaux, il fut le héros de faits divers concernant des condamnations pour infraction à la loi sur la consommation de l'alcool, agressions, conduite imprudente au volant, exercice illégal de la profession d'agent immobilier. De nombreux hommes d'affaires avec lesquels il travailla engagèrent des poursuites contre lui.

Cet homme arrogant, qui se souciait peu de la loi et définissait ses propres règles, avait pour son fils de hautes ambitions. Le jeune Lido se plia docilement à ses volontés. Il obtint son diplôme d'ingénieur en trois ans à l'université Lehigh de Pennsylvanie, alors que la durée normale du cursus était de quatre ans, puis se rendit à Princeton pour poursuivre ses études.

Au printemps de l'année 1945 alors qu'il était encore à Lehigh, il fit la connaissance d'un recruteur de Ford envoyé directement par Henry II sur le terrain à la recherche de diplômés – on sait que son grand-père était opposé à cette politique. Le jeune homme fut immédiatement séduit par la voiture du chasseur de têtes, une Lincoln Continental. Il avait vingt ans, et la perspective de travailler pour la Ford Motor l'enthousiasma. « Cette voiture me tourna littéralement la tête, dira-t-il plus tard. Il me suffit de la regarder et de respirer l'odeur du cuir de ses garnitures intérieures pour me décider à travailler pour Ford jusqu'à la fin de mes jours. »

Il fut embauché à Dearborn en 1946, quelques mois après l'arrivée des Whiz Kids, mais à un niveau inférieur à ces derniers. On l'intégra dans un programme de formation d'ingénieurs et il comprit vite qu'il ne réaliserait pas ses ambitions en se bornant à dessiner des ressorts d'embrayage. A Princeton, il avait déjà annoncé qu'il serait vice-président de Ford à trente-cinq ans. Avec le boom économique de l'après-guerre où les concessionnaires n'avaient qu'un seul problème, faire patienter les acheteurs, Lee Iacocca estima que le meilleur moyen d'aller de l'avant était de travailler sur le terrain et il prit un emploi d'agent commercial à Chester, Pennsylvanie.

C'était une décision courageuse pour ce jeune homme timide et gauche qui vivait encore dans l'ombre de son père – Chester était proche d'Allentown. Son travail consistait à négocier avec les agents des ventes connus pour leur âpreté à marchander. Il appréhendait de pendre le téléphone : « Avant chaque coup de fil, dit-il, je répétais plusieurs fois ce que j'avais à dire et j'avais toujours peur d'essuyer un refus. »

Lee Iacocca se cantonna pendant près de dix ans dans ce travail obscur, traitant des marchés, apprenant à mieux s'exprimer, et notant chaque semaine sur ses livres de comptes les raisons pour lesquelles telle ou telle voiture se vendait bien ou mal. Il obtint de tels succès qu'il fut promu à l'enseignement des méthodes de vente – il publia d'ailleurs sur ce sujet une petite plaquette.

En 1956, alors que les jeunes cadres ambitieux de Dearborn se félicitaient d'être affectés à la division E, Lee Iacocca eut une idée de génie.

Les ventes des Ford stagnaient cette année-là. Robert McNamara avait axé sa campagne publicitaire pour la Ford 56 sur le thème de la sécurité – volant large, accessoires antichoc sur le tableau de bord et film montrant des mannequins projetés à travers le pare-brise. Le public préfère qu'on lui parle d'amour, de vie et de vitesse. Cette tentative de le persuader d'acheter une voiture qui lui éviterait la mort eut un effet désastreux. Chevrolet vendit trois fois plus de voitures que Ford – sauf en Pennsylvanie, où un certain agent commercial avait fait quelques additions.

Lee Iacocca avait en effet calculé qu en soustrayant 20 % d'argent comptant du prix d'une Ford 56, les acheteurs auraient à payer pendant 36 mois des mensualités de 56 dollars. Avec le slogan « 56 pour 56 », un paquet de chips et une carte appelée « wujatak » – que l'on prononçait « would-ya-take » Iacocca lança sa propre campagne.

Les vendeurs prospectaient les parkings des supermarchés avec leurs « wujataks » et repéraient les voitures usagées. Ils consultaient l'indice des prix d'occasion et inscrivaient la valeur du véhicule sur la carte avec la promesse d'une reprise en échange de l'achat d'une nouvelle Ford. Ils y joignaient le paquet de chips qui portait l'inscription : « Une voiture pour quelques chips : 56 dollars par mois ! » et scotchaient le tout sur le pare-brise.

Malgré son apparence bizarre et compliquée, la campagne connut un succès immédiat. En quelques semaines, le district de Philadelphie battit le record des ventes et McNamara étendit la pratique à l'ensemble du pays – le paquet de chips excepté. Près de 75 000 véhicules qui n'avaient pas été comptés dans les prévisions furent ainsi écoulés.

Lee Iacocca avait établi sa réputation. On le fit venir à Dearborn pour diriger le marketing des camions et on l'envoya à l'Institut Dale Carnegie pour un stage de perfectionnement afin qu'il apprenne à parler en public. A l'issue de ce stage, Lee Iacocca avait perdu toute timidité.

Henry II se souvient aujourd'hui que sa première rencontre avec Iacocca en 1960 fut lorsqu'il le convoqua pour lui annoncer qu'il lui confiait la direction de la division Ford. « C'était comme si j'avais été convoqué par Dieu », dit Iacocca de son côté.

Les deux hommes se connaissaient déjà mais c'était la première fois qu'ils avaient un entretien. Sa nouvelle fonction conférait à Iacocca le titre de vice-président. Il venait d'avoir trente-cinq ans.

Tout le monde s'étonna de voir confier une telle responsabilité à un homme aussi jeune. La division Ford était une division d'élite. Créée en

1949 pour coordonner la production et les ventes des voitures portant la marque – de façon à les distinguer des Lincoln et des Mercury –, elle avait été jusque-là entre les mains des meilleurs pilotes de la société : Crusoe et McNamara. C'est d'ailleurs sur la recommandation de McNamara que Lee Iacocca fut nommé à ce poste et se trouva soudain responsable de la plus grande partie du chiffre d'affaires et des bénéfices de la compagnie.

La présidence du conseil d'administration fut confiée à un directeur de production, John Dykstra, un ancien de la General Motors que Breech avait recruté en 1947. Ce n'était pas le plus brillant des cadres supérieurs – contrairement aux Whiz Kids Lundy et Miller. John Bugas avait plus d'ancienneté que lui dans la société. Mais Dykstra représentait la sécurité. Avec ses mâchoires carrées et ses cheveux gris, il avait même la tête de l'emploi. C'était comme un cardinal inoffensif qu'on avait choisi pour être pape avant que les talents des plus jeunes aient mûri.

Sous de nombreux aspects, l'histoire de la Ford Motor fut après 1960 celle du despotisme d'Henry II. Il ne s'agissait pas d'une volonté délibérée de sa part. Il connaissait ses limites et c'était précisément pourquoi il s'était entouré d'hommes plus compétents que lui. Sa contribution personnelle, de l'avis de toutes les publications spécialisées dans les affaires, fut de réformer et d'organiser rationnellement la société. Refusant d'admettre qu'il voulait ainsi réaliser les ambitions frustrées de son père, il expliqua son désir de modernisation par l'admiration exagérée qu'il portait à la General Motors.

« Il enviait réellement la General Motors, dit Ted Mecke, et surtout la façon dont cette société avait réussi à organiser la succession à sa direction. »

En 1961, Henry II racheta les parts des actionnaires des filiales européennes de la Ford Motor et se lança dans la diversification des activités de la société. Lee Iacocca de son côté porta ses efforts sur les ventes en appliquant les méthodes qu'il connaissait bien. A l'aube du 1er janvier 1963, deux avions se posèrent à Monaco, amenant 200 journalistes, photographes et cadres de la Ford Motor. On avait sablé le champagne toute la nuit et l'on continua au Palais où le groupe fut accueilli à dix heures du matin par le prince Rainier et son épouse.

Le but de l'expédition était moins de rendre hommage à la princesse Grace et à ses origines américaines que de venir se rendre compte du progrès des ventes de la dernière gamme de voitures produites par la division Ford : une Thunderbird Monaco, ainsi qu'un modèle décapotable de la Falcon présenté au public américain comme une voiture de

« style européen ». On rapporte que McNamara jura grossièrement en voyant ce que Iacocca avait fait de sa voiture familiale.

Celle-ci se vendit cependant très bien. La Thunderbird Monaco, avec ses sièges en cuir blanc et sa plaque minéralogique en cuivre, connut également un grand succès. Lee Iacocca était passé maître dans l'art d'ajouter de la valeur à un produit de base grâce à un certain nombre d'accessoires qui non seulement rendaient la voiture plus attrayante mais encore augmentaient les bénéfices. Un vendeur se faisait plus d'argent avec tous les éléments en option qu'il proposait aux acheteurs qu'avec la commission qu'il touchait sur la vente du véhicule. Lee prouva que le fabricant pouvait entrer lui aussi dans le jeu : bandes de couleur sur la carrosserie, toit en vinyle, panneaux en noyer, qui augmentaient les coûts et le temps de production mais personnalisaient la voiture. En 1963, Iacocca donna au toit et aux vitres de la Falcon – ce qui constitue dans une voiture les parties les plus faciles à changer – une nouvelle ligne; il proposa également en option un moteur V8 pour satisfaire le goût croissant du public pour les voitures puissantes.

En effet, un style de vie différent apparaissait dans les années soixante avec une nouvelle musique, une nouvelle mode et une nouvelle conception des loisirs – et des voitures.

Detroit n'avait pas pris au sérieux les premières importations de voitures étrangères. La Volkswagen prêtait à rire. Les trois grands constructeurs de Detroit faisaient régulièrement des sondages auprès de l'opinion publique et tous les résultats montraient qu'il n'y avait pas lieu de s'inquiéter.

« Pour l'Américain moyen, peut-on lire dans un rapport de la division Ford en 1952, notre voiture actuelle représente un symbole de prestige et de bien-être. » Une grosse voiture était effectivement un signe de prospérité et l'Edsel remplira exactement cette condition. On n'imaginait pas que quelqu'un qui gagnait bien sa vie pût acquérir une voiture européenne. Si l'on achetait une « coccinelle », c'était parce qu'on n'avait pas les moyens de se procurer une vraie voiture et le phénomène pouvait affecter tout au plus le marché des véhicules d'occasion. « Ce qu'ils vendent en un an, disait Breech de Volkswagen en 1956, ne représente même pas notre production quotidienne. »

En réalité, les ventes de Volkswagen doublaient chaque année. En 1958, le constructeur allemand importa 104 000 voitures aux États-Unis. Le clan Toyota – l'équivalent pour le Japon de la famille Ford – fit sa première percée sur le marché américain. En 1958, le total des voitures importées atteignit 500 000 unités.

Les constructeurs américains cependant n'avaient pas encore compris le fond du problème. Les voitures européennes, comme la Volkswagen et plus encore la Volvo, avaient du succès non seulement parce qu'elles étaient bon marché mais parce qu'elles étaient de qualité supérieure. Elles étaient conçues de telle manière que lorsqu'on prenait le volant en main, on avait une impression de stabilité. Elles tenaient mieux la route. Elles étaient plus silencieuses. La carrosserie rouillait moins vite. Le prix plus élevé des pièces de rechange et la difficulté de s'en procurer ne représentaient pas un handicap car elles tombaient moins souvent en panne.

Ford était particulièrement vulnérable. La société avait, certes, progressé et réussi à rattraper Chevrolet, mais au prix d'une baisse de la qualité de sa production. Dans les années cinquante, les Ford avaient la mauvaise réputation d'être bruyantes et de rouiller vite. Le prix des voitures d'occasion s'en ressentait. Alors qu'une Chevrolet et une Ford coûtaient environ à peu près le même prix à l'état neuf, une Ford d'occasion se vendait 200 dollars de moins que sa concurrente.

En dépit de toutes ces difficultés, la Falcon avait toujours du succès grâce à sa légèreté, sa simplicité et à son élégance. A l'opposé, la Corvair produite par la General Motors suscita la méfiance dès le début. Avec son moteur placé à l'arrière elle avait une forme particulière et, en l'espace de quelques mois, le département des ventes de la General Motors se rendit compte que le nouveau modèle perdait de l'argent.

William Mitchell, le successeur d'Harley Earl chez General Motors, venait de fabriquer pour sa fille une version spéciale de la Corvair avec des sièges baquets, des roues plus petites et une couleur différente. Présentée en 1960 au Salon de l'automobile de Chicago, ce fut un succès immédiat. Le prototype, qui portait le nom de « Monza » et dont le prix était élevé, ne pouvait prétendre entrer en compétition avec la Volkswagen. Il se présentait plutôt comme une voiture de sport, une sorte de petite Thunderbird. David E. Davis, un passionné de l'automobile au visage couturé de cicatrices après un accident de course et qui travaillait pour le compte de Chevrolet à l'agence de publicité Campbell Ewald, vit tout de suite le parti qu'on pouvait tirer de la Monza. « Mettez-la sur le marché », dit-il. Elle attirerait les acheteurs et donnerait une nouvelle image de la Corvair. En mettant l'accent sur l'aspect sportif, elle aiderait même à justifier la nouvelle technique de la traction arrière.

On entreprit la production en série de la Monza qui se vendait très bien. Les acheteurs offraient des pourboires aux concessionnaires pour en avoir une plus vite. Par contrecoup, les ventes de la Corvair augmentèrent également.

La leçon ne fut pas perdue pour Ford. « Ce foutu truc avait de magnifiques sièges baquets rouges et des enjoliveurs superbes », raconte Hal Sperlich, un collaborateur de Lee Iacocca. « Je me souviens que j'ai pensé en la voyant : " Ces enfants de putain ont réussi à transformer leur défaite en victoire. " »

Les concepteurs de Ford s'étaient déjà mis à l'œuvre pour tenter d'égaler la Monza. Gene Bordinat, qui venait de remplacer George Walker à la vice-présidence pour la conception des modèles, avait discuté avec Don DeLaRossa, son chef de projet, et ils avaient décidé de placer un moteur V 8 pratiquement sur le plancher de la Falcon. Ils dessinèrent une carrosserie différente afin de donner à la voiture un aspect puissant, avec un toit carré et un long capot à l'avant. La maquette d'argile recouverte de Di-noc [1] rouge vif fut présentée à l'automne 1961 à Lee Iacocca. Baptisée l'Allegro, elle allait devenir la Mustang.

Selon la version officielle, la décision de créer la Mustang a été pour une grande part le résultat d'une étude de marché effectuée par Iacocca lui-même. Il avait découvert, expliqua-t-il, que les jeunes représentaient un énorme secteur à exploiter. Les enfants du baby-boom avaient grandi. Cependant, deux membres de son équipe n'ont gardé aucun souvenir d'une telle enquête. Le concepteur de la Mustang soutient fermement que l'idée de la voiture a pris corps dans son service et Donald Frey, le directeur du marketing qui en principe aurait dû être chargé d'une telle enquête, confirme.

La prospection du marché, comme le rappelle Frey dans le *Mustang Monthly Magazine* de mai 1983, ne fut faite qu'après-coup afin de persuader Henry II et Arjay Miller, le responsable des finances, d'engager des dépenses pour une nouvelle voiture. L'échec de l'Edsel était encore trop cuisant et le président avait écarté brutalement le projet de Iacocca le jour où celui-ci lui présenta le prototype. Il n'était d'ailleurs pas dans son assiette. Dès le lendemain, en effet, il dut garder la chambre. Atteint d'une mononucléose, il resta six semaines au lit.

La seconde présentation, au printemps 1962, fut mieux mise en scène. Un modèle de chaque voiture Ford fut exposé devant l'atelier de conception, accouplé à son équivalent de chez Chevrolet. A côté de la Monza, la place était vide.

Ford ne proposait rien pour les jeunes. Frey, à l'aide de quelques chiffres rassemblés à la hâte, démontra que ce marché devenait de plus en plus important. Le prototype de Bordinat et DeLaRossa y répon-

1. Revêtement en plastique breveté, qu'on place sur une maquette pour donner l'impression de la peinture.

dait parfaitement – grâce à l'idée de dernière minute de Iacocca, qui y fit ajouter un siège arrière faisant de la voiture de sport une quatre-places.

Henry II fut impressionné. Il apporta sa contribution à la maquette en l'allongeant de 2 centimètres et demi afin de laisser un peu plus d'espace à l'arrière. Arjay Miller fut également d'accord : la voiture valait la peine de prendre des risques financiers. On l'appela la Mustang – qui n'évoquait pas le cheval sauvage du même nom mais le fameux bombardier de la Seconde Guerre mondiale. Présentée à l'occasion de la Foire internationale de New York au printemps 1964, elle fit sensation. Son prix de base n'était que de 2 368 dollars, mais elle paraissait, aussi bien par son style que par sa conduite, en valoir le double. Elle battit les records de vente et créa même un nouveau marché, celui de la « Small Sporty », la petite voiture de sport. En 1965 et 1966, elle représenta, avec le chiffre de plus d'un million d'unités vendues, plus de 78,2 % de ce secteur. Lee Iacocca mérita bien de faire la une de *Time* et de *Newsweek*.

Lee Iacocca n'était pas le véritable créateur de la Mustang. La voiture en elle-même, la longue alchimie de lignes et d'acier qui est à la source de sa magie, avait été élaborée par les concepteurs de la Ford, mais l'idée originale associant le sport et la jeunesse venait de Chevrolet avec sa Corvair Monza. On peut en dire autant de tous les véhicules produits par Ford après la Seconde Guerre mondiale : ils furent tous inspirés par la General Motors.

Mais ce fut bel et bien Ford qui, grâce à Lee Iacocca, réalisa la Mustang. Il comprit tout de suite qu'elle se vendrait bien et se battit avec opiniâtreté pour faire accepter son point de vue – une voiture pour les jeunes – alors que ses supérieurs, Henry II y compris, essayaient de faire des économies de toutes les manières possibles.

« Lee avait une influence vivifiante », raconte Charles Bosworth, l'un des Whiz Kids, qui avait été totalement conquis par son dynamisme. « Au sein d'un groupe, il pouvait sembler gauche et embarrassé, mais dès qu'on lui donnait la parole il commençait à s'animer, à exposer tout ce qu'il ressentait à propos de la voiture. En l'entendant parler au cours d'une réunion, on éprouvait un sentiment extraordinaire, et l'envie nous prenait de retourner le plus vite possible au travail pour en faire encore davantage, pour y passer deux heures de plus cette nuit-là si c'était possible. »

Iacocca créa pour la Mustang une équipe qui lui était entièrement dévouée. Non seulement on travaillait tard, mais on venait même le samedi matin afin de régler au mieux tous les problèmes de production et de qualité qui avaient causé l'échec de l'Edsel. Le programme établi sur 30 mois fut terminé en moins de 20. Tout le monde se retrouvait pour le petit déjeuner à 7 heures le samedi matin au motel Fairlane de Michigan Avenue : outre Frey, Sperlich, et Donald Pertersen, Joe Oros et Dave Ash qui avaient donné au prototype de Bordinat et DeLaRossa sa forme finale, et Walter Murphy, du service des relations publiques, dont certains disaient qu'il jouait le rôle d'agent de publicité personnel de Iacocca.

Iacocca suscitait la jalousie. Il blessait par ses manières abruptes. Il connaissait l'art de la manipulation et de l'intimidation. Il pouvait vous faire une peur bleue. Comme McNamara, il ne tolérait pas les gens peu sérieux et avait tendance à ne pas écouter les arguments de ceux qui menaçaient ses ambitions. Il jurait abondamment, s'habillait de façon voyante et fumait de gros cigares, dans la tradition des concessionnaires de la Pennsylvanie occidentale qui lui avaient appris son métier. Il était odieux avec ceux qui ne lui étaient pas dévoués – mais il obtenait des résultats. La demande pour la Mustang fut si importante qu'on dut ajouter une seconde puis une troisième chaîne de montage afin de doubler la production.

Ce succès plaçait Iacocca dans la grande tradition de la Ford Motor marquée par des créations comme la Thunderbird, la Ford 49, la V8, le Modèle A, le Modèle T. Le public se souciait peu de la façon dont fonctionnait une compagnie tant qu'on lui offrait des voitures qui lui plaisaient. Lee Iacocca avait peut-être trouvé le moyen d'aller de l'avant pour Ford : ne pas laisser les pesanteurs hiérarchiques intervenir dans le processus de base de la fabrication.

Henry II fut ravi du succès de la Mustang, qui compensait l'échec de l'Edsel d'une manière « typiquement Ford ». C'était aussi l'assurance de futurs triomphes qui ne devraient rien à l'extérieur. La General Motors avait eu l'idée de la Corvair Monza, mais elle n'avait pas su ou pas pu en tirer toutes les conséquences.

En janvier 1965, Lee Iacocca, tout juste âgé de quarante ans, fut promu au poste de vice-président responsable de toutes les divisions (voitures et camions), le poste qu'avait occupé McNamara jusqu'à son départ pour le Pentagone. S'il dut sa première promotion à McNamara, il obtint la seconde pour avoir su gagner la confiance d'Henry II.

30

Épisode méditerranéen

Par une chaude soirée de juin 1961, Mrs. Anne McDonnell Ford, qui regagnait sa chambre à coucher, s'arrêta quelques instants devant la porte de celle de son mari. Sa fille Anne devait faire ses débuts le lendemain et, fatiguée par les préparatifs de la réception, Mrs. Ford avait décidé de se coucher tôt. Elle s'apprêtait à souhaiter une bonne nuit à Henry II quand elle entendit qu'il était en train de téléphoner. Elle hésita quelques instants en se demandant à qui il pouvait parler à cette heure-là. « Oui, entendit-elle à travers la porte, je vous épouserai. »

Rétrospectivement, les amis de la vieille Mrs. Eleanor ont tendance à imputer la cause de ces problèmes conjugaux à l'influence d'Ernie Kanzler, ou plus précisément de sa seconde femme.

Josephine, sa première épouse – la sœur d'Eleanor Clay Ford – s'était noyée dans la piscine de la propriété des Kanzler à Hobe Sound en 1954. Elle buvait beaucoup et succomba peut-être à une crise cardiaque alors qu'elle se trouvait au bord de la piscine, à moins qu'elle n'y fût tombée dans son ivresse. On comptait de nombreux alcooliques chez les Hudson.

Ernest Kanzler était un rude travailleur mais il aimait aussi profiter des joies de l'existence. Alfie Ford, le second fils de Dodie et de Wally, se souvient des vacances passées dans le Maine avec son grand-oncle Ernie. Celui-ci organisait des jeux de piste à travers la forêt. Les participants suivaient l'itinéraire à travers collines et vallons et, quand ils étaient à bout de souffle et ne tenaient pratiquement plus sur leurs jambes, ils débouchaient soudain dans une clairière où l'oncle Ernie, rayonnant, les accueillait, un maître d'hôtel en habit à son côté. Une souche d'arbre était recouverte d'une nappe blanche, avec des plateaux d'argent chargés de nourriture, ainsi que du champagne et du Coca-Cola dans des seaux à glace.

Kanzler ne porta pas longtemps le deuil de sa première femme. Peu de temps après sa mort, il rencontra Rosemarie Ravelli, une fort belle femme d'origine suisse qui avait déjà été mariée trois fois. Il l'épousa. Ils firent l'acquisition de résidences luxueuses à Saint-Moritz, au Mexique et à Cap-Ferrat, qui s'ajoutèrent à celles qu'Ernie possédait à Hobe Sound, à Grosse Pointe et dans le Maine.

Son associé George Reindel le trouvait « complètement transformé » et Kanzler confia lui-même à son neveu Henry II qu'il se sentait un homme nouveau avec des « batteries rechargées ».

En mars 1960, il offrit un dîner chez Maxim's en l'honneur de la princesse Grace de Monaco. Il y invita Henri II et Anne qui se trouvaient alors à Paris avec leurs filles. Rosemarie avait, de son côté, invité une de ses amies, Maria Cristina Vettore Austin qui vivait à Milan. Elle avait trente-quatre ans et était divorcée. Henry II, assis entre la princesse et la belle Italienne, confia par la suite à ses enfants qu'il avait trouvé Grace de Monaco assez ennuyeuse, mais tout le monde s'aperçut qu'il s'intéressait à Maria Cristina.

Anne Ford estima que son mari avait trop bu et, quand elle vit qu'il serrait de trop près la jeune femme en dansant, elle intervint et le ramena à l'hôtel. La blonde capiteuse lui sortit de l'esprit et elle n'y pensa plus jusqu'au soir où elle surprit la conversation téléphonique de son mari.

Les relations amoureuses entre Henry II et Cristina Vettore Austin avaient rapidement évolué dans les mois qui suivirent la réception chez Maxim's, pendant le printemps et l'été 1960. A cette même époque, Henry II s'était débarrassé d'Ernie Breech, devenant ainsi président de sa propre société. Ce n'était pas pure coïncidence.

« Il a une façon bien personnelle de prendre des décisions, raconte un de ses vieux amis. Extérieurement, il ne manifeste rien. Quand quelque chose lui déplaît, il cherche le moyen d'en sortir et, quand il estime l'avoir trouvé, rien ne peut l'arrêter. »

Pendant dix ans il avait pratiquement passé toute sa vie entre Ernie Breech et Anne. Il quittait la maison de bon matin pour se rendre à son bureau, et tous les soirs sa secrétaire téléphonait à sa femme pour l'avertir de son retour. Il se partageait entre le travail et la famille. Il donnait le meilleur de lui-même et adaptait son style de vie à ceux de Breech et d'Anne.

Mais maintenant, âgé de quarante-trois ans; il sentait que tout cela arrivait à son terme Il était prêt à sacrifier ses deux mentors et il agit avec sa femme de la même façon détournée qu'il avait employée avec Breech, lui faisant boire la ciguë à petites doses.

Anne détestait la presse et fuyait les interviews. Cependant, quand elle avait entrepris de faire venir le Metropolitan Opera à Detroit, les relations publiques de Ford l'avaient convaincue de recevoir les journalistes chez elle. Après l'une de ces interviews, la journaliste Shirley Eder rapporta que les Ford dînaient souvent de hamburgers et de frites le soir.

Henri II entra alors dans une violente colère. Il aimait poser pour les photographes dans les boîtes de nuit et les restaurants en les engageant même parfois à saisir telle ou telle de ses attitudes. Comme son grand-père, il se vantait de savoir s'y prendre avec la presse. Mais il ne supporta pas la révélation scandaleuse qu'il mangeait des hamburgers au dîner. Peut-être se sentit-il atteint dans sa vie privée, dont il ne savait d'ailleurs pas très bien définir les limites. En tout état de cause, il estimait que sa femme n'avait pas le droit de révéler ce genre de détails. S'il voulait que le monde entier sache ce qu'il mangeait au dîner, c'était à lui de le faire savoir.

Il avait pris pour confidente Anne, la plus jeune de ses filles. Contrairement à l'aînée, Charlotte, qui avait hérité la franchise et la brutalité caractéristiques des Ford et qui détestait l'alcool, Anne restait volontiers avec son père quand celui-ci était ivre et parfois, tard dans la nuit, il venait la réveiller en pressant doucement son épaule. Il s'asseyait alors sur le bord de son lit et parlait avec elle pendant des heures, tantôt triste, tantôt gai, toujours solitaire, un homme riche qui avait réussi mais qui n'avait personne pour partager ses pensées les plus profondes.

Ce fut au cours de la nuit qui précéda ses débuts dans le monde qu'Anne, alors âgée de dix-huit ans, apprit que ses parents allaient divorcer. Henry II avait donné une excuse quelconque à sa femme qui tentait de savoir à qui il parlait au téléphone, mais il alla réveiller sa fille pour lui dire la vérité.

« Ta mère m'a surpris en train de parler à mon amie, dit-il. Je l'aime et je veux l'épouser. Rien ne m'en empêchera. »

Anne McDonnell Ford se leva à cinq heures le lendemain matin pour discuter avec son confesseur. « Je ne sais vraiment pas comment j'ai pu tenir le coup ce jour-là », dit-elle aujourd'hui. Quant à sa fille, elle semble avoir tout oublié de la somptueuse réception donnée en son honneur. Sa sœur Charlotte commente ironiquement : « Mon père avait un sens extraordinaire de l'opportunité. »

Ils tentèrent cependant d'arranger les choses. Ils s'étaient aimés pendant longtemps et il fallait penser aux enfants. De plus, leur religion leur interdisait le divorce, sans parler de l'image de la compagnie. Ils devaient aussi compter avec Mrs. Eleanor qui était en plein désarroi quand ses amis lui expliquèrent les allusions faites par les journaux aux problèmes conjugaux d'un « industriel connu ».

Henry II cessa quelque temps de voir Cristina et pendant deux ans Anne et lui-même essayèrent de retrouver le bonheur perdu. Ils cessèrent de faire chambre à part et prirent plus de vacances en famille. Henry venait d'acheter un bateau, le *Santa Maria*, construit en Hollande suivant ses instructions, avec six suites pourvues de l'air conditionné et des quartiers pour sept hommes d'équipage.

Mais les croisières se faisaient en Méditerranée – « Je pensais alors, dit Charlotte, que nous avions " fait " toute l'Amérique et qu'il fallait maintenant " faire " l'Europe. »

Henry II insista pour superviser lui-même la décoration intérieure du bateau. Choisir des meubles ou des couleurs avait toujours été du ressort de sa femme, mais ce yacht était de toute évidence son joujou personnel.

« Sa rencontre avec Gianni Agnelli (le propriétaire de Fiat) fut responsable de tout, dit un membre de la famille. C'était un homme de son âge, séduisant, macho, dynamique et bronzé, à la tête d'une entreprise prospère, et qui passait son temps entre Saint-Moritz et Saint-Tropez entouré de blondes. »

Henry II n'avait plus à se prouver à lui-même, ni à prouver à Detroit, qu'il avait réussi, qu'il était autre chose qu'un jeune homme chanceux né là où il le fallait.

Mais le plaisir éprouvé à recevoir les éloges de la chambre de commerce locale a ses limites. Henry Ford voulait s'amuser, et il ne put résister à l'attirance qu'il éprouvait pour Cristina Vettore Austin.

De plus en plus souvent, Henry se rendait en Europe avec son vieil ami de Grosse Pointe, Bill Curran, qui servait de cavalier à Cristina pour sauver les apparences. « Nous nous trouvions un jour dans une boutique, dit celui-ci, et je peux dire que Cristina n'était pas une personne intéressée, quoi que les gens aient pu en dire. Elle ne demandait jamais rien. C'était toujours Henry qui insistait pour lui faire des cadeaux. Un jour, donc, il était avec elle dans une cabine d'essayage, je crois que c'était en Italie, quand il sortit soudain et tira le rideau. Elle était debout, le cul à l'air, et tout le monde put la voir. Elle ne fit qu'en rire et trouva la plaisanterie très drôle. »

Totalement dépourvue d'inhibitions, Cristina était à l'opposé d'une lady au carnet de rendez-vous toujours plein. Dans les années cinquante, elle avait été mariée peu de temps avec un homme d'affaires anglais, d'où le nom d'Austin qu'elle portait. Certains journalistes disaient qu'elle était comtesse; elle-même prétendait être fille de médecin. Selon d'autres, les origines des Vettore étaient plus modestes.

Elle avait fait son chemin par ses propres moyens. Il y avait en elle quelque chose d'exotique, de sauvage, d'indompté. Il émanait d'elle un magnétisme animal et Henry II ne fut pas le seul à être pris au piège.

Charles Revson – le patron des produits de beauté Revlon – l'avait aperçue un jour par hasard à New York. Frappé par sa beauté, il fit faire son portrait de mémoire et le fit circuler dans tous les restaurants chic de Manhattan, offrant mille dollars au maître d'hôtel qui réussirait à découvrir l'identité de cette superbe Italienne.

Alors qu'elle venait de s'installer dans un nouvel appartement, on lui apporta un jour trois cents roses. Pendant deux semaines, elle reçut quotidiennement ce même cadeau et finalement le mystérieux admirateur se fit connaître. Cette cour assidue de Revson coïncidant avec la période où Henry II essayait de sauver son mariage, Cristina accepta l'invitation de son nouveau soupirant à passer quelque temps avec lui dans la résidence qu'il possédait à la campagne.

Cet épisode marqua, selon elle, un tournant décisif dans ses relations avec Henry. Le fait d'avoir un rival – riche de surcroît – le piqua au vif.

A Grosse Pointe, Anne McDonnell ne supportait plus les longues conversations téléphoniques de son mari. Ils se disputaient sans cesse et l'atmosphère devenait irrespirable.

Finalement, chacun prit un avocat. Ce fut une période douloureuse pour Anne et ses filles, qui a effacé de leur souvenir tous les moments heureux passés à Grosse Pointe.

Edsel Ford II, qui était déjà un adolescent et poursuivait ses études à Hotchkiss, eut la surprise de voir ses parents venir le chercher à la fin d'un trimestre avec l'avion de la société. Pendant le voyage de retour, ils lui apprirent la nouvelle que ses sœurs connaissaient déjà. Le 26 décembre 1964, il se rendit avec sa mère, sa sœur Anne et son ami Billy Chapin à Sun Valley pour faire du ski. Mrs. Ford y resta après les vacances et se fit domicilier dans l'Idaho. Six semaines plus tard, il fut annoncé qu'elle avait obtenu le divorce pour cruauté mentale.

Les détails financiers du divorce ne furent pas rendus publics mais on estima qu'Henry dut payer environ 16 millions de dollars. En ce qui concerne les biens et effets, le mari garda les tableaux et la femme les meubles. Elle emménagea avec ses enfants dans un appartement luxueux de New York sur la Cinquième Avenue près de Central Park.

« Et ce fut ainsi que cela finit, dit sa fille comme si elle parlait d'un monde à jamais disparu. Je ne retournai jamais à Grosse Pointe par la suite. »

Henry II et Cristina se marièrent le 19 février 1965, et il peut sembler étrange que le couple ait décidé de passer sa lune de miel avec Anne et Charlotte. Mais dans la famille Ford, les choses avaient tendance à prendre une tournure bizarre. Edsel, qui était en principe un assez bon élève, avait été renvoyé de Hotchkiss. Maman Anne qui disait autrefois le bénédicité avant chaque repas fréquentait maintenant la « jet society » en compagnie de Ted Bassett, un mondain à la réputation douteuse qui gagnait apparemment sa vie en jouant aux cartes.

Les chroniqueurs s'en donnaient à cœur joie, mais en réalité, c'était plutôt un triste spectacle. Les Ford allaient à la dérive. Cinq ans plus tôt, on pouvait les juger guindés et conventionnels quand ils se rendaient en famille à la messe à la cathédrale Saint-Paul. Mais, au moins, ils étaient tous réunis. Malgré la vie brillante qu'ils menaient à présent, on sentait leur solitude, leur confusion et un certain désespoir. Charlotte et Anne en offraient un parfait exemple.

A Grosse Pointe, les filles Ford étaient réputées pour leur réserve. On les avait placées sur un piédestal. Lloyd Semple, le cavalier de Charlotte pour la réception donnée à l'occasion des débuts d'Anne, se souvient de la réaction de la jeune fille quand il se risqua à lui faire des avances. « Ne recommencez plus jamais! » s'était-elle exclamée en le repoussant.

Charlotte, qui avait pensé à une certaine époque à entrer en religion, provoqua l'étonnement d'une de ses anciennes amies en lui déclarant qu'elle trouvait normal de coucher avec des hommes.

Le divorce de leurs parents avait fait disparaître toute trace de leur éducation religieuse. Mrs. Eleanor en avait été, de son côté, très affectée. Elle le considérait comme une atteinte au prestige de la famille, mais elle était surtout au désespoir des conséquences qu'il avait sur ses petits-enfants. En emmenant ses filles avec lui pour sa lune de miel, Henry II voulait qu'elles apprennent à connaître Cristina. De plus, elles s'amuseraient. Mrs. Eleanor n'était pas d'accord. Saint-Moritz n'était pas, selon elle, un endroit convenable pour des jeunes filles en âge de se marier. « Quel genre de mari pourront-elles trouver, si elles ne rencontrent que les hommes qui fréquentent ce genre d'endroit? » demanda-t-elle à son fils.

Si on avait demandé à Mrs. Eleanor de préciser son cauchemar, elle aurait sans doute décrit l'une de ses petites-filles tombant amoureuse d'un play-boy âgé, richissime, un armateur grec peut-être, plusieurs fois marié et divorcé.

Stavros Niarchos avait cinquante-cinq ans, Charlotte vingt-trois. Après une analyse qui dura plusieurs années et coûta quelques milliers de dollars, elle connaît bien ses motivations. « Je suis convaincue, dit-elle aujourd'hui, que ce fut une réaction au divorce, mais Daddy n'était pas responsable. J'étais déjà une grande fille. »

Charlotte Ford frappe par son élégance et sa féminité. « Si elle porte des jeans et vous une robe de soie de cinq cents dollars, dit une de ses amies, c'est elle qui a l'air chic! » Cependant, elle a toujours su ce qu'elle voulait. On dit généralement que si elle avait été un homme, elle aurait pris la direction de la société.

Le choix de ses compagnons – des hommes égocentriques comme Henry Kissinger, Frank Sinatra, Anthony Newley, David Frost – a été sa seule faiblesse.

Son aventure avec Stavros Niarchos commença dans les Alpes et se poursuivit, pendant l'été, sur l'île que l'armateur possédait dans la mer Égée. A l'automne, Charlotte était enceinte.

« Je me souviens que nous attendions ensemble les résultats de l'analyse, raconte sa sœur. Le médecin passa la tête dans l'entrebâillement de la porte et dit seulement : " Positif ". " Oh, fit Charlotte, qu'allons-nous faire ? " " Téléphoner à Daddy, dis-je. " »

Henry II arriva précipitamment à New York. « Je n'oublierai jamais, dit Charlotte. Il était désespéré. Il avait tout abandonné à Detroit pour me rejoindre et resta près de moi jusqu'à ce que les choses s'arrangent. »

Henry II et ses filles se rendirent à Londres pour rencontrer Niarchos. Son ex-femme, Anne, qui se trouvait à ce moment-là en Angleterre, assista à la réunion.

« Daddy ne cria pas, ne menaça pas, raconte encore Charlotte. En fait, il dit seulement que Stavros ne devait m'épouser que s'il le désirait vraiment. »

La situation était cependant plus compliquée. Niarchos avait des problèmes avec le fisc américain. Selon certaines sources, il lui devait vingt-cinq millions de dollars. Il ne pouvait donc se rendre aux États-Unis avant que l'affaire soit réglée. Incidemment, en épousant Charlotte, l'armateur aurait un atout : son beau-père pouvait plaider en sa faveur auprès du président Johnson dont il était l'ami.

Le 14 décembre 1965, Eugénie Niarchos née Livanos (et sœur de Tina, l'ex-Mme Aristote Onassis) demanda le divorce devant le tribunal de Juarez, au Mexique, pour incompatibilité d'humeur. Elle obtint satisfaction. Deux jours plus tard, Stavros et Charlotte arrivèrent à Juarez séparément, à bord de deux avions de la Ford. Au cours d'une brève cérémonie dans une chambre d'hôtel, le nouveau marié offrit à sa femme une bague en diamant de quarante carats.

Le couple se rendit ensuite à Saint-Moritz. L'ambiance de ce voyage de noces fut encore une fois familiale, puisque l'ex-Mme Niarchos se trouvait également là avec ses quatre enfants. La grossesse de Charlotte lui interdisant le ski, Eugénie accompagnait Stavros sur les pistes. Un samedi soir, ils dînèrent tous trois à l'hôtel Palace, ce qui causa un petit scandale.

Pendant ce temps, à New York, Anne, la jeune sœur de Charlotte, épousait un Italien, Giancarlo Uzielli, ami de Ted Bassett, le chevalier servant de sa mère. Mrs. Eleanor Ford refusa d'assister à la cérémonie : Uzielli était un divorcé. Truman Capote et Douglas Fairbanks Jr furent invités à la réception qui précéda le mariage. Henry Ford II y porta un toast à ses deux « gendres, Gianni et Stavros ». Après la cérémonie, Henry remplaça son traditionnel « When The Saints Go Marching In » par des airs italiens : « Arrivederci Roma » et « Ciao Ciao Bambina ». Sa nouvelle épouse, radieuse, embrassa tout le monde sur les deux joues.

Contrairement à ce que pensent ceux qui ne se marient qu'une fois, convoler en justes noces à plusieurs reprises signifie souvent qu'on prend le mariage au sérieux. C'est apparemment le cas d'Henry Ford II. Il n'a rien d'un Don Juan et il a toujours laissé ses trois épouses successives lui dicter son comportement – la messe et les galeries d'art avec la première, « Ciao Ciao Bambina » avec la deuxième. Il a adapté son genre de vie et même sa personnalité aux amis, à la famille et au caractère de ses différentes compagnes, vivant ainsi plusieurs vies en une seule.

Sous son calme apparent se cache un profond sentiment d'insécurité, un besoin d'être rassuré comme l'enfant qui se réfugie dans le giron de sa mère. Il lui semble normal de se soumettre et d'être mené par le bout du nez par la femme qu'il a choisie.

Quelques années après son mariage, Cristina prit soudain conscience qu'il n'existait aucun portrait du père fondateur de l'entreprise, Henry Ier, dans sa luxueuse demeure de Grosse Pointe. Elle s'était renseignée sur l'histoire de la famille et connaissait les mauvais rapports qu'avait entretenus son mari avec son grand-père. Mais elle décida néanmoins de corriger cette omission.

En revenant un soir de son travail, Henry II découvrit toute une série de photos de son grand-père en noir et blanc, dans des cadres d'argent, soigneusement dispersées dans la maison.

– Enlève-moi ces foutus trucs d'ici, dit-il avec colère. Jette-les.

– Non, protesta Cristina. C'était un grand homme et c'était ton grand-père !

Elle se lança, en mauvais anglais, dans une apologie passionnée d'Henry Ier et réussit à convaincre son mari qui accepta de laisser les photos où elle les avait mises.

– Bambina, dit-il, tu as peut-être raison. J'ai besoin d'une Européenne pour m'apprendre ce genre de choses.

Dès l'instant où, avec ses parents, Henry II avait débarqué d'un avion en Europe et trouvé une Rolls-Royce qui les attendait sur la piste, il avait compris tout ce que le vieux continent pouvait lui offrir. Edsel et sa femme emmenaient souvent leurs enfants en voyage avec eux pendant l'été, pour acheter des objets d'art et des meubles. La courtoisie et le respect que les Européens réservent à leur élite le frappèrent. A Detroit, les fils du roi de l'automobile étaient évidemment des gens hors du commun, mais à Londres et Paris le nom de Ford semblait entouré d'une aura magique.

Cristina encouragea cet aspect du caractère de son mari. Elle était certes européenne, mais ses origines ne lui avaient jamais permis de fréquenter les salons et les grands hôtels où elle avait désormais accès grâce à la fortune des Ford. Tous deux se sentaient un peu intimidés.

L'Europe donna à Henry II l'occasion d'échapper à cette image qui avait toujours été associée au nom de Ford et que le fondateur de l'entreprise avait soigneusement entretenue. A Detroit, un constructeur automobile se devait d'être un rustaud, brutal et sérieux. En Europe, en revanche, il n'avait pas à se faire pardonner d'être un homme du monde. Il pouvait chasser le faisan en Écosse, vivre dans un manoir, avoir un pied-à-terre à Londres. Il cultiva des relations dans la haute société et se lia d'amitié avec David Metcalfe, le fils de l'aide de camp du duc de Windsor. Il fit des parties de chasse à Broadlands avec Lord Mountbatten qui tomba sous le charme de Cristina et lui offrit deux labradors qu'elle ramena à Grosse Pointe.

Henry II, libéré de son travail quotidien dans l'entreprise, passe aujourd'hui plus de temps à Londres qu'à Detroit. Il vit dans les environs de Henley et occupe la maison qui a appartenu à Julie Stonor, la bien-aimée du roi George V. Comme un gentilhomme campagnard, il roule en Range-Rover, porte casquette de tweed et bottes Wellington. Son grand-père avait fait revivre l'âme de l'Amérique à Greenfield Village. Henry II semble se sentir plus à l'aise de l'autre côté de l'Atlantique.

Cette attirance pour l'Europe a donné une nouvelle caractéristique à la Ford Motor. Après avoir recruté Breech et les Whiz Kids, Henry II s'était immédiatement attaqué à relancer les filiales européennes, particulièrement en Allemagne et en Grande-Bretagne où la société devint un des leaders du marché de l'automobile.

En juin 1967, Henry II invita quatre de ses principaux cadres européens au Plaza-Athénée à Paris. Vingt ans après la guerre, l'Europe était enfin une puissance économique à part entière. La Grande-Bretagne ne faisait pas encore partie du Marché commun, mais les choses étaient en bonne voie. John Andrews, directeur de Ford pour l'Allemagne fédérale, proposait depuis quelque temps une certaine coordination. Il songeait particulièrement à une fourgonnette Taunus-Transit, qu'on pourrait vendre en même temps en Angleterre et en Allemagne. Henry II voyait plus grand. Par l'un des coups de génie qui marquèrent sa carrière comme celle de son grand-père, il créa Ford-Europe.

Pour commencer, ce ne fut qu'une douzaine de cadres faisant la navette entre les différentes usines – celles d'Allemagne et d'Angleterre en particulier. Au bout d'un an environ, la production commença à démarrer : les moteurs en Allemagne, les transmissions en France, les systèmes électriques à Enfield, Middlesex. La Ford Cortina n'était plus seulement une voiture anglaise, elle avait son équivalent en Allemagne. En 1976, le processus d'intégration donna son résultat le plus accompli : la Ford Fiesta, une petite voiture conçue pour répondre à toutes les exigences du marché européen.

Comme toutes les bonnes ideés, celle-ci semble rétrospectivement évidente. Cependant, les cadres de la General Motors n'y avaient pas songé. Leurs filiales européennes Vauxhall et Opel continuèrent à fonctionner de façon autonome jusqu'au début des années quatre-vingt et la General Motors n'a pas encore réussi la coordination accomplie par Ford depuis plus d'une décennie. Non seulement l'entreprise est devenue de ce fait l'une des sociétés industrielles les plus rentables d'Europe, mais Henry II y a gagné une stature internationale comparable à celle d'un chef d'État. Supérieure en fait, puisqu'il dispose à son gré de son capital financier. Après avoir laissé entendre, en mars 1971, que les troubles sociaux en Angleterre pourraient l'inciter à investir ailleurs, il fut reçu à Downing Street avec le plus grand respect par Edward Heath et les principaux membres de son Cabinet.

Ford-Europe devint un moyen d'aller de l'avant pour les jeunes ambitieux de Dearborn. Pour la plupart des cadres des grandes entreprises américaines, « être envoyé outre-mer » équivalait jusque-là à partir pour la Sibérie. Ford II veilla personnellement à donner aux directeurs qui avaient été en poste en Europe des promotions exceptionnelles à leur retour. Tous les cadres supérieurs de Ford aujourd'hui ont fait leurs armes en Europe. La qualité des voitures fabriquées par la société après les désastres des années soixante-dix en est également une conséquence. Elles peuvent soutenir la comparaison avec Audi, BMW, ou même Mercedes.

L'installation de Ford en Europe permit à la société non seulement de faire des bénéfices considérables, mais encore de supporter le choc de la crise pétrolière.

Cette initiative ne fut pas le fruit d'études et de recherches sur les structures d'organisation. Elle ne devait rien à l'exemple de la General Motors. Seul, Henry II en fut l'inspirateur. Cette prouesse était bien dans la tradition des Ford.

31

Émeutes dans la 12ᵉ Rue

Le samedi 22 juillet 1967, à dix heures du soir, les policiers en civil de l'« équipe de nettoyage » de la Dixième Circonscription de Detroit prirent leur service de nuit. Le sergent Arthur Howison et ses trois hommes contrôlaient les « blind pigs » [1], débits de boisson clandestins, fréquentés en général par les Noirs, où fleurissaient le jeu, la drogue et la prostitution.

Howison s'intéressait spécialement à un établissement situé dans la 12ᵉ Rue. Il avait découvert en effet depuis l'année précédente que, sous le nom de « United Civic League for Community Action », il servait de couverture à un « blind pig ».

L'agent Charles Henry s'y présenta à dix heures trente, mais on lui refusa l'entrée. Cinq heures plus tard, il renouvela sa tentative et put cette fois être admis. Le sergent Howison et les deux agents attendirent dix minutes dans la voiture de patrouille en stationnement au coin de la rue, afin de laisser le temps à Henry de commander et de payer sa consommation. Le sergent appela alors des renforts et fit irruption à l'intérieur, brisant la porte avec un marteau. Il pensait trouver une vingtaine de clients, mais il en découvrit quatre-vingt-deux. En fait, il s'agissait d'une soirée donnée en l'honneur de quelques soldats qui rentraient du Viêt-nam. Quatre « paniers à salade » firent pendant une heure la navette entre la 12ᵉ Rue et le commissariat de police pour transporter les fêtards. L'incident attira une foule de spectateurs noirs.

« Espèces d'enculés, cria un étudiant, laissez mes frères tranquilles! »

Tous les policiers étaient des Blancs. Une rumeur commença à circuler : un agent avait molesté une femme noire pendant les arrestations. Quand la dernière voiture de patrouille quitta la 12ᵉ Rue,

1. Littéralement : cochon aveugle.

quelqu'un lança une bouteille vide contre la vitre arrière. On jeta une poubelle du haut d'une fenêtre. Quand les policiers s'arrêtèrent, un lieutenant reçut une brique. Vers six heures trente, le hurlement des sirènes d'alarme réveilla tout le quartier. A la direction de la police de Beaubien Street, les officiels tinrent un conseil de guerre.

Le chef de la police locale informa le maire Jerome P. Cavanagh, qui ne voulut pas prendre de risques. Il fit appel au FBI, à la police de l'État, au shérif du comté de Wayne et à la garde nationale du Michigan. La situation prenait une tournure dangereuse pour Detroit.

Les relations raciales ne s'étaient guère améliorées depuis le procès du Dr Ossian Sweet. Avec la Seconde Guerre mondiale, les Noirs et les petits Blancs étaient venus du Sud en grand nombre, attirés par le travail qu'offrait l'« arsenal de la démocratie », comme on appelait Detroit. Entassés dans les vieilles maisons en bois et les immeubles des faubourgs, les nouveaux venus en vinrent vite aux mains. Le rythme de travail imposé par la production de guerre engendrait une grande tension nerveuse qui explosa en juin 1943 dans l'émeute raciale la plus grave qu'aient connue les États-Unis jusque-là : 34 morts, dont 25 Noirs, plus de 1 000 blessés, 1 883 arrestations.

Une anarchie complète régna pendant deux jours. « Nous en avons tué huit », se vanta un adolescent blanc qui avait parcouru les ghettos, faisant feu depuis sa voiture sur tout ce qui bougeait. « On leur a mis des couteaux sous la gorge, on renversait des voitures pleines de nègres, vous auriez dû voir ça. C'était vraiment une émeute! »

Cette barbarie ne souleva aucun sentiment de culpabilité à Detroit. Au contraire, la haine raciale grandit. Les politiciens en firent le thème de leurs campagnes électorales et particulièrement le maire de Dearborn, Orville Hubbard, élu en 1943, qui bâtit une carrière politique de plus de trente ans sur le slogan « Gardez Dearborn propre ».

Hubbard gênait les hommes politiques du Michigan en exprimant d'une façon ouverte et primaire ce que tout le monde essayait de cacher. Les agents immobiliers de Grosse Pointe avaient adopté un « système de points » selon la race, la religion, l'éducation et le style de vie. La moyenne était fixée à cinquante-cinq. Pour les Grecs et les Italiens, elle était de soixante-cinq, et de quatre-vingt-cinq pour les Juifs. Pour les Noirs, personne ne se préoccupait de compter.

Vers la fin des années cinquante, on pouvait difficilement imaginer que Detroit avait été autrefois une ville non raciste, le terminus du « train clandestin » de John Brown. En 1959, les Noirs représentaient plus d'un quart de la population. En quelques années, ils étaient passés de 300 000 à presque 500 000. La plupart des bars, des restaurants et des hôtels leur étaient interdits.

La ségrégation se faisait d'elle-même. Entre 1950 et 1959, plus de 350 000 Blancs allèrent s'établir dans la banlieue de la ville – des familles, des entreprises, parfois même des communautés entières : on se réunissait dans les églises ou les synagogues pour étudier un projet de « migration », en général vers les faubourgs nord-ouest.

Les nouvelles voies express facilitaient les déplacements. On pouvait entrer et sortir de Detroit, en faire le tour grâce à des bretelles et des échangeurs, et rouler quatre fois plus vite selon les constructeurs que sur les routes traditionnelles.

Les grands magasins Hudson décidèrent d'ouvrir en 1950 une succursale dans la banlieue nord-ouest où un grand nombre de leurs clients habitaient désormais. Ils proposèrent à d'autres commerçants de se regrouper et créèrent ainsi le premier centre commercial régional des États-Unis à Northland.

Née de l'automobile, Detroit fut déstructurée par l'automobile, démembrée, éparpillée en subdivisions sans fin et en nouveaux complexes immobiliers : Eight Mile Road, Nine Mile Road, Ten Mile Road, Eleven... Les panneaux indicateurs défilaient inlassablement. Les petits commerçants suivirent le mouvement avec leurs baraques : vendeurs de pizzas, bars ouverts la nuit, vétérinaires. Le long des routes à quatre voies, brillamment éclairées au néon, on trouvait tout ce que l'on pouvait désirer, depuis les motels jusqu'aux tapis en solde. Mile après mile, de nouvelles tentations se présentaient. Les gens apprirent à parcourir ce gigantesque rayon de supermarché qui s'étendait sans fin le long de la route, observant les marchandises et s'arrêtant au gré de leur fantaisie.

Une nouvelle façon de vivre et de faire des achats avait vu le jour. Une nouvelle façon également de construire une ville, si l'on peut qualifier ainsi cet amas de bâtiments rassemblés sans méthode. En Europe, l'espace est précieux. Des ceintures vertes entourent les villes, dont l'expansion est limitée. Leur forme de base et leur caractère ont été définis des siècles avant l'arrivée de l'automobile.

Au contraire, dans les années 50 et 60, rien n'empêchait l'expansion de Detroit à travers les plaines du Michigan, sinon la rivière au sud. La ville s'étendit de plus en plus vers le nord. Le vide laissé au centre par le départ des habitants fut, au début des années soixante, comblé par les Noirs.

Les élections de 1961 mirent en évidence ce phénomène de façon frappante. Le principal opposant au maire en exercice, Louis Miriani, était un jeune Démocrate libéral, Jerome P. Cavanagh, partisan de l'égalité des droits. Le maire l'accusait de rechercher les suffrages des Noirs. Il perdit les élections. En 1961, les Noirs représentaient le tiers de la population de Detroit.

D'origine irlandaise, Jerry Cavanagh, âgé de 33 ans, possédait un certain charisme et plusieurs points communs avec les nouveaux locataires de la Maison-Blanche. Le jeune maire savait exposer les problèmes de sa ville en termes vibrants, même s'il n'avait pas vraiment la possibilité de leur apporter une solution. Son dynamisme focalisa l'attention de l'Amérique sur un phénomène qui commençait à devenir inquiétant : le délabrement du centre des grandes villes.

Après un discours vibrant prononcé devant l'American Municipal Association, il devint célèbre bien au-delà de Detroit. Voilà, pensa-t-on, un homme jeune qui connaît la réponse. La prospérité, la santé de la cité de l'automobile semblèrent à l'époque confirmer les promesses de Cavanagh.

Pendant l'été 1963, il reçut Martin Luther King à Detroit à l'occasion de la « Marche de la Liberté » marquant le vingtième anniversaire des événements de 1943. L'année suivante, le président Johnson choisit le sud-est du Michigan, où il fut accueilli par Cavanagh, pour annoncer son projet de « grande société ». Le discours du chef de l'État au Congrès en janvier 1965 s'inspira en grande partie des études faites par le jeune maire et de ses idées.

Les premières grandes émeutes des années soixante eurent lieu à Watts, un quartier de Los Angeles, pendant l'été 1965. C'était une chose qui n'aurait jamais pu arriver chez nous, dirent les habitants de Detroit. Cavanagh y veillait, pratiquant l'intégration dans la police et, grâce à son amitié avec le président, disposant des fonds fédéraux en quantité importante – voire disproportionnée.

De plus, Detroit avait une classe moyenne noire. Le ghetto maintiendrait l'ordre en son propre sein. L'université de Wayne State comptait 3 000 étudiants noirs, plus que dans toutes les universités Ivy League réunies. Il y avait à Detroit des avocats, des hommes politiques et des médecins noirs – Detroit était la seule ville américaine possédant deux représentants noirs au Congrès. Mais la fierté de la communauté noire était sa musique, le fameux son Motown, différent du blues et du gospel, plus rapide, plus rythmé, l'un des sons les plus représentatifs des années soixante. Berry Gordy, le fondateur de la marque de disques-Tamla Motown, un ancien ouvrier de Ford, venait de s'acheter une résidence de style Napoléon III sur Boston Boulevard, à quelques pas des maisons autrefois habitées par les frères Dodge, l'oncle Joseph Hudson et la jeune Miss Eleanor Clay.

Le 23 juillet 1967, vers midi, tout le quartier était envahi par la fumée. La 12ᵉ Rue n'était pas très éloignée de Boston Boulevard. A seize heures dix, Cavanagh téléphona au gouverneur du Michigan, George Romney, qui passait le week-end dans son domaine de Bloomfield Hills, et, avant le coucher du soleil, les soldats étaient sur place avec leurs gilets pare-balles, leurs casques et leurs mitraillettes.

La foule sortait du stade où venait d'avoir lieu un match de base-ball, et une grande partie des 50 000 spectateurs rentrèrent chez eux en faisant le tour de la ville par la voie express sans se rendre compte que la bataille faisait rage dans la 12ᵉ Rue. A la fin des affrontements, on compta 43 morts, 347 blessés et 7 000 arrestations.

La commission nationale d'enquête, la municipalité et la presse furent unanimes pour analyser les causes de l'émeute : le chômage élevé parmi les jeunes Noirs, les difficultés économiques, la chaleur étouffante de l'été. On découvrit par la même occasion que la classe moyenne noire de Detroit ne portait pas plus d'intérêt que les Blancs aux problèmes du ghetto.

Les médias servirent de bouc émissaire, et particulièrement la télévision, qui au cours des semaines précédentes avait diffusé des reportages sur les émeutes se déroulant dans les autres villes, montrant aux jeunes Noirs comment briser les glaces des magasins afin de s'emparer d'une télé couleur. Mais pourquoi une telle agressivité chez ces jeunes gens ? Pourquoi, qualifiés ou non, ne trouvaient-ils pas d'emplois dans l'une des plus grandes villes d'Amérique où, grâce à Henry Ford Iᵉʳ, l'emploi bien rémunéré d'ouvriers non qualifiés était né ?

La plupart des Blancs ne cherchèrent pas de réponse à ces questions. L'exode vers la banlieue s'accéléra. Les émeutes de juillet 1967 mirent aussi un terme à la carrière de Jerry Cavanagh. Il n'y avait pas de solution politique pour éviter ce genre de catastrophe. Detroit avait besoin d'un homme providentiel et, de façon inattendue, ce fut Henry Ford II.

Moins d'une semaine après les émeutes, les industriels blancs, les militants noirs, les leaders syndicalistes et les travailleurs sociaux se réunirent pour étudier la situation.

L'intervention de Walter Reuther fut de toutes la plus cohérente. Évitant toute rhétorique, il définit les causes et proposa des remèdes. Henry II écouta avec attention et fut fortement impressionné.

« Voilà ce que nous aurions dû faire, dit-il, quand il retourna à la “ Maison de verre ” ce jour-là, plutôt que de rester assis à nous tordre les mains. »

Trois mois plus tard, Levi Jackson, un cadre de la compagnie, lui proposait un programme précis. Jackson avait été le seul universitaire noir de Yale à qui la société avait proposé un emploi à la fin des années quarante. Il a souvent pensé qu'il devait cet emploi à la famille Ford. A l'université, il avait été capitaine de l'équipe de football et était devenu l'ami de William Clay. Quand il arriva à Dearborn en 1949, il eut un entretien avec un membre du service du personnel qui le reçut, les pieds sur son bureau. Soudain, Levi aperçut à travers la cloison vitrée son ancien camarade d'université. « Salut, Bill », s'écria-t-il. Son interlocuteur remit immédiatement les pieds à terre.

En octobre 1967, Jackson écrivit un rapport en dix points sur les problèmes des jeunes Noirs : au chômage ou employés de façon marginale, illettrés pour la plupart, connus de la police, ils ignoraient comment obtenir un emploi dans une usine de la Ford Motor. Ils avaient été au cœur des émeutes. Enfermés dans un cercle vicieux, ils constituaient le problème numéro un de Detroit. La première entreprise de la ville devait leur offrir une chance.

Le Minority Hiring Program (programme pour l'embauche des minorités), le premier du genre introduit aux États-Unis, était fondé sur les idées suivantes : les recruteurs devaient abandonner les tests sur l'instruction et ne pas tenir compte des problèmes mineurs que les jeunes Noirs avaient pu avoir avec la police – il s'agissait le plus souvent d'arrestations sans condamnation – et il leur serait offert une avance sur salaire pendant la première semaine d'emploi. Jackson proposa son plan à Henry II le 11 octobre 1967. Dans une réunion tenue le même jour, il l'exposa en détail, et le plan fut immédiatement adopté.

« L'égalité des chances pour l'emploi, déclara publiquement Henry II quelques semaines plus tard, ne réside pas seulement dans l'élimination de la discrimination raciale. »

La société installa deux bureaux d'embauche dans le quartier de la 12e Rue. Les tests écrits furent supprimés. On créa une nouvelle ligne d'autobus entre le ghetto et l'usine. Comme en 1914 au temps de Highland Park, on revit des files d'attente de plus de mille cinq cents chômeurs devant les bureaux d'embauche, et l'on s'aperçut de nouveau que les détenus libérés sur parole faisaient de meilleurs ouvriers que les autres – ils étaient en bonne forme physique et plus disciplinés. Les membres du service du personnel – comme autrefois les inspecteurs du Service Sociologique – tentaient de convaincre les nouveaux embauchés d'acheter un réveil, d'ouvrir des comptes d'épargne et de créer des comités d'entraide afin de remettre sur le bon chemin les camarades qui auraient tendance à s'en écarter.

Inévitablement, il y eut un certain taux d'échecs : 40 % en 1969, selon la propre évaluation d'Henry Ford II. Dans les mois qui suivirent la mise en œuvre du nouveau système de recrutement, on constata un accroissement des bagarres, de la vente de drogue, des vols. Les nouvelles recrues arrivaient souvent ivres au travail dès le matin. Le lundi matin, un grand nombre ne venait pas du tout.

Cependant, 40 % d'échecs égale 60 % de succès. L'absentéisme était traditionnellement élevé à la fonderie, où étaient affectés la plupart des jeunes Noirs embauchés. La drogue, les vols et l'absentéisme faisaient et font toujours partie de la vie quotidienne dans la construction automobile.

« S'ils n'avaient pas travaillé, déclara Henry Ford II en 1969, ils auraient chapardé un dollar ici ou là ou demandé la charité. Recevoir des secours n'est pas une attitude digne. Ces hommes peuvent garder la tête haute. On parle de la société matriarcale des Nègres : c'est une façon d'y mettre un terme. »

On aurait cru entendre Henry Ford Ier lui-même. La politique menée par Henry II après la crise de Detroit en 1967 rappelait celle de *l'engineering humain* exprimée dans son fameux discours de 1946 et les idées professées par son grand-père.

« Henry II prétend toujours qu'il ne sait pas grand-chose », dit son ami Max Fisher qui fut l'un de ses principaux alliés dans ses efforts pour donner un nouveau souffle à Detroit après les émeutes. Mais il se sous-estime. En fait, c'est un homme studieux et circonspect. »

Henry Ford II a souvent affecté un caractère bourru et cette attitude s'est accentuée avec l'âge, particulièrement sous l'influence de l'alcool. Mais lorsqu'un problème le préoccupe, il peut se concentrer avec une rare intensité. Il lit, fait des recherches, sollicite l'opinion d'experts. C'est son intelligence, son besoin d'apprendre, son ouverture d'esprit qui ont amené McNamara et les Whiz Kids à vouloir travailler pour lui en 1945. Ce sont ces qualités qui le firent s'opposer au racisme du maire de Dearborn, Orville Hubbard.

Les impôts municipaux provenaient pour 50 % de la Ford Motor et aidaient en fait le maire à appliquer une politique de discrimination. Cette situation gênait Henri II qui accorda discrètement son soutien aux opposants d'Hubbard. Pendant une année entière, il s'efforça, en restant dans l'anonymat, de créer un mouvement d'opinion contre la fameuse plate-forme électorale « Garder Dearborn propre ». Comme il fallait s'y attendre, ce fut un échec.

Pour le maire, il s'agissait d'une vaste plaisanterie. Il avait remporté sa première élection en 1941 contre un candidat soutenu par Harry Bennett et avait prénommé son fils Henry Ford. « Être aimable avec les gens, c'est mon slogan, répondit-il aux tentatives faites pour l'évincer, et cela concerne également le jeune Henry. »

Celui-ci ne lui renvoya pas le compliment : « J'ai tout laissé tomber, dit-il en 1969. Je ne peux pas le rosser mais je ne l'aiderai jamais. »

Les meilleurs aspects du caractère complexe d'Henry II se sont révélés dans sa lutte contre l'injustice raciale. Il a fait preuve de dynamisme et de courage. Il semble qu'il ait compris que la dégradation urbaine et l'absence de relations raciales harmonieuses n'étaient pas un effet du hasard. Cette situation tragique résultait des valeurs mêmes qui avaient rendu sa famille riche et célèbre. Les fautes de ses ancêtres retombaient sur Detroit et, en regardant ce désastre, le petit-fils du grand constructeur décida de faire son possible pour les racheter.

Trouver de l'argent était facile. Donald Thurber se souvient que, lorsqu'il collectait des fonds pour United Negro Colleges – qui n'était pas encore l'institution philanthropique à la mode qu'il devint plus tard –, il pouvait toujours compter sur une contribution généreuse de la Ford Motor et de son président. Le directeur noir de la National Urban League, Whitney Young Junior, reçut une fois à Noël une lettre manuscrite de Ford accompagnée d'un chèque de 100 000 dollars.

La croisade d'Henry II contre les préjugés allait au-delà des dons et au-delà des batailles entre Blancs et Noirs. Vers 1965, il fut le chef de file de la campagne pour l'admission de son ami Max Fisher et de deux autres hommes d'affaires juifs de premier plan au Detroit Club, dont les Juifs avaient toujours été exclus.

Henry II et Max Fisher avaient fait connaissance par l'intermédiaire d'Anne McDonnell Ford quand elle s'occupait de la venue à Detroit du Metropolitan Opera. Les rendez-vous réguliers notés sur son carnet comprenaient de nombreux déjeuners à l'autre bout de la ville, les habitants les plus riches de Grosse Pointe ayant commencé à émigrer vers la banlieue. De superbes synagogues s'élevaient sur les pentes vertes dominant les voies express du nord-ouest. C'est dans ce secteur qu'Anne avait commencé à collecter les fonds pour l'opéra et le musée. Elle choqua certains membres de la haute société de Grosse Pointe en invitant ses amis juifs à Bloomfield Hills à la réception donnée pour les débuts de sa fille Charlotte. Parmi les nouveaux amis de sa femme, Henry II éprouva une sympathie particulière pour Max Fisher, un financier qui s'était enrichi dans l'industrie pétrolière et l'immobilier. Celui-ci était déjà très connu à Detroit. Il devint en 1962 une personnalité de premier plan lorsqu'il acheta avec ses associés l'immeuble de vingt-huit étages de style gothique construit sur West Grand Boulevard par des homonymes, les frères Fisher. C'était sans conteste le plus bel édifice de Detroit. Max Fisher y installa la direction de sa société et s'épargna le prix d'une plaque à son nom.

Ami intime d'Henry Ford II, il ne tarit pas d'éloges sur lui. « Honnêtement, dit-il, il agit selon ce que lui dicte son cœur. Il a des sentiments très profonds. » Il reconnaît cependant qu'il « lui est souvent difficile de donner libre cours à ses émotions ».

Lorsque Fisher arriva à Detroit en 1930, étudiant brillant mais pauvre, le nom de Ford était pour lui synonyme de préjugés. Il n'en trouva pas trace chez Henry. « J'ai organisé pour lui deux voyages en Israël et je lui ai fait rencontrer les gens qu'il fallait », c'est-à-dire Golda Meir, Moshe Dayan et Shimon Peres (Max Fisher est l'un des plus généreux donateurs américains pour l'État israélien) mais je n'ai jamais cherché à le convertir. J'estime que c'est un homme à l'esprit ouvert et libéral. »

En 1966, la Ligue arabe menaça la Ford Motor de boycott, Henry II projetant de créer une usine de montage en Israël. Il n'abandonna pas son projet. « Personne, dit-il à Max Fisher, ne peut me dicter ma conduite. » Pendant près de vingt ans, les voitures et les camions Ford n'eurent pas accès au marché arabe.

« Il s'agissait d'une simple question de procédure commerciale », dit aujourd'hui Henry II en faisant abstraction des principes sur lesquels était fondée cette interdiction et du fait que les ventes de sa société sur le petit marché israélien n'ont pas compensé les pertes subies dans les pays arabes. « Je ne veux pas dire que j'ai été influencé en partie par le fait qu'on peut reprocher à la société son antisémitisme d'autrefois. Nous voulons dépasser cela. Ce qui importait, c'était que nous avions là-bas quelqu'un qui voulait vendre notre production. Bon Dieu, qu'il le fasse! »

En 1965, Henry II et Max Fisher essayèrent ensemble de trouver un remède à la misère qui régnait dans la cité de l'automobile. Un forum, « New Detroit », où Noirs et Blancs pourraient exposer ouvertement leurs différends fut organisé. Les magasins Hudson perdirent plusieurs centaines de clients quand ces derniers apprirent que le directeur, Joseph Hudson Junior, présiderait le forum.

Pendant l'automne et l'hiver 1967, les hommes d'affaires de l'establishment de Detroit se firent un devoir d'assister aux meetings qui se tenaient à l'Université de Wayne State sur Woodward Avenue, en face du musée. Des militants du Black Power en lunettes noires ne se privaient pas d'y exprimer leur rancœur et d'insulter les assistants.

Henry II cessa vite de participer à ces réunions, ayant des choses plus concrètes à faire, mais il n'était pas opposé au dialogue. Le révérend Albert Cleage était l'un des militants les plus passionnés de la communauté noire vers la fin des années soixante. Les Blancs de Detroit avaient eu le frisson lorsque le visage et les mains de la Vierge de son église avaient été peints en noir et l'église rebaptisée le « Sanctuaire de la Vierge noire ».

Cleage y invitait parfois des militants comme Rap Brown. Moins d'un mois avant les émeutes, celui-ci avait déclaré : « Motown, si tu ne te laisses pas convaincre, nous te détruirons par le feu. »

Dans l'atmosphère tendue qui suivit les émeutes, la plupart des Blancs considérait Cleage comme l'incarnation du démon. Les résidents de Grosse Pointe, ayant eu l'expérience désagréable d'être réveillés par les sirènes d'alarme des pompiers pendant cet été chaud et humide, vivaient dans la peur et craignaient que des militants comme Cleage provoquent de nouvelles violences. Les éléments conservateurs de « New Detroit » refusèrent d'admettre le pasteur dans leur comité. Devant cet affront, il décida en signe de représailles de ne plus se rendre au forum, ce qui pouvait avoir les conséquences les plus désastreuses.

Henry II voulut lui parler. Il était curieux de le connaître et de se faire sa propre opinion. « Je le rencontrerai où il voudra », dit-il. Il se rendit au cœur du ghetto, au Sanctuaire de la Vierge noire, et discuta avec le révérend pendant trois heures. Il rencontra à une autre occasion Norvel Harrington, un militant étudiant qui devait diriger plus tard la section des Black Panthers de Detroit.

« Henry n'avait pas peur, autant que j'ai pu le constater », dit Larry Doss, un autre militant noir qui refuse de définir les désordres de 1967 comme des « émeutes ». Il en parle comme d'une rébellion légitime des Noirs contre l'élite blanche exploiteuse.

« Henry est une sorte d'explorateur. Il aime les aventures spirituelles, dit encore Doss. Je pense qu'il trouvait excitant de rencontrer des militants et de parler d'idées qui faisaient mourir de peur la plupart des gens. Il réagissait toujours en termes d'action. “ Parfait, disait-il. Qu'allons-nous faire à propos de ça ? ” »

De même que son grand-père, Henry II affrontait les problèmes sociaux dans une perspective pragmatique, en cherchant une solution.

« Certains d'entre nous qui pensaient bien connaître Henry Ford avaient presque le sentiment à cette époque qu'il leur était devenu étranger, dit Allen Merrell, un de ses amis d'enfance qui devint plus tard vice-président de la société. Il allait trouver des gens avec qui nous avions peu de chose en commun, il les acceptait, il les comprenait et interprétait leurs sentiments pour nous. Il était devenu un autre homme. »

Pour quelqu'un qui avait échoué en sociologie à Yale, Henry II dirigea dans ce domaine des enquêtes remarquables pendant l'automne et l'hiver 1967. Il engagea un conseiller sur les affaires raciales, un sociologue de Pittsburgh qui constitua un groupe d'études avec Levi Jackson et Larry Washington, un autre Noir travaillant au service du personnel chez Ford. Ils se réunissaient chaque semaine pour lui communiquer les résultats de leurs recherches.

Ces enquêtes suscitèrent des initiatives propres à occuper une dizaine d'écoles de sociologie. Tous les fournisseurs de la société furent passés en revue. On encouragea les entreprises détenues par des Blancs à mettre sur pied des programmes d'embauche des minorités. Des entreprises dirigées par des Noirs reçurent des contrats plus importants. Les directeurs de Ford furent délégués afin de superviser certains projets de reconstruction de la communauté lancés après les émeutes. Arjay Miller, président de la société depuis 1963, fut chargé de l'EDC (Economic Development Corporation), une idée personnelle d'Henry II, qui fournissait aux Noirs le capital initial pour monter de nouvelles affaires. L'ICBIF (Inner City Business Improvement Forum), fondé par Larry Doss et d'autres Noirs, fut un des principaux bénéficiaires des fonds de l'EDC. Henry II en rencontra les dirigeants à l'époque même des émeutes. Outre son plan pour l'emploi d'ouvriers noirs non qualifiés dans son usine, il recruta davantage de Noirs à des postes de direction. Il servit aussi de garant pour les Noirs qui voulaient créer leurs propres banques ou organismes financiers. « Comment les minorités peuvent-elles agir dans une société capitaliste, disait-il, si elles ne possèdent pas leur propre capital ? »

« Henry Ford n'était pas le seul homme d'affaires blanc à s'occuper des problèmes des Noirs, dit Larry Doss. C'était un effort commun. Mais il en fut sans conteste le leader, tout le monde peut vous le dire. A partir de 1967, et pendant plus d'une décennie, il montra un engagement sans faille. Il fit vraiment avancer Detroit. Il fut l'un de ceux qui montrèrent le chemin. »

Quand Henry II, à la fin des années quarante, tentait de sortir l'entreprise du chaos où l'avait mise son grand-père, les domaines agricoles crées par ce dernier paraissaient particulièrement excentriques. Quel gaspillage d'argent que de faire pousser du soja sur la moitié de Dearborn!

Vingt ans plus tard cependant, on s'aperçut que le vieillard n'était pas si fou qu'il en avait l'air. Il avait toujours prédit le mouvement de la population de la ville vers les campagnes avoisinantes. Dans les années cinquante, les fermes se révélèrent un véritable investissement, la valeur du terrain augmentant avec la politique raciale du maire Hubbard. Henry II n'était guère satisfait de payer des impôts qui servaient effectivement au maintien de la discrimination.

En 1971, la Ford Motor Land Company, qui gérait et développait l'empire rural si judicieusement édifié par Henry Ier, était l'une des divisions les plus petites de la société, mais l'une des plus rentables. Elle projetait cette année-là de créer le plus grand centre commercial du Michigan.

Il devait être construit sur les champs de soja qui s'étendaient de l'autre côté de la voie express de Southfield en face du Ford World Headquarters. Le site était si bien placé que Hudson's, Sears, J.C. Penney, Lord and Taylor y achetèrent du terrain pour leurs magasins. La société Hyatt fit de même pour construire un de ses fameux hôtels, avec serres, ascenseurs extérieurs vitrés et train d'accès futuriste sur pilotis.

Comme l'ensemble empiétait sur l'ancien jardin d'Henry Ford, on le baptisa Fairlane. Le centre commercial de Fairlane symbolisait parfaitement les problèmes de Detroit. C'était encore un exemple de développement réalisé en banlieue, en contradiction avec toutes les idées d'Henry Ford II, son programme d'embauche pour les Noirs, son aide aux fournisseurs de la minorité et tous ses efforts pour faire revivre le centre de la ville. Si Henry II avait vraiment à cœur le renouveau urbain, estimait Larry Doss, qui venait d'être nommé président du « New Detroit », il aurait du investir davantage dans le développement de la ville elle-même.

« Nous avions une réunion dans son bureau, raconte Doss, au dernier étage de la " Maison de verre ", d'où l'on pouvait voir la rivière et la ville. Je ne me souviens plus exactement si nous sommes allés jusqu'à la fenêtre, mais je lui ai dit : « Regardez, le moment d'agir est venu, de faire quelque chose qui prouve vraiment que vous croyez ce que vous dites. »

Doss savait évidemment qu'Henry avait déjà fait plus que personne et ajoute : « C'est pour cette maison que je le poussais en avant. Quand les Noirs voyaient toutes les réalisations faites dans la banlieue, on ne pouvait leur reprocher de se montrer sceptiques devant les déclarations de l'establishment blanc aux meetings du " New Detroit ". Henry devait prendre encore plus d'initiatives. Je n'étais pas en colère contre lui, ce n'est pas mon style. Je lui lançai simplement un défi et je me souviens qu'il eut un petit sourire. »

Finalement, Doss obtint ce qu'il voulait et même davantage. Henry II admet aujourd'hui que ces propos le piquèrent au vif et le firent réfléchir. Grâce à Alfred Taubman, un magnat du commerce qu'il avait connu par Max Fisher, il tira profit en un temps record de ses investissements dans la banlieue et fit construire dans le centre ville, sur l'emplacement d'un vieil entrepôt à céréales situé près de la rivière de Detroit, à l'entrée du tunnel conduisant au Canada, un immense centre commercial avec des boutiques, des restaurants, des clubs et un hôtel. Quand on approche de Detroit aujourd'hui, on aperçoit de loin les hautes tours de verre du Renaissance Center, et il semble que ce soit le cœur de Detroit.

Robert McCabe, un expert en développement urbain découvert par les chasseurs de têtes de Ford et recruté par Max Fisher, se souvient d'un entretien avec Henry II au printemps 1971. Ce dernier avait soumis à son équipe son projet d'un centre commercial comparable à Fairlane pour le centre de Detroit. « Ils estiment qu'il n'existe pas de clientèle dans ce secteur », dit-il. « Je sais, répliqua McCabe, c'est à nous de l'y amener. »

Max Fisher, de son côté, au cours d'une discussion avec Henry II au bord de sa piscine près du Franklin Hills Country Club l'été de cette même année, fit appel à son sens du devoir. « Je lui dis que le nom de Ford représentait quelque chose d'important à Detroit, qu'il était le seul à pouvoir faire quelque chose et qu'il " devait " le faire. »

Il est difficile de définir, chez un Ford, l'importance du sentiment de ses obligations sociales. Si l'on faisait appel au sens du devoir d'Henry Ier ou II, les conséquences étaient incertaines. Si l'on faisait appel à leur goût du risque, ils n'épargnaient ni leur temps ni leur argent pour les causes qu'ils embrassaient.

Henry II se lança pendant six ans dans une véritable croisade pour construire le Renaissance Center. Le projet fut officiellement annoncé à l'automne 1971 et l'ouverture du complexe commercial eut lieu au printemps 1977. Le président de la Ford Motor consacra une énergie considérable à réunir des fonds, les 357 millions nécessaires provenant de la Ford Motor et de cinq autres corporations – dont Chrysler et General Motors.

« J'étais assis près de lui à l'une de ces réunions et ce fut un spectacle extraordinaire, dit Alfred Taubman. Personne n'était prêt à risquer de l'argent. Ils savaient qu'ils le perdraient – et ce fut malheureusement ce qui se produisit. Mais Henry leur dit : " Allons, messieurs. Nous avons tellement pris, nous devons rendre un peu maintenant. " Et il réussit à les convaincre. » Il ne s'agissait pas seulement de séduire ou de plaider pour une cause juste.

Le Renaissance Club est situé au dernier étage du complexe. Par les jours de grand vent, on peut sentir la tour osciller et, quand le ciel est clair, la vue s'étend jusqu'aux lacs Saint-Clair et Érié. Henry II le créa quand les membres du Detroit Club déclinèrent poliment l'invitation qui leur était faite de venir s'installer dans la nouvelle mini-ville. On peut voir à l'entrée une plaque avec la liste des personnalités et des sociétés qui ont participé à la construction du complexe.

« Celui-ci fabrique les courroies de ventilateurs pour Ford, nous a-t-on expliqué, celui-là, les ceintures de sécurité. Voilà les fournisseurs des indicateurs de vitesse. Les compagnies d'assurances. C'était une simple question de survie – il fallait mettre la main au portefeuille ou dire adieu aux contrats avec Ford. »

Le centre de Detroit, contrairement à Manhattan ou au Loop de Chicago, avait toujours manqué de bureaux et des dizaines de milliers d'employés qui, à l'époque où les ordinateurs n'existaient pas encore, travaillaient dans les banques et les compagnies d'assurances.

Les hauts salaires proposés par les usines de construction automobile de Detroit avaient contribué à éloigner les employés de bureau du centre de la cité – les autres patrons pouvaient difficilement soutenir la compétition. Les trottoirs du centre étaient presque déserts, même dans Griswold Street. Les tours du Renaissance Center furent donc également conçues pour servir de bureaux.

Il fallait trouver des locataires. Pourquoi pas, pour commencer, Manufacturers, la banque de la Ford Motor, et ensuite J. Walter Thompson, la principale agence de publicité de la compagnie?

Le Renaissance Center se dresse sur les bords de la rivière de Detroit comme un monument à la gloire de l'engagement et de l'énergie d'un homme. Il ressemble aux immeubles immenses, tout de vitres et de ciment, des villes modernes américaines : jets d'eau, arbres, escaliers roulants. Il évoque une ville du futur, une station spatiale. Et, disent ses critiques, il s'est montré aussi mal adapté pour résoudre les problèmes du centre de Detroit.

Quand le *Rencen* ouvrit ses portes en avril 1977, on pouvait difficilement imaginer que ses boutiques étaient réservées à une population ouvrière : Cartier, Gucci, Mark Cross, une galerie d'art oriental dirigée par Alfie, le neveu d'Henry II. Un match de basket ou de football drainnait davantage les foules.

Pendant les huit premières années, le Renaissance Center fut déficitaire de façon permanente. Il n'avait rien qui fût susceptible de favoriser le commerce de détail. Sa configuration déconcertait. Il impressionnait par sa taille. John Portman, l'architecte qui l'avait conçu, était considéré comme le meilleur de la profession, mais sa réalisation manquait de chaleur et de charme. L'immeuble réservé aux bureaux ressemblait à un rempart séparant la forteresse de Jefferson

Avenue et créant une sorte de barrière qui coupait l'ensemble du complexe du centre de la ville. Il était trop éloigné de Bloomfield Hills ou de Grosse Pointe et personne ne voyait l'intérêt de faire un aussi long trajet et de payer des prix de parking élevés. De plus, tous ces assassins et ces ivrognes des bas quartiers dont parlaient les journaux n'étaient pas loin.

En l'espace de deux ans, les entrepôts du Renaissance Center se remplirent d'un fouillis de marchandises invendues. Les vitres des boutiques furent badigeonnées de blanc. L'hôtel « le plus haut du monde » ne fut jamais occupé à plus de 60% de sa capacité.

Quand la Ford Land avait estimé qu'il n'y aurait pas de clientèle pour un complexe aussi ambitieux situé au cœur d'une ville industrielle, elle n'avait même pas compté avec la récession catastrophique qui allait bientôt frapper la cité de l'automobile. Entreprise au moment de la crise pétrolière, la construction, avec la hausse des taux d'intérêts, coûta 100 millions de plus que prévu. En 1980, Ford et ses cinquante associés durent renégocier leurs hypothèques. En 1983, ils ne purent faire face aux échéances et durent renoncer à plusieurs centaines de millions de dollars en cédant le complexe commercial aux compagnies d'assurances, qui en devinrent, avec la Ford Land, les nouveaux propriétaires.

La liste des profits et pertes ne rend cependant pas compte de toute l'affaire. Max Fisher, Robert McCabe, Joe Hudson et les autres Blancs qui s'étaient attaqués avec une telle ardeur à la résurrection d'une ville dont la population compte aujourd'hui 70% de Noirs estiment que le Renaissance Center apporta plus à la ville qu'aucun livre de comptes ne pourrait l'exprimer. Et ils ont raison. Pendant l'été, le complexe s'emplit d'une foule grouillante venue assister au Grand Prix de Detroit (une autre idée d'Henry II) et fait l'orgueil de la communauté.

Fisher et Taubman, qui ont construit deux immeubles de résidence à quelques centaines de mètres le long de la rivière, estiment qu'ils ne se seraient jamais risqués à créer un quartier résidentiel si Henry II n'était pas d'abord allé de l'avant. Le Renaissance Center à constitué une sorte de catalyseur pour la construction immobilière dans le centre de Detroit, et le complexe témoigne encore aujourd'hui du fait que la ville n'a pas perdu confiance en elle-même.

« Sans lui, nous ne serions pas là, dit Larry Doss. C'est un investissement à long terme pour l'avenir de la ville. Une affirmation de ce que nous avons l'intention de faire sur le plan économique et spirituel. Si Detroit échoue, qui d'autre, en Amérique du Nord réussira ? »

La question est importante et judicieuse, et l'inspiration existe, du moins au sommet. On n'a jamais rencontré de supporters aussi enthousiastes et déterminés. Mais la situation n'est pas plus brillante pour Detroit sur le plan économique que pour les autres vieilles villes américaines.

Quand on quitte la ville par un soir d'été et qu'on roule sur l'autoroute du Nord-Ouest, au-delà de Ten Miles et en direction de Hunters Ridge et de Pebble Creek, on s'aperçoit alors que la cité de l'automobile connaît, et continuera à connaître, la prospérité. Comme il est agréable de se trouver là quand les derniers rayons du soleil dessinent les angles des gratte-ciel et des tours commerciales. La cité de l'automobile est riche mais cette richesse se trouve ici et non dans la ville.

Henry Ford a pratiquement fait un miracle. Son Renaissance Center a permis de sauver la vieille ville, le lieu où Cadillac posa le pied et où son grand-père Henry Ier connut des débuts difficiles comme apprenti chez Flower Brothers, il y a un siècle de cela. Grâce à lui, le vieux Detroit est resté le centre d'une série de petites villes et de villages. Il n'est plus guère autre chose qu'une sortie sur l'autoroute, de même que Los Angeles est devenue une prolifération sans fin d'agglomérations sans véritable cœur.

Une tristesse se dégage de ses rues sans immeubles, envahies d'herbe folle et de voitures brûlées, de ses terrains vagues. Comment un ville entière a-t-elle pu en arriver là ? A la base, bien sûr, on trouve le problème racial. Le centre de Detroit est aujourd'hui une ville exclusivement noire. Les Blancs l'ont quitté et les Noirs ne sont pas sûrs d'avoir envie de les voir revenir. La criminalité, le trafic de la drogue sont en pleine expansion. Les armes à feu semblent faire partie de l'équipement domestique. Selon les dernières estimations, on en compte 300 000 de plus que d'habitants. Dans les écoles, les élèves sont passés au détecteur et fouillés comme s'ils prenaient un avion d'El Al. Le délit le plus fréquent est évidemment le vol de voitures : un toutes les neuf minutes.

Hawkins Ferry, qui écrivit l'histoire de Detroit et de ses bâtiments, donne une explication économique : « Il y a, écrit-il, dans ce spectacle brut et inachevé, un reflet de la mobilité du processus industriel lui-même. » L'automobile a mis Detroit en pièces détachées. Par un effet centrifuge, ce qui était le plus lourd a été rejeté vers l'extérieur. Dans une société où tout est jetable, la ville est devenue un dépotoir.

Henry II a essayé de stopper ce processus et l'on peut comparer sa tentative à celle de son grand-père à Inkster dans les années trente, mais plus justement encore à ce qu'Henry Ier essaya de faire a Greenfield Village pour arrêter la marche du temps. Après les émeutes, Henry se lança dans une aventure plus grandiose. Il tenta de stopper l'atomisation de Detroit, de sauver la ville animée de son enfance. C'était vouloir l'impossible, et on ne peut lui reprocher son échec. Il se battit contre l'automobile et le racisme, deux des composantes de la vie moderne américaine. La guerre qu'il mena se termina, comme celle de son grand-père, par une défaite, mais cette croisade témoigne de son sens de l'humain et de son courage. Ce fut son « Bateau pour la paix. »

32

Bunkie

Selon l'une de ses femmes, quand Henry II se levait du pied droit le matin, il se regardait dans le miroir en se rasant avec un petit sourire. « Je suis le roi, disait-il avec satisfaction, et le roi ne peut rien faire de mal! »

Au fil des années, ses cadres apprirent la vérité de cette affirmation, parfois à leurs dépens. En février 1968, Arjay Miller, qui avait remplacé John Dykstra comme président en 1963, trouva en rentrant de voyage un message qui l'attendait au terminal privé de la Ford à l'aéroport. Pouvait-il se rendre immédiatement au Ford World Headquarters? Le président voulait lui parler. Dans les bureaux déserts – c'était un dimanche soir –, il apprit qu'il devait abandonner son poste.

Il y eut d'autres surprises ce mois-là. Bugas fut mis à la porte. Henry II en était arrivé à la conclusion que l'ex-agent du FBI n'était pas un homme d'affaires particulièrement brillant. En 1965, il avait déjà mis son vieux compagnon d'armes sur la touche, après six ans à la direction internationale de Ford. Bugas était parti pour Washington. Il émargeait toujours chez Ford et avait fait du bon travail en représentant la compagnie et d'autres constructeurs automobiles dans les conflits avec le gouvernement. Mais finalement le roi avait pris sa décision.

« Laissez-lui son titre, dit Cristina. Envoyez-le en Australie. »

« Non, répliqua Henry II, il doit partir. »

Bugas s'en alla donc, mais Cristina s'aperçut que son mari avait pris des tranquillisants pendant deux jours avant de licencier son vieil ami.

Ce grand nettoyage se produisit après cinq ans pendant lesquels l'entreprise avait prospéré – mais pas assez cependant. Arjay Miller ne fut finalement pas renvoyé. Henry l'écarta en lui donnant le titre de vice-président.

Arjay n'avait rien à se reprocher. Pendant ses cinq années de présidence, la compagnie avait connu de grands succès. Il avait eu l'idée d'installer Ford au Japon et la prudence, en bon comptable qu'il était, d'empêcher Ford-Angleterre d'acheter le groupe Rootes – Chrysler l'acheta et en supporta les conséquences désastreuses pendant dix ans.

Cependant, Ford n'avait pu réussir à égaler Chevrolet – même avec la Mustang de Lee Iacocca. Lincoln-Mercury ne pouvait soutenir la comparaison avec Buick, Oldsmobile, Pontiac et Cadillac, les divisions gagnantes de General Motors. Et dans le domaine des voitures, Miller n'était pas en mesure de proposer une solution.

Henry II avait conscience que les choses allaient à la dérive, mais il savait qu'il ne pouvait lui-même y remédier. Il avait d'abord été perturbé par ses problèmes conjugaux, puis, après son mariage avec Cristina, les affaires de Detroit l'avaient complètement absorbé. Les Ford n'étaient pas seulement des fabricants de voitures, mais des personnalités publiques. Le rôle décisif joué par Henry dans les questions sociales en avait fait une personnalité nationale.

En janvier 1968, le président Johnson qui, dans le cadre de son projet de « grande société », souhaitait une coopération entre le gouvernement et le secteur industriel, l'appela à la Maison-Blanche. Il voulait créer 500 000 nouveaux emplois et Henry II, qui s'était attaqué au problème du chômage à Detroit, lui semblait l'homme idéal pour prendre la direction d'un nouvel organisme, la National Alliance of Businessmen.

C'était, pour Henry II, à la fois un honneur et un devoir. De plus, il avait une grande admiration pour Johnson. A la surprise générale, il avait quitté le parti républicain en 1964. Il aimait le style terre à terre et bon enfant de Johnson. Ce dernier, lui ayant confié qu'il avait appris à conduire avec une Ford, il fit rechercher le modèle de cette année-là et organisa une réception pour le lui offrir.

Henry II et Cristina rencontraient souvent les Johnson. Ils se rendaient à Washington pour dîner à la Maison-Blanche, échangeaient des vœux pour les anniversaires. Plusieurs lettres adressées par le président à Henry II l'assurent qu'il peut se considérer comme un « ami » et qu'il est un « bélier qui conduit le troupeau de la nation ».

La nomination d'Henry II à la tête de la National Alliance of Businessmen fut sans doute une décision du président. John Macy, un de ses collaborateurs, n'avait pas une haute opinion des facultés intellectuelles du constructeur. « Ford n'est pas très brillant... » peut-on lire dans un de ses dossiers. « Ne peut apporter une contribution à une commission politique ». Mais il lui reconnaît cependant « la capacité de former une équipe excellente et de représenter un atout politique ».

C'était certainement exact. Henry soutint fermement toutes les positions de Johnson – y compris son engagement au Viêt-nam malgré ses profondes réticences personnelles. On décida qu'il dirigerait le NAB pendant trois ans à partir de la réélection de Johnson. La question se posa alors de savoir qui s'occuperait de la Ford Motor pendant cette période.

La réponse vint par miracle et permit à Henry II de concilier ses activités politiques et son désir d'avoir à la tête de la compagnie un homme véritablement compétent dans le domaine de l'automobile. Au moment précis où il fut contacté par la Maison-Blanche, il apprit que Semon S. « Bunkie » Knudsen, de la General Motors, voulait quitter cette firme et cherchait du travail.

Bunkie était le fils de William Knudsen, qui avait aidé Henry Ier à mettre sur pied ses chaînes de montage et à construire les bateaux Eagle et qui avait été renvoyé pour sa peine – Knudsen qui avait conçu la Chevrolet à six cylindres. Sur les traces de son père, Bunkie avait gravi les échelons de la General Motors, dont la présidence lui avait échappé au bénéfice de son rival Ed Cole, pour qui il éprouvait une profonde antipathie. Il cherchait le moyen de prendre sa revanche. Dans les années vingt, un Knudsen avait permis à Chevrolet de remporter la victoire sur Ford. Un autre Knudsen pourrait peut-être lui faire retrouver la suprématie si longtemps perdue.

Sans être un ami intime, Henry II connaissait Bunkie et appréciait sa compétence. Il avait même tenté, dans les années soixante, de l'attirer chez Ford. Chose rare dans la profession – et c'était sans doute ce qui intriguait si fort Henry II –, c'était un véritable aristocrate qui s'y connaissait en automobile.

On parlait du marché que représentaient les jeunes et comment Iacocca l'avait conquis, mais une dizaine d'années avant le lancement de la Mustang, Bunkie Knudsen et John Z. De Lorean, le jeune ingénieur dans le vent qu'il avait recruté chez Packard, avaient pris les rênes de la division Pontiac de la GM. Les deux hommes avaient complètement modifié l'image de marque de la firme.

Jusqu'à ce que Bunkie et De Lorean prennent la direction de Pontiac à la fin des années cinquante, le profil des ventes de cette marque était symbolisé par la mascotte ornant ses voitures : le masque mortuaire du vieux chef indien Pontiac, avec un réflecteur derrière les yeux pour les faire briller spectralement dans le noir. Bunkie enleva l'Indien.

« Pourquoi cette image de course à la mort ? », demanda-t-il.

Il espaça les roues de la tranquille Pontiac des familles qu'il équipa de pneus larges pour leur donner un profil agressif et bas, et la fit participer à quelques courses.

« Impossible de vendre un produit pour vieil homme à une jeune personne, expliquait-il. Mais on peut vendre un produit pour jeune à un vieux. Beaucoup d'hommes de plus de 60 ans se voient encore en jeans. »

Avec cette philosophie, Knudsen amena Pontiac de la sixième à la troisième place pour le chiffre total des ventes de véhicules aux États-Unis – et, en 1959, Pontiac dominait le marché de la voiture à prix moyen, ciblé par Ford. Sa division occupait 30 % de ce marché, et Bunkie passa alors à la tête de Chevrolet dans les années soixante. La Monza sortit sous sa direction – bien que Bunkie n'ait jamais apprécié l'original ni aucun des dérivés de la malheureuse Corvair, produit des idées, comme il le faisait plaisamment remarquer, d'Ed Cole.

Après la victoire d'Ed Cole dans la course à la présidence de GM, Knudsen ne se résigna pas à rester le numéro 2. Il était déjà multimillionnaire grâce aux terrains acquis par son père à Bloomfield Hills, et il possédait aussi 3 millions de dollars du capital de la GM.

Il annonça donc à James M. Roche, le président-directeur général de la firme, son intention de démissionner. Le lendemain, il reçut un coup de téléphone :

– Henry Ford à l'appareil.

Knudsen pensa d'abord à une blague. Il avait un ami spécialiste de ce genre de plaisanterie. Mais il s'avéra bien vite que ce n'était pas le cas. On lui avait raconté quelque chose, dit Ford, et il voulait savoir si c'était vrai.

– Tout dépend, répliqua Knudsen, de ce qu'on vous a raconté. Voulez-vous que je vienne à votre bureau ?

Henry pensait que ce n'était pas une bonne idée.

– Chez vous ?

Ce ne serait pas mieux car Cristina avait des invités; on « parlait italien dans toute la maison » !

Ils décidèrent donc de se rencontrer le lendemain samedi à dix heures du matin à Bloomfield chez Knudsen, de l'autre côté de la ville. A dix heures cinq, celui-ci aperçut une Oldsmobile qui s'engageait dans l'allée. « Me voilà dans de beaux draps, pensa-t-il, c'est quelqu'un de la General Motors. » Il aurait été en effet fort gêné d'être surpris à prendre le café en compagnie du chef de la compagnie rivale. En fait, il s'agissait d'Henry Ford lui-même, qui avait voulu éviter de se faire remarquer au volant d'une de ses propres voitures.

Quand Bunkie Knudsen prit la direction de Ford, au printemps 1968, il fut très étonné de trouver une firme en bonne santé et qui semblait se satisfaire de sa position de numéro 2 dans l'industrie automobile. Rien n'indiquait qu'elle souhaitait rivaliser avec Chevrolet.

Musclé, large d'épaules, d'apparence soignée et avec une allure scandinave qui rappelait plus celle de Charles Sorensen que son père, il s'attaqua avec opiniâtreté à la tâche. Selon une discipline qui s'imposait déjà à la General Motors, il arrivait très tôt au travail. Ted Mecke, qui dirigeait le service des relations publiques de Ford depuis 1963, était lui-même un lève-tôt. On le trouvait toujours à son bureau à huit heures. Le jour de l'arrivée de Knudsen, en entrant dans son bureau, il s'aperçut que la lumière indiquait que le patron le demandait déjà. Pour montrer sa bonne volonté, Mecke décida le lendemain d'arriver à sept heures quarante-cinq, puis à sept heures trente le surlendemain, et à sept heures le jour suivant. Chaque fois, Knudsen l'avait précédé. Il estima alors qu'il en avait assez fait.

Cette habitude n'était pas non plus typique de la GM. Harley Earl protestait quand Knudsen organisait des réunions à sept heures du matin dans l'atelier de conception. « Bon Dieu, protestait-il, vous vous levez avec les oiseaux. » Et le grand designer arrivait quand bon lui plaisait.

Chez Ford, les nouveaux subordonnés de Knudsen se laissaient davantage intimider.

Lee Iacocca arriva un matin à l'aube habillé d'un costume bleu vif. « Je sais que je vous fais lever tôt, dit Knudsen, mais par tous les diables, d'où avez-vous sorti ce foutu costume? »

La réflexion était apparemment sans méchanceté. Elle pouvait même passer pour un compliment. Knudsen était pratiquement daltonien et il fallait vraiment porter des couleurs vives pour attirer son regard.

Lee Iacocca n'apprécia pas la plaisanterie. Sa femme, Mary rapporte qu'il gardait chez lui une feuille de papier sur laquelle il notait l'évolution de sa carrière avec les promotions et les salaires qu'il souhaitait obtenir, et les dates précises qu'il s'était fixées. L'arrivée de Bunkie retardait de huit ou dix ans son programme.

Début 1968, Iacocca était arrivé à la conclusion qu'Henry II ne laisserait pas Arjay Miller à la présidence pour un autre mandat de cinq ans et il se préparait à la succession. Il se mettait en valeur, critiquait Arjay et soumettait directement au patron des projets que celui-ci acceptait.

Mais Bunkie était tombé du ciel. Il avait 55 ans et pouvait donc passer plus de dix ans à la direction. Lee aurait alors presque le même âge. Déjà déçu d'avoir été nommé vice-président à 36 ans seulement, le délai lui semblait trop long.

« Lee était passé par dix échelons de direction pour arriver là où il était, dira plus tard un de ses collègues, et il n'avait aucun scrupule à passer par-dessus la tête de Bunkie. »

John Nevin, un cadre sans grande envergure qui avait été promu vice-président pour le marketing par Iacocca, voyageait un jour avec son patron dans un avion spécial de la société. Iacocca lui demanda s'il avait lu dans *Sports Illustrated* un récent article sur le célèbre entraîneur de football Vince Lombardi. L'adoration des joueurs pour celui-ci le frappait. Ils semblaient prêts à le soutenir envers et contre tous. Iacocca tint ces mêmes propos à tous ceux qu'il considérait comme ses fidèles. Tout le monde saisit l'allusion. Il n'y aurait pas de compromis, pas de demi-mesure. Ceux qui ne seraient pas pour Lee seraient contre. Pendant l'été 1968, les deux camps se préparèrent à la bataille.

Bunkie Knudsen n'était pas un néophyte. On ne passe pas trente ans chez General Motors sans apprendre quelques petites ruses. En peu de temps, il établit son autorité dans l'arène la plus visible : l'atelier de conception. Les voitures du salon 1970 étaient prêtes pour la fabrication, « locked up » selon le jargon des ingénieurs, mais Bunkie fit enlever quelques centimètres à l'avant de la Thunderbird, lui donnant un nez plus proéminent, modifia les feux arrière. La Ford ressemblait ainsi à une Pontiac.

Knudsen agissait comme s'il était Mister Ford. Et, dans un certain sens, il l'était. L'une de ses fonctions consistait à remplacer Henry II quand celui-ci était en voyage. Aucun président n'avait eu des pouvoirs aussi étendus avant lui. Il fut le premier à obtenir l'échelon 23 et à recevoir le même salaire que Henry Ford II : 200 000 dollars, et une prime de 400 000 la première année. Les vice-présidents dépendaient directement de lui. Lee Iacocca avait déjà donné son accord pour la Thunderbird avant que Bunkie lui apporte des modifications.

Lee attendait son heure. Il savait qu'il valait Bunkie. Il venait de produire le premier équivalent pour Detroit des petites voitures d'importation : la Maverick, qui dans les premiers mois se vendit aussi bien que la Mustang. Il travaillait avec acharnement sur la Pinto avec l'objectif « 2 000 – 2 000 », selon sa tradition. La voiture devait peser 2 000 livres et se vendre 2 000 dollars. En attendant, pour répondre à l'objection selon laquelle on ne pouvait gagner de l'argent avec de petites voitures, il venait de présenter sa dernière création, qui, plus que la Mustang, lui était vraiment personnelle.

Il avait eu une sorte d'illumination alors qu'il se trouvait au Canada. Pendant une insomnie, il avait téléphoné à Gene Bordinat à Detroit : « Mettez-moi une calandre de Rolls-Royce à l'avant de la Thunderbird », lui dit-il. Cette voiture sport à deux places de la taille d'une limousine fut baptisée la Lincoln Continental Mark III. Elle avait un vague air de famille avec la Mark I d'Edsel et la Mark II de William Clay Ford de par la roue de secours placée à l'arrière. Elle n'était pas performante et pesait aussi lourd qu'un corbillard. Avec son capot allongé, sa lunette arrière ovale, c'était presque une caricature du genre de carrosserie que les octogénaires de Palm Beach aiment conduire. En un an, ses ventes dépassaient celles de la Cadillac Eldorado, la plus vendue des voitures de luxe à deux portes.

Du point de vue des coûts de fabrication, elle ne revint guère plus cher que ce que Iacocca avait prévu, soit environ 30 millions de dollars, un record pour un nouveau véhicule haut de gamme. Lincoln en tirait 2 000 dollars net de bénéfice par unité. C'était la première fois que cette division n'était pas déficitaire depuis que Henry Ier, au début des années 20, l'avait arrachée des mains des Leland. En quelques années, elle rapporta à la Ford Motor un milliard de dollars.

Conçue et fabriquée avant l'arrivée de Bunkie Knudsen à Dearborn, la Lincoln Continental III plaça soudain la compagnie sur le marché des voitures de luxe à prix moyen.

Knudsen commit, sur le plan stratégique, une grave erreur : il n'amena avec lui aucun allié. Il plongea la tête la première dans la piscine pleine de requins de Ford sans aucune protection et ne se comporta pas comme le font classiquement les nouveaux patrons en faisant tomber des têtes. Quand Lee Iacocca prit ses fonctions chez Chrysler, il licencia plus de trente vice-présidents. Bunkie se contenta d'en renvoyer un seul.

Knudsen explique aujourd'hui cette attitude : « Ce n'est pas ma façon d'agir. Je me suis débarrassé chez Pontiac de quelques personnes inefficaces. C'est la raison pour laquelle je fis appel à De Lorean. Mais chez Ford, il n'y avait pas de problèmes. »

Bunkie amena cependant un de ses collègues de GM, Robert Hunter, ainsi que Larry Shinoda, un Américain d'origine japonaise qu'il plaça dans l'atelier de conception. Celui-ci s'était fait une réputation en dessinant des voitures de sport et de course comme la Corvette 63. Il avait également participé à la réalisation de la Monza GT, ce qui ne lui attira pas spécialement l'estime des concepteurs de Ford. Il ne fit lui-même aucun effort pour se montrer agréable. Peu après son arrivée, il donna une interview à la presse automobile en déclarant qu'il serait le premier vice-président américano-japonais à Detroit, une ambition qu'il ne pouvait réaliser qu'en éliminant Gene Bordinat.

C'était un débrouillard. Quand Bordinat l'ignorait ou le mettait sur la touche en lui confiant des projets sans avenir, il en profitait pour aller prendre des contacts dans les autres divisions de la société.

Il récupéra un jour une maquette en fibre de verre de la Pinto – sur laquelle Ford travaillait en 1969 – et le remodela quelque peu. Un matin où les protégés de Bordinat présentaient leurs maquettes, il annonça qu'il avait lui-même quelque chose à montrer. « Voyons donc cela », répondit Knudsen.

Le prototype de Shinoda devait être présenté à une heure trente ce même après-midi. Knudsen arriva à l'auditorium après le déjeuner accompagné de Iacocca. Ni Bordinat ni son associé Don DeLaRossa n'étaient présents.

« Larry, dit Knudsen, appelez le bureau de Gene. » On répondit que monsieur Bordinat était en conférence et qu'on ne pouvait le déranger. « Donnez-moi ce sacré téléphone », dit Knudsen qui fit savoir en termes énergiques à la secrétaire que Bordinat devait se présenter immédiatement à l'auditorium.

Quelques instants plus tard, on entendit le bruit d'une limousine qui quittait la cour en direction de l'auberge de Dearborn. Elle revint une dizaine de minutes plus tard.

« On savait toujours, se souvient Shinoda, quand Gene avait trop bu. Il marchait avec raideur en penchant légèrement la tête pour pouvoir garder l'équilibre. Don DeLaRossa, au contraire, pouvait à peine tenir debout. »

Selon la tradition, le président et les vice-présidents étaient assis pendant les présentations de modèles, mais les autres devaient rester debout et DeLaRossa, pour garder l'équilibre, s'appuya contre le mur.

Quand on ralluma, DeLaRossa s'était écroulé sur le plancher.

« Qu'est-ce qui lui arrive ? » demanda Knudsen.

« Il est ivre », s'empressa de répondre Shinoda.

Knudsen avait apporté des modifications à la Thunderbird de 1970 après le coup d'envoi, mais il avait tout son temps pour imposer ses vues sur le modèle 1971 et il entra de plus en plus ouvertement en conflit avec Iacocca.

Il faisait sa tournée dans l'atelier de conception – sa « patrouille de l'aube » comme disaient les ingénieurs – suivi de près par Iacocca qui annulait immédiatement les décisions qu'il avait prises.

« Chacun défaisait le travail de l'autre », raconte un des stylistes. Ces derniers en vinrent à montrer aux deux hommes des choses différentes.

Peu de temps après son arrivée, Knudsen demanda à Shinoda de se familiariser avec l'ensemble des installations de la société et d'effectuer un contrôle des moindres recoins de l'empire Ford. Shinoda fut horrifié par ses découvertes.

« J'ai visité une usine d'emboutissage, dit-il, et les responsables me firent part de leurs griefs. Le toit fuyait et ils n'avaient pas d'argent pour les réparations. Les machines rouillaient et ils perdaient des heures à les nettoyer. »

Shinoda s'aperçut qu'une partie du budget annuel réservé à l'entretien avait été reporté sur la colonne des bénéfices pour équilibrer la balance des paiements de Iacocca. Ce n'était pas un grand crime et ce dernier n'était peut-être même pas au courant, car il avait l'habitude de fixer à ses collaborateurs des objectifs élevés, qu'ils avaient tout intérêt à atteindre dans les délais prévus sans l'ennuyer avec les détails. C'est ainsi qu'il était toujours en mesure de présenter des chiffres satisfaisants.

Bien sûr, il fallait négliger certaines broutilles. Les toilettes de la « Maison de verre », par exemple, étaient réparées si elles se trouvaient au douzième étage, celui de la direction. Ailleurs, on ne s'en préoccupait pas.

Ce n'était cependant pas un problème qui pouvait faire l'objet d'une déclaration de guerre. En revanche, Knudsen avait entendu certaines rumeurs à propos des manières de grand seigneur de Iacocca. On parlait également de son amitié avec un ambitieux agent de voyage et loueur de voitures de New York, William D. Fugazy.

Iacocca et Fugazy s'étaient rencontrés au début des années soixante quand ce dernier avait proposé à la Ford Motor de s'occuper de l'organisation des voyages. C'était une source sûre de profits, 10 % des millions de dollars nécessaires chaque année aux déplacements et aux séjours des cadres à travers le monde. Les voyages dits « d'incitation » étaient encore plus lucratifs. Iacocca adorait lancer une nouvelle voiture en organisant des excursions pour les journalistes et les concessionnaires vers des endroits exotiques. Le champagne coulait à flots. Parfois, il s'agissait de récompenser les concessionnaires. On réquisitionnait des hôtels quatre étoiles pour plusieurs jours, toutes dépenses payées, avec des buffets somptueux, des banquets et des spectacles entre les réunions.

Ces rituels marquaient le passage des saisons dans le monde de l'automobile. Au début des années soixante, l'organisation de ce mélange clinquant de travail et de plaisirs, avec chanteurs et danseuses, était devenue une source de bénéfices, et Bill Fugazy souhaitait s'y abreuver.

Les familles de Bill et de Lee avaient été en relation. Luigi, le grand-père de Fugazy, avait été une personnalité parmi les Italiens qui débarquaient à Ellis Island. Tout le monde l'appelait Papa. Il facilitait les transports en bateau à partir de Gênes et prêtait de l'argent aux immigrants pour les aider à s'installer. Il avait ainsi aidé Nicola Iacocca quand celui-ci débarqua sur le Nouveau Continent. Un service en valant un autre, le fils de Nicola, Lido, proposa que Bill s'occupe du lancement de la Mustang au printemps 1964.

Ce fut un énorme succès. La Foire internationale de New York battait son plein. Fugazy était sur son propre territoire et ses limousines (des Lincoln et non des Cadillac) faisaient la navette, remplies de concessionnaires avec leurs épouses et des cadres supérieurs de la société.

On constituait des dossiers sur chacun d'eux indiquant sa boisson préférée que l'on faisait porter dans sa chambre, avec des fleurs et le parfum favori de Madame. Les Fugazy s'étaient fait une spécialité de ce genre de service. Dans les années trente, le père de Bill avait passé un contrat avec la Metro Goldwyn Mayer pour s'occuper de la location des salles de réceptions de stars comme Mary Pickford, Douglas Fairbanks et Louis B. Mayer lui-même.

« Les autres gosses avaient des carnets d'autographes signés par leurs camarades de classe, dit la sœur de Bill Fugazy, devenue sœur Irene des Sisters of Charity. Les nôtres étaient pleins de signatures de gens célèbres. »

Avec Ford comme client, les affaires de Bill Fugazy connurent une expansion extraordinaire. Il loua un bateau de croisière, le *S.S. Independance*, que Lee loua à son tour pour 44 000 dollars par jour pour le lancement des modèles Lincoln-Mercury en septembre 1966.

« Au coucher du soleil, le deuxième jour de la croisière, raconte Iacocca dans ses Mémoires, nous avons rassemblé tous les concessionnaires à l'arrière du bateau. A un moment précis, on procéda à un lâcher de centaines de ballons qui s'élevèrent dans le ciel en révélant la Mercury Marquis. Deux nuits plus tard, sur l'île de Saint-Thomas, nous avons présenté la nouvelle Cougar. Sur une plage éclairée de flambeaux, une barge de débarquement de la Seconde Guerre mondiale accosta et abaissa sa porte. Le public retenait son souffle pendant que la Cougar blanche roulait sur le sable. La porte s'ouvrit et le chanteur Vic Damone en sortit. »

C'était exactement le style qu'aimait Iacocca. Bill Fugazy connaissait tout le monde, des évêques aux joueurs de football, et il leur présentait Lee qui passait de plus en plus de temps à New York. Les échotiers ne savaient pas encore écrire et prononcer correctement son nom, mais ils remarquèrent que le jeune vice-président venu de Detroit était admis dans le cercle hétéroclite de célébrités que fréquentait Fugazy : Bob Hope, le cardinal Spellman, Roy Cohn, un avocat qui avait fait le sale boulot du sénateur McCarthy dans les années cinquante et qui défendait maintenant les intérêts de plusieurs patrons de la Mafia.

Il y avait de belles filles dans les réceptions de Fugazy, et le meilleur champagne. Lee se plaisait en sa compagnie et personne n'y voyait aucun mal. Cependant l'agent de voyage faisait des affaires en or avec Fords et Bunkie en recevait quelques échos. Les concurrents de Fugazy se plaignaient de la façon dont il les supplantait toujours.

L'un des cadres de E.F. MacDonald, une grande agence de voyages, confia à Bordinat, qui désirait organiser une croisière à Hawaii, que les voyages organisés par Fugazy remportaient toujours le plus grand succès, et qu'il semblait avoir de meilleures idées que qui que ce fût. Pour obtenir des contrats dans ce genre d'affaires, il faut concilier un prix correct avec une destination intéressante. Les bons concessionnaires, ceux que l'on souhaite vraiment récompenser et encourager roulent sur l'or. Ils connaissent déjà Hawaii, Acapulco, Rio de Janeiro, et il faut leur proposer autre chose, une nouvelle idée, quelque chose qu'ils ne peuvent s'offrir. Les organisateurs doivent réfléchir pendant des semaines pour trouver de l'inédit.

Comment Fugazy réussissait-il à envisager toutes les possibilités? Comment faisait-il pour proposer un prix toujours inférieur à celui de ses concurrents? E.F. MacDonald lui-même alla voir Knudsen en 1969 en accusant carrément quelqu'un de Ford de donner à Fugazy des informations de première main.

Autre problème : Knudsen avait examiné les factures de Fugazy et découvert que l'agent de voyages avait facturé 300 000 dollars de plus que son estimation originelle. Fugazy dut rembourser, mais il continua à travailler pour la compagnie. Henry II, à cette époque, était davantage préoccupé par la reprise de la direction de sa société. Fin mars 1968, Lyndon Johnson avait décidé de ne pas se représenter aux élections présidentielles. L'arrivée de Nixon à la Maison-Blanche mit un terme aux fonctions d'Henry à la tête de la National Alliance of Businessmen.

Quant à la guérilla qui faisait rage dans l'entreprise, il considérait que c'était à Bunkie de trouver une solution.

Ce dernier avait convoqué une réunion en janvier 1969 pour essayer d'aplanir les différends. La trêve avait été de courte durée. La querelle se poursuivit à propos des voitures. Ce n'était pas, en fait, une excellente idée d'avoir deux hommes aussi imbus de leurs opinions pour occuper des fonctions aussi importantes. Quand on en eut fini avec la ligne Ford pour 1971, la bataille continua à propos des projets pour 1972 mais Lee savait mieux s'y prendre que Bunkie avec Henry II.

Lee se comportait en seigneur mais n'avait pas oublié ses manières de courtisan. Bunkie au contraire, se conduisait comme s'il occupait le trône, et c'était une grave erreur chez Ford. Le patron fut particulièrement mécontent quand Bunkie donna l'accord final pour la production de 1971. Depuis 1945, c'était une de ses prérogatives. L'été 1969, il faisait une croisière en Méditerranée. Quand la chaîne de montage pour la production de 1971 fut prête à démarrer, Bunkie donna le feu vert sans hésitation. « Quand j'étais chez Pontiac, et que Mr. Curtis (le président de la General Motors dans les années cinquante) était en Europe ou ailleurs, c'était une de mes attributions. »

Cela ne faisait pas partie explicitement de son travail chez Ford et il remarqua que Henry II à son retour, lui témoignait une certaine froideur; il attribua cette attitude à la mort de Sidney Weinberg, l'homme de Wall Street qui avait permis à la société de s'ouvrir aux investisseurs et qui était devenu le confident et le conseiller d'Henry II. Ce dernier avait écourté sa croisière à bord du *Santa Maria* afin d'assister aux funérailles. Weinberg, l'un des membres les plus anciens et les plus estimés du conseil d'administration, était un partisan de Knudsen et sa disparition pouvait affaiblir la position de ce dernier.

Le fait d'avoir donné le feu vert pour la production de 1971 l'affaiblit bien davantage, et quand Lee Iacocca, tentant une ultime manœuvre, alla se plaindre, auprès d'Henry II, des projets de Knudsen pour la gamme 1972, il trouva une oreille attentive. Une commission fut désignée pour réexaminer les décisions prises. Personne n'avait le souvenir d'un tel affront infligé publiquement depuis l'époque où Ernie Breech avait été évincé.

Peu après six heures du matin, le 1er septembre 1969, Bunkie Knudsen reçut chez lui un coup de téléphone de Ted Mecke. C'était un jour férié, le Labor Day, et la plupart des gens faisaient la grasse matinée. Ce n'était cependant pas pour Mecke une façon de se venger de tous ces matins où un petit voyant lumineux l'accueillait sur son bureau. Il savait que l'horloge biologique de Bunkie ignorait les week-ends ou les fêtes nationales, et il avait une nouvelle importante à lui communiquer.

– Il faut que je vous voie, lui dit-il.

– Parfait, répondit Knudsen.

Quelques instants plus tard, Mecke garait sa Lincoln devant l'entrée.

– J'ai une mauvaise nouvelle, dit-il en allant tout de suite à l'essentiel. Vous ne faites plus partie de la Ford Motor.

– Est-ce Mr. Ford qui vous envoie? demanda Knudsen.

– Non, répliqua Mecke, je suis venu vous avertir en ami.

– Allons, ne me racontez pas d'histoires. On ne sort pas de chez soi à six heures du matin pour informer un ami qu'il est licencié!

En confirmant le message de Mecke le lendemain, Henry II ne donna pas d'explication. « Tout simplement, cela n'allait pas », dit-il.

Deux semaines plus tard, la nouvelle fut rendue publique après son acceptation par le conseil d'administration.

Le renvoi de Knudsen fut annoncé au cours d'une conférence de presse le 11 septembre. Henry II aurait voulu le présenter comme une démission, mais Bunkie insista pour que la vérité soit dite – vérité gênante, que la présence de Lee Iacocca à côté de son patron rendait évidente. Pendant qu'Henry II répondait aux questions interminables sur d'éventuelles manœuvres et sur la politique générale de l'entreprise, Iacocca tirait d'un air satisfait sur son gros cigare, raconte William Serrin, du *New York Times*, « avec le petit sourire d'un parrain de la Mafia qui vient d'établir son contrôle sur Chicago ». Quand les journalistes l'interrogèrent et que l'un d'eux lui demanda notamment si le départ de Mr. Knudsen le chagrinait, son sourire s'élargit : « Je n'ai jamais répondu " no comment ". Cette fois-ci, je le fais. »

Bunkie Knudsen lui-même est aujourd'hui aussi réservé. Quand on évoque devant lui la suggestion de Iacocca selon laquelle il aurait été licencié pour être entré trop souvent sans frapper dans le bureau d'Henry II, il éclate de rire et refuse de discuter des intrigues qui entourèrent cette affaire.

Avec la réorganisation qui suivit son départ, Iacocca devint l'un des trois « présidents » rattachés directement à Henry II.

« Je ne le connaissais pas très bien, affirme aujourd'hui ce dernier. Je n'avais jamais travaillé personnellement avec lui. »

Iacocca fut nommé à la direction de Ford pour l'Amérique du Nord. Robert Stevenson, qui était auparavant chef des opérations étrangères, reçut un nouveau titre plus « international ». Le dernier membre du triumvirat était Robert J. Hampson, chargé de Ford Philco et des tracteurs.

Théoriquement, ces trois cadres supérieurs étaient égaux. Le départ de Knudsen ne devait pas apparaître comme le triomphe d'une personne précise. Mais certains présidents sont plus égaux que d'autres et, de façon significative, dans le gymnase de la corporation, la brosse à cheveux de Iacocca se trouvait à côté de celle d'Henry II.

Deux autres cadres quittèrent l'entreprise avec Bunkie Knudsen : Richard Johnson, directeur du marketing de la division Lincoln-Mercury, et Larry Shinoda. Les dessinateurs qui travaillaient sous la direction de Gene Bordinat, dont Shinoda s'était juré de prendre la place pour l'honneur des Japonais d'Amérique, lui firent leurs adieux à leur façon. Ils confectionnèrent un énorme soleil rouge monté sur fil de fer qu'ils couchèrent sur le sol au moment où le Japonais quittait l'immeuble.

En 1973, un programme d'études fut organisé par la Business School de Harvard pour analyser la signification de l'épisode Knudsen. Le professeur Ralph Hower constitua un dossier de soixante-neuf pages d'articles publiés par la presse économique et conclut qu'il s'agissait « d'un exemple classique de ce qui se passe quand on place quelqu'un venu de l'extérieur à la barre d'une organisation importante où le pouvoir est jalousement détenu par des hommes qui y ont pensé durant toute leur vie professionnelle. »

Cet incident mit en évidence les défauts de plus en plus apparents d'Henry II : sa tendance à se tirer d'un mauvais pas en prenant des décisions arbitraires et rapides à la manière d'un monarque – recruter Knudsen, licencier Knudsen. Avec l'âge, il avait acquis la même faiblesse que son grand-père, qui croyait que l'action la plus tranchante était nécessairement la meilleure. Sa première femme et ses enfants en avaient déjà souffert. Il avait également fait preuve de précipitation avec le Renaissance Center. C'était une initiative généreuse et courageuse, mais un peu plus de réflexion et un peu moins d'impatience auraient sans doute abouti à un résultat plus cohérent, répondant davantage aux besoins de la situation.

Knudsen avait été greffé sur Ford. De la part d'Henry II, c'était le signe d'un bizarre manque de confiance dans l'organisation qu'il avait mis plus de vingt ans à construire et de son obsession persistante, la General Motors. Comme Ernie Breech, Knudsen avait été importé des bureaux de West Grand Boulevard.

« J'aimerais avoir comme épitaphe, dit-il au moment du départ de Knudsen, – mais je ne pense pas y être parvenu – que j'ai réussi à organiser quelque chose de stable. Je ne parle pas des individus, mais d'une compagnie dans laquelle n'importe qui peut s'intégrer. C'est le cas de la General Motors. »

Certains estimaient chez Ford qu'Henry II n'avait commis qu'une seule erreur. Selon eux, il avait eu raison de recruter Knudsen, mais il aurait dû s'efforcer de « faire avaler la pilule à Iacocca ». Sans l'égocentrisme de ce dernier, les deux cadres, même s'ils ne s'aimaient pas, auraient pu collaborer efficacement pour le bien de la société. C'était une entreprise et non un jardin d'enfants.

Dans les affaires, les intrigues font partie du jeu, mais on doit respecter certaines règles. L'intérêt de la société est plus important que la bataille, et Lee Iacocca, dans son désir de vaincre, semble l'avoir perdu de vue.

Jusqu'en 1968, il avait montré dans ses activités les aspects les plus positifs de son caractère. L'arrivée de Bunkie Knudsen, dont les talents auraient pu servir à Ford comme ils avaient servi à Chevrolet et à Pontiac, révélèrent le côté négatif de Lee : l'instinct dominateur hérité de son père Nicola qui roulait les épaules dans les rues d'Allentown. Il y avait quelque chose de Iago chez Iacocca quand on se mettait sur son chemin.

En fin de compte, pendant l'été 1969, Henry II se rendit à son ultimatum. Il en tira la leçon. Tout en gardant une haute idée des nombreuses capacités de Lee, il nuançait son jugement en lançant à ses amis : « Le problème, c'est qu'il n'a pas l'esprit d'équipe! »

33

Des économies coûteuses

La Pinto de Lee Iacocca sortit fin 1970. Un miracle : elle pesait 2 030 livres et, malgré l'inflation, coûtait moins de 2 000 dollars.

Contrairement à l'Edsel, à la Mustang ou à la Continental Mark III, c'était vraiment une nouvelle voiture. De plus, elle fut réalisée en un peu plus de trois ans. En règle générale, la conception et la production nécessitaient quarante-trois mois ou même davantage. Pour la première année, les ventes se montèrent à 250 000 unités.

Lee avait dû se battre contre Bunkie Knudsen pour faire accepter son projet par Henry II. Ce dernier – contrairement à son grand-père, mince et frêle – était bâti en puissance, fait pour conduire de majestueuses voitures à l'américaine en tenant le volant d'une main, un bras sur le dossier du siège du passager. Il aimait les grosses voitures classiques, leur souplesse, cette sensation de tapis volant. Mais il aimait aussi les voitures qui rapportaient de l'argent. Et le petit engin dernier cri de Lee, avec sa coupe bizarre et son capot arrière tronqué, laissait augurer de substantiels bénéfices dès qu'il commencerait à se vendre massivement. Encore une fois, on pouvait constater que Iacocca connaissait son travail.

En mai 1972, peu de temps après le lancement de la Pinto, une certaine Mrs. Lily Gray s'engagea sur l'autoroute près de Santa Ana en Californie. Son moteur cala brusquement. Le chauffeur de la voiture – une autre Ford – qui se trouvait derrière elle n'eut pas le temps de freiner. Une collision se produisit.

Le réservoir d'essence de la Pinto placé entre le pare-chocs et l'essieu explosa. La voiture prit feu et Lily Gray mourut quelques heures plus tard à l'hôpital des suites de ses brûlures. Son corps avait été pratiquement carbonisé. Son passager, Richard Grimshaw, un jeune garçon de 13 ans, fut entièrement défiguré et dut subir pendant des années de multiples opérations, les chirurgiens tentant vainement des greffes du nez ou de l'oreille en prélevant des fragments de peau sur son corps atrocement mutilé.

Dans les mois qui suivirent, les Pinto provoquèrent de plus en plus d'accidents similaires. Leurs occupants, coincés à l'intérieur, étaient brûlés vifs. La plupart des petites voitures sont particulièrement vulnérables; le réservoir d'essence y occupe la même position que dans la Pinto. Leur carrosserie est fragile et, en cas d'accident, les occupants sont littéralement piégés à l'intérieur par les portes dont la tôle se froisse trop vite. Selon des estimations modérées, 59 conducteurs et passagers de Pinto furent ainsi brûlés vifs au cours d'accidents dont ils se seraient sortis indemnes avec un autre type de voiture.

Iacocca, dans ses souvenirs, assume la responsabilité de la Pinto sans toutefois s'en justifier comme il l'avait fait pour la Mustang ou la Continental Mark III. Il se défend aussi contre l'accusation selon laquelle il aurait délibérément conçu une voiture dangereuse. « Les types qui ont construit la Pinto avaient des enfants qui conduisaient cette voiture, écrit-il. Croyez-moi, personne ne s'est dit : je vais faire une voiture qui ne soit pas sûre! »

En fait, la question n'est pas là. Personne n'a jamais accusé Lee Iacocca et la Ford Motor d'avoir fabriqué des voitures destinées à brûler vifs leurs occupants. Il s'agissait simplement de savoir si, dans l'équation complexe des coûts de production, du temps, du marché et du profit, on avait sérieusement pris en considération le facteur sécurité. En examinant les conditions de fabrication de la Pinto, les tribunaux américains conclurent par la négative.

Quand Bunkie Knudsen arriva chez Ford, il fut horrifié de découvrir l'absence de rigueur et d'organisation qui régnait au niveau de la conception et de la production. La précipitation et l'improvisation permettaient certes d'apporter en un temps record des innovations importantes mais, inévitablement, le résultat final comportait certains défauts. En ce qui concerne la Pinto, ces vices de fabrication furent lourds de conséquences. Au cours des procès qui suivirent la mort de Lily Gray et d'autres accidents, on apporta des preuves accablantes : les tests d'impact effectués sur l'arrière de la voiture, avant et après son lancement, avaient révélé que le réservoir à essence s'était fracturé à plusieurs reprises, et pourtant on avait occulté le problème. Ces mêmes tests avaient été faits sur la Capri européenne dont on avait modifié l'arrière afin de lui donner l'apparence de la Pinto : on protégea le réservoir à essence par un revêtement empêchant les boulons de l'essieu de perforer le métal et en l'entourant de caoutchouc.

En juillet 1965, Arjay Miller avait transmis à une sous-commission du Sénat un projet sur un nouveau système de réservoir que les ingénieurs de Ford expérimentaient. « S'il se révèle efficace, avait-il dit, nous l'adopterons pour toutes nos nouvelles voitures. » Les essais ne furent cependant pas concluants.

Attira-t-on l'attention de Iacocca sur le problème et sur l'urgence de le résoudre ? « Certainement pas, déclara au *Mother Jones*, un magazine de San Francisco, un ingénieur en chef de Ford. Nous aurions été immédiatement licenciés. » La sécurité n'était pas un sujet populaire à l'époque. Dès qu'il était question d'un délai, Iacocca tirait sur son cigare, regardait par la fenêtre et disait : « Lisez les objectifs, et retournez au travail! »

Ces objectifs étaient inscrits dans le « livre vert » de la Pinto, la partie top-secret des publications mensuelles contenant les spécifications techniques du produit qui ne tenaient pas compte de la sécurité. Celle-ci ne faisait pas partie des priorités de Iacocca.

Les temps avaient bien changé depuis 1956. Dans les années 60, suite à la campagne lancée par Ralph Nader contre la Corvair de la GM, on avait découvert que les ingénieurs de Ford avaient examiné la voiture au cours des tests de routine conduits sur la production concurrente : ils avaient découvert les défauts mêmes signalés par Nader mais n'en avaient pas soufflé mot. En septembre 1966, le National Traffic and Motor Vehicle Act prit force de loi sous le numéro 89–563. En janvier 1967, le gouvernement créa le National Highway Safety Board qui, l'année suivante, établit les premières normes officielles de sécurité. L'implication du gouvernement dans la production automobile fut pour une grande part une réaction à la campagne de Nader.

Henry Ford avait une opinion bien tranchée sur le problème de la sécurité et sur son principal défenseur. « Voilà, dit-il à Booton Herndon en 1969, ce que je veux que vous écriviez sur Nader dans votre livre. Pour moi, c'est un con! »

Herndon s'exécuta et reproduisit mot pour mot les propos d'Henry II. Son ouvrage consacré à la Ford Motor fut entièrement revu par le service des relations publiques de la société. On peut donc considérer que les déclarations attribuées au président reflètent exactement sa pensée : « Nous pourrions, dit-il par exemple, produire la voiture la plus sûre du monde. Nous pourrions fabriquer de véritables tanks et les mettre en circulation sur les autoroutes. Les gens se sortiraient des collisions sans la moindre égratignure. Mais personne ne les achèterait. Les Américains veulent de bonnes voitures, de belles voitures, des voitures rapides, puissantes et élégantes. Voilà ce que nous produisons. Nous avons passé un temps considérable à améliorer la sécurité et voilà qu'un petit imbécile qui ne connaît rien au métier vient nous donner des leçons dans un domaine auquel nous avons consacré toute notre existence et des milliards de dollars. »

Ralph Nader, qui, à l'occasion, pouvait exagérer et encourager le culte de sa propre personnalité, n'était cependant pas allé jusqu'à demander à Ford de produire des blindés. Il prêchait pour une sécurité plus grande et la prise en considération d'éléments comme la pollution de l'environnement. Si les constructeurs de Detroit avaient montré le plus léger signe de bonne volonté pour s'imposer, au début des années soixante, une certaine discipline sur des questions comme la résistance aux chocs ou les émanations de plomb dans les gaz d'échappement, ils se seraient épargné de nombreuses difficultés. En refusant d'admettre l'existence de ces problèmes, les sociétés automobiles et leur porte-parole le plus respecté, Henry Ford, s'exposèrent à tous les désagréments que devaient entraîner, quelques années plus tard, les réglementations gouvernementales.

Lancée à l'automne 1970, la Pinto 1971 était conforme aux normes fédérales en vigueur à cette époque, mais les cadres de Ford ne pouvaient se contenter de rester dans la légalité après avoir découvert le danger mortel que représentait le réservoir à essence de la nouvelle voiture. On effectua donc de nouveaux tests pour trouver des moyens de protection. Quel en serait le prix? C'était là tout le problème.

Dès le début de ses négociations avec les officiels de la National Highway Traffic Safety Administration (le nouveau nom du National Highway Safety Board après 1970), Ford demanda avec insistance de chiffrer le coût des mesures de sécurité. En d'autres termes, à combien estimait-on une vie humaine?

Partant des principes de l'analyse des coûts et des bénéfices mis en vogue par McNamara à son arrivée à Washington en 1960, les comptables de l'organisme officiel parvinrent à une estimation annuelle globale de 270 725 dollars. Dans une liste de douze éléments comprenant notamment les pertes sur le plan de la productivité et les frais d'hôpitaux, d'assurance, de justice, d'enterrement, etc. la « souffrance des victimes » était estimée à 10 000 dollars.

C'est un organisme officiel qui effectua ce calcul qui donne le frisson. La façon dont la Ford Motor se servit de ces chiffres pour ses propres objectifs fait également frémir. Deux membres du département de la construction E.S. Grush et C.S. Saunby, étudièrent un problème lié à celui des réservoirs : la tendance aux fuites d'essence lorsqu'une voiture est renversée au cours d'un accident. Ils essayèrent de préciser le coût réel de l'installation d'une valve protectrice et présentèrent leurs conclusions dans un rapport interne. Selon leurs calculs, il fallait compter 11 dollars de modification par voiture, soit un total de 137 millions de dollars pour 11 millions d'automobiles et un million et demi de camionnettes. Et les bénéfices que représentait la valeur en dollars des vies et des blessés épargnés par rapport aux 11 dollars d'investissement supplémentaire ? En admettant qu'on évite chaque année 180 morts par brûlures (200 000 dollars par mort) plus 180 brûlés graves (67 000 dollars) plus 2 100 voitures incendiées (700 dollars pas véhicule), on arrivait à un total de 49 millions et demi de bénéfices, inférieur de 87 millions et demi à l'investissement sécurité de départ.

Dans le dernier paragraphe de leur rapport, Grusch et Saunby notaient que leur étude concernait exclusivement « les conséquences de l'installation des valves ». Ils n'avaient pas examiné le problème de la prévention des incendies causés par des impacts à l'arrière de la Pinto. En conclusion, disaient-ils, « des analyses similaires sur d'autres modes d'impact devraient conduire à des résultats identiques avec des coûts dépassant les bénéfices escomptés ».

Les spécialistes des mesures de sécurité contestent les chiffres de Ford. Ils estiment que 22 dollars par voiture représentent une estimation trop élevée du coût des modifications proposées. Grusch et Saunby avaient compté un blessé grave pour un mort par brûlure alors que, selon certains, la moyenne des blessés était plus élevée. D'autre part, 67 000 dollars représentaient un chiffre faible pour des blessures par brûlures comparé aux millions de dollars de dommages et intérêts imposés par les tribunaux.

En d'autres termes, les calculs de la Ford Motor auraient été différents en comptant un plus grand nombre de blessés par brûlures et/ou un taux de compensation plus élevé. On aurait eu alors un bénéfice total plus important que le coût des modifications pour la prévention des incendies.

La société s'y refusa. Il se dégage, des pages dactylographiées de la conclusion du rapport, une évidence : si des mesures de protection coûtent 137 millions de dollars et ne laissent que 49 millions et demi de bénéfices, épargnons l'argent et non les vies.

Fallait-il y voir une telle dureté ? A l'issue du procès intenté par Richard Grimshaw contre la Ford Motor, les membres du jury estimèrent que c'était bien le cas. Ils accordèrent 3 millions et demi de dommages et intérêts à la victime et ajoutèrent encore 125 millions après avoir entendu des témoignages sur la façon dont Ford avait fait des bénéfices en « économisant » sur la protection du réservoir à essence de la Pinto. Si la société avait fait un tel profit en produisant la voiture qui avait tué Lily Gray et défiguré Richard Grimshaw, elle devait payer.

Le juge accorda les 3 millions et demi de dommages et intérêts mais réduisit les 125 millions à 3. Ford fit appel mais la demande fut rejetée, de même qu'une requête devant la Cour suprême de Californie. Finalement, la société dut verser 6 millions et demi avec intérêts à Grimshaw.

Au cours des années qui suivirent, Ford perdit ainsi des millions de dollars dans la centaine de procès concernant la Pinto qui furent intentés contre la société, dont l'un pour homicide involontaire. C'était la première fois que ce genre de plainte était déposée contre un constructeur automobile aux États-Unis. Ford fut acquitté mais les audiences du grand jury d'Elkhart, Indiana, et celles du tribunal de Winamas firent en 1978 et 1979 les gros titres des journaux. Les incendies des voitures Ford devinrent un thème permanent aux informations télévisées du soir.

Le problème était qu'avant la Pinto, dont Iacocca était l'inspirateur, ce dernier n'avait travaillé qu'une seule fois sur une voiture totalement nouvelle : la LTD Galaxie, lancée par Ford en 1965. Tests et production compris, le programme avait été effectué dans les quarante mois réglementaires. La Mustang, en revanche, était une adaptation de la Falcon, la Continental Mark III de la Thunderbird, et la Maverick de la Mustang.

Le simple bon sens commande à un constructeur automobile de ne pas produire trop de voitures réellement « nouvelles », même s'il laisse croire aux acheteurs qu'elles le sont. Utiliser des systèmes mécaniques déjà existants implique des coûts de production moins élevés.

La Pinto, plus que toute autre voiture fabriquée à Detroit, tendait à l'originalité. De même que la Mercury Bobcat, c'était une tentative pour introduire dans la tradition automobile américaine les techniques de fabrication européennes fondées sur la légèreté. Malheureusement la précipitation qui présida aux essais, à la production et au lancement fit que l'on sous-estima – ou que l'on refusa de prendre au sérieux – le temps, les coûts et les problèmes techniques requis par un objectif aussi ambitieux.

Lee Iacocca gardait l'œil fixé sur sa cible « 2 000 – 2 000 ». En tant que meilleur vendeur de Detroit, il connaissait l'attrait magique des chiffres. Ce fut ainsi qu'on économisa sur la Pinto. Les mois cruciaux du programme furent aussi ceux du conflit avec Bunkie Knudsen. Un succès comparable à celui de la Mustang devait, dans l'esprit de Iacocca, donner le coup de grâce à son rival. La Pinto fut achevée dans les mêmes délais que la Mustang. C'était un pari impossible et, par la suite, Ford fut contraint d'apporter des modifications importantes au véhicule.

Pour obtenir un poids de moins de 2 000 livres, on avait raccourci l'arrière de la voiture. Ce fut le premier modèle qui ne présentait pas un châssis important avec une armature d'acier soutenant le coffre arrière et protégeant le réservoir d'essence en cas de collision.

Ford comprit vite son erreur. Pour se conformer aux règlements gouvernementaux et pour protéger le réservoir, on ajouta de l'acier – et par conséquent du poids – à l'arrière. Plus de poids demande un moteur plus puissant, un système de transmission plus lourd, des pneus et des freins plus gros. Les Pinto des années 76 et 77 pesaient 2 600 livres.

« Lee ne se préoccupait guère de la technique, dit Gene Bordinat. Il avait une sorte de dédain pour les ingénieurs. Dans les discussions, il avait l'habitude de dire : " Hé, j'ai un diplôme d'ingénieur. " Mais je ne pense pas qu'il y connaissait grand-chose. »

Un ingénieur aurait-il craint d'affronter Iacocca en l'informant que la protection du réservoir à essence ajouterait du poids à la voiture ou, pire encore, retarderait son lancement de quelques semaines, quelques mois ou même un an?

Bordinat reconnaît que Lee avait tendance à intimider ses collaborateurs et qu'il est possible qu'ils aient pensé : « Ne le mettons pas en colère avec de mauvaises nouvelles », surtout si elles avaient pour conséquences de modifier les délais.

Tom Feaheny, l'ingénieur en chef à l'époque de la construction de la Pinto qui s'occupait spécialement du problème du réservoir d'essence, n'est pas de cet avis. « Si j'avais découvert quelque chose de grave, affirme-t-il, je n'aurais pas craint de le dire à Lee. En fait, au début, nous ne nous sommes aperçus de rien. » Feaheny est un Irlandais à la forte carrure et connu pour son caractère irascible. On peut ajouter foi à ses propos, du moins en ce qui le concerne. Il fut d'ailleurs licencié pour avoir eu, entre autres choses, des discussions trop vives avec ses supérieurs. Il ne pense pas avoir contribué à la construction d'une voiture défectueuse ou présentant un danger, mais n'étant pas un inconditionnel d'Henry II, il estime que les défauts de la Pinto sont dus à l'indécision et à la confusion qui régnaient au sommet et au fait que l'on n'a pas accordé un temps suffisant à la recherche.

« Nous aurions dû commencer le travail au moins un an plus tôt, dit-il. A cette époque, on ne soupçonnait pas le problème des impacts à l'arrière. »

D'un point de vue plus général, Gene Bordinat, qui fut un ami et un allié de Iacocca quand ils travaillaient ensemble chez Ford mais avec lequel il se brouilla par la suite, estime que « nous ne savions pas bien estimer le poids d'une voiture. C'est tout un art. Il y avait alors en Amérique une tendance à ne pas s'en préoccuper, car il n'y avait encore aucun problème de consommation d'essence. Les ingénieurs avaient de mauvaises habitudes. Ils ne comprenaient absolument pas que le moindre gramme de chaque élément d'un véhicule avait son importance et que les services financiers devaient se battre pour faire face aux nouveaux coûts d'usinage de pièces qu'on utilisait depuis des décennies. »

En février 1974, la Ford Motor fut condamnée à 3 millions et demi de dollars d'amende pour fraude dans les tests sur la pollution, exigés par le Clean Air Act de 1970 : 350 chefs d'accusation furent portés contre la compagnie. Elle plaida coupable et accepta de payer 3 millions et demi supplémentaires aux parties civiles. Les ingénieurs de la Ford Motor reconnurent avoir faussé les rapports sur les contrôles anti-pollution des véhicules. Henry Ford II reconnut lors des audiences s'être à plusieurs reprises verbalement opposé au Clean Air Act.

34

Strega

Le second mariage d'Henry Ford II semblait avoir pris un bon départ. Avec son charme italien, son opulente chevelure blonde, Cristina avait fait la conquête de Detroit. Sa beauté aidant, elle aurait facilement pu devenir mannequin et elle posa quelquefois pour les nouveaux modèles de la compagnie. Les chroniqueurs de mode remplissaient leurs colonnes des descriptions de ses toilettes dont elle changeait constamment.

Elle possédait également toutes les qualités d'une « mamma » et c'était d'ailleurs un aspect de son caractère qui avait séduit Henry II. « Il a besoin d'être encouragé, réconforté, disait-elle en 1968. Je dois l'aider. Cela fait partie de mes responsabilités. C'est pourquoi je reste à la maison et ne cours pas à droite et à gauche pour avoir ma photo dans les journaux. Je pourrais être présidente de ceci ou de cela. Mais Henry m'a dit qu'il en faisait assez pour nous deux et que je devais prendre soin de lui. Je veux être là quand il rentre à la maison ».

C'était une petite pointe lancée contre la précédente Mrs. Ford. Cristina mena pour sa part un genre de vie bien différent. Pour un couple qui faisait partie de la « jet society », ils passaient un nombre surprenant de soirées à la maison, assis devant la télévision, un plateau sur les genoux. Cristina se préoccupait sérieusement de la santé de son mari. « Quand je l'ai connu, dira-t-elle plus tard, il ressemblait à Louis XIV avec son double menton. Il pesait plus de cent kilos. Je lui ai dit " Enery, il faut mieux te nourrir, faire de la marche et ne pas boire autant ". »

Elle savait fort bien qu'il était impossible de faire perdre entièrement à Henry II l'habitude de l'alcool, mais elle supprima l'apéritif du soir et tenta d'en limiter la consommation au vin : « Deux bouteilles seulement au dîner et pour Enery, ce n'était pas grand-chose. »

Sa campagne anti-tabac fut en revanche un échec. Henry continua à fumer quand il était à son bureau. Au moment du lancement d'une voiture ou au cours d'une réception, il demandait aux journalistes de ne pas le prendre en photo avec une cigarette à la main. « Ma femme me passerait un savon », disait-il Chez lui, il fumait en cachette.

Cristina approchait de la quarantaine quand elle épousa Henry II mais elle paraissait nettement plus jeune. Elle prenait grand soin de sa personne et faisait de longues promenades avec ses chiens au bord du lac. Elle avait son masseur attitré et un professeur de danse qui venait à la maison cinq ou six fois par semaine. Elle essayait d'encourager son mari à prendre plus d'exercice et l'emmenait au moins une fois par an en Californie à La Costa où il faisait de la natation et suivait un régime pour perdre du poids.

Benson Ford Junior, qui faisait ses études en Californie, fut invité un jour avec un de ses camarades à La Costa. Ils trouvèrent le couple en train de nager dans la piscine. Tante Cristina, les seins nus, s'y ébattait telle une sirène. Oncle Henry alla s'habiller précipitamment mais sa femme sortit de l'eau et resta paisiblement à s'entretenir avec les jeunes gens jusqu'au retour de son mari.

Par son mépris des conventions et son impétuosité, elle rappelait un peu Frida Kahlo, la femme de Diego Rivera. La nouvelle Mrs. Ford aimait choquer par son comportement et la vie sociale de Grosse Pointe lui en offrait amplement l'occasion. Elle apprit à son mari quelques expressions grossières en italien qu'ils échangeaient par jeu quand ils s'ennuyaient au cours d'une réception.

Elle estimait qu'Henry manquait de confiance en lui-même. C'était un homme complexe. Attentionné, sensible, plein de délicatesse, il montrait une grande méfiance envers le monde entier, comme si, dans le passé, il avait souffert pour avoir manifesté sa gentillesse. La plupart du temps il cachait les meilleurs aspects de sa personnalité sous un masque bourru. Bref, il souffrait d'un complexe d'infériorité. « Tu es un Ford, lui disait Cristina, et tu dois te comporter comme un Ford. »

Elle s'aperçut vite qu'Henry était particulièrement affecté de ne pas avoir de diplôme. Ayant fait la connaissance de Kingman Brewster, recteur de l'université de Yale, elle lui demanda d'accorder un titre honorifique à son mari. Avec l'aide de l'actrice Merle Oberon, de McGeorge Bundy, président de la Fondation Ford, et de Robert McNamara, directeur de la Banque mondiale, elle obtint finalement satisfaction. Henry II fut fait docteur en droit honoris causa de l'université de Yale en 1972.

Les mariages des deux filles d'Henry II s'effondrèrent encore plus vite que celui de leur belle-mère. Charlotte Ford divorça de Stavros

Niarchos le 17 mars 1967, quinze mois après leur mariage. « Il me rendait folle », expliqua-t-elle.

Deux ans plus tard, elle confia, dans une interview au magazine *Look* : « Les Grecs n'aiment pas vous voir morte, ils aiment vous voir mourir. »

Quant à Anne Ford Uzielli, elle se sépara de son mari en 1973 et divorça un an plus tard après quelques années d'un mariage mouvementé.

Par une nuit de février 1975, Gene Hunt, officier de la police routière de Californie aperçut soudain une Ford blanche et rouge qui s'engageait dans une rue en sens interdit de Santa Barbara. Le chauffeur semblait ivre et quand le policier le fit descendre de son véhicule et lui demanda de réciter l'alphabet, il en fut incapable. On conduisit le contrevenant à l'hôpital où on lui fit une prise de sang. Henry II passa quatre heures dans une cellule de la prison du comté et, reconnu coupable de conduite en état d'ivresse, fut mis sous contrôle judiciaire pendant deux ans.

On raconta par la suite qu'il avait essayé de faire intervenir des personnes haut placées et certains de ses amis du FBI, mais les policiers, comme le sergent Milton Turner par exemple, affirment au contraire qu'il « ne donna qu'un seul coup de fil à son avocat et ne menaça personne. Il se montra au contraire très aimable ». Henry II les complimenta sur la prison, un bâtiment neuf. « C'est un très bel endroit, dit-il, j'aimerais bien l'acheter. » Il ne se plaignit pas qu'on lui ait mis les menottes. Les policiers prirent des photos de leur célèbre prisonnier qui les dédicaça avec le plus grand plaisir.

Quelques jours plus tard, Henry Ford commenta son aventure avec une citation de Disraeli que lui avait soufflée Walter Hayes, son ami anglais chargé des relations publiques : « Ne vous plaignez jamais, n'expliquez jamais », dit-il aux journalistes qui l'attendaient à la conférence de l'Economic Club de Detroit au Cobo Hall. Les centaines d'hommes d'affaires qui y participaient se levèrent alors et lui firent une ovation.

Les choses se passèrent de façon différente à la maison. Au moment de son arrestation, il avait en effet une passagère à son côté : la blonde Kathy DuRoss, un mannequin qui avait vingt-trois ans de moins que lui. Quand il revit sa femme – qui se trouvait en Extrême-Orient lors du voyage de son mari en Californie –, il tomba à genoux et se lança dans une histoire compliquée : il avait offert une place dans sa voiture à une amie d'un de ses amis, David Metcalfe. Il jura ses grands dieux qu'il ne s'était rien passé entre lui et Mrs. DuRoss.

En fait, il connaissait très bien la jeune femme. Depuis cinq ans, et pour la seconde fois en moins d'une décennie, il menait une double vie.

Kathleen Roberta DuRoss, née King, avait 35 ans en 1975. Elle était veuve et avait eu une existence difficile. Enceinte à quinze ans, elle avait abandonné ses études pour épouser son amoureux : David DuRoss, un ouvrier qui travaillait chez Chrysler et jouait du trombone dans les bals. A 17 ans, elle avait déjà deux filles et vivait dans un petit appartement de Phillip Avenue, un quartier pauvre de Detroit aujourd'hui habité par des Noirs. En décembre 1959, son mari se tua dans un accident de voiture, et à 19 ans elle se retrouva veuve.

C'était une excellente violoniste. L'école Cass Tech qu'elle avait quittée à 15 ans était réputée pour les facilités qu'elle offrait aux enfants doués de talents artistiques. Kathy y avait étudié avec succès la musique et, devenue veuve, elle pensa d'abord gagner sa vie en donnant des leçons.

Le métier de mannequin dans l'industrie automobile se révéla cependant plus lucratif. Pendant quinze ans, elle put ainsi élever ses deux filles et subvenir aux besoins de sa mère et de sa belle-mère qui avaient, elles aussi, perdu leur mari.

Elle était belle, enjouée, sans prétention, et très populaire auprès de ses patrons et de ses camarades de travail. Elle savait aussi affronter les difficultés. Quand elle manquait de travail, elle vivait de l'Aide Sociale ou de petits emplois, en présentant par exemple des échantillons de Seven Up dans les supermarchés.

Elle faisait partie du groupe de ces jeunes femmes élégantes et spirituelles que l'on voit souvent au bras des riches célibataires et des divorcés. Ce fut ainsi qu'elle assista à deux réceptions chez les Ford. La seconde fois, elle était accompagnée d'un membre du corps consulaire. Mrs. Ford avait rencontré le diplomate à l'occasion de ses activités pour les œuvres de bienfaisance et ne l'estimait guère. Il avait mauvaise haleine, disait-elle, et elle l'avait surnommé « Halitoxi ».

Peut-être lui garde-t-elle rancune d'avoir été à l'origine de la rencontre entre Henry et Kathy. La jeune femme avait, de toute évidence, plu au constructeur. Quelques mois plus tard, en effet, lorsqu'il fut invité chez Max et Marjorie Fisher dans leur maison de Farmington Hills, il leur demanda d'inviter un mannequin du nom de Kathy DuRoss et de la placer près de lui à table.

Cristina était absente. Au bout de quelques années, elle s'était lassée de jouer les femmes d'intérieur. Elle voyageait souvent seule et se rendait à New York, Londres, Paris ou Rome. Son mari le lui reprochait et commençait à penser que, comme la première, sa seconde femme profitait un peu trop des avantages de sa position et qu'elle désertait trop souvent le foyer pour se rendre à l'étranger. Cristina réplique en disant qu'il l'encourageait car cela lui permettait de mener son aventure avec celle qu'elle appelle « Miss Porno ».

Les relations entre Kathy et Henry duraient depuis cinq ans quand, avec l'incident de Santa Barbara, elles éclatèrent au grand jour. La jeune femme avait acheté une petite maison à Grosse Pointe et son amant venait l'y retrouver la nuit. Il avait installé le téléphone dans sa voiture pour pouvoir la contacter à tout instant. Les amis protégeaient la clandestinité du couple. John Bugas leur prêtait son ranch du Wyoming pour les week-ends – ils y passèrent une fois une semaine entière. Chacun voyageait par avion, séparément. Lorsque Henry II décida de lui offrir un manteau de fourrure à Noël, Bugas l'acheta avec sa carte de crédit et Henry le lui remboursa en argent liquide.

Rétrospectivement, Cristina comprit pourquoi son mari l'encourageait souvent à le précéder de quelques jours à Londres : « Tu pourras préparer la maison, Bambina, et faire quelques achats », et pourquoi, par une soirée d'hiver glaciale alors qu'elle faisait ses bagages pour se rendre à New York, il avait été furieux de la voir changer d'avis et décider de rester à la maison.

« Quand un homme marié a une maîtresse, dira-t-elle quelques années plus tard, il prétend toujours que sa femme ne le comprend pas, qu'il n'y a plus de communication entre eux, que leurs goûts sont devenus différents. Il est la victime de la *strega* (une sorcière) à la maison. C'est toujours la même histoire. »

Que se passe-t-il dans l'esprit d'un homme qui, pendant des années, doit chercher des prétextes pour quitter la maison, éloigner sa femme pendant un jour ou deux afin de pouvoir en rejoindre une autre ? Comment réussit-il à mener cette double vie ? Est-il heureux ? Peut-il travailler efficacement ? Comment dans cette confusion, cette frustation constante trouve-t-il la capacité de prendre des décisions correctes sur le plan des affaires ?

Les années soixante-dix furent sombres pour la Ford Motor et celles qui allaient venir le seraient davantage. Ce fut, d'une façon générale, une période difficile pour les constructeurs automobiles américains, et particulièrement ceux de Detroit. Outre les contrôles du gouvernement à propos la sécurité, il fallut faire face à la concurrence européenne et japonaise et à deux crises pétrolières en dix ans.

L'entreprise était en proie à des conflits internes. La tension montait entre Henry Ford et Lee Iacocca. Des problèmes comme celui des réservoirs à essence dangereux avec toutes leurs implications psychologiques et financières ne facilitaient guère la mise en œuvre d'une politique globale. La direction affrontait les crises au jour le jour et du mieux qu'elle le pouvait, mais la lassitude commençait à se faire sentir.

Henry II, de plus en plus solitaire et déchiré, croyait fermement que sa femme était une *strega,* qu'elle avait sur lui une mauvaise influence. Tout ce qu'il a raconté sur Cristina par la suite le confirme. Il n'était pas homme à reconnaître ses torts dans une situation qu'il avait, pour une grande part, contribué à créer.

Il s'était mis lui-même au pied du mur. Après le scandale qui avait entouré son premier divorce et six années seulement de mariage avec Cristina, il lui était difficile de se débarrasser de celle-ci d'un coup de pouce. Il lui fallait compter avec le jugement que porteraient sur lui les actionnaires et les administrateurs de son entreprise. Comme chef de famille, il portait également le lourd fardeau du prestige attaché au nom de Ford.

Mrs. Eleanor avait été émue jusqu'aux larmes en regardant à la télévision l'investiture du prince Charles en 1969. « Quand la mère posa la couronne sur la tête de son fils, dit-elle à un membre de la famille, ce fut un moment extraordinaire. Je pensai à Henry et à moi. Mais, ajouta-t-elle en fronçant les sourcils, Henry ne ressemble pas vraiment au prince Charles, n'est-ce pas ? »

Elle avait facilement adopté sa nouvelle belle-fille italienne et l'aimait profondément. On pouvait imaginer ses réactions si Henry II se séparait de Cristina pour vivre avec un mannequin qui ne faisait pas partie de leur monde.

Le grand-père d'Henry II avait mené une double vie avec Evangeline Dahlinger. Après la naissance de leur fils John en 1923, la Ford Motor avait commencé à aller à la dérive. Henry Ier avait 59 ans à cette époque. Quand Henry II décida de quitter Cristina pour Kathy, il en avait 58.

La rupture des relations conjugales n'est jamais aisée mais, dans ce cas précis, elle eut des aspects très déplaisants. Cristina n'avait pas réussi à apaiser le démon de midi de son mari. Kathy DuRoss affirme qu'avant de la rencontrer, il entretenait déjà des relations extra-conjugales. Tout en encourageant les absences de sa femme, il lui en gardait rancune. Cristina se plaisant en la compagnie d'Imelda Marcos, l'épouse du président philippin, Henry conçut des soupçons à propos de cette amitié et accusa sa femme d'être lesbienne – ce que celle-ci réfuta avec indignation.

Il reprochait fondamentalement à Cristina, comme il l'avait fait avec Anne, de se complaire dans le rôle de Mrs. Henry Ford. En 1974, celle-ci présida au Lincoln Center de New York un gala en l'honneur du quatre-vingtième anniversaire de Sol Hurok, le célèbre impresario américain qui, entre autres choses, avait facilité les échanges entre les corps de ballet d'Union Soviétique et des États-Unis. Elle fit sensation, éclipsant même par sa présence Aristote et Jackie Onassis.

Henry II assista au premier acte, assis à côté de sa femme dans la loge d'honneur, mais quitta le théâtre avant la fin de la représentation. A ceux qui s'inquiétaient de son absence à la réception donnée après le gala, Cristina, qui n'avait pas la moindre idée des raisons du départ de son mari, répondit qu'il s'était senti légèrement souffrant et avait regagné sa chambre.

Il avait en fait pris l'avion pour Detroit. Quand elle le rejoignit à Grosse Pointe, elle le trouva bouillant de colère. « Souviens-toi, hurla-t-il, que tu n'es rien sans moi. Je peux te balancer dès demain si j'en ai envie. »

Début décembre 1975, dix mois après avoir été surpris en compagnie de Kathy DuRoss à Santa Barbara, Henry II téléphona à son médecin de l'hôpital Ford, le docteur Richmond Smith, et lui demanda quels étaient ses projets pour Noël. Smith répondit qu'il avait l'intention de rester à Grosse Pointe. « Voilà une bonne chose », répliqua Henry.

Quelques jours avant Noël, les Ford firent leurs bagages. Ils se préparaient à un voyage à Londres et avaient projeté de rendre visite à Lord Mountbatten dans sa résidence de Broadlands. Cristina espérait que ces vacances aideraient à une réconciliation. Son mari lui avait juré qu'il réparerait le tort qu'il lui avait causé avec son aventure en Californie. Tout allait bien, songeait-elle, tandis qu'il l'aidait à choisir sa garde-robe pour le voyage. « Non, Bambina, disait-il, je n'aime pas cette couleur. Que penses-tu de celle-ci, ou de celle-là ? » Il se montrait plein d'attention et de prévenances et, quand les valises furent bouclées, il proposa à Cristina d'aller se coucher afin d'être en forme pour voyager le lendemain.

Elle se rendit donc à sa chambre située au premier étage mais, avant de se mettre au lit, elle se souvint qu'elle avait oublié un journal qu'elle voulait lire avant de s'endormir. Elle trouva son mari dans l'entrée un petit sac de voyage à la main, prêt apparemment à sortir.

« Où vas-tu à cette heure-là, demanda-t-elle abasourdie. Il y a le feu à l'usine ? »

Pendant quelques instants, elle crut à une plaisanterie, mais il lui fallut vite se rendre à l'évidence. Henry bredouilla d'abord une vague excuse puis lui déclara brutalement qu'il la quittait et qu'il n'avait pas l'intention de revenir.

Cristina eut une crise de nerfs. Son mari décrocha le téléphone. Quelques minutes plus tard, le docteur Smith était là.

35

Les clefs du royaume

Le 10 décembre 1970, quinze mois exactement après le licenciement de Bunkie Knudsen, Henry II entra dans le bureau de Lee Iacocca avec d'excellentes nouvelles. Il avait décidé de le nommer président de la Ford Motor. « Voilà le plus beau cadeau de Noël que j'aie jamais reçu! » pensa Iacocca. « Nous sommes restés assis quelques instants, écrivit-il plus tard dans ses Mémoires, lui tirant sur sa cigarette et moi sur mon cigare. » Après l'entrevue, il téléphona immédiatement à sa femme Mary et à son père Nicola à Allentown.

Franklin D. Murphy, un médecin irlandais qui dirigeait le groupe de presse Times Mirror de Los Angeles et était membre du conseil d'administration de Ford depuis 1965, se souvient des confidences de Iacocca : « Mon rêve, lui avait dit ce dernier, c'est d'être un jour président de la société. »

« Lee, lui avait répondu Murphy qui l'aimait bien et qui avait déjà entendu cette réflexion à plusieurs reprises, est-ce vraiment ce que vous désirez? Voulez-vous être seulement président ou président-directeur général? Vous êtes déjà président, mais il semble que vous souhaitez davantage. » Et Lee avait déclaré avec honnêteté : « Quand je dis président, cela signifie pour moi diriger l'entreprise. »

Pour quelqu'un dans sa position, cette ambition n'avait rien d'irréaliste. Même si Henry II remplissait son mandat jusqu'à l'âge de soixante-six ans, il resterait encore sept ou huit ans à Lee pour occuper ce poste. Il était le seul dans l'entreprise qui en était capable.

Les journaux parlaient souvent du fils d'Henry, Edsel II, comme successeur éventuel de son père, mais pour l'instant du moins, c'était hors de question. Il n'avait pas fait de brillantes études et en septembre 1982, quand son père aurait soixante-six ans, il ne serait âgé que de trente-trois ans.

Quand Henry II avait pris la direction de la société, il était très jeune. Mais c'était à l'époque une entreprise familiale. La Ford Motor était désormais dans une situation différente. Les actionnaires y avaient investi des milliards de dollars et, bien que la famille contrôlât 40 % des voix, elle pouvait difficilement imposer un de ses membres à un poste élevé s'il ne réunissait pas les conditions requises.

Benson, le frère d'Henry, avait deux ans de moins que lui mais il était alcoolique et de santé fragile. Quant à William Clay le poste ne l'intéressait pas. Il préférait gérer sa fortune. En trois ans, il était devenu le principal actionnaire avec 1 800 708 parts de catégorie B alors qu'Henry n'en possédait que 1 116 292. Il ne prenait plus au sérieux la construction automobile après l'échec de la division Continental. D'ailleurs, il devait s'occuper de son équipe de football.

Ainsi, quand Lee Iacocca fut nommé président, il avait de fortes chances de devenir le premier « non-Ford » à prendre les rênes de l'entreprise. Henry II ne voyait cependant pas les choses de cette façon. En 1972, il contesta la nomination de Hal Sperlich à la direction de Ford-Europe – sur une proposition de Iacocca. Il lui préféra Philip Caldwell, un comptable qui avait fait ses preuves dans la division des camions et des véhicules commerciaux et qui avait mis Philco sur pied. Il lui adjoignit Bill Bourke. Celui-ci s'occupait depuis 1965 du marketing en Australie, et ne faisait pas partie de l'équipe des fidèles de Lee.

Personne, à l'époque, ne prêta grande attention à cette affaire. Sperlich, avec son caractère brutal et excentrique, n'était pas le meilleur candidat pour diriger une entreprise aussi complexe que Ford-Europe. On aurait pu cependant s'étonner de l'attitude d'Henry II et de son peu d'enthousiasme pour les perspectives de carrière de son président quand il fut interviewé, le 26 mai 1974, par Lou Gordon au cours d'une émission télévisée.

Personne ne participait pour le plaisir au « Lou Gordon Show ». On se soumettait à l'épreuve pour le besoin des relations publiques, pour prouver qu'on représentait quelque chose ou par obligation sociale, comme ce fut le cas d'Henry II qui ne put échapper à l'invitation. Lou Gordon était riche, et la télévision n'était pour lui qu'un hobby. La façon dont il traitait ses invités s'en ressentait. Il avait réussi par exemple à faire admettre à George Romney que ce dernier avait subi un lavage de cerveau pendant un passage au Viêt-nam, lui enlevant ainsi tout espoir d'être candidat à la présidence. Quand il voulait une réponse, il acculait sa victime dans ses derniers retranchements.

« Lee Iacocca prendra-t-il votre succession ? » demanda-t-il à Henry II.

– Ce n'est pas moi mais le conseil d'administration qui en décidera », répondit celui-ci.

« Mais vous y avez une certaine influence », poursuivit Gordon.

Henry II essaya de dévier l'interview sur d'autres questions, mais Gordon le relança une troisième, puis une quatrième fois :

« Aimeriez-vous personnellement qu'il vous succède ? »

« Oui », dit Henry II faiblement. Mais ça n'avait pas l'air de lui faire plaisir.

Lee jouait au grand seigneur. On aurait cru qu'il était déjà président-directeur général quand on le voyait arriver à une présentation de voitures. Les gens s'alignaient pour l'accueillir. Ses assistants l'accompagnaient dans leurs limousines. Des hommes en imperméable parlaient mystérieusement dans leurs talkies-walkies. Les hôtesses des compagnies aériennes faisaient la comparaison avec Mr. Ford qui se contentait généralement d'un sandwich et de fruits. Pour Mr. Iacocca, on devait mettre une nappe blanche, des couverts en argent et des tasses en porcelaine.

C'était toute la différence entre un Américain de la première génération et le descendant – troisième génération –, né dans l'opulence, d'une famille qui avait débarqué dans le pays voilà cent trente ans. Lee ne cachait pas son goût pour la vie facile, les vins fins et les gros cigares. « J'aimais, écrit-il dans ses Mémoires, les privilèges dont jouissait le président, une place de parking réservée, une salle de bains privée, des serveurs en veste blanche. »

En réalité, les serveurs en question qui officiaient au dernier étage du Ford World Headquarters portaient des vestes noires et, pour un non-initié, il était difficile de les distinguer des cadres de l'entreprise. On relève aussi de nombreuses inexactitudes dans les souvenirs de Iacocca. Il raconte par exemple une histoire de hamburgers spéciaux que se faisait servir Henry II. En fait, tous les cadres pouvaient en bénéficier et Lee Iacocca ne s'en privait pas. Il demanda au chef sa recette pour qu'on puisse lui préparer les mêmes chez lui.

L'affaire du 727 fut nettement plus onéreuse pour la Ford Motor. Selon Iacocca, Henry II avait acheté le Boeing à une compagnie japonaise et l'avait fait aménager luxeusement pour ses voyages en Europe. Irrité que Lee l'utilise pour les besoins de la société, il le revendit, avec perte, au chah d'Iran.

La réalité est bien différente. Henry II refusait – à tort ou à raison – de traverser l'Atlantique avec des appareils de moins de quatre réacteurs. Le 727 n'en ayant que trois, il fut affecté à l'usage personnel de Iacocca, qui donna lui-même les directives pour son aménagement. Le résultat reflétait parfaitement les goûts du président, avec une plomberie par exemple en plaqué or. « Sa chambre à coucher, raconte un passager, ressemblait à un bordel français. »

Exactement ce qu'il fallait au chah d'Iran.

« Henry se débarrassa de cet avion, dit David Metcalfe, son ami anglais, parce que c'était la seule façon d'empêcher Lee de se balader dans le monde entier avec ce foutu engin. »

Tous ceux qui ont travaillé avec Iacocca peuvent raconter d'innombrables anecdotes de ce genre. Dans les trente-neuf classeurs qu'il laissa chez Ford après son départ, on trouva des lettres demandant des postes de télévision Philco gratuits pour ses amis, des commandes pour des boutons de manchettes Mustang, des lettres pour accompagner des couvertures de *Time* dédicacées et un épais dossier concernant l'aménagement de son bureau qu'il souhaitait meubler dans le style de celui de Benson Ford.

Ce sont là des vétilles. Les cadres de la compagnie étaient réputés pour leurs somptueux privilèges. En août 1975, la Ford Motor effectua une enquête à ce sujet et, comme Lee le note dans ses Mémoires, « rien ne peut être retenu contre moi ou les membres de mon équipe. »

Malheureusement, Henry II commençait à être excédé par tous ces problèmes. Il avait toujours été très généreux avec les cadres supérieurs qui recevaient de hauts salaires et des primes importantes. Il ne chicanait pas sur les dépenses. Iacocca gagnait davantage que le président de la General Motors. En 1973, il touchait 275 000 dollars par an plus une prime de 590 000 dollars, comme Henry II lui-même. Mais il était allé trop loin. Il se conduisait comme un Ford.

Le train de vie de Lee aurait moins préoccupé Henry II s'il avait eu des amis différents. « N'avez-vous pas peur de Fugazy, demanda-t-il un jour à Paul Bergman, un cadre de la société qui avait souvent à faire avec l'agent de voyages. Ne craignez-vous pas de finir dans l'East River avec une paire de bottes en ciment ? » Il fut encore plus direct avec Iacocca : « Je pense, lui dit-il, qu'il travaille avec la Mafia. »

La Mafia était sa bête noire. Son fils Edsel avait une petite amie dont il soupçonnait la famille d'entretenir des liens avec l'organisation du crime. Il en fut bouleversé. La plupart des gangsters qu'avait fréquentés Harry Bennett était des Italiens membres de la Main Noire, future Cosa Nostra. Henry II avait réussi à se débarrasser de Bennett et il ne voulait pas que la société retombe dans un tel bourbier. D'autre part, étant donné les problèmes qu'il avait avec Cristina, l'origine italienne de Iacocca n'était pas pour ce dernier un avantage. De plus il avait un ami italien qu'Henry n'appréciait pas plus que Fugazy : Alejandro de Tomaso, qui dirigeait l'atelier de conception automobile Ghia à Turin.

Dans les années soixante, les sociétés automobiles de Detroit, pour faire face à la concurrence étrangère, s'associaient avec des concepteurs européens qui pouvaient trouver des idées nouvelles et construire des prototypes en un temps record. Ils ont aujourd'hui créé des liens similaires avec les concepteurs de Californie.

De Tomaso était né en Argentine et sa société avait également des relations avec des pays d'Amérique Latine. Il avait été financé par Leonidas Ramadas Trujillo, le fils du dictateur de la république Dominicaine. Ses limousines blindées lui avaient rapporté des bénéfices confortables. Il en avait notamment vendu une à Franco. Le pilote de son avion personnel avait été autrefois celui de Mussolini.

Ancien coureur automobile, de Tomaso se lança dans les affaires après son mariage avec Elizabeth Haskell, originaire de Red Bank, New Jersey. Sa belle-famille, qui possédait la Rowan Controller Industries à Oceanport, usa de son influence pour faire entrer de Tomaso à la Ghia. En 1970, deux directeurs de Rowan, dont l'un était un Haskell, disparurent dans un accident d'avion. De Tomaso réussit alors à obtenir de Ford une participation de 84 % dans Ghia et les autres entreprises qu'il avait regroupées, notamment Vignale, le constructeur d'autocars de Turin.

Il semble que Lee Iacocca ait fait sa connaissance par l'intermédiaire de Carroll Shelby, le coureur automobile texan qui s'était spécialisé dans la modification des modèles standard, notamment la Mustang et la Roadster AC britannique. Il faisait d'excellentes affaires. Sa Cobra AC, équipée d'un moteur de V8, devint un classique de l'époque. De Tomaso décida de la concurrencer avec son propre modèle, la Mangusta.

Longue et surbaissée, c'était une voiture magnifique qui semblait sortie tout droit d'un film de James Bond. Elle évoquait par sa ligne la Lamborghini, mais techniquement c'était une véritable catastrophe. L'embrayage était trop dur, la direction traîtresse, elle avait de mauvais freins et une visibilité arrière pratiquement nulle.

Fabriquer, à partir de plans originaux et séduisants, une voiture fiable n'est pas une entreprise aisée. Certains modèles spectaculaires présentés dans les salons de l'automobile n'atteignent jamais la production en série. Il est plus difficile qu'on ne l'imagine de proposer au public un véhicule dont la conduite ne nécessite pas le port d'un casque de protection.

De Tomaso n'était peut-être pas conscient de tous ces problèmes et Lee Iacocca lui-même semble avoir fermé les yeux sur les vices de fabrication. Il accepta que le concepteur italien réalise une nouvelle voiture, la Pantera, qui devait être distribuée aux États-Unis par les concessionnaires de la Lincoln-Mercury. Elle concurrencerait la Corvette de la General Motors et l'on espérait en vendre dix mille par an.

Iacocca effectua une visite chez Ghia en août 1969 et, en janvier de l'année suivante, Ford exposa son prototype au Salon de l'automobile de New York. Le planning prévoyait son lancement sur le marché en 1971. La Pantera ressemblait extérieurement à la Mangusta mais, théoriquement tout au moins, la mécanique était entièrement nouvelle. En réalité, on avait fait venir de l'usine de Cleveland un moteur standard 351 V8 dont la plaque « Ford » avait été remplacée par une plaque « de Tomaso ».

En moins de neuf mois on passa du prototype à la fabrication. Les tests furent effectués en Californie. On n'en retrouve aucune trace dans les archives de Ghia à Turin mais les dossiers de la National Highway Traffic Safety Administration fournissent un certain nombre de données accablantes concernant la direction, la transmission, les freins, la possibilité de fuites d'essence et les dangers d'incendie.

Ce genre de détails n'inquiétait apparemment pas de Tomaso. Au cours d'une de ses visites à Dearborn, il répondit aux ingénieurs de Ford qui l'interrogeaient sur les défauts de la suspension arrière : « Je n'y connais rien. Je suis un artiste. » Il rencontra le même jour les dessinateurs de l'atelier de conception qui critiquèrent le manque de finition des garnitures intérieures et rétorqua : « Je n'y connais rien, je suis un ingénieur. » Quand les journalistes évoquèrent devant lui les normes de sécurité fédérales et la possibilité de voir la Pantera interdite sur le marché américain, il haussa les épaules. « Si un type a assez d'argent pour se payer une assurance, dit-il, on peut bien lui permettre d'acheter ce genre de voiture. »

La Pantera aurait constitué pour Ford un véritable désastre, comparable à celui de la Pinto, si elle s'était vendue massivement. Elle était heureusement destinée à un marché plus réduit. La société en écoula 130 en 1971 et 1 552 en 1972. Le chiffre record fut atteint en 1973 avec 2 033 véhicules. L'année suivante, il tomba à 712. La voiture, qui ne remplissait pas les conditions exigées par les normes de sécurité, fut retirée de la circulation avant 1975.

Ghia reste le concepteur des voitures haut de gamme de Ford-Angleterre. Quant à de Tomaso, il devait par la suite intervenir – de façon plutôt surprenante – dans le conflit qui allait opposer Henry II à Lee Iacocca. Quand ce dernier quitta Ford pour Chrysler, il s'empressa de conclure un accord avec son vieil ami Alejandro qui permit à ce dernier de prendre le contrôle de Maserati et de construire des voitures de sport pour Chrysler.

Les passionnés de l'automobile ont gardé le souvenir de la Pantera, en dépit du fait qu'elle se soit peu vendue. David Benson, le spécialiste automobile du *Daily Express* de Londres, roulait un jour à 200 à l'heure sur les routes suisses en compagnie de Jackie Stewart, le coureur automobile et de sa femme Helen lorsque le système à air conditionné placé à l'avant de la voiture s'effondra et les vitres furent soudain couvertes de buée.

Au cours d'une randonnée dans le sud de la France, il arriva à Benson et Stewart une autre aventure avec une Pantera. Cette fois-là, tous les circuits électriques tombèrent en panne. Les phares s'éteignirent et les fenêtres et les portes à commande automatique restèrent bloquées. Il fallut plus d'une heure à de Tomaso qui suivait dans une autre voiture pour libérer les occupants.

Quelque temps avant la nomination de Iacocca à la présidence de la compagnie, Henri II lui fit rencontrer sa mère. Lee ignorait d'ailleurs que le cocktail, organisé par Mrs. Eleanor, était donné en son honneur. Certains membres du conseil d'administration de la société ainsi que des cadres qui en avaient fait partie du temps d'Edsel y assistaient. L'hôtesse accueillit chaleureusement Lee qui en fut impressionné et en conclut, semble-t-il, qu'il avait un allié particulièrement influent au sein de la famille Ford. Il alla jusqu'à suggérer, dans ses Mémoires, qu'Henry II n'aurait jamais rien osé entreprendre contre lui avant la mort de sa mère, en 1976.

Il se trompait totalement. Mrs. Eleanor se montra certainement très aimable ce jour-là avec le futur président de la société, mais c'était sa manière d'être avec tout le monde. Dans la famille ou parmi ses amis, personne ne se souvient qu'elle ait jamais, par la suite, manifesté un intérêt particulier pour Lee Iacocca.

L'interprétation par ce dernier de l'attitude de Mrs. Eleanor, révèle l'ambiguïté sur laquelle étaient fondées ses ambitions. Si celles-ci s'étaient limitées au rang de cadre supérieur, il aurait pu facilement se faire engager par la General Motors ou Chrysler, des entreprises plus importantes. Mais il avait choisi Ford parce que ce nom avait pour lui une signification toute particulière. Et, s'il en était devenu le président, c'était parce que Mr. Ford avait de la sympathie pour lui.

En conséquence, l'étape suivante de sa carrière devait représenter autre chose qu'une simple promotion. Pour assumer la direction de l'entreprise, il devait en quelque sorte devenir lui-même un Ford, ou en tout cas ne pas représenter une menace pour l'image de marque de la société. Il se heurta finalement à cet obstacle quand, dans les dernières semaines de l'année 1975, Henry Ford II commença à ressentir les premiers symptômes d'une angine de poitrine.

Marian Heiskell, née Sulzberger, appartenait à la famille propriétaire du *New York Times*. En 1976, quelques mois après qu'on eut diagnostiqué chez Henry II une angine de poitrine, elle devint membre du conseil d'administration de la Ford. C'était la première femme à occuper un tel poste dans l'entreprise.

Charlotte Ford s'était toujours querellée à ce sujet avec son père – un phallocrate notoire. Finalement, le conseil d'administration était parvenu à faire céder Henry II. L'arrivée de Marian Heiskell posait cependant un certain nombre de problèmes d'ordre pratique.

Au-dessus du treizième étage du Ford World Headquarters, où se trouvaient la salle à manger et le jardin suspendu réservés aux cadres supérieurs, on avait construit une mezzanine avec une rangée de chambres à coucher pour les administrateurs de passage.

Les réunions avaient lieu chaque deuxième mercredi du mois. En logeant les visiteurs à Dearborn Inn, les déplacements auraient occasionné une perte de temps. Ils passaient donc la nuit dans ces sortes de petites cabines – avec chacune une salle de bains –, alignées le long d'un couloir étroit qui évoquait un wagon-lit de l'Orient-Express.

Que faire de Mrs. Heiskell au milieu de tous ces hommes ? On pensa d'abord à lui retenir une chambre à l'hôtel Hyatt, de l'autre côté de la rue, mais finalement le bon sens l'emporta. On l'accueillit donc au quatorzième étage et, pour sa première visite, on orna les tables de la salle à manger d'un bouquet de fleurs – ce qui d'ailleurs ne se reproduisit pas par la suite. « Ford savait s'occuper de ses hôtes », nous a-t-elle confié dans une interview. « Une voiture nous attendait à l'aéroport. Je n'ai jamais été autant choyée dans ma vie qu'au cours de mes voyages à Detroit. »

Une atmosphère de camaraderie régnait au treizième et au quatorzième étage. Les administrateurs arrivaient la veille de la réunion, dînaient ensemble puis passaient la soirée à discuter et à se détendre. Les travaux des commissions et la réunion de clôture avaient lieu le lendemain.

C'est là que se jouèrent, de 1976 à 1978, les drames qui devaient décider du destin de Lee Iacocca.

Dès la première réunion, Marian Heiskell fut extrêmement étonnée en entendant Henry II proposer le licenciement du président que l'on considérait, à l'extérieur, comme le principal artisan des succès les plus notables de l'entreprise. Ignorant les usages, elle était allée de commission en commission – y compris celles dont elle ne faisait pas partie – et, par politesse, les administrateurs l'avaient laissé faire. Quand elle se retrouva dans celle dont elle était membre et qu'Henry II présidait, ce dernier parlait de ses problèmes cardiaques et de sa succession. Il envisageait différentes solutions dans l'hypothèse où il serait incapable de remplir totalement ses fonctions. Si sa maladie s'aggravait, on devrait procéder à certains réaménagements.

« Parlons d'abord de votre santé, dit-elle, nous nous préoccuperons ensuite des autres problèmes. » Mrs. Heiskell avait immédiatement compris qu'Henry II était très affecté par ses troubles cardiaques. Il semblait croire qu'il n'avait plus longtemps à vivre, « comme quelqu'un qui pouvait mourir du jour au lendemain ».

Le docteur Franklin Murphy, un autre administrateur, ami et confident d'Henry II depuis dix ans, avait la même impression. « Son problème numéro un, dit-il, c'était les femmes. L'Italienne qu'il avait épousée n'avait pas un caractère facile, pour ne pas dire plus. Il avait appris un certain nombre de choses déplaisantes sur elle, ses amis, ses voyages, etc. En même temps, il était tombé amoureux de Kathy, son épouse actuelle. Il savait qu'il devrait en arriver au divorce et que ce serait un beau gâchis... De plus la société perdait des tonnes d'argent. On la critiquait, on disait qu'elle fabriquait de la camelote. On lui intentait des procès. Enfin, il venait d'apprendre qu'il avait des troubles cardiaques. Et tout cela lui tombait dessus en même temps! »

Franklin Murphy avait une grande admiration pour Iacocca. Il savait que ses collègues partageaient son opinion. Il estime aujourd'hui que, si Henry II était mort à cette époque, le conseil d'administration aurait désigné Iacocca comme son successeur avec 60 % ou même 70 % des voix. Pour tout le monde, il était hors de question de se débarrasser du président au moment même où Henry II avait des problèmes de santé.

Les administrateurs prirent la défense de Iacocca mais Henry II n'avait rien de précis à reprocher à ce dernier. Marian Heiskell rapporte qu'il se contenta de dire : « Je ne l'aime pas. Je ne veux plus qu'il travaille pour moi. »

Bizarrement, il ne pouvait donner de motifs concrets au renvoi de Iacocca, car c'était bien de renvoi qu'il s'agissait. Il n'envisageait pas de lui donner un poste moins important ou de le mettre sur une voie de garage. Il voulait qu'il quitte la compagnie – et ce pour une seule raison : il croyait fermement que sa mort était imminente. S'il avait simplement pris sa retraite, il aurait pu garder les choses en main en restant membre du conseil d'administration ou en ayant un pied dans certaines commissions. Mais il savait que s'il venait à mourir la Ford Motor tomberait dans les mains de Lee.

Dans ses Mémoires, Iacocca décrit les administrateurs de la Ford comme des marionnettes dont Henry II tirait les ficelles. Il va jusqu'à laisser croire que celui-ci les corrompait en augmentant leurs honoraires pour s'assurer de leur soumission. Comme dans de nombreux passages de son autobiographie, il s'accorde trop d'importance. A l'époque où Henry II voulait licencier Iacocca, les administrateurs virent effectivement leurs honoraires augmenter. Il ne s'agissait toutefois que d'une prise en compte – d'ailleurs partielle – de l'inflation. En trente ans, les augmentations n'ont jamais dépassé 500 dollars par an – soit un taux de 2 %.

Lee accuse ainsi injustement un groupe de personnes qui appréciaient ses qualités et qui se sont efforcées de défendre sa cause. Marian Heiskell estime que « nous avons freiné Henry pendant deux ans ».

Quant à Franklin Murphy, l'anxiété générale qui régnait dans la société au sujet de la santé d'Henry II ne l'empêcha pas de se préoccuper du sort du président. Il avait remarqué que Iacocca prenait mal les choses, qu'il était tendu. Ses affrontements avec Henry II étaient de plus en plus fréquents. Murphy estima qu'il avait le devoir de tenter une réconciliation en servant de médiateur. « Encouragé par la plupart de mes collègues, dit-il, je décidai de me comporter en quelque sorte comme un psychiatre. »

Le 14 avril 1977 Henry Ford donna une conférence de presse. Il révéla qu'il avait entrepris une réorganisation importante à la tête de la société et décidé de créer, sur les conseils de McKinsey and Company, consultants en management, un comité directeur de trois membres. Lui-même et Iacocca conserveraient leurs fonctions respectives. Philip Caldwell, qui revenait d'Europe après y avoir obtenu un succès remarquable, serait nommé vice-président du conseil d'administration. Pendant la conférence de presse, Caldwell et Iacocca étaient assis aux côtés d'Henry II.

Un journaliste demanda si cette réorganisation était une idée personnelle. Non, répondit Henry II, il s'agissait du résultat de recherches menées par McKinsey. Que se passerait-il s'il s'absentait ? Qui prendrait le gouvernail ? La question ne se posait pas, répliqua-t-il, puisqu'on pouvait le contacter dans le monde entier. Et s'il tombait malade ? Dans ce cas, le comité directeur ne compterait plus que deux personnes. De ces deux personnes, laquelle détiendrait réellement le pouvoir ? Henry Ford II ne pouvait plus se dérober plus longtemps. « Philip Caldwell », répondit-il.

Le conflit entre Henry II et Lee Iacocca avait éclaté au grand jour. « Ce fut comme si j'avais reçu un coup de poing en pleine figure, écrira Lee. Quand il y avait un dîner, Henry était assis à la table principale, Caldwell à la deuxième et on me reléguait à la troisième. Une véritable humiliation publique. »

Quand Franklin Murphy venait à Dearborn, il trouvait des messages désespérés de Iacocca. « Je vous en prie, venez me voir ! Que se passe-t-il ? Ils sont en train de me crucifier ! ».

Murphy le trouvait marchant de long en large dans son bureau « tapant du poing sur la table, à moitié hystérique ».

Après le meurtre de Sharon Tate et de ses amis à Los Angeles, le FBI fit circuler en 1969 une liste de victimes potentielles établie par la secte Manson. Elle comprenait les noms de certains cadres supérieurs de Ford. Dans la « Maison de verre », on en fit des gorges chaudes mais Lee prit l'affaire au sérieux. Il prétendait qu'il avait eu connaissance d'une autre liste où son nom figurait. Par prudence, il décida de ne pas se rendre à San Francisco où il devait assister à une réunion commerciale. Finalement, après avoir perdu un temps considérable en discussions sur les dangers que le président pouvait courir en Californie, on parvint à le faire changer d'avis. Son escorte de gardes avec leurs talkies-walkies fut plus importante que jamais. Il renonça à prononcer lui-même son intervention devant les concessionnaires Ford et à monter sur le podium et demanda à l'un de ses assistants de le remplacer.

Cette paranoïa atteignit son apogée fin 1977. Il raconta à Marian Heiskell qu'en se cognant la tête contre la porte d'une voiture, il avait d'abord cru qu'on avait tiré sur lui.

Quelqu'un le persécutait effectivement. Quelqu'un d'important et qui voulait se débarrasser de lui. En écrivant dans son autobiographie que son patron le « découpait en tranches comme un salami » jusqu'à ce qu'il accepte enfin sa défaite, il n'était pas loin de la vérité.

« Je pense, dit Franklin Murphy, qu'Henry voulait le rendre complètement fou et l'obliger à partir de lui-même. C'est la manière la plus simple de liquider quelqu'un. »

Ce ne fut pas aussi simple. Lee Iacocca se défendait farouchement. Il avait eu raison de Knudsen en 1969 et, comparé à Bunkie, Caldwell ne pesait pas lourd. Ce dernier n'avait d'ailleurs pas gagné toute la confiance d'Henry II. Pour fêter sa promotion, l'ancien comptable voulut aménager son nouveau bureau et présenta un devis de 1 250 000 dollars. On ne lui en accorda que 750 000.

De la guérilla on passa au conflit ouvert. A la fin de l'année 1977, Iacocca et Caldwell ne s'adressaient pratiquement plus la parole. Le vieux schéma des batailles avec Bunkie Knudsen se répétait, avec toutefois une différence notable : Henry II était entré dans la mêlée. Il licencia les lieutenants de Iacocca : Hal Sperlich en 1976 et, sous la forme d'une « retraite anticipée », Paul Bergmoser en 1977. Il s'attaqua ensuite à Fugazy en mettant fin à tous les contrats passés avec ce dernier.

Lee ne pouvait se faire d'illusions sur son véritable ennemi. Il pourrait continuer à croiser le fer avec Caldwell indéfiniment mais, s'il voulait gagner la bataille, il lui fallait viser plus haut.

36

Dites-moi que ce n'est pas vrai

Les choses commencèrent de façon brutale par un procès devant le tribunal du comté de New York. Il opposait Clayton H. Donnelly et d'autres plaignants – des chauffeurs de grande remise – à la Fugazy Continental, à la Fugazy All-City RentaCar, et à la Ford Motor.

La rupture par Henry II des contrats passés entre Ford et Fugazy avait en effet porté préjudice non seulement à ce dernier mais aux conducteurs de limousine qui ne bénéficiaient plus de l'assurance accordée par la société pour les Lincoln et les Mercury.

Les avocats de Ford, du cabinet Hughes, Hubbard and Reed de Wall Street, éprouvèrent vite un certain malaise à voir le nom de Fugazy associé à celui de leur client. Les dossiers contenaient en effet des éléments gênants. Il semblait d'autre part étonnant que les chauffeurs, abandonnant pour une fois leur individualisme traditionnel, aient pu trouver des relations et des fonds suffisants pour s'assurer les services du cabinet Saxe, Bacon and Bolan dont faisait partie Roy M. Cohn, un ami d'enfance de Fugazy.

Le procès tomba finalement à l'eau en mai 1978. Cependant, la procédure avait fourni l'occasion d'attaques directes contre Henry II. Cohn avait déposé le 24 avril une plainte devant la Cour suprême de l'État de New York accusant ce dernier et le conseil d'administration de la Ford « d'activités illégales et frauduleuses... et de détournement des biens de la société à leur profit et à celui de personnes avec qui ils étaient ou avaient été associés. »

Roy Cohn avait été, dans les années cinquante, un assistant de Mc Carthy et s'était acquis une triste réputation dans la chasse aux sorcières. A cette époque, ses accusations étaient un tissu de mensonges et de diffamations. En revanche, il semblait, en avril 1978, être en mesure de fournir des preuves détaillées de ses allégations.

Le *New York Times* et le *Wall Street Journal* reproduisirent en première page ses accusations contre Henry II, et notamment le fait que ce dernier se vantait « d'avoir dans sa poche » tous les administrateurs de la société en achetant leur complaisance « avec d'énormes honoraires... et du champagne Dom Pérignon ». Selon Cohn, Henry II aurait obligé la Ford Motor à débourser plus d'un million de dollars pour l'aménagement, pour son usage personnel d' « un duplex de six pièces à l'hôtel Carlyle de New York ». Pour prouver qu'il savait très bien de quoi il parlait, Cohn fournit des détails sur cet appartement luxueusement meublé en style Louis XV, avec notamment « un bureau de bois de rose d'une valeur de 82 000 dollars et une commode estimée à 31 000 dollars ».

Il accusait également Henry II d'avoir donné à son ami Pat de Cicco, propriétaire de la Canteen Corp., « l'exclusivité pour l'approvisionnement en produits d'alimentation et en boissons des bureaux et des entreprises de la société et contre 750 000 dollars de pots-de-vin ».

Aucune preuve formelle ne put jamais être produite devant les tribunaux, mais toutes ces accusations contenaient une part de réalité. Mais Henry II avait-il été mêlé directement aux transactions et en avait-il retiré un profit ? Contrairement à celui-ci qui n'avait pas donné suite à son enquête sur les agissements de Iacocca puisqu'il n'y avait rien découvert d'illégal, Cohn exploita des spéculations et des rumeurs. Dans les années qui suivirent le Watergate, il n'était pas nécessaire de fournir des arguments solides. Si l'on possédait un certain pouvoir, on avait nécessairement tort.

Le 2 mai, Henry Ford réfuta les allégations de Cohn au cours d'une conférence de presse. Il était manifestement furieux. « On m'a souvent critiqué, dit-il, et généralement je n'ai pas accordé la moindre attention à ce que l'on a pu dire ou écrire sur moi. Mais je n'ai pas l'intention d'attendre l'ouverture du procès pour défendre ma réputation et celle du nom que je porte. Je n'ai rien à cacher et je suis là pour relever cet affront. »

Pour sa défense, il fit valoir qu'il s'était précisément attelé à éliminer la corruption dans son entreprise, qu'il était attaché à son honneur et à celui de sa famille, et qu'il était difficilement pensable qu'il se soit laissé aller à des indélicatesses. Il avait décidé d'ouvrir la compagnie aux actionnaires extérieurs et il était responsable devant eux. Aux amis qui lui avaient demandé certaines faveurs dans le domaine des affaires, il avait répondu qu'il ne pouvait les leur accorder. Le travail auquel il avait consacré son existence n'aurait eu aucun sens. Il répondit à toutes les questions des journalistes sans en éluder aucune.

Roy M. Cohn n'était malheureusement pas un adversaire ordinaire. Quelques jours après la conférence de presse, il se rendit à Detroit et malmena publiquement Henry II au cours d'une réunion des actionnaires, le 11 mai 1978. « Je sais très bien, dit-il, que je suis ici dans le royaume de Ford et que je ne suis pas l'un de ses sujets. » Il soumit Henry II à un véritable interrogatoire comme s'il s'était trouvé devant un tribunal, développant ses précédentes accusations et en ajoutant de nouvelles. Il avait eu, dit-il notamment, certaines informations concernant des dépenses excessives pour l'aménagement du bureau de Philip Caldwell. S'agissait-il d'une nouvelle preuve d'irrégularité sur le plan financier?

Iacocca et Caldwell étaient assis aux côtés de leur patron et restaient impassibles pendant que ce dernier répondait aux attaques de Cohn. Quand il alla jusqu'à demander qu'Henry II quitte ses fonctions pendant la poursuite de l'enquête, ni l'un ni l'autre ne sourcilla.

Le président du conseil d'administration sut réfuter avec le plus grand calme les accusations de Cohn. La bataille ne faisait cependant que commencer. Certains journaux, parmi les plus sérieux, traitaient l'affaire comme un mini-Watergate. L'avocat n'était pas homme à lâcher prise et, compte tenu de sa réputation, il ne craignait pas la publicité.

Il devenait de plus en plus clair que quelqu'un, au sein même de la Ford Motor, lui procurait des informations. Il avait officiellement intenté le procès pour le compte de quelques actionnaires de la société – des parents de son associé Bolan. Mais son véritable client, celui qui voulait mettre Henry II dans de sérieuses difficultés, lui donnait de façon permanente de nouveaux éléments. Quelques jours après le meeting des actionnaires, Cohn fit encore une révélation sensationnelle qu'il se serait empressé de faire en public s'il l'avait connue avant le 11 mai.

Le 16 du même mois, il ajouta en effet une nouvelle accusation à sa première plainte devant le tribunal : Henry Ford II avait contraint son service de publicité à payer des honoraires « injustifiés et illicites » à l'agence Leslie Fargo « dans laquelle une certaine Kathleen DuRoss, demeurant 394 Rivard Avenue, Grosse Pointe, Michigan, et entretenant des relations personnelles avec l'accusé Ford, possède des intérêts ». Il accusa également Max Fisher et Alfred Taubman de complicité pour avoir acheté avec Henry II un terrain destiné aux projets Fairlane et Renaissance, et pour en avoir partagé les bénéfices avec leur ami.

En janvier 1980, Roy Cohn finit par admettre que rien de concret ne pouvait être retenu contre Henry II. Il arriva d'Acapulco et se rendit directement à Wall Street, au cabinet des avocats de Ford, pour signer un document où il admettait qu'Henry II et les autres personnes concernées par le procès ne s'étaient livrés à aucune malversation.

A la suite de cet accord, Ford accepta d'apporter une contribution de 230 000 dollars aux frais de justice engagés par Cohn, ainsi qu'à ceux des autres avocats. En juin 1985 cependant, Cohn fut condamné par un tribunal de New York à rembourser cette somme, la décision du juge ayant fait valoir que le procès avait causé du tort aux actionnaires.

En 1978, personne ne se doutait d'une telle issue. Les journaux consacraient presque quotidiennement leurs gros titres aux revers de la Ford Motor. Cohn porta finalement, le 16 mai, son accusation la plus lourde. Henry II, certains administrateurs et des membres du personnel auraient versé en pots-de-vin environ un million de dollars à un membre du gouvernement indonésien à l'occasion d'un contrat passé avec Philco pour construire des stations de communication par satellites.

Comme toujours, certains détails des allégations de Cohn étaient réels. Ford-Philco avait effectivement négocié avec l'Indonésie, et un jeune cadre de la société, sans en informer ses supérieurs, avait donné une « commission » à un général indonésien.

L'entreprise était soumise à un strict contrôle financier. Grâce aux méthodes mises en vigueur par Ernie Breech à la fin des années quarante, on découvrit qu'un million de dollars avait été versé sans autorisation à une société de Singapour liée au général en question. Paul Lorenz, vice-président de Philco, ordonna de stopper le paiement et d'effectuer une enquête. La société ne paya aucune commission mais obtint néanmoins le contrat.

L'affaire s'était passée à un niveau peu élevé. Aucun cadre supérieur n'y était impliqué. Une enquête officielle menée par le ministère de la Justice conclut qu'il n'y avait pas matière à procès.

Lee Iacocca soutient cependant dans ses Mémoires la version de Cohn. Il rapporte une conversation entre Lorenz et lui-même. Ce dernier aurait admis sa complicité et confirmé l'accord d'Henry II.

Lorenz est aujourd'hui membre du conseil d'administration de la Texas Instruments et d'autres sociétés qui ont soigneusement vérifié le rôle qu'il a joué dans l'affaire indonésienne avant de l'admettre dans leurs rangs. Il nie formellement les accusations de Iacocca. A l'époque, d'ailleurs, il témoigna sous la foi du serment.

Les attaques de Cohn atteignirent leur apogée en mai, juin et juillet 1978. La Ford Motor était alors un véritable champ de bataille. Les supporters de Iacocca et ceux de Caldwell se tiraient les uns sur les autres à boulets rouges. « Il y avait une telle tension, raconte Franklin Murphy, que je finis par avoir horreur de venir assister aux réunions. »

Il trouvait Iacocca de plus en plus nerveux. « Il dormait mal, dit-il encore. C'était vraiment un triste spectacle. J'allais le voir et il se confiait à moi comme à un prêtre. »

Dans cette guerre quotidienne, la mauvaise publicité faite à Henry II par Cohn représentait un atout pour Iacocca. Il n'en allait pas de même des problèmes causés par la Pinto. Les dommages et intérêts de 127 millions de dollars accordés à Richard Grimshaw avaient incité le public à intenter d'autres procès à Ford. La National Highway Safety Administration demandait le retrait des Pinto fabriquées entre 1971 et 1976. Le 15 juin 1978, la Ford Motor, devant une décision qui semblait inévitable, annonça qu'elle prenait « volontairement » cette mesure : 1 370 000 Pinto furent retirées du marché, ainsi que 30 000 Bobcat. La société perdit 40 millions de dollars. Elle dut modifier le réservoir à essence et insérer entre celui-ci et l'essieu arrière une plaque de protection en plastique.

Lee était le père de la Pinto. Il le disait lui-même. Quand, dans les premières années, elle se vendait bien, il s'en était attribué tout le mérite. Désormais, on se posait de sérieuses questions sur toutes les Ford fabriquées sous sa direction.

En 1977, Ford avait été obligé de consentir une garantie prolongée pour 2 700 000 véhicules équipés de moteurs quatre et six cylindres qui présentaient une usure rapide par temps froid. Le problème provenait de la suppression de deux petits trous de graissage sur les cylindres – une décision prise afin de faire baisser les coûts de production. On avait également dû réviser 1 300 000 voitures dont le ventilateur était défectueux. L'été 1978, 18 163 000 Ford furent révisées ou soumises à des contrôles officiels sur la sécurité, la pollution ou les défauts de fabrication. « Nos voitures étaient de si mauvaise qualité, dit un cadre de Ford, qu'il devenait gênant dans les réceptions de dire où nous travaillions. »

Après avoir résisté pendant plus de deux ans à Henry II, certains membres du conseil d'administration commencèrent à se demander s'il n'avait pas raison de vouloir se débarrasser de Iacocca. Ce dernier n'était peut-être pas, en définitive, aussi brillant qu'on le croyait.

« C'était un homme qui avait de l'essence dans les veines, dit Murphy. Le créateur de la Mustang. Et pourtant la compagnie perdait des sommes considérables, elle était incapable de se faire une place sur le marché des petites voitures. Toute moralité en avait disparu et ce qui était plus humiliant encore, la qualité de la production. »

Lee Iacocca s'était enorgueilli des bénéfices réalisés en 1977 et 1978 après les mauvaises années qui avaient suivi la crise pétrolière de 1973. Mais la General Motors avait, elle aussi, connu des chiffres de vente record – 70 % de plus que Ford en 1978. En outre, la division la plus rentable était Ford-Europe, création d'Henry II et fief de Caldwell (40 % des profits de la société pour cette même année 78). Entre 1972 et 1977, les bénéfices de la General Motors aux États-Unis avaient augmenté de 46 %. Ceux de Ford avaient baissé de 4 %.

« Nous étions en train de sombrer, dit Murphy. Les succès de Ford-Europe étaient une sorte de camouflage. La direction ne savait pas ce qui allait arriver pour les États-Unis. »

Lee Iacocca a critiqué Henry II pour s'être opposé à la production de petites voitures et ce dernier a reconnu ses erreurs. A l'époque, cependant, Lee ne semble pas avoir discuté très fermement avec son patron. En 1976, il avait présenté fièrement une nouvelle série de grosses voitures comme s'il n'y avait jamais eu de crise de l'énergie. La General Motors avait réduit la taille de la plupart de ses modèles et Iacocca se moquait du grand constructeur.

Ses dernières réalisations n'étaient pourtant guère impressionnantes. Il semblait avoir perdu son doigté. En 1974, il donna une suite à la Mustang, la Mustang II, d'après un prototype réalisé par Alejandro de Tomaso. Elle faisait penser à une voiture sortie d'un manège de foire, et Ford n'en vendit que 170 000 soit 14 % du marché des voitures de sport dominé par la Firebird et la Trans Am de General Motors. La Mustang I avait autrefois pris la tête de ce secteur avec 78 % des ventes.

Les filiales canadiennes enregistraient également de mauvais résultats mais la question la plus importante restait celle de la compétence de Iacocca sur le plan international. Henry II estimait qu'il ne connaissait plus suffisamment l'Europe et, sur ce point précis, la plupart des administrateurs partageaient son opinion. Ils avaient voyagé avec les deux hommes et s'étaient rendu compte de la façon dont chacun travaillait.

Lee faisait valoir ses origines italiennes. Né à Allentown, il n'avait pourtant qu'une idée toute américaine de ce que l'Italie pouvait être. Bill Fugazy possédait dans son bureau une photo dédicacée de son ami; « Al mio carissimo amico Bill con i migliori augori, Lido. » Cependant, au cours d'une visite en Italie, Walter Hayes put constater que Iacocca ne parlait pas un traître mot d'italien.

Henry II avait toujours eu une conception internationale de son empire familial. La Ford Motor était devenue la plus grande société de construction automobile hors des États-Unis avec, en 1978, 20 % de la production mondiale des voitures, des camions et des tracteurs. Son président devait posséder la stature d'un chef d'État. Henry II estimait que ce n'était pas le cas de Lee.

Un cadre européen de Ford se souvient que Iacocca portait des chaussures en velours. Ce genre de détail préoccupait moins Henry II que le langage ordurier de Lee. Il pouvait lui-même proférer des obscénités quand il était ivre mais, dans les affaires, il était toujours d'une extrême correction.

Franklin Murphy tenta de donner quelques conseils à Iacocca. « Lee, lui dit-il, vous ne comprenez pas que vos grossièretés vous portent tort. » Il se souvient qu'Henry II fronçait des sourcils quand Iacocca, au cours des réunions du conseil d'administration, s'exprimait avec vulgarité.

Le 26 juin 1978, un coursier quitta les bureaux de Saxe, Bacon and Bolan situés dans la 68ᵉ Rue pour porter un message aux avocats de Ford à Wall Street. C'était devenu une routine. Une nouvelle fois, la Ford Motor était accusée officiellement de corruption. Henry II aurait reçu 65 millions de dollars du gouvernement philippin pour une usine dont la construction avait coûté 50 millions de dollars à la société.

Cette accusation était aussi extravagante que celles portées précédemment par Cohn, et celui-ci ramena d'abord la prétendue commission à 2 millions de dollars puis renonça à intenter un procès. Son ami William Safire, qui avait écrit un article dans le *New York Times* en reprenant ses allégations, fit par la suite amende honorable.

Dans une chronique parue le 14 avril 1983, Safire reprit, en les confirmant ou en les démentant, toutes les accusations diffamatoires qu'il avait portées pendant les dix années précédentes contre des personnalités comme Henry Kissinger, Edward Kennedy ou Frank Sinatra. Il fut le seul, parmi tous les journalistes qui s'étaient fait l'écho des allégations de Cohn contre Henry II sans vérifier les faits, à présenter des excuses publiques au constructeur.

Jusqu'en juin 1978, Henry II avait toujours présenté la campagne de diffamation menée contre lui comme une « vendetta personnelle ». Cette nouvelle « affaire philippine » lui permit d'exclure un suspect. Il semblait en effet plausible que Cristina ait donné certaines informations à Cohn. C'était effectivement elle qui avait révélé le prix du bureau en bois de rose de la suite de l'hôtel Carlyle. En février 1978, elle avait traîné son mari – dont elle était alors séparée – devant les tribunaux. Il voulait vendre un certain nombre de meubles anciens et une collection de tabatières auxquels elle était profondément attachée « sentimentalement ». Henry II dut témoigner pendant quatre heures pour assurer sa défense.

« Je prenais alors du Librium, ce médicament qu'on donne aux malades mentaux », dira plus tard Cristina en évoquant la dépression nerveuse causée par le départ de son mari.

On l'avait vue à cette époque dans un restaurant new-yorkais en compagnie de Roy Cohn. Selon certaines rumeurs, elle avait l'intention de le prendre comme avocat pour son divorce. En aucun cas, cependant, elle n'aurait pu être à l'origine des informations concernant les Philippines, compte tenu de son amitié personnelle avec Imelda Marcos. Le 5 mai, elle déclara, par l'intermédiaire de son avocat Carl Tunick, qu'en dépit des désaccords existant entre son mari et elle-même elle désapprouvait totalement la procédure judiciaire engagée par Cohn. En ce qui concernait sa conduite des affaires, dit-elle, Henry II était « au-dessus de tout soupçon ».

Roy Cohn disposait vraisemblablement d'autres sources d'informations chez Ford. Interrogés à ce sujet, certains de ses collaborateurs parlèrent du « mécontentement d'employés de la Ford licenciés et humiliés par Henry II ». Cohn lui-même cita dans une interview du magazine *Esquire* les noms de Pat de Cicco et de Paul Bergmoser. Ce dernier, dit-il, « était en possession de preuves indiscutables concernant les pots-de-vin ». Bergmoser confirma qu'il avait discuté effectivement avec Cohn mais sans entrer dans les détails.

Bergmoser entretenait des relations étroites avec Iacocca. Avant son licenciement, il avait été son principal supporter dans la « Maison de verre ». Il servait d'intermédiaire entre le président et Fugazy. On pouvait conclure logiquement que ce dernier lui avait fait rencontrer Cohn.

Fugazy a toujours démenti catégoriquement avoir assuré la liaison entre ses vieux amis Roy Cohn et Lee Iacocca. Henry Ford était cependant convaincu qu'il était profondément impliqué dans la campagne de diffamation. Il en conclut bientôt que son propre président était non seulement la source d'informations mais l'inspirateur de toute cette campagne.

Carter L. Burgess, membre du conseil d'administration de la Ford Motor depuis 1962, directeur de l'American Machine and Foundry Company, ex-ambassadeur en Argentine, avait été sous les ordres du général Eisenhower pendant la Seconde Guerre mondiale. Dans les tiroirs de son bureau, il possédait alors une réserve d'insignes : des aigles réservés aux colonels. Lorsque Eisenhower décidait de dégrader un des ses généraux, il l'envoyait chez Burgess qui lui remettait le symbole de son nouveau rang.

« C'est ainsi que j'ai compris que, dans le monde des affaires, on peut toujours être sacrifié... Il faut savoir que si votre supérieur a ses raisons de penser que les relations entre lui et vous sont devenues impossibles, on doit en payer le prix. »

Burgess, de même qu'Arjay Miller, soutenait Henry II contre Iacocca. Selon lui, le président aurait dû se retirer dès avril 1977. Avec la promotion de Philipp Caldwell, il avait en effet reçu son « aigle de colonel. » « Il aurait dû partir à ce moment-là, dit Burgess, ou tout simplement rengainer son pistolet et se remettre au travail. »

Pour un militaire, ou pour un cadre de la Ford Motor, cette solution simple et logique était sans doute valable, mais Iacocca ne pouvait s'y résoudre. Il ne voulait pas s'en aller. Il voulait devenir le numéro un. Pour le fils de Nicola Iacocca, rien n'existait en dehors de la Ford Motor. Il s'identifiait totalement à la Compagnie.

En juin 1978, Henry II fit une ultime tentative pour régler définitivement le problème. Il informa les administrateurs venus assister à la réunion mensuelle de deux nouvelles surprenantes : la société avait décidé de retirer la Pinto du marché et de licencier Iacocca.

La réaction des administrateurs fut unanime. « Ne faites pas cela, dit alors Murphy, essayons d'arranger les choses, de parvenir à un accord. » Il reconnaît aujourd'hui que c'était faire preuve de naïveté mais tout le monde souhaitait désespérément éviter une situation explosive. Après avoir assisté aux travaux de sa commission, Murphy rejoignit Lee dans son bureau et l'assura qu'il ne serait pas licencié.

On trouva encore une fois un compromis en ajoutant aux trois membres du comité directeur un nouvel élément : William Clay Ford, preuve évidente, s'il subsistait le moindre doute, qu'il s'agissait d'une manœuvre. Bill, depuis vingt ans, n'avait eu aucune activité au sein de la direction.

A la fin du mois de juin, Henry II et un certain nombre de cadres supérieurs de la société effectuèrent une tournée en Extrême-Orient. Kathy DuRoss, qui, le nom mis à part, était considérée par tout le monde comme Mrs. Ford, faisait partie du voyage. La tournée comprenait une visite aux fournisseurs de T'ai-wan et une inspection en Australie. Elle devait donc durer un certain temps. La nomination de Bill s'expliquait par les craintes d'Henry II concernant le comportement de Iacocca en son absence.

Ces craintes étaient amplement justifiées. Quelques jours plus tard, Iacocca prit l'avion pour Boston et New York. Il voulait consulter deux administrateurs qui soutenaient sa cause : George F. Bennett, un banquier de Boston, et Joseph F. Cullmann III, président du conseil d'administration de Philip Morris.

Quand Henry II eut vent des déplacements de son président, il comprit que Lee ne se laisserait pas faire. L'issue de la bataille se déciderait au sommet. En 1969, Iacocca avait réussi à briser Bunkie Knudsen et il projetait de faire de même avec Henry II.

On peut comparer Lee à David affrontant Goliath ou à Icare, mais on peut dire aussi qu'il avait tout simplement perdu l'esprit. Les administrateurs partageaient tous cette opinion quand ils se retrouvèrent le 12 juillet 1978.

Iacocca, après avoir manœuvré habilement pendant trente ans, avait oublié les règles du jeu. La Ford Motor n'était pas une société ordinaire qui fonctionne selon les règles apprises dans les écoles commerciales. La famille détenait 40 % des voix, et ni Iacocca ni personne ne pouvait y changer quoi que ce fût. « Lee avait un bon nombre de copains dans la place, dit Murphy, et s'il ne s'était pas agi d'Henry II, il pouvait " castrer " n'importe qui. Mais pas quelqu'un qui porte le nom de la famille. Voilà ce qu'il n'arrivait pas à comprendre. »

Le 12 juillet, Ford posa un ultimatum à ses administrateurs. Il les avait écoutés le mois précédent et s'était plié à leur volonté mais maintenant, il leur fallait choisir. « Ce sera Iacocca ou moi », dit-il et personne ne vota contre lui.

Dans la soirée, Lee reçut un coup de téléphone de Keith Crain, le directeur des *Automotive News*.

« Dites-moi que ce n'est pas vrai! » lança Crain.

Iacocca en conclut que ce dernier, un ami d'Edsel Ford, avait appris la nouvelle par la famille. Mais Edsel se trouvait alors en Australie. La rumeur s'était déjà répandue en ville et Crain voulait en obtenir confirmation pour la publier dans son magazine qui sortait le lendemain. Il avait fait stopper les rotatives.

Le 13 juillet, à trois heures de l'après-midi, Lee Iacocca fut convoqué par Henry II qui l'attendait dans son bureau avec son frère William Clay.

Selon Iacocca, Bill devait servir de témoin à son frère. L'explication n'est pas aussi simple. William Clay avait de la sympathie pour Lee qui, dans ses tentatives désespérées de dernière minute, lui avait demandé son appui. Pendant des mois, il avait eu des entretiens avec son frère et avec Iacocca, servant en quelque sorte d'intermédiaire entre les deux hommes.

« Tu es un meilleur ami de Lee que je ne le suis moi-même », lui avait un jour reproché son frère.

« Sapristi! » s'exclame aujourd'hui William Clay. « Leurs bureaux se trouvaient porte à porte. Ils travaillaient ensemble depuis je ne sais combien de temps et, soi-disant, j'étais plus proche de lui. Je suppose que c'est pour cela qu'il m'a demandé d'être présent. »

Henry II ne voulait laisser place à aucune équivoque et montrer que non seulement le conseil d'administration mais la famille elle-même étaient d'accord. Impossible de faire appel. Neuf ans plus tôt, il avait agi de la même façon avec Bunkie Knudsen en demandant à Bill d'assister à l'entretien.

Ce dernier pleura. Iacocca se souvient très bien que « les larmes coulaient sur son visage », et Bill ne le nie pas. C'était une sorte de tragédie comme le renvoi d'un fils par son père, la déchéance d'un prince héritier qu'on privait de la couronne, plus simplement la séparation de deux hommes qui ne pouvaient continuer à travailler ensemble parce qu'ils se ressemblaient trop.

Iacocca réagit à sa façon habituelle en gesticulant et en hurlant des insultes. En revanche, Henry II n'avait pas grand-chose à dire. Il se montra plus loquace au sujet de la date de « démission » de Lee et des détails concernant sa retraite. « J'ai moi-même beaucoup de choses à faire, dit-il, des problèmes personnels. Je ne peux pas en dire plus. »

Ce fut une piètre performance et Iacocca aurait certainement remporté l'Oscar si elle avait eu lieu pour les Academy Awards [1]. En sortant du bureau, Bill le félicita : il s'était bien défendu.

« Merci, dit Lee en acceptant le compliment, mais je suis mort, et vous et lui êtes encore en vie. »

Il était convenu, selon les règlements en vigueur, que Iacocca resterait encore trois mois dans la société, jusqu'au 15 octobre 1978, date de son cinquante-cinquième anniversaire. Il recevrait alors le montant complet de sa retraite, soit 1 100 000 dollars en argent liquide et en capital, à condition de ne pas travailler pour un concurrent.

Il essaya par tous les moyens de faire supprimer cette clause de son contrat afin de pouvoir être payé s'il se faisait recruter par Chrysler. Il engagea les services du plus réputé des avocats américains, Edward Bennett Williams, pour négocier avec une commission de Ford dirigée par William Clay et Carter Burgess. Dans ses Mémoires, il décrit les deux hommes comme « des bâtards de la pire espèce ».

« Je n'ai jamais insulté sa mère, dit aujourd'hui Burgess, et je ne comprends pas pourquoi il insulte la mienne. C'était lui-même qui avait signé cette clause quand il était président et je ne pouvais revenir sur sa décision. »

Iacocca garda la jouissance de son bureau du douzième étage jusqu'au mois d'octobre. On lui proposa par la suite de s'installer à Telegraph

1. Récompenses accordées aux meilleurs acteurs et gens de théâtre.

Road, au centre de distribution des pièces détachées, en attendant de trouver un nouvel emploi.

Il fut littéralement horrifié en découvrant son nouveau bureau.

« Il était, écrit-il, à peine plus grand qu'un cagibi avec un petit bureau et un téléphone. Ma secrétaire était déjà là, les larmes aux yeux. Sans un mot, elle me montra le linoléum craquelé et les deux tasses à café en plastique, posées sur la table. Pour moi, c'était la Sibérie. »

Il décrivit son exil dans ce « sombre entrepôt de Telegraph Road » comme la « dernière humiliation » que lui infligea Henry Ford. « Cela me donnait des envies de meurtre », dit-il. Quand il commença à écrire ses Mémoires, il demanda à son nègre de commencer par cet épisode qui avait été pour lui le moment de vérité.

Le bureau en question avait déjà eu un premier occupant : Ernest Breech, président du conseil d'administration de la Ford Motor jusqu'en juillet 1960. Pendant qu'il négociait son propre départ de la société, il s'arrêta un jour devant le bâtiment de Telegraph Road et demanda au directeur s'il n'avait pas un bureau à mettre à sa disposition. Celui-ci fit visiter une pièce spacieuse, bien éclairée par des baies vitrées et au sol recouvert de moquette. Breech trouva l'endroit idéal et le loua pour une somme modeste à la société. Pendant neuf ans, il en fit son quartier général, continuant à l'occuper après avoir été nommé président du conseil d'administration de TWA.

Dans le bureau de la secrétaire, le linoléum était effectivement usagé et l'on buvait le café distribué par une machine dans des gobelets en plastique. Ernie Beech pour sa part n'était pas amateur de café, mais il ne dédaignait pas de prendre ses repas à la cafétéria avec les employés et les ouvriers.

Quand Lee Iacocca s'y installa, on y apporta de nouveaux meubles : un grand bureau en teck, un canapé et un fauteuil, une lampe de bureau en cuivre.

Ernie Breech était mort en juillet 1978, quelques jours avant le licenciement de Iacocca. Henry II donna des instructions pour l'aménagement du local. On peut voir encore de nos jours l'endroit ou Lee passa son « exil en Sibérie ». Le directeur, jugeant ce bureau trop grand pour son propre usage, en occupe un autre, plus modeste, avec une table de travail en formica.

EPILOGUE

Un après-midi de mai 1979, les habitants de Grosse Pointe virent défiler un nombre impressionnant de Ford et de Lincoln flambant neuves sur Lakeshore Road. En arrivant à la hauteur du n° 1000, elles franchirent le portail de la propriété de William Clay. La famille Ford se réunissait.

Après la mort de Mrs. Eleanor, personne n'avait maintenu la tradition de Noël. Mais cette fois-là, oncle Bill avait envoyé à chacun un télégramme. On allait parler affaires. Henry II avait décidé de se retirer et d'en informer les actionnaires dont la réunion devait avoir lieu la semaine suivante. Pour la première fois depuis soixante-quinze ans, la société ne serait plus dirigée par un Ford.

Neuf mois s'étaient écoulés depuis le licenciement de Iacocca, et tout le monde savait qui serait le nouveau patron. Caldwell avait déjà mis en place son équipe depuis le mois de juillet de l'année précédente, mais Henry II voulait avoir l'opinion de la famille et s'expliquer sur le rôle qu'il allait jouer lui-même à l'avenir. Il siégerait au conseil d'administration et présiderait la commission la plus importante : celle des finances.

Les Ford étaient pratiquement au complet : Charlotte et Anne, élégantes et plus belles que jamais; Edsel II et sa femme Cynthia qui arrivaient d'Australie; Wally et Josephine avec leurs enfants; William Clay, ses trois filles et son fils. Benson était mort en 1978 et sa femme, malade, s'était fait représenter par Benson Junior et sa sœur Lynn.

La trentaine, un visage carré, Benson Junior était en train de dîner à la table réservée aux membres de sa génération quand on vint l'informer que ses oncles voulaient lui parler. Henry II et William Clay l'attendaient dans la bibliothèque. L'horreur et l'incrédulité se lisaient sur leurs visages.

« Benson, dit William Clay, mon système électronique de surveillance indique que tu portes sur toi un micro. Est-ce exact ? « « Oui », répondit le jeune homme. « Nous voulons le voir », exigea son oncle.

Benson enleva sa veste et sa chemise. Un émetteur Fargo était fixé à sa poitrine, relié à un récepteur enregistreur placé dans une voiture garée devant la propriété. Avant que quelqu'un ne pense à couper le contact, l'appareil enregistra quelques jurons bien sentis de l'oncle Bill.

Dans la soirée, Benson Junior fit écouter la bande à ses alliés dans la guerre qu'il avait engagée contre sa famille, et Henry II en particulier, depuis la mort de son père. Lee Iacocca se trouvait là.

Il n'était pas facile de porter le nom de Ford et Benson Senior en avait fait les frais, sans causer cependant la moindre gêne à sa famille. Son fils se comporta de façon bien différente.

Tous les enfants Ford, à un moment ou un autre, prenaient conscience du prestige et de la richesse attachés à ce nom, mais Benson, alors qu'il n'était encore qu'un petit garçon, avait très vite eu le sentiment de n'être qu'une marionnette. Certes, il était agréable de partir en croisière en Floride pendant l'hiver avec ses parents mais cela signifiait aussi qu'il ne passait jamais plus de quelques mois dans la même école.

Au cours d'un de ces voyages sur le yacht de son père, l'*Onika,* le jeune garçon avait eu très mal au ventre et, craignant l'appendicite, on avait été obligé d'accoster. Avant la croisière suivante, sa mère, pour éviter de nouveaux désagréments, l'emmena avec sa sœur Lynn à l'hôpital Ford où on opéra les deux enfants à titre préventif.

Sous des abords agressifs, Benson Junior cachait une grande timidité et un profond sentiment d'insécurité. Ce fut un adolescent difficile. Après avoir fréquenté plusieurs écoles secondaires, il s'inscrivit à Whittier College, une université de la banlieue de Los Angeles, afin d'être le plus loin possible de sa famille et du genre de vie qu'on y menait. Il passa son temps à se dorer au soleil sur les plages, à conduire des voitures de sport et à absorber toutes les substances narcotiques et hallucinogènes disponibles sur le marché. Avant l'âge de trente ans, il avait été arrêté deux fois pour usage de drogue.

De tous les petits-enfants Ford, Benson et Lynn étaient les plus riches. Leur fortune provenait des actions souscrites en leur nom par les autres membres de la famille afin d'échapper au fisc. Benson Senior n'ayant que deux enfants, ces derniers héritèrent à vingt et un ans d'un capital considérable : environ 20 millions de dollars chacun, surtout en actions de catégorie B.

Les héritages étaient traditionnellement gérés par la Ford Estates dont Pierre Heftler, l'avocat de famille depuis de nombreuses années, était le conseiller juridique. Benson, après une discussion orageuse avec ses parents et Heftler, décida en décembre 1972 de gérer lui-même sa fortune. Il avait fait la connaissance à Whittier College d'un psychothérapeute, Lou Fuentes, qui au cours de ses consultations lui avait conseillé de prendre cette décision.

Lou Fuentes allait jouer un rôle de premier plan dans la vie du jeune Benson pendant près de six ans et son impact sur la famille Ford devait être considérable. Les problèmes familiaux n'avaient jamais éclaté au grand jour. Edsel Ford avait montré la voie de la soumission et du silence.

Mais Fuentes parlait ouvertement des dégâts causés au psychisme de son patient par le comportement de la famille. Sa thérapeutique eut un prolongement plutôt curieux : il proposa à Benson de s'associer avec lui en affaires. Au moment où nous écrivons ces lignes, les deux hommes sont d'ailleurs en procès.

La Luben Incorporated fut créée au début des années soixante-dix. Elle fabriquait des accessoires automobiles pour la côte ouest. L'association Ford-Fuentes s'étendit à d'autres activités. Selon Benson Junior, certaines réunions d'affaires se déroulaient dans le cabinet du psychothérapeute pendant que son patient était allongé sur le divan.

Ils ne connurent pratiquement que des échecs et perdirent près de 10 millions de dollars. L'entreprise courait à la catastrophe lorsque Benson Senior mourut en 1978, au moment où la guerre entre Henry II et Lee Iacocca atteignait son apogée. Benson Junior et Fuentes se trouvèrent soudain au cœur même du drame. Le père du jeune homme avait en effet modifié son testament et le jeune Ben ne pouvait plus disposer à son gré de l'argent des Ford. On désigna des curateurs, et notamment ses deux oncles Henry II et William Clay. En 1978, Benson Junior contesta le testament.

Le problème concernait toute la famille mais il eut encore d'autres prolongements. Benson Senior avait demandé à Lee Iacocca de cultiver l'amitié de son fils afin de tenter de remettre le jeune homme dans le droit chemin. Chaque fois que Ben venait à Detroit, il rendait visite au président de Ford (« Il me parlait franchement, dit-il aujourd'hui et cela me plaisait »). Lou Fuentes l'accompagnait souvent. Ils sortaient ensemble pour dîner. Benson Junior fit la connaissance de Mary Iacocca avec laquelle il sympathisa. Aujourd'hui, il considère encore Lee comme un ami.

Dans une interview accordée à Kirk Cheyfitz en 1984, Lee rapporte qu'Henry II l'avait un jour mis en garde à propos de ses relations avec Benson Junior. « Pourquoi êtes-vous toujours en train de discuter avec lui ? » avait-il demandé. « Parce que votre foutu frère me l'a demandé », répondit Lee. « Faites attention, répliqua Henry, il fréquente des gens peu recommandables. »

Benson Junior et Lou Fuentes se déplaçaient avec des gardes du corps armés. Henry II conseilla à son président de cesser ses relations avec des gens qui ne pouvaient que causer des problèmes à la famille Ford.

Iacocca suivit ses instructions jusqu'à son licenciement. Mais par la suite, il apporta son soutien – et celui de ses amis – au jeune Benson dans ses tentatives pour mettre Henry II dans l'embarras.

Benson Junior et Fuentes rencontrèrent Fugazy à New York à l'automne 1978. Ils se rendirent ensuite en Floride où se trouvait Iacocca. Benson se souvient que Roy Cohn entra en scène à ce moment-là. « Je crois que Fugazy nous l'avait recommandé. Nous avions besoin d'un type coriace, malin, un enfant de putain... C'était une épine dans le pied de Ford et tout ça concordait bien avec mon programme. »

Il le prit donc comme avocat dans le procès qu'il avait intenté contre le testament de son père. Par ailleurs, il resta en contact avec Iacocca. Après la réunion de famille chez l'oncle Bill en mai 1979, il lui téléphona pour lui demander de le rejoindre à son hôtel en lui disant qu'il avait « quelque chose d'intéressant pour lui ». Iacocca, qui était alors jusqu'au cou dans les ennuis de la Chrysler, arriva sur-le-champ.

« Il rit à s'en taper le derrière par terre, dit Benson. Il ne pouvait en croire ses oreilles. Il se fit repasser la bande quatre fois. »

Les réunions annuelles des actionnaires de la Ford, comme celles de plusieurs autres compagnies américaines, sont connues pour la confusion générale qu'y apportent deux actionnaires « professionnels », Mrs. Evelyn Y. Davis et Mr. Lewis D. Gilbert. Tous deux détiennent quelques dizaines d'actions dans de nombreuses sociétés et passent la majeure partie de leur temps à se rendre de réunion en réunion, soulevant des points de l'ordre du jour et posant des questions ridicules aux administrateurs. Ils se trouvaient le 10 mai 1979 dans l'auditorium Edsel et Eleanor Ford. Henry II, de l'estrade où il était assis, les aperçut. « Je vois qu'Evelyn Davis est là, dit-il à Philip Caldwell. Elle est tout excitée... J'imagine déjà la question de Gilbert : " Pourquoi avez-vous mis si longtemps à vous débarrasser de Iacocca ? " »

Les heures qui allaient suivre seraient difficiles. Benson Junior avait demandé un siège au conseil d'administration et devait intervenir devant les actionnaires. De plus, Roy Cohn se trouvait de nouveau dans les parages.

Henry II était au mieux de sa forme pour son chant du cygne. Il portait une cravate à pois bleus avec pochette assortie et le badge à son nom qu'il persistait à arborer au cours de ces réunions.

Il commença son intervention en rendant hommage à son frère Benson. « Sa disparition, dit-il, laisse un grand vide. Puis-je vous demander de vous lever et d'observer une minute de silence en sa mémoire ? »

Ce fut le seul moment de calme de toute l'assemblée. Pour retarder au maximum les incidents qui devaient inévitablement se produire, Henry II fit d'abord un bilan des activités de la société depuis 1945.

Contre 160 000 employés à cette époque, elle en comptait aujourd'hui 518 000, avec 14 000 concessionnaires dans 200 pays. En 1946, elle avait vendu 900 000 voitures, et 6 500 000 en 1978. Ford-Aerospace avait joué un rôle clé dans l'arrivée de l'homme sur la Lune. Ford-Europe, créée par Henry en 1967, occupait le vingt-huitième rang mondial. Tous les dix jours, Ford vendait pour 1 milliard de dollars.

« Depuis 1975, dit-il, j'ai consacré une grande part de mon temps à planifier la future direction de la société et à prévoir mon remplacement. » Il en avait discuté avec les administrateurs, et se déclara heureux d'avoir établi des bases solides pour les années quatre-vingt. Il aborda enfin le « rôle joué par la famille » dans la direction de la société.

« Il y a peu encore, dit-il, je pensais qu'il n'y avait pas lieu de faire ce genre de déclaration. Les choses me paraissaient claires. Apparemment, elles ne le sont pas pour tout le monde. » Par-dessus ses lunettes, il regarda vers la partie de la salle où étaient assis les membres de la famille et notamment Benson.

« Puisqu'il faut être franc, dit-il, j'ai décidé de ne laisser place à aucun doute. La possession d'une action de catégorie B n'est pas un passeport pour une position élevée, que ce soit dans la direction ou au conseil d'administration. Si un membre de la famille obtient un tel poste, ce sera par ses mérites et suite à une décision du conseil d'administration. Il n'y a pas de prince héritier chez Ford. »

Des applaudissements éclatèrent et Henry II but une gorgée d'eau.

« Ma principale préoccupation a toujours été et est encore l'avenir de la Ford Motor, poursuivit-il. Je laisse la direction entre les meilleures mains possibles et j'estime que ce sera la meilleure que nous aurons jamais eue... Après trente-quatre ans de travail, je suis prêt à me retirer. »

Ce fut un instant émouvant. Toute l'assistance se leva pour applaudir. Parmi les actionnaires se trouvaient de nombreux retraités qui avaient travaillé avec Henry. L'ovation se poursuivit jusqu'à ce que ce dernier eut levé le bras en signe d'adieu.

Les questions malveillantes commencèrent alors à fuser. Pourquoi, demanda Evelyn Davis, son oncle n'admettait-il pas Benson dans le conseil d'administration ? « Il n'est pas qualifié », répondit Henry d'un ton bourru.

Gilbert posa la question attendue sur Iacocca et demanda des précisions sur son indemnisation puisqu'il travaillait désormais pour un concurrent. « Je n'y comprends rien moi-même », dit Henry en renvoyant au rapport dans lequel se trouvaient tous les détails.

Roy Cohn attaqua à son tour. Y avait-il un rapport entre le remboursement de 34 585 dollars fait par Henry à la compagnie et la suite à l'hôtel Carlyle ? Henry II le confirma. Il avait découvert que sa femme et certains de ses amis avaient occupé cet appartement à son insu et aux frais de la société. Il avait donc payé ses dépenses.

Roy Cohn sentait venir la curée. Ses accusations étaient donc crédibles, dit-il, puisque l'on n'aurait rien découvert s'il n'avait pas demandé une enquête. Il en vint ensuite à l'affaire Iacocca et donna la liste des administrateurs qui avaient suivi ce dernier chez Chrysler.

« Nous avons perdu une équipe solide, dit-il en parlant au nom des actionnaires, qui a rejoint un concurrent. » Ford aurait ainsi laissé échapper des hommes de talent et Henry II en était responsable.

« Mettez donc votre argent chez Chrysler, rétorqua celui-ci et allez assister à leurs meetings. » Cette riposte fut accueillie par des applaudissements.

Benson Junior se leva à son tour. « Je suis un homme d'affaires qui a réussi, dit-il. Je m'y connais en automobiles. »

Tout en admettant qu'il avait perdu la bataille actuelle, il déclara qu'il n'avait pas l'intention de s'effacer.

Le pire était encore à venir. Dans les mois qui avaient précédé le licenciement de Iacocca, la campagne de diffamation lancée par Cohn s'était essoufflée. Elle semblait être désormais sans but. Les avocats de Ford avaient obtenu un jugement demandant aux clients de l'avocat un dépôt de 250 000 dollars. Faute d'argent, on allait vers l'annulation du procès quand un sauveur inattendu s'était manifesté. De Tomaso, l'ami de Iacocca, avait mis à la disposition de Cohn les 10 912 actions qu'il possédait chez Ford, soit près d'un demi-million de dollars. Cohn de son côté reçut alors un document confidentiel lui permettant de porter des accusations plus substantielles.

Il s'agissait d'un rapport d'Henry Nolte, l'avocat-conseil de la Ford, concernant le « scandale indonésien ». Le général n'avait pas reçu la commission d'un million de dollars mais il était possible qu'il en ait touché une autre de 889 000 dollars. Des employés auraient falsifié et antidaté les rapports soumis par Nolte au département de la Justice.

L'enquête démontra par la suite que non seulement les cadres supérieurs de Ford n'étaient pas impliqués dans ces malversations, mais encore qu'aucune commission n'avait été versée. Les choses n'étaient cependant pas claires en 1979 et, pendant une dizaine de minutes, Cohn gratifia les actionnaires d'un de ces spectacles dont ses admirateurs étaient si friands. Henry II joua la prudence. Il n'avait pas eu connaissance des faits, dit-il. Le département de la Justice avait eu tous les éléments à sa disposition, comme le rapport de Nolte le recommandait. A la fin de l'interrogatoire, même l'observateur le plus partial pouvait conclure qu'Henry II disait la vérité.

La réunion allait s'achever sur une note déplaisante. Fort heureusement, un membre de l'assistance se leva pour y apporter une conclusion différente.

Charlotte Ford, qui était restée assise pendant quatre heures en se contentant de prendre des notes, prit la parole « au nom de la famille et particulièrement des membres de ma génération », et félicita son père « pour tout ce qu'il avait fait pour la société, les actionnaires, les employés, la ville de Detroit et le monde entier pendant trente-huit ans ».

« Vous êtes un grand homme, dit-elle, généreux, fidèle et par-dessus tout honnête. Nous sommes tous fiers de vous. »

Ces paroles furent suivies d'une véritable ovation. Henry II remercia sa fille d'une voix émue.

Le 1er octobre 1979, Henry Ford II abandonna ses fonctions à la tête de la société. Début 1980, il en termina également avec une autre phase de sa vie personnelle. Ses avocats et ceux de Cristina parvinrent à un accord. Le constructeur déboursa, estime-t-on, 16 millions de dollars et fut enfin libre de légaliser ses relations avec Kathy DuRoss. On célébra le mariage à Carson City, Nevada. L'heure et la date (le 14 octobre 1980 à 10 h 40) avaient été indiqués par un astrologue.

Six jours auparavant, Henry II avait téléphoné à ses filles pour les inviter. Anne et Charlotte jugèrent le délai trop court et ne se rendirent pas au Nevada. Edsel II se trouvait alors en voyage d'affaires en Australie. Il n'y eut donc pas grande affluence au troisième mariage du constructeur : quelques amies de Kathy qui avaient été mannequins et ses deux filles, Debi et Kimberly.

Anne Ford reçut quelques jours plus tard un coup de téléphone de son père. Il l'appelait d'Europe où il passait sa lune de miel. Il était dix heures du soir à New York – quatre heures du matin en Europe – et Henry avait manifestement bu. Il bredouillait. S'assurant qu'il parlait bien à sa fille préférée, l'enfant à qui il venait se confier à Grosse Pointe quand il avait des insomnies et se sentait seul, il commença à l'injurier avec la plus grande grossièreté. Il hurlait des obscénités. Anne raccrocha. Quelques minutes plus tard, son père appela de nouveau, non pour faire des excuses mais pour continuer sur le même ton. Après le troisième coup de fil, Anne décrocha le combiné. Depuis ce soir-là, elle ne parle pratiquement plus à son père.

Tous les membres de la famille que nous avons rencontrés, ceux qu'il a chéris comme ceux qu'il a parfois fait durement souffrir, se demandent comment cet homme chaleureux, sensible et, par certains côtés, naïf, a pu faire preuve d'une telle brutalité envers ses proches. A la fois aimable et cruel, attentionné et insensible, Henry II, qui a maintenant près de soixante-dix ans, se comporte comme un méchant petit garçon.

Clara Ford s'était sans doute posé la même question devant le comportement de son mari avec son fils Edsel. Le défenseur de « l'engineering humain », qui, selon Walter Hayes, « traite les domestiques, les serveuses d'hôtel, les secrétaires, les chauffeurs et les gens simples comme des ducs et des duchesses », termine sa vie dans l'isolement le plus total, coupé de ceux qui lui sont les plus chers, comme ce fut le cas pour Henry Ier.

Le désaccord au sein de la famille Ford remonte à 1980. Le mardi 9 octobre, Henry II avait invité ses filles à son mariage et elles avaient refusé de s'y rendre. Tout se passa au téléphone et Charlotte Ford, qui a essayé vainement de rétablir de meilleures relations avec son père, s'en souvient nettement.

« Je venais juste d'arriver à ma maison de campagne. Il dit : " Comment vas-tu ? " " Très bien, lui répondis-je, et toi ? " Il resta silencieux quelques instants puis reprit : " Je voulais seulement que vous sachiez que je vais épouser Kathy mercredi prochain au Nevada. " C'était plutôt cavalier. Je répondis : " Oh. Je ne peux pas venir. Je viens de renvoyer ma secrétaire. " J'ai sans doute eu tort de ne pas assister au mariage, mais c'est le genre d'erreurs qu'on comprend trop tard. J'avais des problèmes, ma fille, son école... Évidemment, nous aurions dû tout laisser tomber pour y aller, mais nous ne l'avons pas fait et il ne nous l'a jamais pardonné. »

Charlotte et Anne avaient appris le mariage de leur père avec sa seconde épouse, Cristina, par la radio. Elles n'aimaient pas Kathy et ne s'en cachaient pas. Leur père leur avait promis de discuter avec elles avant de se remarier. Elles se sentaient trahies.

Kathy Ford, de son côté, n'a guère de sympathie pour elles. « Pauvres petites filles riches, dit-elle, toujours en train de se plaindre : " Daddy n'a pas fait ceci ou ne fait pas cela. " J'ai toujours envie de leur dire : " Vous avez de la chance d'avoir un père. Mes enfants n'en ont jamais eu. " Je ne veux plus jamais aller chez elles ou voyager avec elles. J'en ai assez fait. »

L'inimitié existant entre les filles d'Henry et leur belle-mère (qui n'a qu'un an de plus que Charlotte) est une histoire banale. Les enfants avaient fait de grands efforts pour être en bons termes avec Cristina qu'ils avaient même, à un certain moment, adorée, mais ils n'avaient pas l'intention de refaire l'effort avec Kathy. Ils estimaient qu'elle n'était pas digne de leur père. Quant à la jeune femme, elle ne cache pas ses sentiments : ce sont des enfants gâtées, ne connaissant rien à la vie. De plus, elle leur garde rancune de leur absence à son mariage.

« Si on vous téléphonait pour vous apprendre la mort de votre père dit-elle un jour à Charlotte, je me demande si vous trouveriez le temps d'assister à son enterrement. »

Kathy est différente des Ford qui manifestent peu leurs sentiments. C'est une personne directe qui dit toujours ce qu'elle pense. Elle ne craint pas de montrer de l'intérêt pour certaines choses que l'on considère généralement comme excentriques. Elle étudie l'astrologie, consulte des voyantes, croit aux pouvoirs parapsychiques. Elle pense que l'esprit d'Henry Ier a favorisé sa rencontre avec son mari.

« Je jouais du violon, dit-elle, et le grand-père en jouait également. Son air favori était *Je vous ramènerai à la maison, Kathleen.* Mon premier mari et le grand-père s'ennuyaient peut-être au paradis et ils ont décidé, pour s'amuser, d'arranger les choses. On ne peut jamais savoir. Il y a comme cela des mystères. »

Si vous lui plaisez, elle vous présentera à son propre « esprit », Helta, avec lequel elle s'entretient au moyen du *ouija.*

« C'est un alphabet, explique-t-elle, quelque chose dans le genre des tables qu'on fait tourner. On se sert d'une planchette triangulaire. Il suffit de poser la main dessus et de poser une question. Le cercle qui se trouve au milieu se dirige vers les lettres. C'est de l'énergie. Il y a de l'énergie tout autour de nous. Helta et moi sommes à la fois des émetteurs et des récepteurs. »

Selon Kathy, son mari montre une grande « ouverture d'esprit » vis-à-vis d'Helda. Il reconnaît lui-même qu'il s'y intéresse mais ne consulte pas le *ouija* sur des questions importantes. « Quand j'ai un problème avec mon bateau, je lui demande si c'est grave. Ou encore si notre voyage en Europe se passera bien. »

Anne raconte qu'Helta est intervenue à propos de l'invitation pour le mariage. La jeune femme avait demandé à son père de retarder la cérémonie afin de permettre à Edsel de revenir d'Australie. Elle lui avait aussi suggéré de se marier à Detroit. « Non », avait répondu Henry. « Le *ouija* a dit que cela se passerait la semaine prochaine, sur une montagne près de Las Vegas. »

Il n'y aura vraisemblablement pas d'autre Ford à la tête de l'entreprise. On pensait à Detroit qu'Henry II préparait le terrain pour son fils, mais on se trompait.

Edsel Ford II, qui a aujourd'hui 39 ans, est directeur du marketing et de la publicité à la division Lincoln-Continental. Aucun cadre de cet âge n'a un poste aussi élevé. C'est d'autre part une bonne préparation pour une future promotion, à l'étranger peut-être.

Chez Ford cependant, tout jeune homme brillant peut prétendre à cette même position. C'est la politique pratiquée par la société avec ses cadres. Quand il aura 45 ans, Edsel Ford II sera entouré d'hommes de son âge, aussi qualifiés que lui et son nom pourrait bien être un handicap. Depuis le départ d'Henry II, la société a découvert qu'elle pouvait fort bien fonctionner sans être dirigée par un Ford.

Le petit Henry Ford III a aujourd'hui 7 ans. Il commence tout juste à faire le rapprochement entre son patronyme et le nom d'une automobile. Il ne sait même pas qu'il est un « Henry ». Dès sa naissance, ses parents, Edsel II et Cynthia, l'ont appelé Sonny.

Henry II ne se préoccupe d'ailleurs guère d'enseigner à son petit-fils ce que représente le fait d'être un Henry Ford. Le patriarche s'était fort bien occupé de ses propres petits-enfants. Edsel et Eleanor se plaignaient même de le voir passer trop de temps à jouer avec eux à Fairlane.

Henry II, qui a six petits-enfants, fait de son mieux les rares fois où il les voit. « Les gosses sont fous de lui », dit Cynthia. Absorbé par sa vie personnelle et par son troisième mariage, ce n'est pas un grand-père à plein temps.

Si le petit Henry III a de la chance, il restera peut-être Sonny pour le restant de ses jours. Le dernier Henry Ford n'est même pas américain. Né en Australie pendant que son père y était en poste, il a la nationalité de ce pays. Son père ne serait pas mécontent si, à l'âge de 18 ans, il choisissait la nationalité australienne. « Qui sait, dit Edsel, ce ne sera peut-être pas très drôle d'être américain à ce moment-là. »

Les jeunes hommes de la famille suivent des chemins différents. Edsel II et William Clay Junior ont choisi de travailler à la Ford Motor, s'élevant peu à peu dans la hiérarchie, ce qui ne leur apportera peut-être pas tout ce qu'ils espèrent. S'ils parviennent au sommet, on dira que c'est parce qu'ils s'appellent Ford. S'ils n'y arrivent pas, on ne leur pardonnera pas leurs échecs.

Benson Junior, après avoir été un rebelle, s'est assagi et a regagné Detroit. Pour compenser une douzaine d'années perdues, il cherche à se réconcilier avec sa famille et à obtenir des dommages et intérêts de son ancien psychothérapeute.

Walter Buhl Ford III, le fils de Josephine et de Wally qu'on appelle familièrement « Buhl », a dépensé une grande partie de son héritage en divers divorces. Au cours du procès, le public a pu se faire une idée des besoins d'un homme riche : 6 000 dollars de fleurs par an, et 5 000 dollars pour des projections privées de films en première vision.

Son jeune frère Alfie semble plus en accord avec lui-même que tous les autres membres de la famille. Agé de 37 ans, il est membre de la secte Hare Krishna depuis dix ans. Il a adopté le nom d'un ancien roi hindou, Ambarish Das, qui, selon la légende, a abandonné son royaume et ses richesses pour servir le dieu Krishna. Alfred Brush Ford a fait don de plus de 2 millions de dollars à la secte. Avec une autre adepte, Lisa Reuther, la fille de Walter, il a fait construire un monastère et un temple sur les bords de la rivière de Detroit ou les miséreux peuvent recevoir de la nourriture. Il s'occupe également de différents projets relatifs à la diffusion des idées de sa secte, notamment sur la réincarnation et la nécessité d'être végétarien.

Des magnats en puissance, un rebelle repenti, un mystique en robe safran – quel genre de communication peut-il s'établir entre des personnes aussi différentes ?

En fait, ils ne se rencontrent jamais. On pourrait penser qu'ils constituent un clan solidaire, mais les Ford actuels mènent leur vie chacun de leur côté et ne font rien pour se distinguer particulièrement. Aucun d'eux ne fait partie des administrateurs de la Fondation Ford. En 1986, on célébra, au Detroit Institute of Art, le centenaire de la naissance de Diego Rivera par une exposition dont la pièce maîtresse était les fresques du peintre mexicain, le plus bel héritage laissé par Edsel. Parmi tous les enfants et les onze petits-enfants d'Edsel, Josephine et Lynn – accompagnée de son mari Paul Alandt – furent les seuls à assister aux cérémonies.

Avant sa mort, Mrs. Eleanor avait rassemblé tous ses enfants. On ne servirait pas d'apéritifs, avait-elle dit, car elle voulait qu'ils lui accordent toute leur attention. La destruction des belles résidences de Grosse Pointe l'affectait profondément et elle avait décidé de faire de la sienne une sorte de mémorial et un centre culturel. Elle laissa 15 millions de dollars à cet effet, mais ses enfants ne se sont pas révélés capables de maintenir l'unité familiale qu'elle avait toujours entretenue.

Les relations entre Henry II et son jeune frère Bill n'ont jamais été très bonnes et se sont considérablement détériorées au cours des dernières années. En 1979, Henry demanda l'avis de la famille sur son éventuel remplacement par William Clay. Comme tout le monde semblait d'accord, ce dernier se rendit plus fréquemment à la « Maison de verre ». Il s'occupa moins de son équipe de football et prit une place plus importante dans la société, bien qu'il ait toujours été convenu que ses fonctions seraient essentiellement honorifiques.

Le 13 mars 1980, William Clay attendait dans son bureau l'ouverture de la réunion qui devait confirmer sa nomination de président du conseil d'administration. Son frère entra et lui annonça d'un air gêné qu'il avait changé d'avis et décidé de nommer Philip Caldwell à ce poste. William Clay était furieux. Il s'était jusque-là contenté des fonctions qu'il occupait et n'avait fait que suivre une suggestion de son frère qui, au dernier moment, l'écartait sans ménagements et ne se donnait même pas la peine de faire semblant de le consulter.

« C'est comme cela que tu traites ton personnel, lui dit-il, comme cela que tu traites tes femmes, tes enfants, et maintenant c'est mon tour! »

Philip Caldwell avait insisté : s'il devait faire le travail d'un président de conseil d'administration, il voulait aussi en avoir le titre. Entre la famille et la société, Henry II n'avait pas hésité. S'il lui arrive aujourd'hui de réfléchir à ses relations familiales, il hausse les épaules d'un air résigné mais lance avec un certain défi : « J'ai fait mon choix. J'ai épousé la compagnie. »

Le 1er février 1985, Philip Caldwell, qui venait d'avoir 65 ans, prit sa retraite et fut remplacé par Donald E. Petersen, jusque-là président de la Ford Motor. Le numéro trois dans la hiérarchie, Harold A. « Red » Poling, succéda à Petersen.

Detroit ne pouvait en croire ses yeux. C'était la première fois que la passation des pouvoirs s'effectuait sans vendetta, sans licenciements, sans « mise à la retraite anticipée ». Tout s'était passé dans la meilleure tradition de la General Motors. Le but que s'étaient fixé Ernest Breech et Henry II, quarante ans plus tôt, était enfin atteint. La Ford fonctionnait comme une société normale.

Rétrospectivement, la confusion qui a marqué la fin de règne d'Henry II semble une aberration appartenant à un passé lointain. Aujourd'hui, la compagnie pratique un planning de production à long terme. Dans la catégorie des voitures moyennes comme la Taurus et la Sable, elle se présente comme un concurrent sérieux de la General Motors. Elle reprend sa place sur le marché avec plus de rapidité que ne l'a fait Chrysler sous la direction de Lee Iacocca. Depuis 1979, celui-ci est devenu en effet une sorte de héros national pour avoir remis

Chrysler au premier plan. A la même époque, Caldwell prenait les rênes d'une société dont la situation était encore plus déplorable que celle de Chrysler et que Iacocca avait présidée pendant près de dix ans.

Ce dernier, sous de nombreux aspects, peut être considéré comme responsable de la confusion qui régnait alors chez Ford. Henry II qui l'avait encouragé au départ, ne lui avait jamais fait totalement confiance. Il aurait pu facilement lui donner le titre de président après le départ d'Arjay Miller. L'arrivée de Bunkie Knudsen avait été une sorte de catalyseur pour le culte de la personnalité qui s'était développé autour de Iacocca. Henry II, par réaction, affirmait son propre pouvoir en bloquant les décisions de Lee sans raison valable. Rétrospectivement, on peut en conclure qu'il ne voulait pas voir celui-ci prendre sa succession. Quand on est le petit-fils d'Henry Ford, le fils d'Edsel Ford, on n'abandonne pas sa société entre les mains d'un Lee Iacocca.

Celui-ci prit sa revanche de façon éclatante en égalant Henry Ford Ier. Le début du siècle avait vu en effet l'ascension d'un constructeur prestigieux, fils d'immigrant d'origine modeste, méprisé par l'establishment, presque acculé à la défaite par les riches et les puissants. Il avait contre-attaqué avec rage. Grâce à son talent et à un travail ardu, il était non seulement parvenu à la réussite mais avait encore créé des emplois pour des milliers de gens modestes. Dans ces conditions, sa stature de héros populaire était parfaitement compréhensible. Ses voitures n'étaient pas toujours parfaites mais on les achetait parce qu'on avait confiance en lui. L'Américain moyen s'identifiait à son personnage. Les gens lui écrivaient pour lui faire part de leurs problèmes, pour lui donner des conseils. Ils parlaient de lui en l'appelant par son prénom. C'était une personnalité d'envergure nationale. Ses articles, écrits par des assistants qu'il payait bien, remplissaient les colonnes des journaux. Lorsque, utilisant un « nègre », il publia son autobiographie dans laquelle il racontait « sa » vérité, développait ses opinions sur les problèmes nationaux, donnait à ses lecteurs quelques recettes simplistes qui devaient leur permettre de réussir comme lui dans les affaires, ce fut un best-seller. On commença à parler de lui comme d'un éventuel président.

Henry II feint aujourd'hui d'éprouver une profonde indifférence pour le succès foudroyant de celui qu'il a licencié il y a une dizaine d'années, mais il en éprouve du dépit. « Vous êtes toujours accroché aux basques de Iacocca ? » a-t-il dit récemment à l'une de ses connaissances qui a eu le courage de rester en bons termes avec l'ancien président de la Ford.

La carrière fulgurante de Iacocca chez Chrysler met en évidence la principale raison qui poussa Henry II à lui refuser la direction de sa société. Pour tout le monde aujourd'hui, Chrysler, c'est Iacocca. Il a fait de l'entreprise son fief personnel. On imagine mal que, sans lui et son perpétuel sourire, elle puisse continuer à vendre les voitures sans grande prétention qu'elle produit. Iacocca ne connaît pas d'autre moyen d'agir. Entre 1984 et 1986, il réussit même à devenir propriétaire, pendant quelque temps, de la statue de la Liberté.

Mais tout ce qu'il sait, Iacocca l'a appris chez Ford. La société a été pour lui un tremplin. Quand il prit ses fonctions chez Chrysler, il amena avec lui une équipe de cadres de Ford pour sauver la situation.

Automne 1984. Henry Ford II classe des papiers dans son bureau. Il n'occupe plus la pièce qui lui était réservée au dernier étage de la « Maison de verre », et on ne le voit plus tous les jours. Depuis qu'il a pris sa retraite, il passe la majeure partie de son temps en Angleterre et en Floride – son lieu de résidence officiel, où il est membre du conseil d'administration d'un hôpital et d'une banque. La législation de Floride ne prévoit pas de droits de succession.

Henry II a déjà annoncé publiquement ses intentions : il ne léguera pas d'autres sommes à ses enfants que celles qu'ils ont déjà reçues par son intermédiaire ou celui des membres de la famille. Sa troisième femme et ses petits-enfants seront vraisemblablement ses héritiers.

En ce qui concerne la Ford Motor, Henry II est membre du conseil d'administration au même titre que ses collègues qui viennent chaque mois assister aux réunions à Dearborn. Avec toutefois une légère différence : le règlement concernant les membres de la commission des finances a été modifié, de façon qu'un administrateur n'exerçant pas de fonctions au sein de la société puisse la présider. Ce président est Henry II. Il exerce ainsi le contrôle ultime sur toutes les dépenses.

Le vieux monarque n'a pas abandonné ses prérogatives. Les projets les plus importants de la Ford sont soumis à son examen et tout changement au sommet doit obtenir son approbation.

Cependant, en cet après-midi d'automne, Henry II ne s'occupe pas des activités de la société. Il trie des lettres et des rapports datant des années qu'il a passées à la tête de l'entreprise et la plupart des documents rejoignent la corbeille à papier. Il ne s'est pas contenté de détruire ses documents mais a également fait disparaître les rapports médicaux concernant ses parents et ses grands-parents.

« J'ai fait du bon travail », dit-il avec un sourire de satisfaction.

A-t-il conservé certains documents ?

« Aucun, répond-il, à l'exception de lettres que je juge importantes, comme celles de chefs d'État ou de personnalités. J'ai gardé aussi quelques papiers qui ont pour moi un intérêt particulier. Sinon, tout a disparu. »

Son grand-père avait passé les vingt dernières années de sa vie à reconstituer l'histoire, et Henry II peut en avoir le résultat en regardant par les fenêtres de son bureau. Vers le sud-est, s'élèvent les bâtiments de l'usine de Red River et, dans le lointain, le Renaissance Center qui domine les gratte-ciel de Detroit.

Henry II n'est pas intéressé par ce spectacle. La tête baissée, il continue à trier et à jeter des documents. Il a maintenant près de 70 ans. Ses mains tremblent.

Pourquoi se comporter ainsi? Éprouve-t-il une certaine honte de ce qu'il a réalisé? Est-ce de la timidité? De l'agacement? Pourquoi cet acharnement à réduire toute une existence bien remplie au contenu d'une boîte en carton? Notre héros hausse les épaules. L'énigme semble lui plaire.

« Ce que j'ai fait dans ma vie, répond Henry Ford, ne regarde personne. »

TABLE

Quatrième partie

HENRY ET EDSEL

Cinquième partie

HENRY II

Sixième partie

HENRY ET LEE

Achevé d'imprimer au Canada
Imprimerie Gagné Ltée Louiseville